Richard Parkes Bonington
« Du plaisir de peindre »

Richard Parkes Bonington

L'exposition et le catalogue ont bénéficié du soutien de United Technologies Corporation

« *Du plaisir de peindre* » Patrick Noon

Musée du Petit Palais, Paris-Musées, Paris 1992

Ce catalogue accompagne l'exposition *Richard Parkes Bonington*
au Yale Center for British Art, New Haven
(13 novembre 1991–19 janvier 1992)
et au musée du Petit Palais, Paris
(5 mars 1992 – 17 mai 1992)

L'introduction de cet ouvrage a été traduite de l'anglais
par Isabelle Rameau en étroite collaboration avec Isabelle Néto ;
le catalogue a été traduit par Jeanne Bouniort.

L'exposition et le catalogue ont bénéficié du soutien de
United Technologies Corporation.
L'exposition a également bénéficié d'une aide du National
Endowment for the Art, agence fédérale, et du Federal Council
on the Art and the Humanities.

Copyright © 1991 by Patrick Noon
Copyright © 1992 Paris-Musées

La maquette du catalogue a été réalisée par M. Derek Birdsall RDI.
La production en a été supervisée par M. Martin Lee.
MM. Alain Daguerre de Hureaux et Stéphane Loire ont coordonné
l'édition française.
Typographié en Monophoto Van Dijck par August Filmsetting.
Imprimé en Angleterre par Balding + Mansell
sur du papier Parilux mat crème.

ISBN 2–87900–071–8 (version reliée)
ISBN 2–87900–070–X (version brochée)
Diffusion Paris-Musées
31, rue des Francs-Bourgeois
75004 Paris

Crédits photographiques :
Bonham's, London, fig. 42 ; Bulloz, fig. 30 ; Richard Caspole, 3, 16, 17,
20, 21, 22, 25, 29, 34, 44, 46, 48, 52, 53, 68, 72, 80, 96, 109, 111, 112,
113, 151, 155, 157, 158, 164, fig. 1, 3, 11, 24, 27, 33, 35, 39, 41, 49, 61,
64 ; Michael Cavanagh, 8 ; Christie's, London, fig. 4, 6 ; Photographie
Records Limited, 7, 50, 88, 92, 159, fig. 12, 37, 44, 45, 47 ; Prudence
Cuming, 107 ; Claude O'Sughrue, 123, fig. 5 ; Musées de Narbonne,
cliché Jean Lepage, 14 ; Réunion des musées nationaux, 2, 6, 39, 41, 56,
66, 67, 69, 83, 100, 101, 106, 118, 121, 132, 135, 138, 149, fig. 22, 23, 25,
26, 36, 52, 54, 63 ; SPADEM, fig. 8, 9.

Sommaire

Cette exposition a été conçue par le Yale Center for British Art
Elle a été organisée par la Ville de Paris et l'association Paris-Musées avec le
concours de la Réunion des musées nationaux et le soutien de :

M. Jacques Sallois
Président du conseil d'administration de la Réunion des musées nationaux
Directeur des musées de France

Mme Irène Bizot
Administrateur général de la Réunion des musées nationaux

M. Pierre Rosenberg
Conservateur général du Patrimoine
Conservateur en chef du département des Peintures du musée du Louvre

Préface

En 1966, Julien Cain, en préfaçant le catalogue de l'exposition Bonington qu'il avait organisée avec Pierre Georgel à Paris, au musée Jacquemart-André, précisait : « *Nous avons choisi pour titre le plus simple qui est aussi le plus vrai : Un romantique anglais à Paris* ».
Ce titre, en quelques mots, résume les trois fondements de la personnalité artistique de Bonington.

Anglais, il l'est par la naissance et sa formation picturale très précoce, car c'est encore un enseignement nourri d'art anglais qu'il reçoit du paysagiste français Louis Francia. Il acquiert de ce dernier la maîtrise de la technique si spécifiquement anglaise de l'aquarelle qui demande rapidité et légèreté d'exécution. Il serait d'ailleurs intéressant d'approfondir les interférences des techniques de la peinture à l'eau et de la peinture à l'huile chez les peintres anglais qui souvent ont aimé jouer d'une matière fluide et transparente.

On peut être sûr que Bonington fut nourri de l'art d'un Thomas Girtin, qui devait mourir jeune en 1802, ou encore d'un Turner, son aîné et son contemporain, qui tous deux privilégient le rendu de la luminosité du ciel ou du soyeux de l'eau et le lyrisme de la couleur pour exprimer d'une manière tout à fait nouvelle l'amour de la nature et en cela infléchir tout l'art du paysage européen. Au cours de ses nombreux déplacements, Bonington sera séduit par la lumière limpide des pays du Nord et rapportera de son voyage en Hollande une grande admiration pour la peinture de paysage néerlandaise, qui ne fera que renforcer la leçon des maîtres anglais eux-mêmes marqués par l'influence des grands paysagistes du XVIIᵉ siècle, comme Ruysdael et Hobbema.

Parisien, Bonington le devient à seize ans, en 1818. Il entre l'année suivante à l'École des beaux-arts dans l'atelier du baron Gros qui incarnait alors malgré lui le conflit entre le néo-classicisme ambiant et le romantisme naissant. S'il voyage en Normandie ou en Italie, c'est Paris qui est devenu son port d'attache, Paris où il fréquente les maîtres anciens du Louvre et les jeunes célébrités du monde artistique comme Eugène Lami et surtout Delacroix dont il partage un temps l'atelier avec tout ce que cela sous-entend de discussions et d'échanges plastiques et intellectuels. S'il se sent si proche d'eux tous, c'est à la fois parce qu'il adhère à leurs recherches romantiques et qu'eux, férus de culture britannique, adoptent les subtilités de l'aquarelle et s'intéressent aux mêmes sources littéraires, le monde de Shakespeare, de Walter Scott ou de Byron.

Romantique, en effet, Bonington le sera à sa manière. Le Romantisme, phénomène européen, est en train de se développer en France et, parce qu'il est au cœur de l'anglomanie parisienne, le jeune peintre en ressentira toute la force créatrice. Avec ses paysages changeants et infiniment sensibles, il sait traduire cette attirance poétique et spirituelle que partagent des écrivains comme Chateaubriand, Lamartine ou Victor Hugo pour une nature personnifiée, compatissante ou silencieusement indifférente.

Avec ses vues de villes anciennes, ses études de maisons médiévales, de porches et de clochers gothiques, il participe du retour vers un Moyen Age réinventé, double symbole de dépaysement historique et de « bon vieux temps ». Et c'est l'« ailleurs », l'éternelle quête romantique, qu'il recherche comme Delacroix dans ses évocations vénitiennes et ses études orientalistes. Par ses petites toiles de facture très libre, s'inspirant de l'histoire ou des romans de chevalerie à la mode, Bonington appartient au « troubadour pictural ». Nous empruntons cette formule à François Pupil qui fut un des premiers en 1983, dans son remarquable ouvrage sur *Le Style troubadour* à dégager la place exacte de l'artiste dans le grand mouvement européen de retour au passé : « Rien ne semble figé comme chez les autres peintres troubadour ni étrangement stylisé à la manière d'Ingres. En dépit du caractère historique des sujets choisis, malgré les pastiches imposés par une telle inspiration, Bonington sait rester un maître de la vie et de la spontanéité et conférer aux anecdotes troubadour la séduction du naturel. »

Seul, en effet, à côté de Delacroix, Bonington ajoute à la reconstitution d'une « atmosphère Moyen Age » la véritable délectation de l'acte de peindre.

C'est pour le musée du Petit Palais — dont la collection de tableaux du XIXᵉ siècle est si riche — une grande joie d'offrir aux amateurs la rétrospective d'un artiste dont l'œuvre multiforme se rattache à différents courants de la peinture française. Et nous en sommes particulièrement heureux dans la mesure où l'art anglais est trop peu souvent mis à l'honneur en France.

Je voudrais donc avant tout remercier M. Duncan Robinson, directeur du Yale Center for British Art, avec lequel nous partageons le plaisir et la charge d'accueillir cette manifestation.

J'exprime aussi toute ma gratitude à M. Patrick Noon, conservateur des dessins et gravures du Yale Center for British Art qui s'est consacré avec tant de rigueur et de passion à la conception et à l'organisation de l'exposition ainsi qu'à la lourde tâche de la rédaction de ce superbe catalogue qui est dès lors la somme incontournable sur Bonington. Ma reconnaissance va aussi à M. Jacques Sallois, directeur des musées de France, à Mme Irène Bizot, administrateur général de la Réunion des musées nationaux et à ses proches collaborateurs, et à M. Pierre Rosenberg, conservateur en chef du département des Peintures du musée du Louvre qui ont soutenu notre projet de présenter cette manifestation à Paris. Qu'il me soit permis de remercier aussi tout ceux qui, à la Direction des Affaires culturelles de la Ville de Paris comme au musée du Petit Palais, ont favorisé la réalisation de cette exposition, et en particulier MM. Alain Daguerre de Hureaux, conservateur au musée du Petit Palais et Stéphane Loire, conservateur au département des Peintures du musée du Louvre, qui ont assumé avec enthousiasme et compétence la responsabilité de la coordination de l'édition française du catalogue et de la présentation des œuvres, et Mmes Sylvie-Jan Celdran, secrétaire général du musée du Petit Palais et Liliane Gondel qui en ont assuré la gestion administrative.

Je suis aussi profondément reconnaissante du soutien apporté à l'organisation de l'exposition par l'agence fédérale du National Endowment for the Arts et par United Technologies Corporation, pour laquelle je remercie tout particulièrement Mme Carol Palm et M. Chris Canover et leur représentant à Paris, M. Vincent Blocker.

Corot prétendait avoir senti sa vocation de peintre en découvrant dans une vitrine une aquarelle de Bonington — et l'on peut certes trouver bien des analogies dans leurs toiles rapportées d'Italie. Point n'est besoin de souligner une fois encore l'amitié de travail qui liait le jeune étranger et Delacroix et l'admiration réciproque qu'ils se portaient.

Bien plus, en confrontant les dates, il est frappant de constater que certains des paysages des bords de mer de Bonington avec leur lumière grise et leurs grands ciels lavés, anticipent de plus de trente ans les plages de Boudin et les marines de Jongkind. C'est la même habileté à saisir les mouvances de l'atmosphère et le charme si subtil et un peu triste du Nord. Bonington est un des premiers à avoir entendu « la voix de l'Océan » chère à Michelet et l'on peut déjà lui appliquer sans réserve les éloges que Baudelaire formulera en 1859 à propos des toiles de Boudin : « prodigieuses magies de l'air et de l'eau ». Mais sa facilité de pinceau, son sens du mouvement et des effets de lumière préfigurent aussi les libertés de Manet.

Nous espérons donc qu'une exposition aussi complète de l'œuvre de Bonington sera une découverte pour le public parisien et que celui-ci saura voir dans cet artiste anglais, mort trop jeune, tout ce qu'il représente pour l'évolution de l'art français.

Thérèse Burollet
Conservateur général du Patrimoine
Conservateur en chef du musée du Petit Palais

Les historiens d'art ont pu constater que Richard Parkes Bonington avait influencé toute une génération d'artistes et de critiques. Mais, si ses peintures de paysage soutiennent la comparaison avec celles de Turner et de Constable, elles ne lui ont pas valu pour autant la même gloire auprès du grand public. Nous espérons que cette exposition et ce catalogue apporteront bien des révélations agréables et stimulantes sur un artiste de grande envergure, injustement négligé jusqu'à présent.

Robert F. Daniell
Président directeur général
United Technologies Corporation

United Technologies est représenté en France par :

Otis S.A.
Carrier S.A.
Frigiking France S.A.
Gate France S.A.
Hamilton Standard
Pratt & Whitney S.A.R.L.
Société Offranvillaise de Technologie S.A.
United Technologies Automotive (France S.A.R.L.)

Remerciements du commissariat parisien

Les membres du commissariat de l'exposition se font également un devoir et un plaisir de remercier, pour l'aide qu'ils ont apportée à la réalisation de cette exposition :

À la Direction des Affaires culturelles de la Ville de Paris,
Mme Paulette Giry-Laterrière, chef de cabinet du directeur ;

À la Sous-direction du Patrimoine culturel,
M. Jean-François Salaun, adjoint au chef du Bureau des musées,
chargé du personnel ;

À l'association Paris-Musées,
M. Francis Pilon, secrétaire général adjoint,
Mme Evelyne d'Aspremont, chargée des expositions,
M. Arnauld Pontier, responsable des éditions Paris-Musées,
Mmes Florence Godfroid et Florence Jakubowicz,
Mme Brigitte de Montclos, chargée des relations publiques,
Mme Catherine de Bourgoing, responsable de l'action culturelle ;

À la Réunion des musées nationaux,
Mlle Anne Fréling,
Mme Francine Robinson,
Mme Anne de Margerie,
M. Gilles Fage ;

Pour la presse,
Mme Lisa Jouvet pour le musée du Petit Palais,
M. Paul Charoy et Mme Florence Duhot à la direction des Affaires culturelles de la Ville de Paris ;

Au musée du Petit Palais,
l'ensemble des conservateurs et plus particulièrement Mlle Sophie-Charlotte Renouard de Bussierre, M. Pierre Curie, Mlle Paulette Hornby et M. José-Luis de Los Llanos ; Mlle Bernadette Pordoy ; Mme Manuela Masquelier-Boucher, responsable du service d'action culturelle et ses collaborateurs ; Mme Denise Kaminskis, responsable du secrétariat et ses collaboratrices ; M. André Protin pour sa collaboration au montage de l'exposition ; M. André Héris qui en a assuré l'installation électrique ; M. André Valli, inspecteur et tout le personnel de surveillance du musée ; Mlle Marie Mouhagamadou ; M. Fortuné Babouram, chef de l'équipe des travaux, et ses collaborateurs ; M. Denis Leclair, responsable de l'antenne de la librairie du musée d'Art moderne au musée du Petit Palais ;

M. Jean Forneris, Mme Jeanne Bouniort, Mlle Annick Liot,
M. Bernard Piens, Mlle Isabelle Rameau.

Remerciements de Patrick Noon

Seules deux grandes rétrospectives ont été consacrées à l'art de Richard Parkes Bonington, la première organisée par Paul Oppé pour le Burlington Fine Arts Club en 1937, la seconde par Marion Spencer pour le Nottingham Castle Museum en 1965. Ces deux manifestations initiales ont permis de faire mieux connaître l'œuvre de Bonington mais n'ont pas résolu un certain nombre de problèmes embarrassants relatifs à la chronologie, l'attribution et l'interprétation des œuvres de l'artiste. Cette exposition se propose d'en aborder les plus manifestes.

La perspective décourageante de monter une exposition sans le concours de la plus grande et la plus impressionnante collection d'huiles et d'aquarelles de Bonington, celle de la Wallace Collection, pourrait expliquer la réticence des générations passées à présenter son œuvre à un public international. En organisant cette exposition en Amérique du Nord et en France, nous comblons délibérément cette lacune ; en réunissant les richesses des deux plus importantes collections d'œuvres de Bonington en dehors du Royaume-Uni — celles du Yale Center et du Louvre — nous avons compensé, d'une certaine façon, l'absence des œuvres conservées à la Hertford House. À l'instar de la quatrième marquise de Hertford, contemporaine de l'artiste, Paul Mellon fut le collectionneur le plus engoué — et le plus avisé — des œuvres de Bonington : cette exposition est la première à reconstituer entièrement sa collection, fruit d'un travail perspicace et abouti. Une exposition véritablement représentative n'aurait jamais pu être organisée sans le total appui d'autres institutions, en particulier le British Museum, le Nottingham Castle Museum et la Art Gallery, où Lindsay Stainton et Neil Walker ont été les collaborateurs les plus obligeants, et sans la participation enthousiaste de tous les particuliers qui ont fait preuve d'une extraordinaire générosité dans leurs prêts et qui ont souhaité garder l'anonymat. C'est avec une extrême amabilité que le comte de Shelburne a accepté de se défaire temporairement d'études graphiques de qualité, choisies parmi les dessins de la collection publique de Bowood House.

Je tiens, par ailleurs, à adresser mes sincères remerciements pour leur contribution à la localisation des œuvres, la documentation, l'obtention des prêts, leur conseil et leur chaleureuse hospitalité, aux personnes dont les noms suivent : Clifford S. Ackley, Martyn Anglesea, Claudie Barral, James Bergquist, David Berkeley, David Bindman, William Bradford, Martin Butlin, Richard Campbell, Sara Campbell, T. H. Carter, Mimi Cazort, Jane Clark, Larry Clarke, Michael Clarke, Mrs. R. N. S. Clarke, Timothy Clifford, Christopher Comer, Alain Daguerre de Hureaux, Roy Davis, Geneviève Deblock, Simon Dickinson, William Drummond, Ellen S. Dunlap, Judy Egerton, Lindsay Errington, Gary Essar, l'Honorable D. D. Everett, Lord Fairhaven, Kate Fielden, Burton B. Fredericksen, Betsy Fryberger, David Fuller, Andrea George, Richard Godfrey, Halina Graham, Pierre Granville, Anthony Griffiths, Stéphane Guégan, David Moore-Gwyn, Carlos van Hasselt, The Hon. Diana Holland-Hibbert, Francina Irwin, John Ittmann, Michael Jaffé, Michiel Jonker, Louise Karlsen, Alex Kidson, Alastair Laing, Susan Lambert, Lionel Lambourne, Cecily Langdale, Ann Laurie, Patrick Le Nouëne, Christopher Lloyd, Katherine Lochnan, Richard Lockett, Patrick McCaughey, Hugh Meller, Ruth K. Meyer, James Miller, Jane Montgomery, Graham Moran, Edward Morris, John Morton Morris, Jane Munro, John Murdoch, Ruth-Maria Muthmann, Gabriel Naughton, Jill Newhouse, Stephen Nonack, le comte de Normanton, Charles Nugent, Nicholas Penny, Paul N. Perrot, Marcia Pointon, Hubert Prouté, Janice Reading, Anthony Reed, l'Hon Jane Roberts, William Robinson, Marianne Roland-Michel, Kim Rorschach, John Rowlands, Nick Savage, David Scrase, Alan Shestack, Peyton Skipwith, Gregory Smith, Shaw Smith, Sheenah Smith, Françoise Soulier-François, Anthony Spink, Adolphe Stein, Mary-Anne Stevens, Julian Treuherz, Samuel Trower, Nadia Tscherny, Fani-Maria Tsigakou, Evan H. Turner, Mrs. Joyce Turner, Julia Webb, Lavinia Wellicome, Christopher White, Stephen Wildman, Andrew Wilton, Andrew Wyld, Henry Wemyss et Michael Wynne.

Parmi les érudits et les collectionneurs auxquels je suis redevable de leurs publications et de tout le temps qu'ils ont bien voulu me consacrer, figurent Richard L. Feigen, John Ingamells, Lee Johnson, Evelyn Joll et James Mackinnon. J'espère que cet effort sera à la hauteur de leur attente.

Au Louvre, l'admiration inconditionnelle de Pierre Rosenberg pour l'artiste nous a été d'un grand et appréciable secours. Son collègue du département des Peintures, Stéphane Loire, nous a fourni une assistance administrative dans tant de domaines, à des moments si décisifs et avec un tel enthousiasme durant ces cinq dernières années, que l'expression de ma plus sincère gratitude ne saurait suffisamment l'honorer. Également décisif fut l'enthousiasme de leurs collègues au musée du Petit Palais, Thérèse Burollet et Alain Daguerre de Hureaux.

Le succès d'une exposition est toujours lié à l'engagement et à la coopération du personnel professionnel des établissements muséaux. J'aimerais remercier collectivement les nombreuses personnes à New Haven et à Paris pour leur contribution si positive et si diverse. J'apprécie tout particulièrement le soutien des directeurs Duncan Robinson et Jacques Sallois, et l'assistance de Suzanne Beebe, Irène Bizot, Richard Caspole, Constance Clément, Malcom Cormack, Theresa Fairbanks, Claire Filhos-Petit, Christopher Foster, Timothy Goodhue, Marilyn Hunt, Anne-Marie Logan, Joy Pepe, Françoise Viatte et Scott Wilcox. Au Centre Paul Mellon à Londres, Brian Allen, Kasha Jenkinson et Evelyn Newby ont rendu de grands services. Robert Shepherd a prêté sa précieuse expérience dans le domaine de la conservation de plusieurs peintures à l'huile ; c'est à Debra Edelstein que je dois la pénible tâche de la préparation de cette publication ; elle m'a épargné l'embarras que m'auraient causé de nombreuses omissions.

Il n'y aurait pas eu de catalogue ou d'exposition sans la généreuse contribution financière de notre mécène. À la United Technologies Corporation, Carol Palm et Gordon Bowman méritent mes remerciements particuliers pour leur confiance et leur encouragement.

C'est avec une finesse et une perspicacité rares que Derek Birdsall a conçu un catalogue aussi expressif et beau que les œuvres qu'il présente. Ce fut un exercice agréable que de travailler avec lui et son collègue Martin Lee.

Cette exposition a aussi reçu le soutien financier du National Endowment for the Arts. Je suis aussi redevable à cette agence fédérale de la subvention accordée en 1986 dans le cadre de son programme en faveur des professionnels des musées, qui m'a permis de poursuivre des recherches en France sur le thème connexe, mais plus large, des relations culturelles anglo-françaises au début du XIXᵉ siècle. Durant mon séjour à Paris, Jacqueline Grislain a été des plus affables et des plus obligeantes.

Enfin, je dédie entièrement ce projet à Diane Tsurutani, qui a participé patiemment et avec enthousiasme à son évolution au cours de tant d'années.

Liste des prêteurs

* Exposé à Paris seulement   ** Exposé à New Haven seulement

1802

25 octobre : Richard Parkes Bonington naît à Arnold, près de Nottingham. Il est l'enfant unique de Richard Bonington et d'Eleanor Parkes.

9 novembre : mort à Londres de l'artiste Thomas Girtin (né en 1775).

28 novembre : R. P. Bonington est baptisé à la High Pavement Unitarian Chapel, à Nottingham.

1813

Richard Bonington expose des tableaux à la Liverpool Academy.

1814

Avec le règne de Louis XVIII, commence en France la Restauration des Bourbons.

1817

L'acteur S.W. Ryley visite Nottingham et laisse une description flatteuse de la personnalité, la bonté et la diligence de Richard Bonington.

17 août : *The Nottingham Review* annonce la vente des biens mobiliers et immobiliers des Bonington prévue du 26 au 28 août ; la vente est reportée au mois de septembre.

Automne : la famille part pour Calais afin de créer une maison de passementerie à Saint-Pierre-les-Calais associant Clarke, Bonington et Webster. L'aquarelliste Louis Francia, de retour à Calais avant avril, prend temporairement Bonington comme élève.

1818

28 octobre : résiliation du contrat entre Clarke, Bonington et Webster au profit d'un nouvel accord signé entre Bonington et Webster, association qui se poursuivra jusqu'en avril 1819.

Automne-hiver : la famille se rend à Paris pour y établir un commerce de détail.

1819

Printemps : Richard Parkes Bonington fait la connaissance de James Roberts et, probablement, d'Eugène Delacroix et d'Hippolyte Poterlet, en copiant des tableaux au Louvre. Sur les recommandations de Roberts, il entre dans l'atelier du baron Antoine-Jean Gros.

25 août : ouverture de l'exposition du Salon. Théodore Géricault expose le *Radeau de la Méduse*.

1820

18 avril : Isidore Taylor et Charles Nodier commencent la publication du premier volume de leurs *Voyages pittoresques et romantiques dans l'ancienne France*.

24 juin : l'École des beaux-arts annonce l'ouverture d'une nouvelle classe destinée à l'étude des moulages antiques (salle de la bosse).

6 août : classé 25ᵉ sur 64 au concours inaugural de la salle des moulages.

11 septembre : classé 19ᵉ sur 53 au concours de la salle des moulages organisé pour le semestre d'hiver (octobre-avril).

3 octobre : classé 60ᵉ sur 61 au concours de la salle des modèles pour le semestre d'hiver.

Il continue à peindre des paysages à l'aquarelle et dessine des vues des faubourgs de Paris en compagnie de son camarade de classe Jules-Armand Valentin.

1821

5 mai : mort de Napoléon. Classé 46ᵉ sur 72 au concours de la salle des moulages organisé pour le semestre d'été (avril-octobre), mais se détourne de plus en plus de l'enseignement de Gros.

Automne : effectue son premier séjour en Normandie ponctué de haltes à Rouen, Lillebonne, Abbeville, Honfleur, Le Havre, Trouville, Dives, Sallinelles, Ouistreham et Caen.

Première mention de l'adresse de la famille sur le registre de commerce de Paris au 22, rue des Moulins, transférée peu après au 27, rue Michel-Lecomte et en 1824, au 16, rue des Mauvaises-Paroles.

1822

Printemps : expose des aquarelles de Normandie, avec Mᵐᵉ Hulin et Claude Schroth, dans leur galerie située 18, rue de la Paix. Gros reconnaît publiquement son talent, mais Bonington quittera définitivement son atelier à la fin de l'année.

24 avril : expose au Salon : nᵒ 123, *Vue prise à Lillebonne* (aquarelle) et nᵒ 124, *Vue prise au Havre*. L'éditeur d'Ostervald expose sous son propre nom (nᵒ 994) des aquarelles et des huiles pour sa publication *Voyage pittoresque en Sicile*. Parmi celles-ci, une aquarelle de Bonington, *Vue de Catane*. Les autres artistes anglais exposant à ce salon sont les graveurs William Ensom, Abraham Raimbach, Joseph West et Charles Thompson. Ensom et West deviendront ses amis intimes.

25 avril : reçoit 430 francs de la Société des amis des arts pour ses deux œuvres exposées.

7 mai : publication de la première partie du *Voyage pittoresque en Sicile* de d'Ostervald.

11 mai : classé 21ᵉ sur 53 au concours de la salle des moulages pour le semestre d'été.

9 septembre : classé 46ᵉ sur 80 au concours de la salle des moulages pour le semestre d'hiver. C'est le dernier concours auquel il se présentera.

31 septembre : le piètre accueil fait à la troupe anglaise des acteurs shakespeariens au théâtre de la Porte Saint-Martin conduit Stendhal à écrire son manifeste *Racine et Shakespeare*.

19 novembre : la Société des amis des arts ouvre son exposition annuelle où figurent des aquarelles de Bonington exposées au Salon.

1823

Printemps-été : période probable d'un ou de plusieurs séjours à Bruges, Gand, Béthune, Hazebrook, Bergues, Gravelines, Dunkerque, Saint-Omer et en Normandie pour une commande de d'Ostervald pour les *Excursions sur les côtes et dans les ports de France* et pour sa propre publication *Restes et Fragmens*.

29 septembre : Victor Hugo, Charles Nodier *et al.*, fondent le journal romantique *La Muse française*.

Automne : commence à travailler sur les *Restes et Fragmens* et exécute probablement ses premières lithographies pour les *Voyages pittoresques* de d'Ostervald.

22–24 décembre : vente d'Ostervald à l'hôtel Bullion à Paris, qui comprend dix aquarelles de Bonington : *Catane, Sicile* ; *Trapani, Sicile* ; *Château-Chillon, Boulogne* (deux vues) ; *Le Havre* ; *Honfleur* ; *Rouen* ; *Saint-Valéry-sur-Somme* (deux vues). Cette vente présente aussi des aquarelles d'autres artistes anglais : Georges Barret, Copley, Newton et Thales Fielding, Louis Francia, James Duffield Harding, Samuel Prout et George Shepherd.

30 décembre : L.-J.-A. Coutan achète l'huile de Delacroix *Rebecca et Ivanhoé blessé*. Coutan apparaîtra bientôt comme étant le mécène français le plus fervent de Bonington.

1824

17 janvier : le marchand John Arrowsmith installé à Paris achète la *Charette de foin* et la *Vue de la Stour* de Constable.

26 janvier : mort de Théodore Géricault.

Fin février : en compagnie d'Alexandre Colin, il quitte Paris pour Dunkerque où, à la pension de famille de Mme Perrier, située Quai des Furnes, il passera «les plus belles années de [sa] vie». Il fait un bref séjour à Paris durant l'été.

24 février : Delacroix mentionne dans son journal l'ajournement du Salon.

19 avril : mort de Lord Byron à Missolonghi.

Mai ou juin : retourne à Paris pour la publication de *Restes et Fragmens* (8 juin et 8 septembre). Dépose des œuvres au Salon ; rencontre peut-être les artistes britanniques Clarkson Stanfield et William Collins, alors à Paris ; voit sans aucun doute des peintures de Constable dans les galeries Schroth et Arrowsmith.

19 juin : publication de la lithographie *Le matin*.

25 juin : reçoit 1 500 francs de la Société des amis des arts pour deux huiles et une aquarelle exposées au Salon.

9 juillet : écrit au baron Taylor qu'il est sur le point de quitter Paris. Fait la connaissance de Newton Fielding à Dieppe le 24.

25 août : expose au Salon : n° 188, *Étude de Flandres* ; n° 189, *Marine* ; n° 190, *Vue d'Abbeville* (aquarelle) ; n° 191, *Marine. Des pêcheurs débarquent leur poisson* ; n° 192, *Une plage sablonneuse* ; n° 2101, *Rue de la Grosse-Horloge à Rouen* (lithographie) ; n^{os}1280–1281, diverses aquarelles pour le *Voyage pittoresque en Sicile* et les *Excursions sur les côtes et dans les ports de France*.

16 septembre : mort de Louis XVIII.

Octobre : Delacroix emménage dans l'atelier de Thales Fielding situé 20, rue Jacob.

1er novembre : écrit de Dunkerque à Colin, lui mentionnant que Francia quitte Calais pour Paris.

3 décembre : de retour à Paris, il écrit à Mme Perrier qu'il envisage de se rendre à Londres au printemps avec Colin. Commence à travailler sur les lithographies destinées au volume consacré à la Franche-Comté des *Voyages pittoresques* de Taylor.

13 décembre : en prononçant un panégyrique aux funérailles de Girodet, Gros en arrive à insulter toute l'école française et, plus précisément, Horace Vernet, Ary Scheffer et Delacroix.

1825

10–21 janvier : l'aquarelliste britannique Samuel Prout, au retour d'un séjour en Italie, rend probablement visite à Bonington à Paris.

14 janvier : Charles X décerne les prix à la clôture du Salon. Bonington reçoit une médaille d'or pour la section Peinture.

28 avril : Colin obtient un passeport pour la Basse-Écosse et l'Angleterre.

29 mai : couronnement de Charles X à Reims.

Juin à août : gagne Londres avec Colin. Y rencontre Delacroix (qui était arrivé le 24 mai), Henri Monnier, Eugène Isabey, les frères Fielding, Hippolyte Poterlet, Édouard Bertin et Augustin Enfantin. Étudie avec Delacroix et Bertin chez Samuel Meyrick (8 et 9 juillet) et à Westminster. Au début du mois d'août, retourne en France, mais demeure à Dunkerque ou Saint-Omer, où Delacroix et Isabey viennent le rejoindre.

Automne : exécute des vues de la côte littorale en compagnie d'Eugène Isabey et des vues de la Seine avec Paul Huet. Vers la fin de l'année, partage l'atelier de Delacroix. Coutan achète à Arrowsmith la *Vue de la Stour* de Constable.

22 décembre : publication du premier des douze fascicules des *Vues pittoresques de l'Écosse* d'Amédée Pichot, dont Bonington est le principal lithographe.

29 décembre : mort de Jacques-Louis David à Bruxelles.

1826

Janvier : expose à la British Institution : n° 242, *Scène côtière, France* et n° 256, *Côte française, avec pêcheurs*.

31 janvier : Delacroix écrit que Bonington est resté quelque temps avec lui. Peu après, Bonington s'installe dans son propre atelier situé 11, rue des Martyrs, bâtiment appartenant à l'artiste Jules-Robert Auguste.

Avril-juin : le 4 avril, il quitte Paris pour l'Italie en compagnie de Charles Rivet, en faisant halte, en fin d'après-midi, à Semur ; le 6 avril à Dole, le 7 à Genève, puis à Saint-Gingolph et Brig via Saint-Maurice et Sion ; du 11 au 14 avril à Milan, du 15 au 18 avril au lac de Garde et à Brescia, le 18 avril à Vérone, pour arriver enfin à Venise d'où Rivet écrit :

«La vie est toujours la même. Après les promenades et le travail de la journée, on rentre à cinq heures et demie, où le dîner est servi dans la chambre et dont le menu ne varie pas. On va prendre le café sur la place Saint-Marc. Quelquefois, à neuf heures, on va pour dix-sept sols au théâtre où se joue indéfiniment La Semiramide, puis on prend des glaces qui coûtent six sols d'Autriche, ce qui fait un peu plus de cinq sols français.»

19 mai : ils quittent Venise pour Padoue et Ferrare ; 24–31 mai, pour Florence et Pise, après quoi ils retournent en France en passant par Sarzane, Lerici, La Spezzia (7 juin), Gênes, Alessandria, Turin (11 juin), et la Suisse. Le 20 juin, ils sont de retour à Paris.

27 avril : Delacroix achève *L'exécution du doge Marino Faliero*.

17 mai : expose le *Turc assis* pour l'Exposition au profit des Grecs se tenant à la galerie Lebrun.
30 décembre : publication du *Cahier de six sujets*.

1827

Demeure au 11, rue des Martyrs jusqu'à la fin de l'année pour ensuite déménager au 32, rue Saint-Lazare.
Fin du printemps : effectue un second séjour à Londres ; réside au Green's Hotel.
4 mai : expose à la Royal Academy : n° 373, *Scène côtière en France*
19 mai : publication de la première partie du *Voyage pittoresque dans le Brésil* de Maurice Rugendas, pour lequel Bonington réalisera trois lithographies.
2 juin : vend l'aquarelle *Vieillard et enfant* à George Fennel Robson.
13 juillet : écrit depuis Paris à l'éditeur John Barnett à propos de son travail sur plusieurs commandes de protecteurs londoniens.
28 septembre : Delacroix écrit à Charles Soulier lui suggérant de rendre visite à Bonington, en compagnie du collectionneur Jovet.
4 novembre : expose au Salon : n° 123, *Vue du palais ducal à Venise* ; n° 124, *Vue de la cathédrale de Rouen* ; n° 125, *Tombeau de saint Omer dans l'église cathédrale de Saint-Omer* (aquarelle) ; n° 1382, *Façade de l'église de Brou* (lithographie) ; n° 1589, des lithographies non identifiées pour le *Voyage pittoresque dans le Brésil*.
5 novembre : écrit au graveur W.B. Cooke, lui demandant de présenter son huile *The Piazzetta* pour l'exposition à la British Institution.
21 novembre : Delacroix achève ses lithographies pour *Faust* et le tableau *La mort de Sardanapale*.
Décembre : publication de la *Préface de Cromwell* de Victor Hugo.
25 décembre : publication des *Contes du gai sçavoir*.

1828

25 janvier : fermeture du Salon pour réaccrochage.
31 janvier : séjour probable de Bonington à Londres dès cette date. Demeure avec John Barnett au 29, rue Tottenham. Rencontre pour la première fois Sir Thomas Lawrence.
4 février : expose à la British Institution : n° 198, *Vue de la Piazzetta, près de la place Saint-Marc, Venise* ; n° 314, *Le palais des Doges, Venise* (que l'artiste avait retiré du Salon). Delacroix expose sous le n° 102, *L'exécution du doge Marino Faliero*.
13 février : première à Paris de l'adaptation dramatique de Victor Hugo *Amy Robsart*.
23 février : reçoit la somme de 131 livres de l'éditeur James Carpenter pour l'huile *Vue de l'entrée du grand canal à Venise*.
28 février : le Salon ouvre à nouveau ses portes. Expose : n° 1604, *François Iᵉʳ et la reine de Navarre* ; n° 1605, *Henri IV et l'ambassadeur d'Espagne* ; n° 1606, *Vue de l'entrée du grand canal à Venise* (commande de Carpenter) ; n° 1607, *Une aquarelle* (en fait, ce sont trois aquarelles qui sont regroupées sous ce numéro).
Mai : expose à la Royal Academy : n° 248, *Henry III de France* ; n° 330, *Scène côtière* ; n° 470, *L'entrée du Grand Canal, avec l'église Santa Maria della Salute, Venise* (commande de Carpenter).
Juin : annule un séjour prévu avec Huet en Normandie après une insolation alors qu'il dessinait sur la Seine. Huet se rend à Honfleur et rencontre Isabey le 21 juin. Bonington se rétablit vite, mais son état se détériore rapidement en juillet et août. Exécute alors son unique eauforte *Le Corso Sant'Anastasia, Vérone*.
6–7 août : réalise son ultime aquarelle, *Au pied de la falaise* (n° 165).
6 septembre : Eleanor Bonington écrit depuis Abbeville à John Barnett pour l'alerter sur la gravité de l'état de son fils et pour annoncer leur arrivée imminente à Londres.
23 septembre : mort de Bonington en la demeure de John Barnett. Il est enterré à la chapelle Saint-James, à Pentonville ; ses restes seront transférés à Kensall Green en 1837.

1829

16 février : lettre de Richard Bonington à Sir Thomas Lawrence le remerciant pour son aide dans le transfert à Londres des effets restés à l'atelier de son fils.
1ᵉʳ avril : Moon, Boys, et Graves, à Londres, et Giraldon-Bouvinet, à Paris publient quatre mezzo-tinto de S.W. Reynolds d'après *Anne Page et Slender*, *L'usage des larmes*, *L'antiquaire* et *Le billet doux* de Bonington.
10 avril : Richard Bonington confie au marchand Domenic Colnaghi l'organisation de la future vente de l'atelier de son fils. Clarkson Stanfield et Samuel Prout y prêteront leur concours.
29–30 juin : première vente de l'atelier de Bonington confiée à Sotheby's.
1ᵉʳ août : James Carpenter entame la publication d'une *Series of Subjects from the works of the late R.P. Bonington, drawn on the stone by J.D. Harding*.
À l'automne, d'Ostervald publie six lithographies de Jaime d'après Bonington : *Environs de Mantes*, *Environs du Havre*, *Femme de pêcheurs*, *Marée basse*, *Vue prise sur le bord du canal de Tourry* et *Venise*.

1832

25 septembre : Richard Bonington demande à Carpenter de le présenter à Sir Martin Archer Shee, président de la Royal Academy, en vue de vendre à l'État les œuvres de son fils. Une exposition est organisée à Suffolk Street.

1834

Mai : Richard Bonington et William Seguier organisent une exposition réunissant des prêts et les œuvres d'atelier restantes à la Cosmorama Gallery. Elle est suivie d'une seconde vente aux enchères de l'atelier chez Christie's les 23 et 24 mai.

1836

Mort de Richard Bonington, suivie d'une troisième vente de l'atelier chez Foster le 6 mai.

1838

Mort d'Eleanor Bonington suivie d'une quatrième vente de l'atelier chez Sotheby's le 10 février et de la vente de la collection d'estampes de Richard Bonington, tenue aussi chez Sotheby's, le 24 février. La vente du 10 février comprenait aussi des dessins — acquis par Bonington ou par ses parents — de nombreux artistes contemporains dont Nicolas-Toussaint Charlet, François Grenier, Eugène Isabey, Alexandre-Victor Joly, George Barret, Charles Bentley, Thomas Shotter Boys, William Brockedon, David Cox, James Holland, William Linton, Samuel Prout, Thomas Stothard, John ou Cornelius Varley et Alfred Vickers.

1861
Eugène Delacroix à Théophile Thoré
30 novembre 1861

Mon cher ami,

Je ne reçois que tardivement et à la campagne la lettre où vous me demandez des détails sur Bonington : je vous envoie avec plaisir le peu de renseignements que je possède.

Je l'ai beaucoup connu et je l'aimais beaucoup. Son sang-froid britannique, qui était imperturbable, ne lui ôtait aucune des qualités qui rendent la vie aimable. Quand il m'est arrivé de le rencontrer pour la première fois, j'étais moi-même fort jeune et je faisais des études dans la galerie du Louvre : c'était vers 1816 ou 1817. Je voyais un grand adolescent en veste courte, qui faisait, lui aussi et silencieusement, des études à l'aquarelle, en général d'après des paysages flamands. Il avait déjà, dans ce genre, qui, dans ce temps-là, était une nouveauté anglaise, une habileté surprenante. Peu de temps après, je voyais chez Schroth, qui venait d'ouvrir une boutique de dessins et petits tableaux (la première, je crois, qui se soit établie), des aquarelles charmantes de couleur et de composition. Il y avait déjà tout le charme qui fait son mérite à part. À mon avis, on peut trouver dans d'autres artistes modernes des qualités de force ou d'exactitude dans le rendu supérieures à celles des tableaux de Bonington, mais personne dans cette école moderne, et peut-être avant lui, n'a possédé cette légèreté dans l'exécution, qui, particulièrement dans l'aquarelle, fait de ses ouvrages des espèces de diamants dont l'œil est flatté et ravi, indépendamment de tout sujet et de toute imitation.

Il était à cette époque (vers 1820) chez Gros, où je crois qu'il ne resta pas longtemps ; Gros lui-même lui conseilla de se livrer tout à fait à son talent qu'il admirait déjà. À cette époque, il ne faisait point de tableaux à l'huile, et les premiers qu'il fit furent des marines : celles de ce temps sont reconnaissables à un grand empâtement. Il renonça depuis à cet excès : ce fut particulièrement quand il se mit à faire des sujets de personnages dans lesquels le costume joue un grand rôle : ce fut vers 1824 ou 1825.

Nous nous rencontrâmes en 1825, en Angleterre, et nous faisions ensemble des études chez un célèbre antiquaire anglais, le docteur Meyrick, qui possédait la plus belle collection d'armures qui ait peut-être existé. Nous nous liâmes beaucoup dans ce voyage, et quand nous fûmes de retour à Paris, nous travaillâmes ensemble pendant quelque temps dans mon atelier.

Je ne pouvais me lasser d'admirer sa merveilleuse entente de l'effet et la facilité de son exécution ; non qu'il se contentât promptement. Au contraire, il refaisait fréquemment des morceaux entièrement achevés et qui nous paraissaient merveilleux ; mais son habileté était telle, qu'il retrouvait à l'instant sous sa brosse de nouveaux effets aussi charmants que les premiers. Il tirait parti de toutes sortes de détails qu'il avait trouvés chez des maîtres et les ajustait avec une grande adresse dans ses compositions. On y voit des figures presque entièrement prises dans des tableaux que tout le monde avait sous les yeux, et il ne s'en inquiétait nullement. Cette habitude n'ôte rien au mérite de ces ouvrages ; ces détails pris sur le vif, pour ainsi dire, et qu'il s'appropriait (il s'agit surtout de costumes), augmentaient l'air

de vérité de ses personnages et ne sentaient jamais le pastiche.

Sur la fin de cette vie si tôt éteinte, il sembla atteint de tristesse, et particulièrement à cause de l'ambition qu'il se sentait de faire de la peinture en grand. Il ne fit pourtant aucune tentative, que je sache, pour agrandir notablement le cadre de ses tableaux ; cependant ceux où les personnages sont les plus grands datent de cette époque, notamment le Henri III, qu'on a vu l'an dernier exposé au boulevard, et qui est un de ses derniers.

Il s'appelait Richard Parkes Bonington. Nous l'aimions tous. Je lui disais quelquefois : «Vous êtes roi dans votre domaine et Raphaël n'eût pas fait ce que vous faites. Ne vous inquiétez pas des qualités des autres, ni des proportions de leurs tableaux, puisque les vôtres sont des chefs-d'œuvre.»

Il avait fait, quelque temps auparavant, des Vues de Paris que je ne me rappelle pas et qui étaient, je crois, pour des éditeurs : je n'en parle que pour mentionner le moyen qu'il avait imaginé pour faire ses études d'après nature et sans être troublé par les passants : il s'installait dans un cabriolet et travaillait là aussi longtemps qu'il voulait.

Il mourut en 1828. Que de charmants ouvrages dans une si courte carrière ! J'appris tout à coup qu'il était attaqué d'une maladie de poitrine qui prenait une tournure dangereuse. Il était grand et fort en apparence, et nous apprîmes sa mort avec autant de surprise que de chagrin. Il était allé mourir en Angleterre. Il était né à Nottingham. Il n'avait, à sa mort, que vingt-cinq ou vingt-six ans.

En 1837, un M. Brown, de Bordeaux, vendit une magnifique collection d'aquarelles de Bonington ; je ne crois pas qu'il soit possible de rencontrer jamais l'équivalent de cette splendide réunion. Il y en avait de toutes les époques de son talent, mais particulièrement du dernier temps, qui est le meilleur. Ses ouvrages se payaient alors des prix énormes ; de son vivant il vendait tous ses ouvrages, mais il ne les a jamais vus monter à ces prix énormes que, pour ma part, je trouve légitimes et la juste estimation d'un talent si rare et si exquis.

Mon cher ami, vous m'avez donné l'occasion de me rappeler des moments heureux et d'honorer la mémoire d'un homme que j'aimais et que j'admirais. J'en suis d'autant plus heureux, que l'on a essayé de le rabaisser, et qu'il est, à mes yeux, très supérieur à la plupart de ceux qu'on a cherché à lui faire préférer. Tenez la balance entre mes prédilections et ces attaques. Mettez, si vous voulez, sur le compte de mes vieux souvenirs et de mon amitié pour Bonington ce qu'on serait tenté de trouver de partial dans ces notes.

Mille amitiés sincères d'un ancien et bien reconnaissant camarade.

Eug. Delacroix

INTRODUCTION

Séduisant par son originalité et à bien des égards profondément influent, Richard Parkes Bonington n'en demeure pas moins une sorte d'énigme, de figure secondaire, ou de laissé-pour-compte dans la plupart des essais modernes sur la peinture du XIXe siècle. Sa carrière professionnelle ayant duré moins de dix ans, le manque prévisible de documentation relative à ses activités, sa personnalité, ses intérêts et ses amis pourrait expliquer en partie la connaissance lacunaire de son œuvre. À la différence de ses amis artistes Eugène Delacroix et Paul Huet, il ne tint aucun journal et n'écrivait que rarement, sinon avec réticence. La plupart de ses lettres à Alexandre-Marie Colin, ainsi que les carnets du baron Charles Rivet — qui, avec Delacroix et Huet, formait le noyau de son proche entourage à Paris — ont disparu après qu'une sélection en eut été publiée par ses premiers biographes modernes en 1924[1]. Il est par conséquent bien hasardeux de vouloir retracer exactement la vie de cet artiste à partir de faits relatés dans les nombreux mémoires apocryphes qui ont proliféré durant les décennies ayant suivi sa mort, à une époque où le personnage et son art prêtaient à la fabrication d'un mythe qui servait l'intérêt de sa famille et de ses collègues. L'orthographe précise de son nom de famille demeura un sujet de controverse jusqu'en 1900, tandis qu'il y a encore 40 ans, un biographe pourtant méticuleux, Sydney Race, rejetait la preuve irrécusable de sa naissance, le 25 octobre 1802 (et non en 1801, comme on l'avait traditionnellement soutenu), fournie par le registre baptistaire de la High Pavement Unitarian Chapel de Nottingham, et de sa mort, survenue durant le dernier mois de sa vingt-sixième année, selon l'avis de décès communiqué par ses parents[2]. Manifestement, même ce spécialiste ne pouvait s'empêcher d'enjoliver la vie du personnage en concluant que Bonington était un fils illégitime.

Le personnage de Bonington, en partie forgé par l'excessive modestie de l'artiste lui-même, idéalisé par ses admirateurs, était perçu comme la quintessence du héros romantique, au génie mélancolique et farouche, solitaire, hanté, conduit à une destruction absurde et pourtant inévitable par la force même de sa créativité bouillonnante, alors qu'il était parvenu au faîte de ses espérances de jeunesse. On aurait pu l'assimiler au personnage de Joseph Bridau, dans le roman d'Honoré de Balzac *La Rabouilleuse*, qui rêvait, dans les années 1820, de détruire la tradition classique et dont les tableaux furent interprétés à tort comme des œuvres de Titien par le baron Gros, qui n'appréciait que l'art médiéval ou vénitien et dont «l'idéal» embrassait la poésie de Byron, la peinture de Géricault, la musique de Rossini et les histoires romanesques de Walter Scott. La plupart du temps, c'est sur une historiographie fictive que reposèrent les études sur Bonington.

L'absence d'un catalogue raisonné et d'une analyse soutenue et approfondie des rapports entre la peinture et l'esthétique françaises et britanniques durant les premières décennies décisives du siècle a fortement orienté notre perception de Bonington : artiste génial mais subsidiaire, passé comme un éclair au milieu de la tumultueuse effervescence du Romantisme[3]. Était-il un artiste anglais travaillant en France ou un artiste français né en Angleterre, ou était-il simplement doté d'une rare familiarité avec les deux cultures ? Il ne fait aucun doute que Bonington était un artiste au talent unique en son genre par ses compétences techniques ; quant à savoir s'il demeure un grand artiste, laissons à chacun le soin d'en décider.

Ses contemporains, en particulier en France, s'accordèrent sans aucun doute à dire qu'il était les deux et, la célébration du bicentenaire de Bonington approchant, peut-être le moment est-il venu de citer Théophile Gautier pour qui la révolution moderne de la peinture française procéda de Bonington, tout comme certainement sa révolution littéraire procéda de Shakespeare, car il était «le peintre le plus naturellement coloriste[4]». Ou de citer le critique Gustave Planche selon lequel, à la simple vue d'une huile de Bonington, tout esprit sensible était conduit, malgré lui, à un désir de peindre[5]. Ou Camille Corot, alors âgé, admettant que Bonington l'avait non seulement inspiré dans sa jeunesse, mais qu'il était aussi le premier artiste en France à aborder la nature avec sincérité[6]. Ou Sainte-Beuve, pour qui sa vision était une perfection de clarté et de luminosité, laquelle, alliée au puissant réalisme de Géricault et à l'imagination passionnée de Delacroix, définissait les paramètres de l'excellence romantique[7]. Ou Charles Baudelaire, selon lequel son art constituait l'incarnation même de la modernité — de «l'intimité, la spiritualité, la couleur, et des aspirations vers l'infini» — une antienne à la férocité de son bien-aimé Goya[8].

Dans un de ses premiers poèmes «naturalistes» de 1830, «Pan de mur», que lui inspira un pan de mur décrépit qu'il pouvait voir depuis sa lucarne du Marais, Gautier reconnaît nettement sa propre dette envers Bonington[9]. Ce que ce péan sur l'introspection et la vision qui le suscite, l'essai pionnier de William Hazlitt — qui a inspiré son sous-titre au présent catalogue[10] — et enfin le très célèbre dithyrambe de Proust sur le mur jaune délicatement peint de la *Vue de Delft*[11] de Vermeer partagent, est une foi inébranlable en la *poésie* de la peinture conçue comme représentation du monde, la perception indéfinissable mais instinctive qu'elle réside dans la fusion entre une dextérité d'exécution parfaite et le rendu d'un contenu émotif, indépendant de la signification du sujet ou de l'intention de l'artiste. Baudelaire le réaffirma en 1859, lorsqu'il reprocha aux séditieux «enfants gâtés» de sa génération de dilapider le legs du Romantisme en rompant cet équilibre délicat par leurs chicaneries techniques ou la vacuité de leurs images[12]. Le nom de Bonington invoqué par Baudelaire, et par beaucoup d'autres, dans leur apologie sur ce legs, atteste l'importance que revêt l'artiste aux yeux des théoriciens de l'art du XIXe siècle. D'une manière succincte, on pourrait dire que la vie de Bonington fut une célébration de l'*art* de la peinture et ce serait ne comprendre qu'à moitié le génie romantique que de sous-estimer la dimension historique de son œuvre.

* * *

QUI EST R. P. BONINGTON ?

The Literary Gazette, 4 février 1826

Richard Parkes Bonington est né dans une famille douée d'une intense activité professionnelle. À sa majorité, en 1789, le père de l'artiste, Richard Bonington (1768–1835) avait hérité du poste de geôlier de Nottinghamshire. Huit ans plus tard, il abandonnait volontairement cette sinécure pour devenir professeur de dessin et peintre portraitiste, bien que sa première œuvre d'art connue, un portrait de trois-quarts quelque peu grossier, exécuté à la mine de plomb en 1791 (Columbia University), donne à penser que sa réorientation professionnelle fut, pendant quelque temps, difficile. Il exposa des paysages et des portraits à l'huile à la Royal Academy de Londres en 1797 et en 1808, puis à la Liverpool Academy en 1811 et en 1813. C'est avec la même persévérance qu'il pratiqua l'aquarelle topographique et à ce titre, il entreprit un voyage, en exécutant des vues dans la région des lacs, à Sheffield (1801) où il enseigna aussi le dessin[13], à Nottingham (1808–1813) et au château de Belvoir, transformé en ruines pittoresques après un incendie en 1816. Comme la plupart de ces œuvres furent gravées à l'aquatinte, à Londres, par Cartwright (ill. 1), on peut supposer que Bonington se rendait périodiquement dans la capitale pour des voyages d'affaire. Seules ses estampes lui ayant survécu, il est difficile de juger de son talent de dessinateur ; les *Six paysages à l'aquatinte* (Londres, 1791) de Cartwright révèlent un sens de la perspective, une composition et un dessin relativement plus achevés que dans ses estampes d'après Bonington. Cependant, en tenant compte des connaissances techniques qu'il aurait acquises par la copie studieuse des dessins de son fils dans les années vingt, une *Vue de Londres* datée de 1833, récemment découverte, laisse supposer la qualité de ses premiers paysages originaux. Preuve à l'appui, on peut en déduire que Richard Bonington fut à tout le moins un artiste provincial au succès raisonnable et aux prétentions modestes, qui s'appliquait à satisfaire les divers besoins artistiques de sa communauté locale.

1 : T. Cartwright, d'après Richard Bonington (1768–1835)
Le nord-est de Nottingham vu du café de M. James, 1815
Aquatinte, 17,8 × 24
New Haven, Yale Center for British Art

Ce fut à Londres, en juillet 1801, que Bonington épousa Eleanor Parkes, une femme disciplinée et cultivée ayant l'expérience de l'instruction des enfants. Il ouvrit immédiatement avec elle une école de jeunes filles qui fonctionna à Arnold puis à Nottingham jusqu'en 1813, où il mit à profit son expérience de professeur de dessin. En 1806, il entreprit d'accroître l'envergure de cette petite entreprise en la dotant d'un «dépôt des arts» similaire, dans son principe, à celui de Rudolph Ackermann qui jouissait à Londres d'un grand succès. La location d'estampes, d'aquarelles et de dessins originaux, probablement destinés à la copie pour amateurs, la vente d'œuvres d'artistes et l'exposition de ses propres tableaux furent les premières activités de cette entreprise commerciale[15]. Il est possible que les œuvres graphiques réunies durant cette période pour cette entreprise aient fait partie des lots des quelque 3 000 estampes et dessins de maîtres anciens et modernes, mis aux enchères lors de la liquidation de ses biens en 1838 : parmi ceux-ci, les gravures alors en vogue de la *Shakespeare Gallery* (1789–1805) de Boydell et les planches plus petites de l'édition George Steevens de 1802, l'ambitieuse édition de l'*History of England* (1805) de David Hume illustrée par Bowyer, The *Holy Bible* (1800–1816) de Thomas Macklin et la *British Gallery of Engravings* (1807–1813) d'Edward Forster. Toutes ces œuvres tinrent un rôle dans la formation artistique de son fils et influèrent sur la génération des peintres d'histoire français avec lesquels le jeune Bonington allait nouer des amitiés privilégiées.

La deuxième décennie du XIXe siècle fut une période de stagnation économique qui gagna une grande partie de l'Angleterre et qui frappa tout particulièrement l'industrie textile de Nottingham. À partir de 1814, les diverses affaires dans lesquelles les Bonington étaient engagés avaient peine à survivre. Richard Bonington se remit d'abord à la politique, mais après l'échec de sa candidature au parti libéral (*Whig*) pour le *Junior Council* du Conseil municipal de Nottingham en 1815, il eut recours aux relations qu'il avait antérieurement cultivées quand il était dans le milieu de la passementerie et transplanta rapidement sa fabrique de Nottingham à Calais. Les directeurs du *Nottingham Journal* déploraient que dans le seul mois de mai 1816, 2 000 passeports pour le continent eussent été délivrés «aux nobles, gentilshommes et entrepreneurs au bord de la faillite» de la région. Avec une même audace dans le domaine des affaires et cédant autant au désespoir qu'à un optimisme excessif, les Bonington se résolurent eux aussi à l'expatriation, faisant paraître une note dans la *Nottingham Review* :

«Monsieur Bonington, ayant renoncé à sa carrière de professeur de dessin, sollicite l'intérêt de la haute et la petite noblesse et du public pour sa collection de peintures et dessins originaux, etc., qui seront mis aux enchères les 26, 27, et 28 août 1817 [...] ainsi que l'ensemble de ses biens mobiliers, objets de valeur, coquets et utiles [...] de même, sera vendue aux enchères sa propriété foncière libre véritablement avantageuse [...] qui compte parmi les emplacements les meilleurs et les plus centraux de la ville de Nottingham[17].»

On ne pouvait choisir un moment moins opportun. Le duc de Richelieu, dans sa correspondance avec l'ambassadeur français à Londres durant les mois d'avril et mai, remarquait «l'effrayant marasme» de l'économie, «la misère d'une grande partie de la France et le dénuement du reste du pays[18]». Néanmoins, Bonington était résolu à s'engager dans la manufacture de tulle en association avec deux passementiers de Nottingham exerçant alors à Calais, James Clarke et Robert Webster ; à la fin septembre, leurs biens matériels étaient convertis en devises et les Bonington partirent pour la France.

Plusieurs mois avant leur arrivée, Louis Francia (1772–1839 ; n° 17), l'aquarelliste de marines et de paysages installé à Londres depuis 1790, avait réintégré sa ville natale de Calais. D'après de nombreux récits, il aurait temporairement pris le jeune Bonington comme élève dans son atelier après l'avoir rencontré sur un appontement en train de dessiner. L'encouragement qu'il prodiguait à ce jeune talent irritait le père qui,

1. A. Dubuisson et C.E. Hughes, *Richard Parkes Bonington : His Life and Work*, London, 1924.
2. Sydney Race, *Notes on the Boningtons : Richard Bonington the Elder (1730–1803) ; Richard Bonington the Younger (1768–1835) ; Richard Parkes Bonington (1801–1828)*, Nottingham, 1950.
3. Un lucide recueil d'essais *in* Charles Rosen et Henri Zerner, *Romanticism and Realism*, New York, 1984 (éd. fr. Paris, 1986) fait exception à cette tendance. Marcia Pointon a également fourni une précieuse documentation sur les amitiés de Bonington dans *The Bonington Circle*, Brighton, 1985.
4. Théophile Gautier, *Les Beaux-Arts en Europe*, Paris, 1855 : «La révolution romantique commencée par Scheffer, Devéria, Poterlet, Delacroix, L. Boulanger et surtout Bonington, le peintre le plus naturellement coloriste de l'école moderne» ; et Huet, *Huet*, p. 48 : «Sous le rapport de la couleur, la révolution pittoresque procéda de Bonington comme la révolution littéraire procédait de Shakespeare. L'influence de ce jeune peintre anglais, ou d'origine anglaise, est visible dans les premières œuvres romantiques. Eugène Delacroix, ce fier génie, si profondément original, en reçut un reflet qui illumine le *Combat du Pacha et du Giaour*, d'une poésie si byronienne, et qui flamboie d'une façon si superbe dans le *Sardanapale*.»
5. Planche, *Salon de 1831*, p. 25.
6. Dubuisson 1912, p. 123.
7. C.-A. Sainte-Beuve, *Nouveaux Lundis*, Paris, 1865, t. 3, p. 97–98.
8. Voir la lettre de Baudelaire de 1859 adressée à Nadar concernant les portraits de la duchesse d'Albe par Goya in *Charles Baudelaire. Correspondance*, Paris, Gallimard, éd. C. Pichois et J. Ziegler, t. 1, p. 573–575.
9. Théophile Gautier, "Pan de mur", *Poésies complètes*, Paris, 1889, t. 1, p. 91–92.
10. William Hazlitt, "On the Pleasure of Painting", *Table-Talk*, London, 1821.
11. Marcel Proust, *A la recherche du temps perdu -La prisonnière*, Paris, 1954 [1983], t.3. p. 186–187. «Mais un critique ayant écrit que dans la Vue de Delft de Vermeer [...] tableau qu'il adorait et croyait connaître très bien, un petit pan de mur jaune (qu'il ne se rappelait pas) était si bien peint qu'il était, si on le regardait seul, comme une précieuse œuvre d'art chinoise, d'une beauté qui se suffirait à elle-même, Bergotte [...] passa devant plusieurs tableaux et eut l'impression de la sécheresse et de l'inutilité d'un art si factice, et qui ne valait pas les courants d'air et de soleil d'un palazzo de Venise ou d'une simple maison au bord de la mer. Enfin il fut devant le Vermeer [...] il attachait son regard, comme un enfant à un papillon jaune qu'il veut saisir, au précieux petit pan de mur. «C'est ainsi que j'aurais dû écrire, disait-il. Mes derniers livres sont trop secs, il aurait fallu passer plusieurs couches de couleur, rendre ma phrase en elle-même précieuse, comme ce petit pan de mur jaune.» Cependant la gravité de ses étourdissements ne lui échappait pas. Dans une céleste balance lui apparaissait, chargeant l'un des plateaux, sa propre vie, tandis que l'autre contenait le petit pan du mur si bien peint en jaune.»

Proust est connu pour avoir admiré l'œuvre de Bonington et connaissait probablement bien ses vues de Venise.

12. Baudelaire, *Œuvres complètes*, Paris, Gallimard, 1976, éd. C. Pichois et J. Ziegler, t. II, p. 611–612 : « En dehors, vous ne trouverez guère que l'*enfant gâté*. [...] L'Enfant gâté a hérité du privilège, légitime alors, de ses devanciers. L'enthousiasme qui a salué David, Guérin, Girodet, Gros, Delacroix, Bonington, illumine encore d'une lumière charitable sa chétive personne [...]. Discrédit de l'imagination, mépris du grand, amour (non, ce mot est trop beau), pratique exclusive du métier, telles sont, je crois, quant à l'artiste, les raisons principales de son abaissement [...] Celui qui ne possède que de l'habileté est une bête, et l'imagination qui veut s'en passer est une folle. »
13. Le père de Bonington donnait chaque semaine des cours de dessin à la Jennings Circulating Library, à Sheffield, selon J. H. Plumb, «The New World of Children in Eighteenth-Century England», *Past and Present*, n° 67, mai 1975, p. 76 et n° 53. Je remercie Marcia Pointon de m'avoir communiqué cette référence.
14. Sotheby's, 11 juillet 1990, n° 80, *View of London from Highgate*, huile sur bois, reproduite en couleur.
15. «En liaison avec MM. Boydel & Cie et avec d'autres éminentes maisons de Londres» ainsi qu'il l'avait fait paraître dans un journal local ; voir Hughes, *Notes*, p. 103.
16. Dubuisson and Hughes, p. 20.
17. *Ibid.*, p. 19.
18. Voir Miquel, *Isabey*, t. 1, p. 32, n° 2. Pendant longtemps, les puissances alliées exigèrent du gouvernement français la somme de 100 000 livres par an pour les dépenses occasionnées par ses forces d'occupation.

2: *Navigation au large de la jetée de Calais*, vers 1818
Aquarelle, 20 × 25,4
Collection particulière

manifestement, n'était pas enthousiaste à l'idée que son fils poursuivît une carrière où il n'avait lui-même trouvé qu'une rémunération irrégulière et qui ruinerait l'ambition qu'il nourrissait : transmettre la direction de ses affaires à son fils. La plupart des spécialistes ont accepté l'anecdote[19] selon laquelle Francia sauva son protégé de la rigueur paternelle en l'envoyant, en 1818, chez Benjamin Morel, riche constructeur de navires à Arras et maire de Dunkerque, qui fit, par la suite, partir le jeune homme pour Paris muni d'une lettre de recommandation destinée à Eugène Delacroix[20]. Ses parents le rejoignirent finalement à Paris, où père et fils se réconcilièrent.

Ce fut effectivement en octobre 1818 que le contrat entre Clarke, Webster et Bonington fut résilié en faveur d'un nouvel accord entre Webster et Bonington, qui dura au moins jusqu'au printemps suivant. Toutefois, il paraît fort douteux que l'adolescent ait été d'abord expédié à Dunkerque par un artiste professionnel alors soucieux d'asseoir sa propre réputation de professeur de dessin, puis à Paris par un maire de province, modèle même de la probité bourgeoise, lequel l'aurait recommandé à un artiste pratiquement inconnu et sans ressources. En fait, Delacroix se souvint par la suite avoir rencontré par hasard Bonington au Louvre. En reconstituant les faits d'une façon plus plausible, on peut penser que, peu de temps après la résiliation du premier contrat, les Bonington quittèrent Calais pour se rendre à Paris où ils se fixèrent d'abord au 22, rue des Moulins, en se désignant comme «fabricants de tulle uni et brodé». À partir de 1824, à l'époque où ils se trouvaient rue des Mauvaises-Paroles près du Louvre, ils étaient répertoriés comme marchands de tulle dans les registres commerciaux. En fait, la famille avait gagné Paris en vue d'y établir un commerce de détail destiné aux marchandises que Webster et probablement d'autres confectionnaient à Calais. Ils poursuivirent cette entreprise jusqu'en 1825, date à laquelle le revenu de leur fils devint suffisant pour garantir leur sécurité matérielle.

C'est de cette première période d'environ un an passée à Calais que datent les toutes premières œuvres d'art retrouvées du jeune Bonington (n° 1, ill. 2). Nombreux sont ceux qui ont récemment mis en avant le réel prestige artistique de Louis Francia et l'influence qu'il exerça dans la formation de Bonington au début de sa carrière[21]. Lorsque Francia quitta Londres, il était un aquarelliste professionnel réputé et connu. Avec Thomas Girtin (1775–1802 ; ill. 3), Copley Fielding (1787–1855), Samuel Prout (1783–1852; n° 89) et d'autres, il avait défendu, contre les préjugés dictés par la tradition et les règles académiques, la cause de la

3: Thomas Girtin (1775–1802) et J.B. Harraden
Le pont Saint-Michel vu du Pont-Neuf, 1802–1803
Eau-forte et aquatinte, 25,4 × 45,5
New Haven, Yale Center for British Art

Drawn & Etch'd by Thos Girtin   Aquatinted by J.B. Harraden

4: *Un marché aux poissons sur la côte française*, vers 1817–1818
Aquarelle, 15 × 23
Collection particulière

peinture de paysage naturaliste dans l'aquarelle. Toutefois, le père de Bonington lui-même était au fait de cette évolution — la plus progressiste de la peinture britannique pendant les deux premières décennies du siècle — et ce fut sans aucun doute lui, aussi modestes que furent ses talents, qui apprit à Bonington, dans le cadre de son éducation générale, les principes de l'aquarelle. Ce fut certainement aux côtés de Francia que le jeune homme mit au point cette technique et sous sa seule influence qu'il confirma sa prédilection pour les sujets de marines ; mais on ne saurait déceler aucun ascendant stylistique du maître sur l'artiste, si l'on excepte les aquarelles exécutées par Bonington à Calais et, peu après, à Paris (ill. 2 et 5 et n° 3). Celles-ci, en effet, témoignent des intérêts communs aux deux hommes pour l'utilisation fragmentaire et économique du lavis — dont l'effet confine parfois à l'abstraction — et dans l'emploi d'une palette sombre visant à l'expression du sublime en quoi s'affirme ce que l'on allait appeler le *corporate style* des premières sociétés d'aquarellistes. Commençant là où Girtin s'était arrêté, Bonington allait distancer, en l'espace de trois ou quatre ans, la plupart des maîtres d'avant-garde de cette école.

C'est dans les notes manuscrites que l'artiste James Roberts (actif entre 1818 et 1846) laissa en réponse à une très brève et lacunaire biographie de Bonington publiée par Allen Cunningham en 1832[22], que l'on trouve les principales sources d'information sur les premières activités de Bonington à Paris. En 1818, Roberts était lui aussi étudiant à Paris, et il devait s'imposer par la suite en France comme professeur de dessin et dessinateur topographe mineur. Son ascendance demeure inconnue, mais il se peut qu'il ait été le fils ou le neveu du portraitiste et professeur de dessin du même nom dont le manuel pour dilettantes *Introductory lessons, with familiar examples in landscape for the use of those who are desirous of gaining some knowledge of the pleasing art of painting in watercolours* (Londres, 1800) fut l'un des premiers à se référer aux œuvres de Girtin et J.M.W. Turner (n° 48). Les rares aquarelles réalisées par Roberts dans les années 1820 et 1830 (ill. 6) dénotent un style de lavis conventionnel, semblable à celui

19. D'abord relatée par Dubuisson (1909, p. 86) d'après les sources communiquées par un descendant d'un ami de Francia, M. Isaac.
20. Pour les œuvres de Delacroix figurant dans cette exposition, voir les n°s 37, 39, 40, 41, 66, 69, 110, 134, 137 et 142.
21. Voir à ce sujet les publications de Smith, *Francia* ; de Calais, *Francia* ; et de Pointon, *Circle*.
22. Cunningham, *Lives, passim*. Les notes de Roberts, rédigées en anglais et adressées à un correspondant non identifié, ainsi que la plupart de la correspondance originale de Bonington d'abord publiée par Dubuisson et Hughes, se trouvent à la Bibliothèque nationale, département des Estampes, Réserve, dossier Bonington, notées par la suite Roberts, BN Dossier Bonington.

5: *Une ville française*, vers 1820
Aquarelle, 15 × 21,6
Montpellier, musée Fabre

6: James Roberts (connu en 1818–1846)
Le château d'Azay-le-Rideau, 1831
Aquarelle, 14,2 × 23
Londres, Christie's

7: Anonyme (XIXᵉ siècle)
Portrait de R.P. Bonington, vers 1820
Aquarelle, 20,6 × 16,5
Besançon, musée des Beaux-Arts et d'Archéologie

8: Alexandre-Marie Colin (1798–1873)
Portrait de R.P. Bonington, vers 1824
Mine de plomb, 12,5 × 10
Paris, musée Carnavalet

d'autres aquarellistes britanniques travaillant alors à Paris, mais plus particulièrement à celui de Thales et Newton Fielding (1797–1856; n° 146). On trouve chez Bonington quelques affinités avec ce naturalisme essentiellement décoratif dans certaines œuvres des années 1820–1821. Roberts ayant probablement été le premier artiste que Bonington rencontra à Paris et avec lequel il entretint une solide amitié, ses mémoires méritent toute notre attention pour leur valeur documentaire :

«*[Le père de Bonington] a sans aucun doute encouragé et initié son fils au dessin et à la peinture. Très tôt après son arrivée à Paris, je fis connaissance avec la famille. [...] Je peignais moi-même au Louvre et les conditions d'études offertes aux étrangers et au public en général étaient telles que toute personne qui le désirait pouvait s'installer devant un chevalet et copier l'œuvre d'art qui lui plaisait sans aucune permission préalable. C'est ainsi que le jeune Bonington, qui devait alors avoir environ quinze ans, se mit immédiatement au travail et copia à l'aquarelle un petit tableau qui, je crois, était de Gérard Dou — et représentait une femme hollandaise à sa fenêtre tenant un coq mort —, je suppose que c'est son père qui attira son attention sur ce tableau, car je doute fort que, même dans ces premiers temps, il ait été naturellement enclin à s'intéresser à un tableau de ce maître. À cette même époque, son père, désireux d'obtenir pour son fils le meilleur enseignement artistique, sollicita mes conseils. Je lui recommandai l'atelier du baron Gros, où il se rendit [...] et suite à notre requête, le jeune Bonington fut immédiatement accepté dans l'atelier de ce peintre distingué. Il y travailla très assidûment pendant quelque temps chaque matin [...]. Il passa très tôt par le travail préliminaire et fastidieux des copies de dessins de maîtres accrochés aux murs, pour ensuite s'essayer au dessin d'après nature [moulages antiques] [...] On peut alléguer que Bonington commença à s'affirmer au moment où il étudia au Louvre et quand il devint élève de Gros. Son arrivée à l'atelier ne fut pas plus remarquée que celle d'un garçon ordinaire, hormis le fait qu'on nota immédiatement qu'il avait «une boule anglaise bien caractérisée», d'après les critères phrénologiques en vigueur dans cet endroit [ill. 7 et 8].*

Bonington était à l'époque d'apparence particulièrement juvénile en raison de ses joues rondes et dodues et, comme il n'avait pas une grande bouche, la rondeur charnue de ses lèvres renforçait son caractère enfantin. Pourtant, un observateur minutieux aurait remarqué dans ses yeux les signes lumineux de l'intelligence. [...] [Il] se lassa vite de ce travail fastidieux [...] et après s'être appliqué pendant plusieurs mois à dessiner d'après nature, il ressentit naturellement le désir de peindre d'après nature. Ce désir fut très imprudemment réprimé par son maître qui, bien qu'il montrât beaucoup d'intérêt pour la facilité remarquable de l'élève, le lui manifestait très désagréablement. Il lui reprochait journellement d'être paresseux, de manquer d'application, et de fréquenter un plus mauvais élève qui l'encourageait à l'oisiveté [Jules-Armand Valentin]. Les reproches du maître se manifestaient avec la violente et nerveuse véhémence qu'on lui connaissait, et, bien qu'à cette époque, l'injustice flagrante et l'absurde sévérité du maître envers ses meilleurs élèves excitassent chez eux un sentiment mêlé d'indignation et de dérision, une fois que l'excitation nerveuse à laquelle M. Gros était sujet l'eut conduit au suicide, son comportement fut relaté avec indulgence²³.»

Si l'on en croit Paul Mantz et Jean-Baptiste Delestre, Bonington entra dans l'atelier du baron Antoine-Jean Gros (1771–1835) en avril 1819²⁴; en admettant cette date, on peut déduire du récit de Roberts que c'est au printemps, sous la tutelle directe de son père, qu'il avait copié des toiles du Louvre. Les titres donnés à certaines de ces premières peintures à l'huile aujourd'hui malheureusement disparues, qui firent partie de la vente aux enchères ayant eu lieu après le décès de la mère de Bonington en 1838, démontrent que l'enseignement de son père incluait aussi la pratique de la copie. Les modèles de ses compositions — la *Sainte Vierge du Kent* et le *Sacrifice de la fille de Jephté* par exemple — étaient certainement des gravures d'après les toiles d'artistes britanniques²⁵, puisqu'elles furent exécutées en mars 1818, au moment où la famille se trouvait encore à Calais. Le contenu des ventes de la collection d'œuvres graphiques que le

père et le fils réunirent leurs vies durant, éclaire ce que fut l'apprentissage initial de Bonington : parmi plus de deux cents lots figuraient des œuvres du Maître du Dé, la série complète des *Triomphes de Maximilien* de Dürer, environ soixante eaux-fortes de Rembrandt, sans compter les vingt autres lots d'estampes de Jan Both, Karel Dujardin, Anthonie Waterloo, Claude Lorrain, les Van de Velde et Nicolaes Berchem, les gravures de Marcantonio Raimondi, et l'œuvre complet de Canaletto. La plupart de ces estampes de maîtres anciens furent certainement acquises au cours des années 1820, mais on peut supposer à juste titre qu'une partie appartenait à la réserve du «dépôt» et que, lorsque Bonington fut présenté à Gros pour faire montre de son jeune talent, il était déjà avancé dans ses études et familiarisé avec un nombre considérable d'œuvres d'histoire de l'art du monde occidental. Ainsi, on conçoit facilement que son père lui ait fait copier le tableau de Dou, étant donné le goût prédominant en Angleterre pour la peinture de genre des écoles du Nord du XVIIᵉ siècle, qui était aussi à la mode sous la Restauration. Le *Radeau de la Méduse* de Théodore Géricault fut sans doute le tableau le plus important et le plus controversé du Salon en août 1819, mais ce furent les œuvres des peintres troubadours, notamment ceux de l'école de Lyon pour qui les tableaux de Dou (ill. 54) étaient le *nec plus ultra*, qui captivèrent la plupart des collectionneurs privés.

L'atelier de Gros, situé à l'Institut de France (nᵒ 161) et pouvant accueillir soixante élèves de différents niveaux, était le plus prestigieux de Paris, et bien que Gros ne fût pas le plus facile et le plus simple des maîtres, il menait efficacement ses affaires. Bonington consacrait ses matinées à étudier dans l'atelier, où Gros officiait de onze heures du matin à une heure de l'après-midi, et ses après-midis à copier au Louvre — alors ouvert chaque jour aux artistes et aux étrangers de dix heures du matin à quatre heures de l'après-midi — et à l'École des beaux-arts à laquelle il avait accès sous le parrainage de Gros. Parmi les élèves de Gros en 1819 (ill.9), certains s'imposèrent comme des artistes ou historiens distingués — Paul Delaroche (1797–1856), Joseph Nicolas Robert-Fleury (1797–

23. Roberts, BN Dossier Bonington. L'auteur n'identifie le condisciple oisif de Bonington que par l'initiale V. Marcia Pointon a émis la judicieuse hypothèse qu'il s'agissait du peintre paysagiste mineur J. -A. Valentin (né en 1802).

24. Mantz, *Bonington*, p. 291 ; J.-B. Delestre, *Gros, sa vie et ses ouvrages*, Paris, 1867, p. 365.

25. *Le Sacrifice de la fille de Jephté* de John Opie fut gravé pour la *Bible* de Macklin.

9: Louis-Léopold Boilly (1761–1845)
Les élèves du baron Gros en 1820
Pierre noire et rehauts de craie, 59,5 × 39,1
Paris, musée Carnavalet
On reconnaît : R.P. Bonington (n° 17) ; Paul Delaroche (n° 9) ;
J.-A. Valentin (n° 11) ;
J.-A. Carrier (n° 13) ; N.-T. Charlet (n° 21) ; Eugène Lami (n° 22)

10: *Portrait de jeune homme (P.-J. Gaudefroy ?)*, 1820
Aquarelle, 22,8 × 16,3
Bayonne, musée Bonnat

11: *Faune jouant de la flûte*, 1820
Pierre noire et rehauts de craie sur papier bleu-gris, 58,4 × 38,2
New Haven, Yale Center for British Art

1890), Nicolas-Toussaint Charlet (1792–1845), Johann-David Passavant (1787–1861), par exemple — et la plupart des artistes avec qui Bonington allait nouer ses plus grandes amitiés : Eugène Lami (1800–1890 ; n° 5), Camille Roqueplan (1800–1855 ; n°ˢ 74 et 117) et Auguste-Joseph Carrier (1800–1875). Roberts, Pierre-Julien Gaudefroy (né en 1804 ; ill. 10), Paul Huet (1803–1869 ; n°ˢ 56 et 79) et Henri Monnier (1799–1877 ; voir le n° 57) viendront grossir ces rangs à la fin de la période d'apprentissage de Bonington chez Gros.

Quelques études d'après l'antique qui nous sont parvenues montrent les progrès de Bonington dans le cursus académique. Les élèves des différents ateliers devaient nécessairement se présenter aux concours des salles réservées à l'étude du modèle vivant, alors que les moins expérimentés se disputaient les places dans les salles abritant les moulages antiques ou encore trouvaient des modèles sculptés comparables, au Louvre ou dans les ateliers de leurs maîtres respectifs. Aussi, en raison du nombre sans cesse croissant des candidats, l'Académie des beaux-arts se résolut, en juin 1820, à établir un concours semestriel d'entrée à la salle des moulages. Le premier concours du 6 août, en milieu du semestre d'été (avril à octobre), donnait lieu à une admission immédiate. Parmi les soixante-quatre candidats, Bonington fut classé 25ᵉ. Delacroix, qui était alors élève de Guérin, fut classé 32ᵉ et Achille Devéria (1800–1857) 50ᵉ. Certains artistes comme Alexandre-Marie Colin (1798–1873 ; n° 136), qui s'étaient déjà distingués au concours de la salle des modèles, en étaient dispensés. Un second concours d'entrée pour les cours du semestre d'hiver (octobre à avril) eut lieu le 11 septembre. Bonington y fut plus brillant, en se classant 19ᵉ sur 53. L'œuvre avec laquelle il concourut, un *Faune jouant de la flûte* (ill. 11), dessiné à la craie, est caractéristique du style de l'École avec ses contours exaltés et son délicat modelé intérieur²⁶. À l'épreuve d'admission à la salle des modèles pour le semestre d'hiver, qui eut lieu le 30 octobre, Bonington se retrouva de façon humiliante 60ᵉ sur 61 candidats. Bien qu'il concourût avec de nombreux élèves plus avancés, son résultat catastrophique est d'autant plus surprenant qu'une étude d'après nature qu'il avait exécutée dans un atelier privé, le mois d'avril de la même année (nᵒ 6) égale en qualité un exercice comparable de Colin par exemple, qui finit 13ᵉ. Bonington ne se représenta jamais à l'épreuve d'admission à la salle des modèles, bien qu'il participât au concours des salles de moulages en mai 1821 (46ᵉ sur 72), en mai 1822 (21ᵉ sur 53; Delacroix finit 31ᵉ) et en septembre 1822 (46ᵉ sur 80; Huet finit 51ᵉ). Il s'abstint aussi, ou fut exclu, d'autres concours annuels organisés pour dispenser l'ultime récompense accordée par l'Académie, le prix de Rome pour la peinture d'histoire ou pour le paysage historique.

Tous les récits contemporains relatifs à l'apprentissage de Bonington chez Gros font mention d'une grave brouille entre les deux hommes, suivie d'une relative réconciliation. Les explications données à l'hostilité de Gros ne sont pas unanimes, bien qu'elles fassent allusion, à maintes reprises, à son intransigeance vis-à-vis du désir qu'avait Bonington de dessiner ou de peindre d'après le modèle vivant. Lorsqu'à l'époque, le graveur Abraham Raimbach (1776–1843) rendit visite à Gros, il le trouva «dans l'aisance, d'un caractère excentrique, et comme on me l'avait dit (bien que je ne le tinsse pas pour tel) de manières rudes et repoussantes[27].» Sans aucun doute, Gros était un homme de caractère difficile, mais la sévérité des rebuffades qu'il aurait fait subir, en public, à Bonington, rapportée par Roberts et d'autres, semble exagérée et injuste. Cette version des faits contribua à établir le mythe de Bonington pendant plusieurs années, mais à l'époque, il dut en être excessivement fatigué et rebuté. À propos de la carrière de Gros, Delacroix devait remarquer plus tard qu'il commença à sombrer, durant les dernières années de sa vie, dans les ternes et froides conceptions du néo-classicisme —— et à «déchoir du sublime» — lorsqu'il assuma la responsabilité de l'atelier de Jacques-Louis David. En 1817, Gros s'était mué en pédagogue, «il mit une sorte d'amour-propre à continuer dans ses leçons toutes les traditions de David».

«Il semblait même qu'il voulût faire oublier à ses élèves combien sa propre manière avait différé de celle de son maître. «Mon métier, disait-il quelquefois, est de former des artistes et de les envoyer en Italie aux frais du gouvernement.» David n'encourageait que trop dans cette tendance. Assuré qu'il était que ses principes revivraient dans l'enseignement de Gros, il désira que Gros lui-même en fît l'application dans ses ouvrages [...] mais il était mal à l'aise dans cette forme pédantesque et sous cette tournure académique[28].»

En tant que dépositaire «élu» de l'enseignement davidien, Gros se trouvait dans la fâcheuse obligation de devoir renforcer une autorité et d'inculquer un goût, à l'influence desquels il avait lui-même, pendant près de trois décennies, brillamment échappé (ill. 22). Peut-être devinait-il, dans la ferveur de Bonington, une sensibilité indomptable subvertissant les principes qu'il s'était efforcé d'inculquer à d'autres élèves. Même après être entré dans l'atelier, Bonington continua à parfaire ses compétences dans le genre alors dénigré du paysage à l'aquarelle, et ses œuvres recevaient les éloges de certains de ses camarades d'atelier.

Les prédilections littéraires de Bonington étaient déjà également marginales :

«Il n'a jamais eu d'égards pour la littérature classique. À vrai dire, il l'avait plutôt en aversion, probablement parce qu'elle lui rappelait les déboires de ses études à l'atelier [...]. de Malinet, de Monstrelet, Froissart et leur langue vieillote exerçaient sur lui un charme particulier. On pouvait souvent le voir, avec les premiers romans de la littérature française, comme par exemple Gérard de Nevers, le petit Saintré, Lancelot du Lac, etc. — De même, il était friand de romans modernes caractérisés par un souci de vérité archéologique[29].»

De toute évidence, le Prix de Rome, et l'érudition en histoire classique qu'il requérait, était loin des préoccupations de Bonington, mais ce qui

26. On trouve d'autres exemples au British Museum et au Nottingham Castle Museum. On peut apprécier l'homogénéité de ce style en comparant les études de Bonington avec celles d'autres élèves, comme Eugène Devéria par exemple (Bibliothèque nationale, département des Estampes, Réserve, Devéria).

27. Raimbach, *Memoirs*, p. 56, n. 77.

28. Piron, *Delacroix*, p. 251. L'essai de Delacroix sur Gros fut initialement publié dans la *Revue des Deux-Mondes* (1ᵉʳ septembre 1848).

29. Roberts, BN Dossier Bonington.

alarmait le plus Gros était le mépris manifeste de son élève pour David, dont l'insistance sur la copie scrupuleuse du modèle était considérée par lui comme «l'incarnation de l'absurde, de l'irrationnel et de l'artifice». Roberts relate :

«Nous marchions ensemble à travers la galerie du Louvre en compagnie d'un ami qui avait été contemporain de David, et en arrivant devant l'immense tableau des Sabines, ce dernier dit : Voyez-vous le personnage tenant le javelot au premier plan ? Eh bien… David [a dit] que pas un seul de nos modèles ordinaires n'a pu poser pour ce personnage. «Je fus obligé de supplier le bon Vestris (le danseur) de venir poser.» Je me souviens que ces propos firent apparaître sur le visage de Bonington (qui, soit dit en passant, n'était pas très expressif) un air confus où se devinait la peine puis la compassion accompagné d'un léger haussement des épaules[30].»

Dès l'été 1821, les relations entre l'élève et le professeur étaient devenues insupportables. En septembre, le nom de Bonington était absent, pour la première fois, de la liste des candidats présentés au concours. Avec l'argent réuni grâce à la vente de ses vues aquarellées de Paris et de ses faubourgs et de ses vignettes pour des publications littéraires alors en vogue (n° 4), il entreprit, en automne, son premier grand voyage d'étude.

Négligeant de la règle observée à l'époque, c'est en Normandie et non en Italie que Bonington se rendit. Roberts mentionne qu'il revint via Rouen, mais seules les études de sites identifiables aujourd'hui conservées peuvent nous aider à reconstituer l'itinéraire de ses promenades. Parmi ses croquis à la mine de plomb figurent des études minutieuses des monuments architecturaux de Caen et d'Abbeville, les deux villes qui marquent probablement les limites géographiques de son voyage. Il fit aussi halte à Trouville, Ouistreham, Honfleur, Dives et Beauvais Deux aquarelles non retrouvées, exposées au Salon en avril 1822, indiquent qu'il travailla au Havre et à Lillebonne. Jusqu'ici, aucun des dessins de ports du nord de la Somme — Boulogne, Calais et Dunkerque, etc. — ne peut être associé stylistiquement à cet ensemble. Ce périple, qu'il aurait peut-être fait en compagnie de Roberts, ne dura qu'un ou deux mois.

La joie qu'éprouvait Bonington à échapper à la routine monotone de l'atelier et aux préceptes contraignants de l'enseignement académique est clairement perceptible dans des études telles que les *Machines à enfoncer les pieux, Rouen* (nos 10 et 11). L'exubérance de la ligne qui allait à l'encontre des règles plastiques de la sculpture antique trahit un esprit pétulant, grisé par sa première liberté et enchanté par ses précieux pouvoirs d'expression personnelle. Le vivant univers de travailleurs absorbés dans leurs activités quotidiennes devient l'objet d'un examen minutieux et supplante les sujets tels que les faunes joueurs de fifre et les lutteurs romains. À l'exception des peintures, quasi contemporaines mais très différentes, de Géricault montrant des travailleurs anglais, très peu d'œuvres d'artistes français de l'époque ont fourni d'aussi claires ripostes aux banales anecdotes populaires que furent les scrupuleuses laveuses de vaisselle de Martin Drölling et la peinture de genre de son école, qui triomphait sous l'Ancien Régime[31].

En choisissant de parcourir la Normandie, Bonington suivait les élans que suscitait son intérêt pour les paysages côtiers — domaine spécialisé de la peinture naturaliste que peu d'artistes pratiquaient en France, mais qui eut vite gain de cause –, et se laissait porter par la fascination, répandue chez ses contemporains, pour les monuments et les souvenirs se rapportant à l'histoire européenne post-classique. Le regain d'intérêt pour le Moyen Age, ce «Don Quichottisme» de l'époque pour reprendre l'expression railleuse de Théophile Gautier[32], avait alors gagné du terrain en France, mais ce ne fut qu'à partir de la publication du premier volume des *Voyages pittoresques et romantiques dans l'ancienne France*, en avril 1820, que furent offertes des possibilités de subvention aux dessinateurs spécialisés dans l'anticomanie topographique. À l'origine simple entreprise financière associant Isidore Taylor, Charles Nodier et Alexandre de Cailleux, les 26 volumes que devaient comporter les *Voyages pittoresques*

devinrent incontestablement la plus monumentale, la plus convaincante, et la plus influente publication illustrée du XIXe siècle. Les intentions des éditeurs et des auteurs étaient extrêmement variées. La prose — savante, sarcastique, ponctuée d'anecdotes provinciales — établit un nouveau modèle d'écriture de l'histoire en France, tandis que les gravures qui l'accompagnaient imposèrent et légitimèrent l'art, encore nouveau, de la lithographie. Pour justifier la longueur et le contenu des deux premiers volumes consacrés à la Normandie, Nodier écrivait :

«Nous avons vu, en décrivant les ruines de la Normandie, que les monuments auxquels nous imposons avec tant de dédain le nom gothiques et dont nous rapportons la construction aux siècles de barbarie, n'étaient ni si sauvages, ni si barbares[33].»

De façon générale, on pourrait avancer que les *Voyages pittoresques* éveillèrent dans la nation française le sentiment de sa propre histoire, déplacèrent les valeurs culturelles d'Homère vers Froissart, rendirent hommage à la vitalité des traditions provinciales et suscitèrent une réaction contre la destruction absurde de l'architecture médiévale, qui avait été amorcée par un rejet iconoclaste au XVIIIe siècle et poursuivie par mesquinerie et ignorance sous la Restauration[34].

Bonington ne participa pas immédiatement à ce mouvement, mais tout annonçait chez lui qu'il prendrait une part active à cet engouement qui avait contribué de façon si décisive à la popularisation de l'aquarelle quarante ans plus tôt en Grande-Bretagne. En analysant les études exécutées durant son périple en Normandie (ill. 12) et en tirant les conséquences, Roberts remarquait que Bonington «manifesta toujours une sorte de prédilection naturelle pour les sujets à caractère historique. […] Du reste, avant même d'être une recherche d'architecture pittoresque ou une composition poétique, ses œuvres se signalaient déjà par une attention précise portée au costume et au souci de vérité archéologique. Ce furent ses prédilections littéraires qui l'y déterminèrent[35].»

Comme la plupart des artistes de sa génération, Bonington était séduit par ce charmant mélange de grandeur historique et de recherche archéologique poussée qu'on retrouvait dans les romans de Sir Walter Scott. Ces premières études de monuments gothiques, scrupuleusement observés et pourtant dessinés avec un élan et une candeur inattendus, sont le signe évident d'un goût et d'un choix pleinement mûris. Ces dessins attestent également une plus grande familiarité avec l'art anglais, en ce sens que leur technique s'apparente moins au dessin français qu'à l'anticomanie contemporaine de John Sell Cotman (1782–1842), Henry Edridge (1769–1821) et Samuel Prout — qui, tous, travaillaient alors dans le nord de la France — ou de Charles Wild (1781–1835) qui collectait des matériaux pour ses *Select Cathedrals of France* (Londres, ca. 1826) au début des années 1820.

Au début de l'année 1822, Bonington était de retour à Paris pour satisfaire une commande de J.-F. d'Ostervald, propriétaire suisse d'une maison d'édition quai des Augustins, qui fit bientôt connaître l'art moderne britannique. Le père de ce dernier était aussi éditeur et, à eux deux, ils dominaient le commerce parisien des livres de voyages illustrés. En mai, J.-F. d'Ostervald annonça la publication imminente du premier fascicule d'un monumental *Voyage pittoresque en Sicile*. Le texte, relatif à l'histoire de la Sicile, avait été écrit par Achille Gigault de la Salle, antiquaire et correspondant de l'Institut. Les illustrations furent principalement conçues par Auguste, comte de Forbin (1777–1841), directeur des musées royaux, avec la collaboration de l'architecte anglais C.R. Cockerell (1788–1863), d'Achille Michallon (1796–1822) — alors considéré comme le premier peintre paysagiste français, mais qui mourut en septembre à l'âge de 26 ans — et de deux futurs protecteurs de Bonington, le comte de Pourtalès-Gorgier (voir le n° 44) et le comte Jean-Charles de Vèze (voir le n° 34), tous deux artistes amateurs.

La publication de d'Ostervald, constituée de deux volumes (1822 et 1826) comprenant respectivement 44 puis 49 planches, fut une remarquable démonstration de la technique et du goût britanniques car, non seulement il importa un papier d'estampe permettant une qualité d'impression supérieure, fabriqué par la firme de James Whatman, mais il fit également venir pas moins de huit graveurs britanniques spécialisés dans l'aquatinte.

Avant d'être gravées, les esquisses de Forbin et des autres artistes devaient être reproduites à l'aquarelle ; pour cela, d'Ostervald fit encore appel à des experts britanniques. Parmi ceux qui travaillèrent avec Bonington sur ce projet, figuraient les frères Theodore (1781–1851), Thales (1793–1837) qui devint, cette année-là, l'ami intime de Delacroix, Newton et Copley Fielding, le plus talentueux des quatre. Furent aussi engagés Charles Bentley (1806–1854), l'aquarelliste de marines dont le style de la maturité avait subi l'influence de Bonington, et George Fennel Robson (1788–1833), un membre plus âgé de la *Society of Painters in Watercolours*. La modeste contribution de Bonington se réduisait à deux aquarelles d'après Forbin, représentant des vues de Trapani et de Catane. Cette dernière fut exposée au Salon, en avril 1822, sous le nom de d'Ostervald, avec 19 aquarelles et peintures à l'huile exécutées par quelques-uns des autres collaborateurs, parmi lesquelles on trouvait les premières œuvres d'Eugène Isabey (1803–1886 ; voir le n° 150). La variété et la richesse de style des aquarelles offertes par ces quelques représentants distingués de l'École britannique ne pouvaient certes qu'encourager Bonington à suivre la voie dans laquelle il semblait naturellement engagé. Roberts nota que les aquarelles exécutées cette année-là étaient pour la plupart des «réminiscences de l'art plutôt que de la nature» et, bien qu'il se référât principalement aux sujets avec personnages, une aquarelle telle que *Le port du Havre* (n° 8) pourrait suffire à le démontrer. La précision avec laquelle les lavis y sont appliqués et la juxtaposition audacieuse des orangés et des bleus s'apparentent étroitement au style de Robson.

Sous son propre nom, Bonington exposa au Salon les deux vues à l'aquarelle précédemment citées, de Lillebonne et du Havre. Bien qu'elles ne fassent l'objet d'aucune critique spécifique, elles furent, l'une et l'autre, acquises par la Société philanthropique des amis des arts pour un montant de 430 francs, ce qui représentait une somme raisonnable en comparaison des 15 francs qu'il reçut pour une aquarelle, l'année précédente. En décembre, après la loterie publique des 78 œuvres d'art qu'elle avait acquises depuis janvier, la Société ouvrit son exposition annuelle. Boutard, le critique d'art du *Journal des débats*, après avoir loué la protection accordée par la société au «genre» — terme qui, à l'époque, s'appliquait à toute œuvre d'art qui n'était ni classique dans son sujet, ni académique dans son style –, qualifia de «précieuses» les aquarelles de Bonington et Johann Heinrich Luttringshausen, autre dessinateur de d'Ostervald[36]. Comme Bonington concourut pour la salle des moulages en mai et, pour la dernière fois, en septembre, nous pouvons supposer à juste titre qu'il était revenu, du moins temporairement, dans l'atelier de Gros. Selon Delacroix, témoin bien placé, et Huet qui était élève dans le même atelier cette année-là, Gros reconnut manifestement le talent de son élève, le persuadant de poursuivre sa carrière d'aquarelliste, mais lui proposant les facilités de l'atelier[37]. Bonington demeura vraisemblablement à Paris pendant une bonne partie de l'année, bien qu'essentiellement occupé aux commandes d'aquarelles telles que *Dives, procession devant l'église Notre-Dame* (n° 13), dont les dimensions et les applications savantes de lavis marquent une exception à la règle des petits formats jusque-là en vigueur.

Le premier ensemble cohérent et substantiel d'œuvres ayant survécu indique qu'autour de 1823, les aquarelles de Bonington, à défaut d'être de dernier cri, étaient relativement recherchées par les éditeurs, les marchands et les collectionneurs privés. Car, ainsi que Roberts le nota à propos du goût de l'époque, «chacun se sentait tenu de posséder un album et de le remplir d'une façon ou d'une autre». Pour répondre à cette demande, la marchande Mme Hulin venait d'ouvrir, rue de la Paix, une galerie de dessins et Bonington devint rapidement son artiste le plus

12: *Façade à colombages à Caen*, vers 1821
Mine de plomb, 34,5 × 23,5
Bowood, collection du comte de Shelburne

30. *Ibid.*

31. Voir, par exemple, l'*Intérieur de cuisine* de Martin Drölling (1815, Louvre), que les académiciens considéraient comme une peinture de genre « acceptable ».

32. Théophile Gautier, «Voyages littéraires», *La Charte de 1830* (6 janvier 1837), réimprimé dans *Fusains et Eaux-Fortes*, Paris, 1880, p. 41–44.

33. Préface de *Voyages pittoresques, Franche-Comté*, Paris, 1825, t. 1, p. 5.

34. Comme l'affirma l'ami de Nodier, Amédée Pichot (*Tour*, t. 1, p. 67), le but fondamental du projet était de décrire, verbalement et visuellement, « les monuments architecturaux qui donnent une physionomie morale à notre sol ». D'autres critiques contemporains furent unanimes quant à cette opinion ; voir, à titre d'exemple, le *Journal des débats* (24 mars 1826, p. 2–4) et Victor Hugo, « Sur la destruction des monuments en France », *Revue de Paris* (août 1829, *Œuvres complètes*, t. 2, p. 569–571)

35. Roberts, BN Dossier Bonington.

36. «Exposition de 1822», *Journal des débats*, 7 décembre 1822, p. 3.

37. L'artiste P.-A. Labouchère confirma aussi de son côté cette réconciliation, bien que sa description de Gros en train d'embrasser chaleureusement Bonington devant l'assemblée d'élèves de l'atelier, soit probablement exagérée ; voir «R.P. Bonington», *Notes and Queries*, 10 juin 1871, p. 503.

St VALERY
VUE PRISE SUR LES BORDS DE LA SOMME.

13: *La clôture du chœur de la cathédrale d'Amiens*, vers 1824–1825
Mine de plomb, 23,3 × 27,2
Collection particulière

14: Thales Fielding (1793–1837), d'après Bonington
Saint-Valéry-sur-Somme, 1825
Aquatinte, 21 × 29
Londres, British Museum

15: *Rouen; fontaine de la Crosse*, vers 1823
Lithographie (épreuve), 32,5 × 27,2 (en tout)
Palo Alto, Museum of Art, Stanford University
Collection R.E. Lewis d'estampes et de livres de Bonington
offerte par la famille Goldyne en souvenir d'Alfred J. Goldyne

recherché. À ces professionnels, qui adoptèrent plus tard le style de Bonington — comme par exemple le futur directeur de l'École des beaux-arts, Robert-Fleury — s'ajoutaient désormais d'obscurs imitateurs, tel Jules Joyant (1803–1854), qui étaient également promus par Mme Hulin en raison de l'engouement général pour les aquarellistes anglais. Joyant lui-même l'admettait lorsqu'il écrivait : «Du vivant de Bonington, elle était connue pour tenir à ses dessins, et les miens lui rappelant ceux de mon maître en aquarelle, je ne doute pas que ce motif ne la décide à en prendre plusieurs[38].» D'autre part, les vues gravées de Sicile et le modeste succès remporté au Salon persuadèrent d'Ostervald d'associer Bonington à un autre projet ambitieux, les *Excursions sur les côtes et dans les ports de France*, dont les détails sont discutés dans la notice de *L'arrière-port de Dieppe* (n° 14). Cette commande lui permit de faire un second voyage en 1823, le conduisant au nord de Rouen, le long de la côte, jusqu'à Calais et dans les Flandres, avec des haltes à Amiens et à Beauvais sur le chemin du retour vers Paris. La plupart des données graphiques recueillies à partir de ses esquisses et dessins à l'aquarelle achevés, représentant des vues des ports du Havre à Dunkerque, devaient servir plus tard aux illustrations à l'aquatinte de la publication de d'Ostervald (ill. 14).

Le désir de l'artiste d'accroître le nombre de ses études architecturales (n°s 20 et 22, ill. 13) fut à l'origine de ce voyage car, au printemps, résolu à gagner sa vie en tant que dessinateur, Bonington avait envisagé la publication de sa propre série d'illustrations d'architecture gothique. Il aspirait aussi à travailler au projet plus ambitieux du baron Taylor. Pour mener à bien ses ambitions, il devait d'abord apprendre la technique de la lithographie et recherche sans aucun doute, pour ce faire, les conseils de son premier mentor. Louis Francia s'était établi à Paris pour une partie du printemps, afin d'y publier plusieurs vues lithographiques des environs de la ville et de rassembler des travaux supplémentaires, destinés à une publication plus importante (n° 17). Sur les trois publications connues de la toute première lithographie de Bonington — une vue du port de Dunkerque[39] — deux d'entre elles conservées à la Bibliothèque nationale ont été exécutées sur papier brun-rouge foncé et rehaussées de gouache blanche. Ces particularités techniques sont caractéristiques des gravures d'après les dessins de Francia. Une aquarelle connue de Francia, sur le même thème, pourrait aussi avoir servi de modèle. Sans doute Francia, de son côté, avait-il depuis peu seulement appris le procédé de Samuel Prout, juste avant la publication de sa première suite de lithographies, *Marine Subjects* (Londres, 1822). Par ailleurs, Bonington examina minutieusement le style de la peinture à l'aquarelle que Francia pratiquait alors. La tension plus prononcée des lignes et la délicate finition des aquarelles exécutées pour d'Ostervald cette année-là sont les seuls emprunts manifestes à la technique des anciens aquarellistes dans l'œuvre de Bonington.

La série des dix planches de lithographies destinées à sa propre publication, *Restes et fragmens d'architecture du moyen âge*, ou «Le petit Normandie», comme on la désignait souvent pour la distinguer des volumes sur la Normandie des *Voyages pittoresques* de Taylor, représentait un investissement matériel en temps et en argent qui n'était pas sans risques financiers. Bonington demeurait un artiste relativement peu connu et il devait encore faire la preuve de ses compétences en matière de lithographie. Pourtant, il obtint le soutien de deux des plus importants éditeurs d'œuvres graphiques de l'époque : Motte et Gihaut qui publiaient alors, entre autres, des lithographies de Gros et Géricault ; et Mme Hulin, avec la firme londonienne de S. et J. Fuller. Le fait qu'il se soit lui-même répertorié comme co-éditeur à l'adresse de ses parents laisse supposer que sa famille participait également à cette entreprise.

Imitant à certains égards le format employé par Taylor, mais dépourvue de texte, la série comprenait trois vues différentes de Caen et Rouen (voir les n°s 19–22) et une de Lillebonne, Abbeville, Beauvais et Berques. Ces «morceaux et fragments» ne se limitaient pas strictement à la Normandie mais comportaient aussi des monuments de la Picardie et des Flandres. En fait, ils tentaient de rivaliser avec la publication quasi simultanée de la suite de Rouen de Taylor dans les *Voyages pittoresques, Normandie II*, tout en offrant un aperçu des trésors rues des provinces qui n'avaient pas encore été explorées par cette entreprise «mère». Comme dans les *Voyages pittoresques*, la sélection mêlait des vues panoramiques de villes à des relevés de monuments entiers, religieux comme civils, et de fragments décoratifs. Par ailleurs, les personnages qui animaient ces scènes principalement urbaines étaient vêtus de costumes des époques médiévale, renaissante ou moderne. Ce mélange des types, d'un caractère pittoresque en soi, mettait l'accent sur la continuité sociale et religieuse signifiée par de tels monuments.

Feillet commença à imprimer les pierres vers la fin de 1823 mais reporta la diffusion des séries à l'été, peut-être en raison des difficultés posées par la mise au point d'un procédé d'impression en deux couleurs. Les images devaient être imprimées en noir sur un fond couleur thé, mais il nous reste peu de séries dans lesquelles la pierre encrée s'est imprimée uniformément. On n'a pu retrouver aucune trace, dans les publications périodiques de l'époque, d'annonces ou de critiques relatives à cette série d'estampes, mais dans sa notice nécrologique sur Bonington, parue dans *Le Globe*, le critique Auguste Jal fit remarquer que «les *Fragmens* où Bonington avait mis toute l'originalité de son talent, n'eurent qu'un médiocre succès ; les amateurs ne comprirent pas ces dessins délicieux dont quelques-uns semblent avoir été écrits par Lamartine ; l'accueil que leur firent les artistes consolèrent Bonington du mauvais goût du public et de la perte d'argent qu'il éprouvait par le mauvais débit de son ouvrage[40].»

L'absence de texte descriptif signé par un antiquaire de renom, la mauvaise qualité de l'impression et la concurrence exercée par les *Voyages pittoresques* — qui avaient déjà fait paraître des illustrations d'autres artistes sur deux monuments de Rouen : la cour du Palais de Justice (n° 20) et la fontaine de la Crosse (ill. 15) — furent sans aucun doute à l'origine de la tiédeur de l'accueil du public. Alors que Feillet imprimait *Restes et fragmens*, Bonington contribuait peut-être, sans le savoir, à saborder sa propre œuvre, puisqu'il avait accepté une commande de Taylor pour collaborer aux *Voyages pittoresques*. Ce fut la vue grandiose et magnifique de la *Rue du Gros-Horloge à Rouen* (n° 23) qui constitua son *morceau de réception*, publié au printemps 1824, et de loin supérieur à l'ensemble de la série des *Restes*.

Une grande partie du second volume de Taylor sur la Normandie était consacrée à Rouen pour des raisons évidentes exposées dans le texte de Charles Nodier : «Il n'existe guère de villes en France [...] qui présentent une physionomie plus individuelle, plus caractérisée, plus différente de celle de nos cités modernes [...] plus riche en magnifiques monuments qui attestent les heureuses inspirations et la courageuse patience des artistes du moyen âge[41].» Mais Rouen offrait plus d'intérêts que ses seuls vestiges médiévaux en eux-mêmes, à cause de l'intégration fondamentale de ces monuments, imprégnés de souvenirs dynastiques et catholiques, dans le réseau urbain industriel moderne :

«L'aspect de Rouen fait naître l'idée d'une cité toute gothique qui, récemment dégagée des immenses débris sous lesquels elle avoit caché, pendant les siècles, la flèche de ses basiliques et le faîte de ses palais, réuniroit tout-à-coup un peuple de curieux empressés de la contempler, et ne verroit s'élever dans l'espace qui sépare ses monuments que l'architecture disparate et fragile des hôtelleries et des bazars. Telle seroit la Palmyre ou l'Herculanum du moyen âge[42].»

La conviction que les «fouilles» imaginaires de cette ville, abandonnées par les générations antérieures, auraient un impact sur la culture moderne aussi profond que celui qu'avait exercé l'exhumation effective des vestiges de l'antiquité grecque et romaine durant le siècle précédent, ne pouvait être avouée avec plus de sincérité.

Pour sa représentation de la grande rue commerciale de Rouen, Bonington s'inspira de la délicate et lumineuse technique caractéristique des estampes d'Alexandre-Évariste Fragonard (1780–1850) et de Jean-

38. Jules Joyant, *Lettres et Tableaux d'Italie*, Paris, 1936, p. 96.
39. Curtis, n° 1.
40. Jal, *Bonington*, p. 746.
41. *Voyages pittoresques, Normandie II*, p. 47.
42. *Ibid.*, p. 48.

16: *Enfants à Dunkerque*, 1824
Mine de plomb, 13 × 8,7
Paris, Bibliothèque nationale

17: *Personnages en costume de carnaval à Dunkerque*, 1824
Mine de plomb, 9,5 × 13,5
Paris, Bibliothèque nationale

Baptiste Isabey (1767–1855), tous deux peintres d'histoire de renom et anciens élèves de David, considérés à l'époque comme les principaux collaborateurs du projet de Taylor et Nodier. Mais, chez eux, la douce et pénétrante luminosité de leur technique visait à rendre une impression de mystère surnaturel. Par quelques judicieuses touches couleur de jais sur les personnages animés, Bonington l'utilisa en vue de satisfaire une exigence naturaliste.

En février 1824, Bonington et Colin — qui était alors devenu son ami intime — partirent pour Dunkerque, où ils avaient prévu de passer une quinzaine de jours. Colin regagna Paris en mars, mais Bonington prolongea son séjour. Le Salon avait été reporté au mois d'août et il profita sans doute de ce répit pour préparer les tableaux qu'il destinait à l'exposition, dégagé des irrésistibles distractions mondaines auxquelles devait se plier tout artiste résidant dans la capitale. Bien qu'en plein essor, Dunkerque n'était pas encore envahi par la société parisienne à la mode qui affluait vers les ports de la Manche pour se divertir et se baigner ; cette ville n'avait pas encore été touchée par l'industrialisation rapide qui avait gagné le sud de la côte jusqu'à Calais. Pour le tempérament de Bonington, c'était une retraite idyllique.

Roberts devait être de la partie, mais des obligations domestiques l'en empêchèrent ; il fut donc le destinataire de la toute première lettre connue jusqu'à présent de Bonington, écrite avec Colin, et postée de Dunkerque le 3 mars, un mercredi des Cendres.

« Mon cher ami,
We have taken a room here for 15 days. It was nice and clean when we entered, but however it is somwhat changed since then, as for [Colin] he dœs not even know how to put a thing by after him — see what it is to have a wife -lets the fire go out — loses himself — spills the lamp oil etc. [de la main de Colin] Je demande la plume à Bonington pour vous dire deux mots, mon cher Roberts. C'est que j'ai bien du regret que nous ne puissions être avec vous ici... quand je fais quelque maladresse, Bonington me dit aussitôt, si tu voyais comme Roberts se tirerait de là, et j'en suis bien convaincu quoique je n'aye pas encore pu me procurer le plaisir de voyager avec vous... [de la main de Bonington] C'est à l'occasion du carnaval auquel nous avons assisté aujourd'hui que je reprend ma lettre interrompue depuis hier soir figurez vous mon ami que le carnaval de Paris n'est que de la St Jean auprès de celui-ci nous avons vu une mexicaine où tous les bouchers de la ville ont rempli les rôles des caciques... Mon ami Colin travaille bien mais dans ses crispations éternelles. Je mange pour nous deux, et je vous souhaite une santé aussi bonne que la mienne... Write me by return post. I shall be glad to know how Feillet has printed my other stones, or if you have heard any thing respecting the putting off the exhibition — but however, any news will be acceptable — I hope to hear that Mrs. Roberts is better — pray let me know if you have heard anything of Ensom Mon cher je suis au désespoir, je ne fais que gratter — dis-moi quand vous serez disponible que je puisse m'arranger to meet you. Remember me à tout le monde[43].»

Parmi les dessins de Bonington conservés à la Bibliothèque nationale et légués par Atherton Curtis figurent environ quatre-vingts esquisses à la mine de plomb, de petit format, qui, jadis, constituaient au moins deux, sinon davantage, véritables cahiers d'esquisses. Quelques-uns ont été réalisés sur des fragments de papier à lettre dont les filigranes sont identiques à celui de la lettre ci-dessus mentionnée et comme d'autres représentent des études de Dunkerquois en costumes de Mardi gras — déguisés en raies, en incas, en polichinelles, etc. —, nous pouvons en déduire que l'ensemble de ces dessins date précisément du printemps 1824. Les sujets sur lesquels Bonington exerça son crayon évoquent les activités diurnes et les événements marquants de sa communauté provinciale — pêcheurs réparant leurs filets, béliers, criminels mis au pilori sur la place de la ville, découverte d'un pêcheur noyé, jour de marché, dunes de sable, enfants, ivrognes, et flèches des églises (ill. 16 et 17). Un autre ensemble de dessins exécutés par Colin (Paris, musée Carnavalet), durant la même période, représente Bonington en train de travailler, sommeiller, pique-

18: *Vue de la côte française avec pêcheurs*, vers 1824
Huile sur toile, 65,4 × 96
Vicomtesse Boyd de Merton

niquer, et dessiner en compagnie de Francia. De cette période date aussi une série d'études au pastel sur les activités des pêcheurs, qui servirent à Bonington pour ses premières huiles (n° 30 et ill. 18).

Il adressa une seconde lettre, datée du 5 avril, à Colin, qui était alors de retour à Paris. Entre des références piquantes à la vie domestique douillette dans laquelle il s'était complu chez Mme Perrier, quai de Furnes, et l'autocritique de ses procrastinations, Bonington exprime ses regrets d'avoir manqué un dîner auquel le conviait le collectionneur d'art médiéval et moderne Alexandre du Sommerard, en l'honneur du retour de Colin[44]. À la fin du printemps, Colin le rejoignit et il est possible que William Ensom (mort en 1832), qu'il mentionne dans sa lettre à Roberts, lui ait aussi rendu visite à Dunkerque. Ensom, graveur-portraitiste, s'était formé à Londres avant de se rendre en France vers 1818–1819. Il fut élève à l'École des beaux-arts et compta, avec Roberts et Colin, parmi les toutes premières connaissances de Bonington. En 1822, il grava avec un autre Anglais, Joseph West, pour le compte de l'éditeur Gosselin. On ne connaît pas grand-chose d'autre sur sa vie, mais en 1832, son nécrologue le décrivait comme «un ami intime de feu M. Bonington[45].» Le contenu de sa vente d'atelier chez Sotheby's — qui comprenait un portrait tardif de Bonington exécuté par Colin (voir n° 58), des dessins d'autres anciens condisciples de leur cercle, West et Thomas Shotter Boys (1803–1874 ; n° 164), une impressionnante sélection de deux dessins, cinq aquarelles, cinq esquisses à l'huile et une série complète de *Restes et fragmens* exécutés par Bonington — laisse deviner le degré de cette intimité. Au cours de l'année 1824, Ensom s'établit professionnellement et de façon permanente à Londres. Durant un an, il se révéla être une précieuse liaison avec l'Angleterre pour Bonington.

Le reste des planches que Bonington exécuta pour le volume consacré à la Normandie des *Voyages pittoresques* se composait de la *Vue générale de l'église Saint-Gervais-Saint-Protais à Gisors*, de la *Tour aux Archives à Vernon* et de deux vues d'Évreux, la *Tour du Gros-Horloge* et l'*Église de Saint-*

43. Extrait d'une lettre manuscrite, écrite en français et en anglais et postée le 3 mars 1824 (BN Dossier Bonington, AC 8021) ; Curtis fournit une transcription intégrale de cette lettre dans la préface de son catalogue sur l'œuvre graphique de Bonington.

44. Transcription (BN Dossier Bonington) par Dubuisson ou Curtis d'une lettre manuscrite perdue, dans laquelle Bonington parlait d'une « fameuse tempête depuis ton départ. J'ai vu cela du haut de l'esplanade, ai tout entendu. Mon ami, superbe ! mouillé comme une poule. »

45. *Gentlemen's Magazine*, n° 102, septembre 1832, p. 284.

LE MATIN.

19: *Le matin*, 1824
Lithographie, 11,4 × 18,2
Palo Alto, Stanford University, Museum of Art

Taurin. Toutes, à l'exception de la dernière qui était un cul-de-lampe, portent la date de 1824 et font suite au chapitre consacré à Rouen du volume de Taylor. Comme il est peu probable que Bonington ait pris des dispositions pour faire transporter à Dunkerque et depuis cette ville de grandes pierres lithographiques, on peut penser à juste titre qu'il les avait réalisées à Paris. Vernon, Gisors et Évreux étant regroupés près de la Seine à mi-chemin entre Paris et Rouen, il se peut qu'il ait esquissé les monuments pour ces lithographies durant le trajet de Dunkerque à Paris en mai ou juin. À son retour dans la capitale, Bonington espérait sans aucun doute diriger la publication des cinq premières estampes de ses *Restes et fragmens*, que Feillet soumit à la censure du gouvernement le 8 juin. Le second et dernier fascicule sortit le 1er septembre. Le 19 juin, Bonington soumit aussi à la censure une impression de la lithographie, aujourd'hui rarissime, *Le matin* (ill. 19). Par coïncidence, le même jour, Delacroix et Thales Fielding rendirent visite au marchand John Arrowsmith pour examiner les huiles de John Constable qu'Arrowsmith avait ramenées pour les exposer au Salon. Le 25 juin, Bonington reçut la somme de 1500 francs de la Société des amis des arts pour deux huiles, *Étude des Flandres* et *Marine*, et une aquarelle, *Vue d'Abbeville*, qui toutes avaient été acceptées pour le prochain Salon. Comme il avait reçu environ 200 à 300 francs pour une aquarelle, ses deux huiles, de taille similaire, se vendirent sans doute chacune au prix de 600 francs. À titre de comparaison, Arrowsmith venait de remettre à Constable la somme globale de 6200 francs pour sa *Vue de la Stour près de Dedham* (ill. 28), *La charrette de foin* (Londres, National Gallery), et un petit *Hampstead Heath*.

Le 9 juillet, Bonington écrivait au baron Taylor qu'il était sur le point de quitter Paris en compagnie d'un ami dont il ne donnait pas le nom et qu'il venait de terminer la pierre pour la *Tour aux Archives à Vernon*, pour laquelle il demandait une somme de 200 francs[46]. Bien que présentant peu d'intérêt, ce monument avait été choisi parmi les illustrations des *Voyages pittoresques*, car il avait la particularité de ne pas avoir été altéré par les restaurateurs. Le contenu du carnet de croquis de Newton Fielding (voir n°146) laisse supposer que Bonington et Fielding, peut-être en compagnie de Colin, s'étaient rencontrés à Dieppe le 24 juillet ou durant cette période[47]. Fielding quittait Londres pour se rendre à Paris via Calais, Cherbourg et la vallée de la Loire. Bonington retourna probablement à Dunkerque en passant par le château de Charles Rivet près de Mantes, selon les projets dont il s'était entretenu avec Francia et qu'il avait communiqués à Colin et à un autre ami artiste, Hippolyte Poterlet (1803–1835), à Dunkerque[48].

Outre les affaires urgentes que lui commandaient ses activités d'imprimeur, la raison qui amena Bonington à rentrer à Paris, au plus fort de la saison propice aux esquisses, fut d'y déposer les œuvres qu'il avait choisies pour l'exposition du Salon. Inscrits au registre sous leurs numéros de catalogue et leurs dimensions avec cadre approximatives[49], ces envois comprenaient sous le n° 188, *Étude en Flandre*, huile, 54 × 62 cm., dont le n° 31 de cette exposition est peut-être une version ; sous le n° 189, *Marine*, huile, 59 × 80 cm. ; sous le n° 190, *Vue d'Abbeville*, aquarelle, 73 × 57 cm. ; sous le n° 191 *Marine. Pêcheurs débarquant leur poisson*, huile, 92 × 116 cm., (voir le n° 29 du présent catalogue) ; et *Marine. Une plage sablonneuse*, huile, 51 × 59 cm, qui appartenait à Du Sommerard. Un tirage de la *Rue du Gros-Horloge, Rouen* était exposé dans la section des lithographies sous le nom de son imprimeur, Godefroy Engelmann (1788–1839 ; livret du Salon n° 2101 [*Rue de la Grosse-Horloge à Rouen*]) et, d'après les critiques, Bonington fut aussi représenté par une sélection d'aquarelles sans titre. Il s'agissait certainement de travaux exécutés pour la future publication de d'Ostervald présentés par cet éditeur (livret du Salon n°s 1280–1284). Bien que ses lettres postées de Dunkerque n'en fassent pas état, Bonington s'était montré relativement prolifique durant le printemps, ainsi que le prouvent ses envois à l'exposition. Le plus surprenant, puisqu'on en trouve peu d'antécédents, est qu'il se révèle un peintre d'huiles sérieux et accompli.

Déterminer la date à laquelle Bonington commença à peindre des paysages à l'huile est crucial, tant pour juger de son talent que pour établir une chronologie fine et précise de sa vie. De nos jours, la plupart des spécialistes affirment qu'il s'initia à cette pratique quelque temps après s'être établi à Paris. Selon eux, l'absence de tableaux à l'huile antérieurs au Salon de 1824 est essentiellement due aux caprices de l'histoire, les huiles ayant disparu dans des collections privées françaises, attendant d'être redécouvertes. De temps à autre, on lui a attribué une œuvre à partir d'une mince argumentation reposant sur des sources indirectes ou à partir de l'hypothèse optimiste que n'importe lequel des nombreux petits paysages portant le nom de l'artiste et présentant une certaine liberté d'exécution, pourrait être le maillon manquant entre la grande quantité d'aquarelles des années 1820–1821 et l'ensemble stylistiquement mûr et cohérent de marines à l'huile peintes à Dunkerque en 1824. Parmi les plus fréquemment reproduites de ces œuvres supposées figurent la *Vue de Rosny-sur-Seine* (ill. 20), qui a été considérée sans contredit comme un exemple typique du style pré-dunkerquois de Bonington dans de nombreuses expositions de groupe et thématiques[50], et la *Vue de la Seine des terrasses de Marly* (collection privée), portant la mention apocryphe «RPB, 1823»[51]. Ces deux huiles sont d'habiles esquisses de plein air ayant sans nul doute été exécutées par deux mains différentes. La tendance à attribuer *Rosny-sur-Seine* à Bonington ne repose pas sur des considérations stylistiques — puisqu'on ne trouve rien de comparable dans l'œuvre indiscutable de Bonington, même à ses débuts — mais plutôt sur le fait, avéré par la documentation, que l'artiste visita le parc du château de la duchesse de Berry à Rosny, ainsi qu'en témoigne la vue d'une «maison de campagne», exécutée vers 1825[52].

L'esquisse de plein air, l'art de peindre en extérieur directement sur le motif, ne fut ni l'invention ni l'apanage des artistes de la génération de Bonington. Vers 1820, cette pratique était de rigueur chez tous les peintres paysagistes français, notamment chez Michallon, Jean-Joseph Bidauld (1758–1846), Jean-Charles Rémond (1795–1875), l'ami de Bonington Édouard Bertin (1797–1871), André Giroux (1801–1879), Jacques-Raymond Brascassat (1804–1867), François-Edme Riçois (1795–1881) et le collectionneur de Constable, A.-J. Regnier (1787–1860) ; la plupart d'entre eux, dans les années 1820, étant encore engagés à des degrés divers dans l'esthétique du paysage composé. Ils furent pourtant des novateurs qui, tout en observant les préceptes théoriques de la tradition académique tels qu'ils avaient été énoncés par Pierre-Henri de Valenciennes (1750–1819), s'efforcèrent d'infuser un plus grand naturalisme dans les compositions historiques ou italianisantes. Ils tinrent cependant une place subsidiaire dans la peinture française de paysage durant le deuxième quart du siècle. La plupart de ces artistes, aujourd'hui tombés dans l'oubli, jouissaient de la généreuse protection de la duchesse de Berry et certains, tels Rémond ou Riçois, qui exposèrent une vue de son château en 1824, furent ses hôtes fréquents. N'importe lequel d'entre eux aurait pu peindre l'esquisse à l'huile *Rosny-sur-Seine*, bien que ce soit le nom de Rémond — peintre que l'on a malheureusement seulement retenu pour la tutelle qu'il exerça sur Théodore Rousseau (1812–1867) — qui vienne plus rapidement à l'esprit. Ce tableau anticipe curieusement sur les esquisses de Rousseau de la fin des années 1820 par son extrême luminosité, la splendide orchestration des couleurs terre et les références aux antécédents hollandais.

En tant que méthode empirique, la pratique d'esquisses de plein air était destinée à aiguiser les perceptions d'un artiste face aux phénomènes et aux détails de la nature et à augmenter son aptitude à transcrire ses impressions avec célérité et exactitude. Le bénéfice tiré de cette pratique, en dépit des difficultés inhérentes à l'emploi de l'huile, s'en trouvait ainsi renforcé. Cette expérience pouvait alors être mise à profit dans la production de compositions achevées en atelier. Quoiqu'il en soit, ainsi que Lawrence Gowing l'a remarqué à propos des usages français, il existait une profonde différence entre la plupart des études de plein air et les

20: Anonyme (XIXᵉ siècle)
Rosny-sur-Seine, vers 1820–1830
Huile sur papier, 18,5 × 28
Cambridge, en dépôt au Fitzwilliam Museum

46. Cette lettre est reproduite en fac-similé par Henri Frantz, «The Art of Richard Parkes Bonington», *The Studio*, novembre 1904, p. 99.
47. Pointon, *Circle*, p. 77.
48. Lettre manuscrite, Bibliothèque nationale, département des Manuscrits, Nouv. Acq. Fr. 25123 (f. 24).
49. Comme elles ont été inscrites dans le *Registre d'inscription des productions des artistes vivants présentées à l'exposition – Salon de 1824*, Archives du Louvre. Cette citation ainsi que les autres du registre du Salon ont aimablement été communiquées par Stéphane Loire.
50. Cormack, *Bonington*, fig. 25 ; et comme planche en couleur, dans A. Wilton *et al.*, *Pintura Britanica de Hogarth a Turner*, Madrid, Museo del Prado, 1988, nº 62.
51. Reproduit en couleur par Andrew Ritchie, *Masters of British Painting*, New York, Museum of Modern Art, 1956, p. 39. Plus récemment une jolie *Vue de Lillebonne*, avec la mention non autographe «R.P. Bonington», fut publiée par moi-même comme une première œuvre achevée dans le format panoramique utilisé par Bonington dans ses premières aquarelles (Noon, 1986, fig. 2). Je suis aujourd'hui convaincu que, quand bien même cette huile serait une réplique de la composition non retrouvée de Bonington, comme l'aquarelle du même titre exposée en 1822, sa gamme chromatique et sa facture portent plutôt à penser qu'il s'agit d'une œuvre de Camille Flers (1802–1868) exécutée dans les années 1830.
52. Reproduit dans A. Wilton *et al.*, *Pintura Britanica de Hogarth a Turner*, Madrid, Museo del Prado, 1988, nº 63.

21: *Marine*, vers 1824
Huile sur toile, 54,9 × 84,5
Londres, Wallace Collection

compositions idéalisées et conceptuelles réalisées en atelier[53]. Ce problème décontenançait même les critiques académiques. En outre, cette divergence n'était pas propre aux paysagistes animés du seul désir d'obtenir le Prix de Rome ou de bénéficier d'une protection officielle ; on la trouvait aussi dans les œuvres de peintres naturalistes moins officiels tels que Paul Huet ou les frères Xavier (1799–1827) et Léopold Leprince (1800–1847). L'exécution d'un tableau uniquement d'après nature n'était pas encore ressentie comme un impératif, et la recherche acharnée de la transcription exacte du monde visible — qui différencie l'expérience oculaire de l'Impressionnisme de la «poésie» conceptuelle de la peinture de paysage romantique ou classique — demeurait conditionnée par la tradition de l'atelier. Comme Huet le soutint jusqu'à sa mort :

«L'émotion devant la nature est quelquefois un obstacle à l'étude ; pour ma part, j'ai, devant ces grands spectacles, éprouvé de si vives impressions qu'il m'était impossible de tracer une ligne ; le lendemain seulement, le souvenir encore vibrant, je pouvais retrouver la scène que j'avais vue. [...] le moment de l'exécution vient plus tard, quelquefois même il est bon de laisser mûrir le sujet. C'est alors que l'on voit la différence qui existe entre une étude et un tableau[54].»

Les œuvres ici exposées comme étant les premières huiles de Bonington furent toutes peintes en atelier et délibérément composées. La prépondérance des marines concorde avec les souvenirs de Delacroix et correspond à ce qui fut d'un intérêt primordial pour Bonington. En outre, d'un point de vue purement technique, le genre des marines lui convenait parce qu'il offrait, par certains de ses aspects, la possibilité de faire ses preuves dans le rendu de la perspective aérienne, tout en évitant la surabondance des détails pittoresques qui caractérisait les autres formes de paysages. Le panneau superbement conservé, *La jetée de Calais* (n° 25), qui, en réalité, pourrait bien avoir été peint à Paris, juste avant le départ de Bonington pour Dunkerque, fournit un excellent exemple de sa première technique. Ce petit panneau de bois lui avait été vendu tout préparé. Son fond est noirâtre, mais l'artiste y appliqua une épaisse couche de préparation blanchâtre afin d'obtenir une surface réfléchissante opaque. Il peignit d'abord le ciel, la mer et la plage dans les gradations les plus subtiles, avec des nuances très précieuses — la plus claire étant le bleu le plus pâle qu'on trouve sur le coin supérieur droit traité en dégradé jusqu'au bord supérieur gauche. La teinte est imperceptiblement travaillée dans l'étendue dorée du ciel, elle se détache plus énergiquement sur la pénombre de l'horizon par un brusque passage des tonalités chaudes à des tonalités froides et par l'alternance de larges coups de brosse dans le bas et de plus petites touches croisées au-dessus qui diffusent ainsi les reflets de la lumière. L'air de la composition ainsi établi, la perspective est consolidée et le centre défini par l'empâtement plus sombre des bateaux, des personnages, de la jetée et des cailloux du premier plan d'une touche plus petite mais plus épaisse. Les gradations du clair au foncé sont propres à la technique de l'aquarelle, mais la maîtrise de l'huile est si ingénieuse qu'on est naturellement enclin à rechercher des antécédents moins accomplis.

Faut-il aussi supposer que des études de plein air aient précédé de tels tableaux ? Peut-être, mais pas nécessairement des études à l'huile. Bonington s'essaya à l'huile comme il s'était mis à la lithographie, avec la volonté propre à tout jeune génie de mettie chaque moyen d'expression au service de son imagination graphique[55] ; mais Bonington était avant tout aquarelliste de formation et son art se ressentait impérieusement des propriétés singulières de cette technique dont il avait acquis la maîtrise. De par sa nature, l'aquarelle était aussi difficile que l'huile, si ce n'est qu'elle ne pardonnait aucune erreur, et l'une comme l'autre présentaient de grands avantages dans la peinture sur le motif. Au vu des seules aquarelles dont nous disposons, on peut supposer que Bonington jouissait d'une mémoire visuelle exceptionnelle, d'une compréhension élémentaire des harmonies de couleurs et d'une facilité de touche hors du commun. En admettant qu'il ait appris les principes techniques de la peinture à l'huile auprès de son père, fortifiés par les conseils utiles d'amis comme Colin, il pouvait alors aisément passer d'un procédé à l'autre. Il est inutile de supposer l'existence d'un ensemble perdu de peintures «précoces» ou de chercher des travaux préparatoires parmi les multiples esquisses à l'huile non signées de l'époque. Il est impossible de considérer comme pure coïncidence le fait que les toutes premières huiles attribuées à Bonington sur de solides preuves documentaires soient aussi d'une indéniable cohérence stylistique avec les aquarelles qu'il peignit en 1823 et 1824. De même, il n'est pas anodin que les œuvres en rapport avec des compositions à l'huile et susceptibles d'être considérées comme des exercices préparatoires, se présentent sous la forme de croquis à la mine de plomb, de dessin à la craie sépia (nᵒˢ 26 et 27) mais aussi d'aquarelle (nᵒ 32 et ill. 21). En fait, la technique de l'huile mise en évidence dans les tableaux exécutés à Dunkerque est la traduction logique d'effets que lui avait acquis sa seule connaissance de l'aquarelle. Ce processus d'adaptation se retrouve, plus tôt dans le siècle, chez d'autres artistes anglais qui excellaient également dans les deux techniques. Il est possible, quoi qu'il en soit, qu'une ou plusieurs huiles antérieures à *Près d'Ouistreham* (nᵒ 24) sortent de l'ombre, mais elles ne sauraient être attribuées à Bonington sans faire la démonstration de parallèles stylistiques convaincants entre cette œuvre et les aquarelles exécutées par l'artiste à la même époque. Les esquisses de Marly et Rosny-sur-Seine ne résistent pas à cet examen minutieux.

Après un premier ajournement décidé au printemps, le Salon fut enfin ouvert au public le 25 août. Présentant plus de 2000 œuvres réalisées par quelque 700 artistes, il dépassait par son envergure toutes les expositions antérieures. En offrant un large panorama des différents courants esthétiques apparus sous la Restauration, il fut aussi l'une des manifestations culturelles les plus déconcertantes et les plus vivement controversées de la décennie. Les peintres «ministériels»[56] et leurs élèves s'efforcèrent de maintenir le *statu quo* néoclassique contre l'assaut d'une génération révoltée résolue à battre en brèche leur hégémonie. Ainsi que Gautier le formulera plus tard dans ses réflexions, les « barbares » frappaient à la porte. Les factions furent vite définies, chacune avec ses partisans et ses détracteurs parmi les critiques de journaux populaires, même si l'étendue et la diversité des changements en cours étaient telles qu'elles ne pouvaient permettre d'adopter une position théorique claire. Étienne Delécluze (1781–1863), élève puis biographe de David, occupait depuis peu le poste influent de correspondant artistique pour le *Journal des débats*, journal de centre gauche à la réputation solide, mais d'un conservatisme résolu en matière de beaux-arts. Dans une série de vingt-six articles publiés entre septembre et janvier, il se présentait comme le porte-parole des académiques officiels. Parmi les voix minoritaires, Stendhal, écrivant sous un pseudonyme, et Adolphe Thiers, le futur président de la République, s'érigèrent en défenseurs des romantiques, ou plus précisément, en défenseurs de leur droit à l'expression, car nul n'avait en vue de définir, et encore moins de défendre, les insurgés.

Selon Sainte-Beuve, Delécluze était «le bourgeois de Paris par excellence [. . .] ni pauvre ni enrichi [. . .] type honnête, modèle de probité, très instruit et à côté de cela assez ignorant [. . .] un ennemi déclaré du gothique [. . .] sans quartier sur les principes[57].» À cette époque, il mettait un acharnement manifeste à comprendre le romantisme, mais était fondamentalement frustré par le flou de ses doctrines. Les critiques de Stendhal et de Thiers furent essentiellement le fruit de débats enflammés fomentés par Delécluze lui-même. En conséquence, les débats conduits dans le milieu de la presse quotidienne revêtaient souvent autant l'allure d'une querelle personnelle que celle de l'exposé d'une conception théorique déterminée. Le portrait de Stendhal laissé par Delacroix («un insolent, qui a raison avec trop de hauteur et qui parfois déraisonne») pourrait résumer assez clairement l'attitude des deux camps de la critique[58].

Dès le début, Delécluze livrait un combat d'arrière-garde, car lui-même voyait dans les deuxième et troisième générations des Davidiens — dont il se voulait le défenseur — un contingent plutôt dépourvu de

22: Baron Antoine-Jean Gros (1771–1835)
L'entrevue de François Iᵉʳ et de Charles Quint à Saint-Denis, 1812
Huile sur toile, 269 × 168
Paris, musée du Louvre

53. Lawrence Gowing, *Painting from Nature*, Arts Council of Great Britain, 1981, p. 3–9.

54. Huet, *Huet*, p. 77.

55. Cette expression fut forgée par Adolphe Thiers, dans la critique qu'il fit en 1822 de la *Barque de Dante* de Delacroix, pour distinguer l'invention formelle du peintre comme coloriste et dessinateur de l'imagination conceptuelle qu'il déploie dans ses représentations narratives. À maintes reprises, Baudelaire reprendra cette idée dans ses critiques de Salon pour exposer ses arguments sur la primauté de l'invention coloriste.

56. Ce terme fut souvent utilisé par Amédée Pichot pour décrire le système existant du mécénat d'État (*Voyage littéraire et artistique en Écosse*, Paris, 1825, t. 1, p. xij): «Il ne faut pas s'étonner de voir le ministère favoriser de ses grandes phrases le système prétendu classique, et qu'il faudrait appeler ministériel, système qui tend à nous priver d'une littérature populaire, en condamnant les auteurs à évoquer sans cesse les dieux et grands hommes de Rome ou d'Athènes, ou à défigurer les sujets nationaux sous les formes consacrées par l'antiquité. Moins nous nous occuperons de notre propre histoire, moins nous songerons au gouvernement actuel.» La préface de cette importante étude de 1824–1825 était un avertissement contre le conservatisme réactionnaire du gouvernement de Charles X, qui commençait déjà à se durcir.

57. C.-A. Sainte-Beuve, «Souvenirs de soixante années, par M. Étienne-Jean Delécluze», *Nouveaux Lundis*, Paris, 1863, t. 3, p. 77–78.

58. Delacroix, *Journal*, t. 1, p. 55, 24 janvier 1824 ; note qu'il consigna dans son journal après avoir assisté à un salon littéraire, certainement organisé par Delécluze.

flamme. Avec David en exil, Girodet infirme (il mourut en décembre) et Gros représenté au Salon par un unique portrait, Delécluze et d'autres critiques du même bord se voyaient forcés d'évoquer avec nostalgie des tableaux qui avaient été exposés près de deux décennies auparavant — le *Déluge* de Girodet (Paris, musée du Louvre), *L'intervention des Sabines* et le *Sacre* (Paris, musée du Louvre) de David, ou *François Ier recevant Charles V à Saint-Denis* de Gros (ill. 22). Sa critique visant les hérétiques ne pouvait se justifier que par des arguments d'ordre purement théorique, et sa première critique du 1er septembre en établit le ton et les paramètres. Elle devait être fortement politisée, sexiste et xénophobe. Delécluze y condamnait d'emblée et de façon injurieuse l'art du portrait et l'abondance des peintures et aquarelles de paysages. Selon lui, on assistait à une désintégration de la hiérarchie des genres, et le goût pour le pittoresque et le féminin était en train de supplanter l'esprit «grandiose et noble» de la vieille peinture d'histoire antiquisante. Les effets néfastes des influences étrangères et la mesquinerie des marchands et des artistes anéantissaient les vertus de l'école nationale et, par conséquent, celles du caractère national. C'était chez les Anglais qu'il fallait chercher les coupables, avec leurs Byron, Scott, et Shakespeare, leur passion pour les «produits de commerce», notamment les illustrations de livres et les aquarelles[59], et leur engouement pour Van Dyck, Hogarth, et les peintres de «boudoir» pré-davidiens, Watteau et Fragonard. Pour la première fois, les artistes britanniques étaient largement représentés au Salon. À l'exception des deux portraits de Sir Thomas Lawrence, qui déconcertaient la critique française y compris Stendhal, presque toutes les œuvres britanniques représentaient des paysages à l'huile ou à l'aquarelle. À l'exception encore de Lawrence, aucun de ces artistes n'avait été formellement invité à exposer des tableaux, mais un triumvirat des marchands les plus perspicaces de Paris en matière d'art moderne — Arrowsmith, d'Ostervald, et Claude Schroth[60] — avait importé en prévision du Salon l'art britannique, projet qu'il nourrissait depuis des mois. Considérés comme des cousins irritants aux piètres compétences, les Anglais étaient tolérés aux expositions : ni le jury du Salon ni le gouvernement n'étaient enclins à leur infliger une offense ; de même, ils n'étaient pas insensibles à l'anglomanie effrénée qui saisissait les cercles français les plus en vogue et les plus riches ; enfin ils n'étaient pas totalement réfractaires à l'idée d'un léger affaiblissement d'une «école» qui demeurait, malgré l'absence de David, fermement associée à la Révolution, à l'Empire, et au spectre des «vertus républicaines[61]». Gros, malgré tout, continuait à exciter l'opinion publique pour sortir David de l'exil, mais les considérations politiques l'emportèrent sur les considérations culturelles ; d'autre part, les conditions imposées par le ministère se révélèrent trop sévères[62].

Parmi les artistes représentés par d'Ostervald figuraient Copley Fielding, Henry Gastineau (1791–1876), John Varley (1778–1842) et Charles Wild, qui offraient un curieux mais honorable panorama de l'école des aquarellistes. Schroth était possesseur de quatre des œuvres de Fielding présentées, tandis qu'Arrowsmith, comme nous l'avons déjà mentionné, venait juste d'acheter les trois envois de Constable et les quatre aquarelles topographiques de Samuel Prout. L'aquarelle de Thales Fielding, *Macbeth et les sorcières*, fournissait le seul exemple de composition avec personnages. Ce rassemblement désordonné d'œuvres de l'art britannique renforça le préjugé français selon lequel les Anglais avaient peu à offrir en dehors de certaines qualités discutables dans les genres mineurs du portrait et du paysage. Parmi les 98 médailles d'or décernées par Charles X, trois revinrent néanmoins à Copley Fielding, Constable et Bonington, tandis que Lawrence fut fait chevalier de la Légion d'Honneur «pour honorer son école entière en la personne de son principal représentant[63].» D'une manière significative, aucune œuvre britannique ne fut acquise ou commandée par le ministère ou la Maison du Roi, bien que des propositions eussent été faites par le comte de Forbin pour la *Charrette de foin* de Constable. Arrowsmith insista avec acharnement afin que l'État se porte acquéreur des trois œuvres de Constable en sa possession, mais les négo-

ciations échouèrent. Pourtant, la *Vue de la Stour* trouva finalement un acquéreur français en la personne de Louis-Joseph-Auguste Coutan et un imitateur admiratif en celle de Paul Huet. Parmi les amis et collaborateurs de Bonington, Colin, Roqueplan, Delacroix, Isabey, Lami, Léopold Leprince, d'Ostervald et Taylor reçurent aussi des médailles d'or, bien que le grade de chevalier fût réservé, comme on pouvait s'y attendre, aux représentants français de la vieille garde tels que Ingres (n° 144), Martin Drölling et le paysagiste Louis-Étienne Watelet (1780–1866). Aussi modestes que fussent ces concessions aux «barbares», elles furent généralement perçues comme un triomphe et cette reconnaissance officielle contribua à attiser la véhémence passionnée des débats critiques.

En qualité de médaillé dans la catégorie des huiles et en tant qu'anglais, Bonington subissait lui aussi, inévitablement, les apostrophes ou les insultes dirigées contre Lawrence et Constable. P.-A. Coupin, critique pour la *Revue encyclopédique*, écrivait :

«Il est bien évident que la peinture a pris, en *Angleterre*, une direction différente de celle qu'elle suit en France. Les portraits du peintre que je viens de nommer [*Lawrence*], les paysages de M. *Constable*, les marines de M. *Bonington* en sont la preuve. En France, on pense que l'imitation n'est pas le but exclusif de la peinture ; on veut que l'art, que la main de l'homme se décèlent dans cette imitation ; on met du prix à ce que l'on appelle le charme, la délicatesse du pinceau ; on croit, entre autres, surtout dans les ouvrages d'une certaine dimension, qu'il ne faut pas se borner à rendre l'aspect de la nature et ne s'attacher qu'aux masses, mais encore qu'il faut en reproduire les détails et la finesse autant qu'il est possible d'y atteindre. Les Anglais suivent un système opposé : vus à une certaine distance leurs ouvrages ont beaucoup de vérité ; mais si l'on s'en approche, l'illusion disparaît et l'on ne trouve que des couleurs mal liées, qu'un travail grossier. Je crois que c'est une dégénérescence[64].»

Dans une critique plus tardive, il renforça ses objections :

«Les artistes de cette nation cherchent à produire une certaine illusion par la vérité des masses et des effets, et il faut convenir qu'ils y excellent ; [Constable et Bonington] ont une vérité que l'on ne trouve pas dans notre école ; mais, en revanche, nous avons un grandiose de lignes et de dispositions qu'ils rejettent avec soin. Je leur ferai même le reproche de ne pas mettre assez de goût et d'élévation dans le choix des lieux et des sujets [...] Aller en dehors de la barrière, et reproduire fidèlement le premier champ qui se présente aux regards, c'est méconnaître le but de la peinture. Tout n'est pas digne d'être regardé. Vouloir captiver l'attention des connaisseurs par la seule vérité de l'imitation, c'est ne considérer la chose que d'un seul côté[65].»

Thiers ne se montra qu'à peine plus conciliant :

« Dans le paysage surtout on a fait des efforts extraordinaires pour se tenir à la nature ; efforts malheureux, mais louables : on a poussé, à cet égard, l'ambition jusqu'à peindre des rivages insignifiants, et à la manière hollandaise, afin de n'intéresser, comme les Hollandais, que par la vérité[66].»

Delécluze, dans une allusion évidente au *Racine et Shakespeare* (Paris, 1823) de Stendhal, rangeait les partis en deux catégories : les Homériques et les Shakespeariens. Chez les paysagistes, Achille Michallon était homérique dans des œuvres telles que *Œdipe et Antigone* (qui, soit dit en passant, appartenait à Schroth), non seulement en raison du choix d'un sujet à caractère élevé, mais aussi parce qu'il subordonnait les effets naturalistes à une conception idéalisée de la nature. Les Shakespeariens cherchaient à «distraire» en transmettant une «verve imaginative» aux faits d'intérêt secondaire. Constable, Bonington, Copley, Fielding, Horace Vernet, Gassies et Régnier — deux peintres paysagistes français qui avaient réellement visité l'Angleterre et l'Écosse — étaient placés dans la lignée de Rembrandt et Ruisdael. Parmi les peintres d'histoire, Delacroix était comme «le cinquième acte de Shakespeare». La stratégie de Delécluze, qui consistait à susciter subrepticement l'idée d'un amalgame entre les romantiques de sa propre nationalité et la décadence de l'Ancien Régime trouva son ultime expression dans la comparaison qu'il établit — autrement inexplicable aujourd'hui — entre *L'embarquement pour l'Ile de Cythère* de Watteau, seule œuvre de cet artiste dont on tolérait alors l'exposition au Louvre, et *Les massacres de Scio* de Delacroix.

Il appréciait l'énergie, la fraîcheur, et la vérité des coloris de la *Vue de la Stour* de Constable, mais qualifia l'exécution de «négligence affectée» ne parvenant pas à rendre la forme précise des objets et qui lui rappelle «les préludes savants, mais éternels de nos pianistes, qui font parade d'une science fort recommandable en elle-même, mais qui n'aboutit à rien. Les sens sont vivement éveillés, et l'impression générale [...] est fort peu de chose[67].» Sa critique de Bonington, citée plus loin (voir n° 29), se focalise sur le thème de l'inadaptation du style au sujet, acceptable dans le *Marché aux poissons*, mais intolérable dans des paysages de plus grandes dimensions. Il conclut, en concédant à cette «partie du public et des artistes qui ont loué outre mesure MM. Constable et Bonington» :

«Je n'assure pas que les moyens pratiques des peintres anglais ne puissent être appliqués à d'autres sujets que des campagnes autour de Londres, à des tempêtes de l'Océan ou à des scènes de matelots, mais on trouvera bon que mon jugement reste suspendu jusqu'à ce que quelque grand paysagiste anglais ait traité avec succès de cette manière les sites calmes, majestueux et enchanteurs de l'Italie, lorsqu'enfin ils pourront opposer des ouvrages dont le style et l'exécution permettront d'établir quelque comparaison entre eux et le Polyphème *du* Poussin[68].*»*

Les critères de finition et de contenu constituaient clairement les problèmes essentiels, avec l'idée que la mesure de la liberté que prenait l'artiste devait être inversement proportionnelle à la dimension du tableau. Pour les esprits plus libéraux, l'exécution n'était qu'un moyen au service d'une fin. Ainsi qu'Amédée Pichot le fit remarquer dans sa publication à grand tirage *Picturesque Tour of England and Scotland* (1825) :

«À 15 pas de distance, les paysages de Constable, Callcott, etc. sont admirables, mais si on les examine de plus près, ils ressemblent parfois à de purs dessins grossiers. Je ne suis pas complètement certain du nombre de pas qu'il faut pour que les tableaux de Claude, Watteau, etc. demeurent des chefs-d'œuvre mais pour tous les tableaux n'y-a-t-il pas une distance donnée au-delà de laquelle leur illusion disparaît[69] ?»

Quoi qu'il en soit, les sujets choisis par les peintres paysagistes anglais, n'étaient pas si aisément défendus. Stendhal, par exemple, restait dans l'équivoque, faisant l'éloge de la technique de Constable, «miroir de la nature» mais regrettant qu'il ne pose ce miroir devant un site plus magnifique et d'une beauté plus conventionnelle qu'un cours d'eau anglais[70]. D'une façon générale, il rejetait également l'aquarelle. Auguste Jal, de son côté, soutenait que les sujets appropriés aux peintres de marines étaient les scènes narratives de batailles et de tempêtes en mer ou les imitations, alors galvaudées, de Louis Garneray (1783–1857) des «portraits» de propagande des ports de mer français de Joseph Vernet, qui avaient la vertu salvatrice d'être topographiquement instructifs[71].

Tel qu'il avait évolué en 1824, le sujet du paysagiste anglais d'avant-garde était, bien sûr, la nature elle-même ou la transcription de phénomènes naturels observés avec la volonté d'y imprimer une émotion et non celle de recréer un ordre intellectuel et didactique. Le thème de la composition, qu'il s'agisse d'une scène de plage ou des chutes de Tivoli, importait généralement peu. Seules la sincérité de l'artiste devant la nature et la faculté de communiquer son émotion constituaient les buts légitimes et souverains de la peinture de paysage. Delécluze n'était pas opposé au naturalisme, mais il considérait que l'étude de la nature devait être subordonnée à l'impératif moral de recréation idéale d'un ordre naturel. Sans quoi, on tombait dans la commercialisation du diorama, vers lequel, précisément, allaient les préférences de la grande majorité de ses concitoyens. Une œuvre d'art devait aussi avoir de l'*air*, ce qui, pour un académique, impliquait une vision d'une netteté aiguë : les seconds plans

59. À cette époque, le roman illustré était la plupart du temps accueilli avec mépris ou suspicion. La génération de Delécluze avait été largement privée de telles distractions. L'invasion dans le marché français des années 1820 de traductions de littérature anglaise et germanique fut donc considérée comme alarmante, et la popularité des illustrations gravées de style britannique, notamment les vignettes, que Delécluze accabla d'insultes excessives en regard de leur importance relativement insignifiante, n'en demeurait pas moins un sujet de préoccupation. Dans les années 1830, les romans illustrés et les *keepsakes* d'auteurs et d'éditeurs français étaient presque aussi abondants qu'ils l'avaient été à Londres, où des préoccupations similaires justifiées par l'impact social de telles œuvres de fiction avaient poussé Ruskin à écrire dans son «Essay on Litterature» (*Works*, t. 1, p. 357) en 1836 : «On dit que la lecture des œuvres de fiction induit un état d'esprit morbide, le désir d'une excitation, et une langueur s'il est contrarié ; ce qui est hautement préjudiciable à ses facultés intellectuelles et à sa moralité. Aujourd'hui, l'intoxication est préjudiciable à la santé, mais un usage modéré du vin lui est bénéfique, et l'appétence pour les œuvres de fiction est préjudiciable à l'esprit, mais la modération, comme nous entendons le prouver, lui est bénéfique, et de loin meilleur qu'une restriction absolue à l'épaisse bouillie de feuillets savants, logiques et interminables.»

Il prit alors la défense des romans de Walter Scott à cause de leur acuité psychologique et de leur portée moralisatrice. En France, dans les années 1850, les romans de Scott étaient « passés de mode ». Pourtant, un Gustave Flaubert, en campant le personnage de son anti-héros, Emma Bovary — en révolte contre les conventions bourgeoises d'une éducation religieuse inculquée au couvent, elle se réfugie dans le monde imaginaire d'Anne Radcliffe ou de Walter Scott et se passionne pour les vignettes de *keepsakes* — avait relevé les stigmates qu'avait laissés la littérature illustrée sur sa génération.

Sur le rôle de la vignette dans l'art romantique français, voir Rosen et Zerner, *Romanticism and Realism*. Il existe une abondante littérature traitant de l'influence de Walter Scott sur le romantisme français. Les références suivantes sont particulièrement intéressantes : Catherine Gordon, «The Illustration of Sir Walter Scott : Nineteenth-Century Enthusiasm and Adaptation», *Journal of the Warburg and Courtauld Institutes*, 1971, p. 34 *sqq*. ; Beth S. Wright et Paul Joannides, «Les romans historiques de Sir Walter Scott et la peinture française, 1822–1863», *Bulletin de la Société de l'Histoire de l'Art français*, 1982, p. 119–132, et 1983, p. 95–115 ; Beth S. Wright, «Scott's Historical Novels and French Historical Painting 1815–55», *Art Bulletin*, juin 1981, p. 286–287 ; Martin Kemp, «Scott et Delacroix with some assistance from Hugo and Bonington », *Scott Bicentenary Essays*, Edinburgh, 1973, p. 213–227.

60. La discussion la plus sérieuse des marchands Arrowsmith et Schroth se trouve dans *John Constable's Correspondence IV*, R. B. Beckett ed., Suffolk, 1966, p. 177–210. Arrowsmith commercialisa et copia les œuvres de Bonington.

61. Adolphe Thiers, *Le Globe*, 17 septembre 1824, p. 7.

62. Delécluze, *Journal*, p. 113–114, 18 janvier 1825 : «Il m'a fait entendre que Gros faisait des démarches pour faciliter la rentrée de David en France, mais qu'il craignait bien que les conditions qu'on lui imposerait dans ce cas ne fussent de nature à rendre la chose impossible. Ce serait par trop humiliant, m'a dit Ingres [...] David, je le vois bien, est frappé de l'idée que sa présence à Paris aurait une grande influence sur le sort de notre école actuelle. Il se trompe. Outre qu'avec l'âge, son talent s'est affaibli, la plupart des artistes de la nouvelle école ne comprendraient pas plus ses discours que ses ouvrages [...] à Bruxelles, c'est le grand peintre seulement que l'on voit ; à Paris on ne verrait que l'homme de la Révolution. »

63. Coupin, *Salon de 1824*, p. 335.

64. *Ibid.*, p. 597.

65. *Ibid.*, p. 316–317.

66. Adolphe Thiers, *Le Globe*, 24 septembre 1824, p. 23.

67. Delécluze, *Salon de 1824*, 30 novembre 1824, p. 2.

68. *Ibid.*

69. Pichot, *Tour*, t. 2, p. 185 ; le texte fut en fait écrit durant l'automne de 1824.

70. Stendhal, *Mélanges*, 27 octobre 1824.

71. Jal, *Salon* de 1824, p. 400 et p. 414–417.

devaient être clairement distincts et logiquement ordonnés, les objets à l'intérieur de ces plans précisément définis et circonscrits et l'illusion de la perspective entièrement dépendante de la diminution d'échelle. Les effets pittoresques résultant de la brillante utilisation de la couleur ou du clair-obscur où résidait l'effet dynamique des œuvres de Bonington devaient être supprimés car ils fatiguaient l'œil ou distrayaient du sujet narratif présent dans le paysage. Par ailleurs, pour Delécluze — et en cela il se rangeait résolument du côté de Coupin contre Pichot —, ils étaient un affront au bon goût et à l'attente légitime du public d'une surface soigneusement travaillée qui réponde à ses inclinations et à son investissement financier. Bien que Delécluze prétendît arguer en faveur d'un «juste milieu» — terme qu'il inventa dans sa critique du 30 novembre pour définir une peinture réconciliant les extrêmes du pompiérisme académique avec l'exécution négligente et les sujets «déplaisants» des romantiques —, son refus de transiger sur certains principes, en particulier sur ceux ayant trait au contenu, le fit apparaître comme rien moins qu'un classique réactionnaire. De façon ironique, il critiquait dans son journal Girodet, Gérard et le style tardif de David, de la même façon qu'il avait pu le faire dans ses critiques publiées sur Delacroix et les Anglais.

Pour la majorité des critiques français, la nature devait être représentée de la même façon que «le bon Vistris» de David. Pour citer un exemple de l'impact d'une telle pensée sur les paysagistes français contemporains, on peut examiner le *Chargement du bétail au port d'Honfleur* (ill. 23) de Xavier Leprince, qui fut acquis par la monarchie pour la somme de 4000 francs même si, comme le *Marché aux poissons* de Bonington, il était considéré comme une scène de genre moderne. À l'instar de Bonington, Leprince avait vite abandonné la routine de l'enseignement académique pour s'établir en autodidacte, en étudiant les maîtres hollandais au Louvre et les paysages côtiers de Normandie. Il est vraisemblable que les deux artistes se connaissaient : le frère de Xavier, Léopold, était un élève de Gros. Xavier Leprince était un réformateur en ce qu'il s'efforçait de réconcilier les exigences des valeurs admises avec une transcription plus honnête de la nature et de la vie contemporaine. Son *Chargement du bétail au port d'Honfleur* demeure pour cette raison ancré dans la tradition conceptuelle stylistique de Vernet et reste une œuvre représentative du «juste milieu» par excellence. Les personnages sont secondaires afin que la pauvreté et de leurs costumes et de leurs activités ne soit pas choquante. En plaçant au centre de la composition le service de douane médiéval construit par François Ier — un symbole d'autorité civique, de prospérité maritime et de continuité historique —, il investissait le tableau d'une justification pédagogique. À propos de cette huile, Stendhal observa ingénieusement qu'en reproduisant agréablement la gaieté des classes pauvres en France, elle atteignait le même degré de vérité qu'une toile hollandaise, bien qu'elle ne parvienne pas à élever l'esprit[72].

Les esquisses de plein air de Baltimore et Paris ayant servi de préparation à la composition finale de Leprince témoignent d'une spontanéité de touche et d'une observation consciencieuse de la lumière et de la couleur naturelles, mais ces qualités sont sévèrement modifiées dans le tableau final, où l'*air* a remplacé l'atmosphère et où le ciel est schématisé. La limpidité et le contenu émotif des esquisses sont moindres dans la version définitive, en partie à cause de l'augmentation du format, mais surtout en raison de l'adhésion tacite de Leprince à la conception traditionnelle des relations entre l'esquisse et le tableau achevé, sorte de passage de l'analyse à la synthèse, par un processus qui garantirait à la fois la correction de l'exécution et l'éthique du contenu. En dépit du modernisme de son sujet, ce tableau obéissait aux finalités moralisatrices qui devaient alors régir la peinture de paysage[73]. Pour Bonington, cette relation n'existait pas. L'authenticité de l'expérience de la nature était de première importance, et il le signifiait à son public par la spontanéité manifeste de son exécution et par la fidélité du pinceau à son émotion visuelle. Chez lui, la tension entre l'artifice et la réalité est pleinement exploitée comme une qualité. En choisissant pour sujet un marché aux poissons, traité sans

passion mais avec franchise, il ne discréditait pas le mythe de la «gaieté des classes inférieures», de même qu'il n'y souscrivait pas par le recours à la sentimentalité, exploitée dans une grande partie de la peinture de genre contemporaine. En fait, le sujet — un marché aux poissons, thème non sans signification personnelle chez l'artiste — n'est qu'un prétexte à l'expression d'un prodigieux réalisme. Ceci apparaît de façon plus manifeste encore dans la plus simple construction d'une vue côtière de Bonington durant cette période. Dans la *Jetée de Calais* par exemple, le souci de la composition — ici réduite à ses plus simples éléments : le ciel, la mer, le sable et quelques bateaux et personnages — est moindre ; c'est par son seul art consommé de la couleur que Bonington suscite l'admiration pour une scène qui, sinon, serait pauvre et sans intérêt. En éblouissant un public inaccoutumé à une telle véracité par son puissant réalisme, presque clinique, il affirmait la primauté de la couleur, de l'instantanéité et de la perception individuelle comme les nouveaux critères qualitatifs de la peinture de paysage.

Paul Huet, qui allait bientôt devenir l'un des amis les plus intimes de Bonington, loua son talent singulier en le définissant comme le «génie de l'aperçu et de l'indication» — une extraordinaire aptitude à traduire des effets de couleur puissants et variés et un sens aigu de la perspective, tout en prêtant une attention réfléchie aux détails. Son objectif, loin de chercher à rendre fidèlement des formes, conformément à la pratique académique, s'attachait à une traduction scrupuleuse des phénomènes ordinaires mais captivants que sont l'action réfléchissante du sable mouillé ou le lointain vaporeux des objets dans la brume. C'est essentiellement ce trait qui, dans la pratique de l'aquarelle par les Britanniques, gênait ou fascinait le plus les différents camps français. La transcription à l'huile des effets que l'on réservait traditionnellement à l'aquarelle devint précisément le souci majeur de cette génération d'artistes français, souci qui, auparavant, avait été celui des peintres britanniques. On ne pourrait apprécier les premières études à l'huile de Corot, ni peut-être l'œuvre intégral d'Alexandre Decamps (1803–1860)[74] et d'Eugène Isabey sans tenir compte de ce contexte. Les prouesses de Bonington dans l'aquarelle étaient bien connues et hautement prisées avant le Salon et en s'initiant à la pratique de l'huile, il devint le maître incontesté de ces jeux combinés.

Seule une compréhension innée et particulièrement subtile des matériaux et des techniques lui permettait de conférer à ses huiles les qualités de clarté et de vraisemblance qu'avaient ses aquarelles. Cette virtuosité fascinait Delacroix qui, plus tard, s'interrogea avec stupeur sur la façon dont Bonington était parvenu à exprimer dans ses tableaux une beauté qui était indépendante de tout sujet ou de toute qualité formelle — la beauté de ce qu'il appelait «le côté abstrait de la peinture» : l'organisation, la lumière, la couleur et une adresse inimitable mais qui ne relevait pas de la «recette». En fait, Bonington illustrait l'un des paradoxes les plus tenaces de la théorie romantique — la revendication d'un art qui ne semblait pas prémédité parce que son créateur possédait une parfaite maîtrise de ses moyens d'expression. La technique n'était cependant pas le souci exclusif de Bonington car il livre, dans ses marines, sa propre conception de la nature et lui insuffle l'émotion authentique qu'elle lui inspire. Cette conception était probablement partagée par ses contemporains, qui voyaient immanquablement dans ces œuvres la preuve d'un sentiment profond. Comme l'observa le cousin de Delacroix, le peintre paysagiste Léon Riesener (1808–1878), Bonington n'avait peut-être jamais cherché à peindre les événements extraordinaires ou sublimes de la nature, mais sa sensibilité n'en était pas moins vivifiée par sa discrétion[75]. Et ce qu'Hegel, à la même époque, observait à propos de la peinture hollandaise pourrait, en général, également s'appliquer aux premières scènes côtières de Bonington où prédomine cette influence : «le moment idéal réside justement dans cette licence exempte de soucis : c'est le dimanche de la vie qui nivelle tout et éloigne tout ce qui est mauvais.[76]»

L'adversaire le plus déclaré et intraitable de Delécluze ne fut ni Stendhal ni Thiers, mais William Hazlitt qui, à l'époque, se trouvait à Paris afin

23: Anne-Xavier Leprince (1799–1826)
Chargement du bétail au port d'Honfleur, 1824
Huile sur toile, 132 × 165
Paris, musée du Louvre

d'écrire une série d'articles pour le *Morning Chronicle* dans lequel il décrivait sa visite du continent. Il considérait le Salon comme rien moins qu'un «infâme fatras de tableaux de la Restauration des Bourbons» qui l'empêchait simplement de se frayer un chemin jusqu'aux galeries abritant les vieux maîtres; aussi, il consacra peu de temps à en débattre; cependant, en réponse aux premiers essais de Delécluze, il publia en octobre une violente attaque contre les œuvres maîtresses de l'école de David, alors accrochées au Palais du Luxembourg:

«*La poésie de Racine et celle de Shakespeare, bien que très éloignées, n'apportent pas la preuve inéluctable que l'âme française soit distincte de l'anglaise. Toutefois, la galerie du Luxembourg, à mon avis, décide sans appel de leur sort [. . .] résolument à leur détriment, c'est un peuple incapable de rien sinon du petit, de l'affecté, et de l'extravagant dans les œuvres de l'imagination et des beaux-arts. [. . .] La peinture française, en un mot, ne peut être considérée comme un art indépendant ou un langage original qui procéderait directement de la nature. C'est une mauvaise transcription de la sculpture en un langage fondamentalement incompatible avec elle*[77].»

Comparés au *Déluge* de Girodet, qui «prend librement son essor et s'éloigne des régions natives d'extravagance et de grandiloquence», les tableaux de David étaient «ternes et banals», toujours complètement français dans leur «manière petite et vétilleuse, sans beauté, ni grandeur ou effet» — en bref, pauvres, contraints et théâtraux:

72. Stendhal, *Mélanges*, 29 novembre 1824.

73. La persistance de cette attitude obligea Baudelaire à écrire dans sa critique du Salon de 1846: «Quant au paysage historique, dont je veux dire quelques mots en manière d'office pour les morts, il n'est ni la libre fantaisie, ni l'admirable servilisme des naturalistes: c'est la morale appliquée à la nature.

Quelle contradiction ![. . .] La nature n'a d'autre morale que le fait, parce qu'elle est la morale elle-même; et néanmoins il s'agit de la reconstruire et de l'ordonner d'après des règles plus saines et plus pures, règles qui ne se trouvent pas dans le pur enthousiasme de l'idéal, mais dans des codes bizarres que les adeptes ne montrent à personne.» (*Œuvres complètes* Paris, 1976, éd. C. Pichois, p. 480).

74. Planche, *Salon de 1831*, p. 78–79, et Rosenthal, *Peinture romantique*, chap. 6, p. 220–227.

75. Voir Smith, *Francia*, p. 339: «Ce talent distingué n'a pas cherché l'extraordinaire: ayant devant les yeux une jolie femme, il n'a voulu que la rendre telle [. . .] C'est à Bonington, chercheur de l'intérêt réel, que l'art doit sa vitalité.»

76. Hegel, *Esthétique*, Paris, 1944, t. 3, p. 292.

77. Hazlitt, *Notes*, p. 129–130. C. R. Cockerell, ami d'Ingres, de Géricault, d'Auguste, et plus tard de Delacroix, écrivait dans son journal sur la visite du Salon avec Auguste le 13 octobre «nous avons passé une heure au Louvre dans la galerie moderne. Le nombre et la stérilité de ces œuvres sont mortifiants et humiliants.» (Journal manuscrit à la Bibliothèque du Royal Institute of British Architects, Londres).

«Ce caractère dur, linéaire, métallique est un des traits saillants des œuvres des peintres français, qui provient, d'une part, de leur méthode de travail habituelle, d'autre part, de leur conception de la nature, mais surtout, à mon avis, de leur soif d'idées précises et nettes[78].»

Seuls le *Massacre des Mamelucks* d'Horace Vernet et la *Barque de Dante* de Delacroix se rachetaient par une qualité picturale qui faisait appel à l'imagination.

Stendhal, qui admirait David et Girodet, rejeta l'article comme l'expression d'une emphase nationaliste ; toutefois, les fulminations d'Hazlitt ne devaient pas être seulement comprises comme une réaction impétueuse de susceptibilité d'un Anglais à Paris. Il exprima cette opinion dès 1802, lorsqu'il se rendit en France pour la première fois, et l'élabora au fil des années, plus particulièrement, il est vrai, dans un article de 1815 à propos de la collection de tableaux de Lucien Bonaparte alors exposée à Londres, ainsi que dans une série d'essais, la plus importante, qu'il écrivit une année auparavant et dans laquelle il attaquait la thèse des *Discourses* de Sir Joshua Reynolds. Tout comme Delécluze, Hazlitt était convaincu que le caractère national dictait la forme d'expression artistique propre à chaque pays ; il n'avait pas plus de sympathie que Thomas Carlyle ou Mark Twain pour le caractère français. En particulier, il pensait que les académies brimaient l'originalité puisque la réussite se mesurait par la capacité d'un élève à imiter le style de ses maîtres plutôt que la nature elle-même. L'Académie française d'alors était donc d'autant plus fautive qu'elle promouvait de soi-disant artistes qui, d'après Hazlitt, feignaient d'imiter la sculpture antique alors qu'en réalité, ils la singeaient avec l'affectation outrée d'un acteur de théâtre. Les mêmes reproches, soit dit en passant, se retrouvèrent sous la plume de Stendhal dans sa critique du Salon de 1827 et, à plusieurs reprises, dans les méditations privées de Delécluze. À propos des différences et en particulier du problème du style de chaque école, Hazlitt affirma :

«Les Anglais semblent généralement supposer qu'il suffit de négliger les parties secondaires pour garantir un résultat général. Les Français, au contraire, imaginent tout aussi légèrement qu'en traitant séparément chaque partie, ils arriveront infailliblement à un ensemble cohérent [...] Les peintres français sont obsédés par la ligne et les détails ; les Anglais, par les grandes masses et les grands effets [...] Les premiers sont secs, durs et minutieux, les seconds grossiers, gothiques et négligents ; ils demeureront probablement satisfaits à jamais de leurs défauts respectifs[79].»

Avec un intérêt qui s'explique par ses propres activités, cet essayiste énumérait les exigences des nombreux collectionneurs avisés d'Angleterre selon lesquelles la peinture conçue comme une entreprise créative devait combiner le *gusto* ou l'expression — qu'il définissait comme «la transcription visuelle des impressions de l'âme ou d'autres sens qui se rattachent au sens de la vue, tels que les différentes passions visibles dans l'expression, l'intérêt romantique que suscitent certains spectacles de la nature, le caractère et les sentiments qu'on prête à différents objets» — ; le *pittoresque*, «c'est-à-dire la perception d'objets ou de situations ou d'accidents d'objets, tels que la lumière et l'ombre etc., qui les rend plus frappants pour l'esprit en tant qu'objets de vue seulement» ; et enfin l'attention au détail naturaliste dans cet univers de formes et de couleurs traité d'une manière large[80]. Selon Hazlitt, ni les Anglais ni les Français ne possédaient toutes ces qualités dans leurs manières de peindre ; les Français, parce qu'ils étaient trop prisonniers des préjugés académiques, et les Anglais, parce qu'ils étaient bien trop préoccupés à flatter les caprices de ces riches connaisseurs et collectionneurs privés, aux capacités intellectuelles médiocres, et qui accordaient leur plus haut prix à des œuvres prétentieuses.

Si Hazlitt avait été moins catégorique en affirmant que la peinture avait amorcé un déclin inéluctable après Titien, il se serait reconnu des affinités avec les artistes contemporains, dont notamment Bonington, car les principes esthétiques généraux communs aux deux hommes étaient pareillement implantés dans les traditions anglaises telles qu'elles avaient évolué au cours des deux précédentes décennies. La polémique qui se déchaînait à Paris, en 1824, avait déjà eu lieu à Londres. Les adeptes du «style historique» — tels James Barry (1741-1806) qui mourut sans ressources et Benjamin Robert Haydon (1786-1846) qui, en proie au désespoir, se suicida —, convaincus de la primauté du dessin sur la couleur et de la supériorité des tableaux moralisateurs de grandes dimensions, avaient été vaincus par les amateurs. Ces derniers considéraient qu'en matière de création et de commerce d'art, le goût individuel devait se substituer au modèle académique, et que le but ultime de la peinture était l'imitation des apparences visibles, de ce que l'œil percevait, et non la forme, l'allure ou les détails d'un objet particulier conçus et imposés par l'intellect.

D'une manière persuasive, Richard Payne Knight (1751-1824) avait argumenté en faveur de ce point du vue, dans un essai influent intitulé *An Analytical Inquiry into the Principles of Taste* (Londres, 1805). Il combattait la notion chère à Reynolds, usée, selon laquelle l'art de la peinture était une mission d'ordre éthique et d'esprit civique, «comme si les hommes recouraient dans la vie à ces sources d'information pour y trouver un guide de moralité et de prudence, ou qu'au contraire, ils ne voyaient dans les œuvres d'art rien d'autre qu'un moyen de se divertir[81].» Ainsi, pouvait-il aussi écrire à propos des sujets banals que sont les chairs étalées dans les marchés aux poissons :

«Par nature, elles ne nous sont pas agréables, et nous ne les considérons nullement comme belles. Pourtant, dans les œuvres de Rembrandt, Ostade, Teniers et Fyt, leurs imitations apparaissent indiscutablement belles et plaisantes aux hommes [...] [parce que] en appréciant la représentation imitative qui en est faite, nous ne consultons pas notre entendement, mais simplement nos sens et notre imagination, pour lesquels elles sont plaisantes et belles[82].»

Selon Delécluze et Knight, les plaisirs que procurait la peinture étaient d'ordre visuel, mais Delécluze pensait que ces délectations étaient intrinsèquement liées au sujet et à sa signification philosophique ; par conséquent, il reconnaissait que les dioramas et panoramas à la mode étaient agréables à l'œil, mais que ce plaisir sensuel était sans commune mesure avec les sentiments plus nobles que devaient susciter les beaux-arts. Selon Delécluze, le sybaritisme était un refuge dans l'égotisme : «Tous les arts sont entraînés hors de leur sphère par le goût blasé des hommes. Or, cela va toujours en augmentant : Lord Byron, Rossini et le poivre de Cayenne, voilà les trois stimulants dont on ne peut plus se passer pour ne pas tomber dans un engourdissement qui ressemble à la mort[83].» Ce symptôme de l'époque devait être combattu dans chaque branche de l'effort humain. Pour Knight, d'autre part, ces plaisirs visuels étaient physiologiques et n'avaient rien à voir avec la connaissance, l'éthique ou les notions reçues sur ce qui est beau dans la nature ou opportun à l'art. Un marché aux poissons qui, pour tous, était un spectacle nauséabond et désagréable, devenait beau dans un tableau car les propriétés purement visuelles et formelles, sources de plaisirs — les myriades de couleurs et de teintes et le jeu des ombres et des lumières — effacent, grâce à la magie de l'artiste, le souvenir désagréable, éprouvé dans la vie, devant une telle scène. Cinquante ans plus tard, s'élevant contre le principe tenace de la hiérarchie des genres, fondée sur le sujet, Delacroix tiendra le même raisonnement en faisant l'éloge de la beauté formelle inhérente aux tableaux insolites et inquiétants de Géricault représentant des fragments de membres et de têtes tronquées.

Justifiant sa thèse par des considérations d'ordre historique, Knight soutint par ailleurs que le concept de l'imitation exacte avait, par exemple, dans la première peinture italienne, la vertu de la nouveauté, mais que cette imitation devenait vite ennuyeuse. Des esprits sensibles commençaient donc à chercher des exemples de caractère, d'expression, pour aboutir à une virtuosité technique ou à la «perfection abstraite» de l'art :

«cette intelligence magistrale d'exécution — cette symbiose entre les conceptions de l'esprit et les opérations de la main, ce en quoi tient le génie et [...] dont on pourrait penser qu'elle provient d'une inspiration surnaturelle[84].» On notera à nouveau combien Delacroix est proche de cette pensée quand il dénigre la tradition académique : «David était naïf dans la manière de rendre les objets ; il n'affecte nullement de les faire autrement qu'ils ne sont [...] L'exécution la plus soignée dans les détails ne donnera pas cette unité qui résulte de ce je ne sais quelle puissance créatrice dont la source est indéfinissable[85].» Ou encore, dans son jugement sur le charme que décèle l'initié dans les qualités picturales de Bonington :

«Il a dû avoir dès le commencement cette espèce de plaisir que les hommes les plus expérimentés trouvent dans le travail, à savoir une sorte de maîtrise, d'assurance de la main, concordant avec la netteté de la conception. Bonington a eu cela aussi : cette main était si habile qu'elle devançait la pensée [...]. Il faut remarquer aussi que, dans cette espèce d'improvisation, il entrait [...] la couleur[86].»

On pourrait multiplier à l'infini les exemples dans lesquels les réflexions profondes de Delacroix, de Huet ou d'autres romantiques, paraissent être l'exacte transcription française d'idées avancées plus tôt, et de façon plus rigoureuse, à Londres. Ce que Henri Zerner et Charles Rosen ont reconnu comme étant la caractéristique la plus significative du réalisme et de l'impressionnisme plus tardifs est déjà en germe dans les théories britanniques au tournant du siècle. Il peut sembler surprenant qu'une notion aussi transparente et innocente ait pu générer de si longues controverses, mais elle se heurtait, en particulier en France, à l'opiniâtreté d'idées bien ancrées ; ainsi que Goethe le remarquait dans *Les Souffrances du jeune Werther*, les anciens disposent toujours de moyens pour canaliser les torrents des jeunes ambitions loin de la calme ordonnance de leurs jardins.

Pour étayer son discours sur l'adresse d'exécution, Knight s'appuya à nouveau sur des exemples historiques : il redéfinit le pittoresque comme ce qui «procédait de la manière des peintres», en particulier de Giorgione et Titien pour lesquels, selon lui, ce terme avait, à l'origine, été créé. Le style vénitien — caractérisé par l'étendue de la palette, les contrastes de clair-obscur, le souci du détail naturaliste, l'art de passer du général au particulier — que Knight concevait comme l'écho du processus de perception visuelle, était l'apothéose d'une perfection sans égale, bien que le génie de Rembrandt, dans les techniques novatrices, conduisît à une appréciation identique de l'école hollandaise. La perfection de l'imitation dans le domaine de la peinture illusionniste était donc atteinte par l'alliance de l'observation immédiate et pénétrante avec «la faculté de saisir les moindres effets fugitifs de la nature et de les exprimer en les imitant, comme s'ils s'étaient échappés par hasard du pinceau, plutôt que d'être le fruit du labeur, de l'étude et du dessin ; en quelques mots, c'est en cela que se distingue une œuvre de goût et de génie d'une œuvre de pure science et de pure industrie[87].»

Knight réaffirmait aussi un principe de base de la théorie picturale traditionnelle selon lequel la contemplation de la nature en elle-même peut aboutir à une expérience esthétique supérieure si l'amateur associe la chose contemplée et sa connaissance des sujets similaires traités par les grands artistes. Une telle approche ruine inévitablement la théorie de la hiérarchie traditionnelle des genres et, alors que l'éducation, voire d'autres facteurs culturels, déterminent un individu raffiné à préférer Raphaël à Teniers ou *vice versa*, aucune préférence ne peut être justifiée par des critères reposant sur le choix du sujet ou de la technique. Chaque artiste devait être jugé sur ses seuls mérites et ce jugement, fonction d'un contexte historique et artistique, serait donc fondé sur des critères relatifs et non absolus. Partant, Hazlitt pouvait avouer son indécision dans le choix d'un carton de Raphaël ou d'un sujet de genre de Teniers ; toutefois, il était certain de préférer chez Teniers un sujet de genre à un carton[88]. Delacroix, de son côté, définissait avec concision le Romantisme

78. Hazlitt, *Notes*, p. 136.
79. William Hazlitt, «On the Imitation of Nature», *The Champion*, 25 décembre 1814, *Complete Works*, t. 18, p. 74.
80. William Hazlitt, «*The Catalogue Raisonné of the British Institution*», *The Examiner* (3 novembre 1816), *Complete Works*, t. 18, p. 106–107
81. Knight, *Principles*, p. 453. En ce qui concerne la philosophie de Knight et les complexités du goût de la régence, je n'ai fait que reprendre les principes analysés en profondeur et avec lucidité par Peter Funnel, «Richard Payne Knight 1751–1824 : Aspects of aesthetics and art criticism in late eighteenth and early nineteenth century England», D. Phil. Thesis, Oxford, 1985, et par Michael Clarke et Nicholas Penny, *The Arrogant Connoisseur : Richard Payne Knight*, Manchester, 1982. L'ouvrage de Hugh Brigstocke est aussi très instructif, *William Buchanan and the 19th Century Art Trade : 100 Letters to His Agents in London and Italy*, Londres, Paul Mellon Centre for Studies in British Art, 1982.
82. Knight, *Principles*, p. 72–73.
83. Delécluze, *Journal*, p. 76, 25 décembre 1824. En cela, il partageait, sans le savoir, l'opinion de nombreux visiteurs anglais ; à noter, à titre d'exemple, la déclaration de Thomas Carlyle adressée à sa fiancée, datée du 28 octobre 1824 : «[Les Français] ne peuvent vivre sans excitants artificiels, sans *sensations agréables* [...] Le caractère de ces gens ressemble à leurs vitrines et à leurs physionomies ; dorure et fard au dehors ; hypocrisie et délabrement moral en dedans [...] l'élégance même [...] pourtant s'y l'on si adonne une quinzaine de jours, c'est un plaisir ; mais si l'on y vit continuellement, c'est un martyre.» Extrait de C.R. Sanders, *The Collected Letters of Thomas and Jane Welsh Carlyle*, Duke University Press, 1970, t. 3, p. 180.
84. Knight, *Principles*, p. 99–102.
85. Piron, *Delacroix*, p. 402–410.
86. Delacroix, *Journal*, t. 3, p. 187–188, 31 décembre 1856.
87. Knight, *Principles*, p. 238. Dans son essai «On the Imitation of Nature », *The Champion* (25 décembre 1814 ; *Complete Works*, t. 18, p. 71), Hazlitt avait, quant à lui, un point de vue légèrement différent : «Si les lumières et les ombres sont disposées en beaux et amples volumes, la respiration d'un tableau, telle qu'on l'a définie, ne peut en aucun cas être rendue par l'accumulation de détails dans ces mêmes volumes.». Cette définition du naturalisme s'avérera par la suite cruciale pour John Ruskin lorsqu'il prendra la défense de Turner dans *Modern Painters*.
88. William Hazlitt, «Fine Arts», *Encyclopaedia Britannica*, London, 1817 ; *Complete Works*, t. 18, p. 123.

comme «une réaction contre l'école, un appel à la liberté de l'art, un retour vers une tradition plus large : on voulut rendre justice à toutes les grandes époques, même à David[89]!»

En dernier point de sa thèse, Knight soutenait que la participation imaginative du spectateur était plus grande si l'œuvre ne présentait pas des caractères d'achèvement absolus et lui offrait un champ plus large aux élans de son imagination. Il révélait ici sa dette envers les amateurs français du XVIIIe siècle. Ainsi, Denis Diderot, en évoquant les débuts d'Hubert Robert (1733–1808) au Salon de 1767, fit l'exposé succinct de ses arguments à propos de l'analyse des esquisses de paysage à l'huile de Robert :

«Pourquoi une belle esquisse nous plaît-elle plus qu'un beau tableau? C'est qu'il y a plus de vie et moins de formes. À mesure qu'on introduit les formes, la vie n'y est plus [...] Pourquoi un jeune élève incapable même de faire un tableau médiocre fait-il une esquisse merveilleuse ? C'est que l'esquisse est l'ouvrage de la chaleur et du génie, et le tableau l'ouvrage du travail, de la patience, des longues études et d'une expérience consommée de l'art [...] L'esquisse ne nous attache peut-être si fort que parce qu'étant indéterminée, elle laisse plus de liberté à notre imagination, qui y voit tout ce qu'il lui plaît. C'est l'histoire des enfants qui regardent les nuées. Et nous le sommes tous plus ou moins [...] Le mouvement, l'action, la passion même sont indiqués par quelques traits caractéristiques, et mon imagination fait le reste. Je suis inspiré par le souffle divin de l'artiste[90].»

Cette exaltation proprement romantique sur le jaillissement du génie enfin libéré des conventions de sujets et de techniques trouve son corollaire dans la proposition plus générale, quoiqu'équivoque selon nous, qu'Hazlitt tira de Knight, et selon laquelle «ces arts qui procèdent du génie individuel et d'un pouvoir intransmissible ont toujours sauté de l'enfance à l'âge adulte, de l'aube primitive de l'invention à leur zénith et à leur vertigineux éclat[91].»

En définitive, selon Hazlitt et Knight, aucun artiste moderne ne pourrait jamais espérer surpasser Titien, Rembrandt ou le Lorrain ; mais l'établissement d'un système d'évaluation essentiellement fondé sur des considérations formelles entretenait un climat propice à l'éclosion d'un génie moderne dont l'inspiration procéderait de la seule nature et qui pourrait égaler en originalité les plus grands maîtres par son ingéniosité picturale. Car, comme de nombreux théoriciens, Knight ne faisait que fournir une assise intellectuelle aux normes préexistantes du goût qui régnait et s'affirmait encore chez les artistes, chez un grand nombre de collectionneurs britanniques et surtout au sein de l'élite des connaisseurs qui, avec Knight, avaient fondé la British Institution en 1805[92]. Il reconnaissait, néanmoins, que Bonington était un peintre pour amateur d'art, ou, plus précisément, un peintre capable d'éveiller l'enthousiasme des collectionneurs versés dans l'histoire de la peinture, qui attendaient que leurs tableaux modernes en soient nourris. Ce n'est, par conséquent, pas un hasard si, lorsque Bonington décida d'exposer à Londres en 1826, il choisit de le faire à la British Institution (ill. 24), ou si, tout au long de sa vie, ses principaux protecteurs britanniques furent les collectionneurs privés qui étaient à la tête de cette institution. Pour maints observateurs de part et d'autre de la Manche, Bonington finissait ostensiblement par atteindre un statut de «jeune génie» mythique que les collectionneurs étaient toujours curieux de découvrir, tandis que les critiques et les artistes confirmés tendaient à s'en méfier. Delacroix et Huet, en privé, ainsi qu'Auguste Jal dans sa nécrologie, convenaient de cette réputation qu'avait, en France, Bonington, et elle fut naturellement amplifiée par sa mort prématurée et sa querelle avec Gros. Constable fit observer à William Carpenter en 1830 : «Vous êtes injuste à mon égard en supposant que je méprise ce pauvre Bonington [...] Mais il y a une morale en art comme en toute chose. Il n'est pas convenable qu'un jeune homme fasse l'inspiré, qu'il feigne la perfection, sans étude et sans peine. « Travail et génie », voilà ce à quoi les dieux accordent le prix d'excellence[93].» Au moment où

ces mêmes collectionneurs prestigieux s'arrachaient les œuvres de Bonington, ils négligeaient Constable qui était arrivé à la fin de sa vie.

Bien que les publications théoriques comparables à celles de Knight fassent défaut en France, des parallèles peuvent être observés dans les deux pays. Delécluze, après tout, défendait l'idée d'un «art public» subventionné par l'État, mais le moteur du changement — et la conscience que l'art anglais pouvait y contribuer — ne se trouvait pas au Ministère ou à l'Institut, mais bien chez les collectionneurs privés[94].

En ce qui concerne Bonington, tout du moins, Jal devra admettre en 1824 : «Il a apporté la foi. Assez longtemps les amateurs n'ont juré que par lui ; il a fait des prosélytes et des imitateurs[95]. » Nous voudrions rappeler que trois des cinq envois au Salon de Bonington avaient été acquis, avant l'exposition, par la Société des amis des arts qui était sensible aux sollicitations des particuliers et qui, à l'instar de la British Institution, s'engageait à promouvoir l'art moderne dans toutes ses formes de manifestation, en particulier dans le genre non historique et la technique méprisée de l'aquarelle. Dans sa critique du Salon, Jal parvint, avec une certaine adresse, à démolir la rhétorique des autres théoriciens en décrivant ainsi la situation du mécénat en France :

«Faites des vœux en faveur de la peinture historique, c'est très bien ; mais ne plaignez pas les succès du genre. Recherchez de bonne foi les causes de l'effet qui vous frappe si désagréablement ; que trouvez-vous ? La fortune plus également répartie que jadis, les besoins du luxe plus généraux, et le goût des arts plus répandu : ne voilà-t-il pas une chose incontestable ? Quelle conséquence tirerons-nous de ce fait ? Plus le nombre des riches se multiplie, plus il faut, pour leur consommation, de livres, de beaux ameublements, de belles pièces d'argenterie et aussi de tableaux. Tout homme qui a six mille francs de rentes ou de revenu industriel veut avoir un petit cabinet. Il lui faut pour cela quelques tableaux ; il veut qu'ils soient bons, il faut donc qu'il s'adresse aux bons peintres [...] Je ne dis pas que cela ne soit fâcheux pour l'art [...] mais il est difficile que cela soit autrement. Il n'y a guère en France que cinq galeries particulières capables de recevoir une production capitale d'un peintre d'histoire ; il y a six cents cabinets où peuvent se ranger de belles esquisses, des dessins précieux, et de jolis tableaux [...] tout le monde, depuis le riche banquier de la Chaussée-d'Antin jusqu'au petit électeur au vote unique, chacun se fait une collection proportionnée à son revenu. [...] L'opinion publique doit tracer au peintre d'histoire la route qu'il est bon qu'il suive ; le gouvernement doit adopter les idées dominantes[96].»

«Les belles esquisses, les dessins précieux, et les jolis tableaux» faisaient décidément fureur. Le succès retentissant des peintres troubadours au début du siècle ou des ténébreux intérieurs monastiques de François-Marius Granet (1775–1849) dix ans plus tard, revenaient essentiellement au mécénat privé. En outre, personne ne semblait surpris, excepté peut-être Louis-François Bertin, propriétaire du *Journal des débats* et père du peintre paysagiste Édouard Bertin, que les esquisses à l'huile peintes par Michallon en Italie (ill. 25) se vendissent à des prix extraordinaires lors de la dispersion de son atelier en 1822. Le directeur de la Monnaie, de l'Espine, était l'acquéreur le plus acharné, qui allait jusqu'à payer 400 francs pour une simple esquisse. Gros, dans le panégyrique qu'il prononça lors des funérailles de Girodet, en décembre 1824, attribua le déclin de toute l'école des romantiques et des classiques aux faiblesses des artistes face aux exigences des connaisseurs et à leur goût pour la «facilité médiocre». Delacroix lui-même ne reconnaissait-il pas avoir commencé à peindre des tableaux de cabinet — dont les sujets étaient tirés de sources littéraires en vogue comme Byron et Scott, et traités dans le nouveau style «pittoresque» — pour des collectionneurs privés, par intérêt purement financier[97] ? Presque tous les critiques de l'époque reconnurent, ou blâmèrent, l'impact profond qu'avaient les collectionneurs privés dans l'évolution du goût moderne. Aux antipodes de ces penchants esthétiques, Ingres et Huet se plaignirent également de l'attachement des collectionneurs à la «touche» : Ingres, prenait, de son côté, la défense des finitions émaillées dans lesquelles elle s'effaçait et qui, bien entendu,

24: John Scarlett Davis (1804–1845)
La salle d'exposition de la British Institution, 1829
Huile sur toile, 113 × 142
New Haven, Yale Center for British Art

89. Huet, *Huet*, p. 74. La théorie de Delacroix à ce sujet fut développée dans son essai «Questions sur le beau», *Revue des Deux-Mondes* (15 juillet 1854).

90. Diderot, *Salon*, t. 3, p. 241 *sqq.*; voir aussi Philippe Grunchec et Bruno Foucart, *Les concours d'esquisses peintes, 1816–1863*, Paris, 1986.

91. William Hazlitt, «Why the Arts are not progressive», *The Morning Chronicle*, 11 janvier 1814; *Complete Works*, t. 18, p. 6.

92. Bien que très émouvant, le récit que fait Hazlitt de sa découverte des maîtres anciens juste avant 1800, est très révélateur de l'attitude d'une grande partie de sa génération : «Ma première initiation aux mystères de l'art eut lieu à la Galerie d'Orléans : c'est là que j'ai formé mon goût ; c'est pourquoi, dans le domaine de la peinture, je suis incorrigiblement de la vieille école. En voyant les tableaux réunis dans ces salles, je fus saisi d'étonnement et je les considérai d'un œil émerveillé et attentif. La brume qui voilait mon regard se dissipa : mes yeux se dessillèrent [...] Nous avions entendu parler de Titien, de Raphaël, de Dominiquin et des Carraches. Mais se trouver nez-à-nez avec eux, dans le même lieu que leurs immortelles productions, c'était rompre un charme puissant, comme si l'on ressuscitait les morts ! À partir de ce moment, j'ai vécu dans un monde de tableaux. Les batailles, les sièges, les discours parlementaires, me semblaient bruits inutiles et vains combats, sans aucune signification, comparés à ces œuvres grandioses et à ces noms terribles qui me parlaient dans l'éternel silence de la pensée. » («On the Pleasure of Painting», *Table-Talk*, Londres, 1821, p. 14.)

93. *John Constable's Correspondence IV*, R. B. Beckett, Suffolk, 1966, p. 140.

94. Voir Charles Nodier, *Promenade de Dieppe aux Montagnes d'Écosse*, Paris, 1822, p. 84–89, ainsi que les remarques solidement documentées de Géricault dans sa correspondance adressée de Londres.

95. Jal, *Salon de 1824*, p. 417.

96. *Ibid.*, p. 16–18.

97. Delacroix, *Journal*, t. 1, p. 63 *sqq.* Ces observations pertinentes sont consignées dans une série d'articles rédigés entre mars et mai 1824.

25: Achille-Etna Michallon (1796–1822)
Le forum de Pompéi, vers 1820
Huile sur papier, 26,5 × 37,5
Paris, musée du Louvre

26: Sir Thomas Lawrence (1769–1830)
Marie-Caroline, duchesse de Berry (1798–1870), vers 1825
Huile sur toile, 91 × 71
Versailles, Musée national du Château

étaient aussi fascinantes aux yeux de certains collectionneurs que l'extravagance du geste pouvait l'être pour d'autres ; Huet, quant à lui, plaidait en faveur de la primauté du sentiment poétique d'une œuvre. Même le critique Gustave Planche, qui se rallia aux jeunes novateurs qui avaient adopté «Veronese, Rubens, et les Anglais» pour modèles, déplorait, dans les années 1830, qu'ils n'eussent produit que peu d'œuvres supérieures car « forcés de produire plutôt pour les cabinets des curieux et le plaisir des oisifs, [ils ont préférés] l'effet d'une improvisation effrontée à la valeur d'un travail pénible[98].» Par conséquent, l'opprobre dont Delécluze couvrait les Anglais ne se justifiait qu'en partie car, vers 1824, le véritable ennemi de ses conceptions était le goût de ses compatriotes qui, en germe sous le règne de David, dominait à présent.

Mais qui étaient ces mécènes du nouvel ordre social ? Dans le cas de Bonington, l'insuffisance de la documentation ne permet pas de tous les identifier. William Wyld (1806–1889), élève de Francia dans le milieu des années 1820, observa que Bonington avait été en très bons termes avec un certain nombre de mécènes aristocrates, dont le plus important fut Charles Rivet — bien que Rivet ne fût vraiment fait baron qu'après la mort de Bonington. Il avait été, dans sa jeunesse, un ambitieux politicien ayant le goût des arts et un ami de Delacroix et des Fielding, par l'entremise desquels Bonington fit probablement sa connaissance. Selon Philippe Burty, Rivet était «un homme de grand bon sens et de mœurs aimables. Il avait été plus que camarade d'atelier de Bonington : il l'avait obligé avec infiniment de délicatesse à ses débuts quand il était dans la gêne[99].» Parmi les toutes premières marines à l'huile de Bonington, *Près d'Ouistreham* (n° 24) et *Près de Saint-Valéry-sur-Somme* (n° 35) furent probablement des commandes de Rivet. D'autres œuvres de jeunesse, comme les diverses études de Mlle Rose (n° 6), ainsi que des tableaux et des esquisses à l'huile plus tardives qui sont encore en possession des descendants de Rivet, lui avaient vraisemblablement été offertes par l'artiste.

Il est impossible d'élargir le cercle de ces mécènes aristocrates avec une assurance formelle, mais des provenances des premières œuvres de l'artiste émergent les noms des personnalités les plus importantes de la Restauration, tels le comte de Faucigny, qui était membre de la garde de la duchesse de Berry (ill. 26) ; le comte de Pourtalès-Gorgier et le baron de Vèze, tous deux artistes-amateurs et, par l'intermédiaire de d'Ostervald, collectionneurs de paysages modernes ; le baron Mainnemaire, qui fut également protecteur de Delacroix et de Paul Delaroche ; et Zoé Talon, comtesse de Cayla, maîtresse de Louis XVIII et protectrice de Francia et des Isabey. À cette liste s'ajouteront plus tard les noms de la duchesse de Berry, probablement la plus généreuse et la plus éclectique des arbitres du goût dans les années 1820 ; de Louis-Philippe, duc d'Orléans et futur monarque ; et d'Anatole Demidoff, duc de Rivoli, à qui Huet reprochait de s'enrichir au moyen de la spéculation artistique. La plupart de ces protecteurs étaient anglophiles et, sauf exception, leurs goûts pour les tableaux et les aquarelles des artistes britanniques étaient assujettis aux caprices de la mode.

Bonington et son proche entourage accordaient davantage d'importance à cette bourgeoisie d'origine indéfinissable, qui avait survécu à l'agitation politique et sociale du précédent quart de siècle et qui, par conséquent, dans bien des cas connaissait une véritable prospérité économique. Elle allait de l'agent de change relativement modeste, nommé Valedau, qui légua une extraordinaire collection de dessins contemporains au musée Fabre, aux puissantes dynasties des banquiers et industriels cultivés : Benjamin Delessert et Paul Périer. La plupart de ces collectionneurs faisaient preuve d'un certain libéralisme dans leurs choix politiques et artistiques et sacrifiaient à la mode contemporaine leur passion en rassemblant un nombre considérable de dessins et d'aquarelles. Ils constituaient une élite parmi ce public bourgeois pour laquelle proliférèrent tout au long de cette décennie les portefeuilles d'estampes topographiques, anticomanes et satiriques — notamment pour la lithographie — , et les publications d'éditions illustrées de romans, d'histoire

Gâres les Albums—

27: Auguste Raffet (1804–1860)
Gâres les albums, 1828
Lithographie, 20 × 28
Collection particulière

et de littérature périodique française et anglaise. Ce furent ces dandies avec canne et ces nouveaux riches mondains qui, dans la satire d'Auguste Raffet datée de 1828 (ill. 27), se délectaient à assiéger la capitale et à bombarder l'Institut d'albums, emblèmes du pouvoir émancipateur qu'avaient leurs propres penchants esthétiques. Ils régnaient sur la mode et tinrent un rôle déterminant dans ce que le très officiel *Journal des artistes* décrivait lui aussi, en 1828, comme «une guerre d'extermination à la beauté classique de l'école française[100].»

Parmi les premiers protecteurs de Bonington, Alexandre Du Sommerard (1779–1842), Louis-Joseph-Auguste Coutan (mort en 1830) et Lewis Brown (mort en 1836) méritent une attention particulière. Du Sommerard avait servi l'Empire dans les ministères de l'armée et des finances. Sous la Restauration, il se mit à collectionner sérieusement les antiquités et les objets d'art du Moyen Age et de la Renaissance, ainsi que les tableaux modernes. Outre son acquisition de *Marine. Plage sablonneuse* de Bonington, le livret du Salon de 1824 le cite aussi comme le propriétaire de paysages exposés par Léon Cogniet, Colin, Jean-Louis Demarne, Théodore Gudin, François-Edme Riçois, et Louis-Joseph-Frédéric Villeneuve, de deux œuvres de Léopold Leprince, quatre de Xavier Leprince, et de plusieurs peintures de genre, dont celle de Renoux qui, flatteusement, représente le collectionneur entouré de ses antiquités dans sa demeure de Pantin[101]. Il semblerait que Bonington ait rencontré Du Sommerard avant 1824, et peut-être dès 1822, lorsque Colin travaillait en tant qu'illustrateur pour sa publication *Vues de Provins*. Ce «prince du bric-à-brac»[102] sacrifia sa vie entière à sa passion de l'art médiéval et à la création d'un musée public qui lui était consacré, à l'hôtel de Cluny (aujourd'hui musée) à Paris. Ce fut dans ce dessein qu'il cessa de collec-

98. Planche, *Salon de 1833*, p. 184.
99. Tiré de P. Burty, *Lettres de Eugène Delacroix*, Paris, 1880, t. 1, p. 127.
100. *Journal des Artistes*, 24 février 1828, p. 119. Pour une analyse plus approfondie du mécénat sous la Restauration, voir Miquel, *Art et Argent*.
101. Stephen Bann, *The Clothing of Clio*, Cambridge, 1984, fig. 8.
102. Telle fut la description que fit Balzac de cet illustre collectionneur dans *Cousin Pons*, Paris, 1848.

28: John Constable (1776–1839)
Vue de la Stour, près de Dedham
Huile sur toile, 129,5 × 180,8
San Marino, Huntington Art Gallery

29: *Henri IV et l'ambassadeur d'Espagne*, vers 1825
Aquarelle, 15,5 × 17,2
Londres, Wallace Collection

30: Jean-Auguste-Dominique Ingres (1780–1867)
Henri IV et l'ambassadeur d'Espagne, Salon de 1824
Huile sur toile, 40,5 × 61
Paris, musée du Petit Palais

tionner les tableaux modernes et qu'il vendit aux enchères, en 1825, un grand nombre de ses acquisitions. Bien qu'il ne possédât pas vraiment beaucoup d'œuvres de ce dernier, son investissement se fit à un moment décisif pour Bonington. L'artiste bénéficia peut-être aussi, indirectement, de la participation de Du Sommerard à la Société des amis des arts — que ce dernier contribua à remettre sur pied en 1815 — et, comme nous le verrons plus loin, de l'historicisme gothique prononcé et méticuleux de cet antiquaire[103].

Coutan, entrepreneur et grossiste en étoffes, était un simple admirateur plein de discernement et passionné de peinture moderne qui consacra les dix dernières années de sa vie à collectionner et à commander des tableaux et des dessins pour sa maison de la place Vendôme. Incontestablement supérieur à la moyenne des collectionneurs, il n'exprimait pas moins, dans ses goûts, les attitudes de ses pairs, qui étaient nettement moins divisés que la seule littérature de l'époque le laissait entendre. Une grande partie de la collection de Coutan fut vendue aux enchères immédiatement après sa mort, en février 1830. Dans l'introduction du catalogue de vente — dont Schroth serait l'auteur présumé —, elle était ainsi décrite : «outre les œuvres sérieuses et d'un style austère, on découvrira de gracieuses idées rendues avec aisance et de plaisantes compositions dans lesquelles la flamme et le génie pardonnent à l'exécution son intrépidité[104].»

Parmi les œuvres de l'école britannique figuraient la *Vue de la Stour, près de Dedham* qui était alors la plus célèbre des peintures de paysages en France et peut-être le plus grand tableau que Coutan ait possédé, trois huiles et huit aquarelles de Bonington (n°s 78, 81 et 149), une huile surprenante du peintre paysagiste écossais Patrick Nasmyth (1787–1831) et des aquarelles de Frederick et Newton Fielding, J.D. Harding (1798–1863) et Frederick Tayler (1802–1889). Parmi les artistes français, Charlet et Ary Scheffer étaient les peintres favoris de Coutan.; cependant, presque tous les peintres de talent ou de renom alors en activité étaient représentés dans ce cabinet, y compris David, Gros, Girodet, Hersent, Michallon et Watelet. Quoi qu'il en soit, il faut noter que ces peintres au «style sérieux et austère» étaient presque exclusivement représentés par des esquisses ou des études à l'huile. Outre les tableaux de paysage, le genre sentimental et littéraire, les scènes de chasse qui étaient en nombre croissant, on pouvait aussi voir un certain nombre de sujets historiques. Face à la réplique par Ingres du *Henri IV et l'ambassadeur d'Espagne*, dont la première version (ill. 30) avait reçu un vif accueil au Salon de 1824, on trouvait une interprétation par Bonington du même sujet ainsi qu'une version à l'aquarelle plus ancienne (ill. 29). Aussi sensationnelle que fût cette vente, un ensemble également magnifique et varié de plusieurs centaines d'œuvres demeura la propriété de ses héritiers jusqu'à ce qu'elles soient, à leur tour, vendues aux enchères en 1889. Il comprenait deux huiles de Bonington (nᵒˢ 118 et 132) et 13 dessins et aquarelles (nᵒˢ 2, 11 et 139).

Enfin, il faut citer le négociant en vins de Bordeaux d'origine britannique, Lewis Brown, qui collectionnait presque exclusivement les aquarelles et qui commença, à cette même époque, à traiter directement avec Bonington ou avec les marchands Schroth et Hulin. Ami de Francia, il fut dépeint par son nécrologue comme un fanatique qui aurait payé n'importe quel prix et parcouru toutes les distances afin d'obtenir le dessin d'un artiste distingué, destiné à orner son légendaire album. Mais sa préoccupation, qui frisait l'obsession durant les dix dernières années de sa vie, fut de réunir la plus grande collection d'aquarelles de Bonington et, à cet égard, ses efforts furent couronnés de succès[105]. Il fut frappé d'hydropisie et on rapporte qu'il mourut tandis qu'il copiait les aquarelles de Bonington en sa possession. Son ambition d'ouvrir une galerie consacrée à son idole ne vit jamais le jour, mais comme il parcourait l'Europe, son album toujours avec lui — l'équivalent moderne de la galerie portative de Charles Iᵉʳ composée de répliques en miniature de ses huiles italiennes favorites —, il contribua probablement plus qu'il ne l'imaginait à asseoir la réputation et à promouvoir le style de Bonington.

103. La bibliographie qui s'y rapporte est la préface du volume V des *Arts au Moyen Age*, Paris, 1838–1846, par Du Sommerard, avec une notice bibliographique de son fils et une réédition de la notice nécrologique de Jules Janin. Pour des études plus récentes sur ce singulier collectionneur, voir Bann, *The Clothing of Clio*, chap. 4, et Clive Wainwright, *The Romantic Interior*, New Haven and London, 1989, *passim*.
104. Vente de Coutan, Paris, 17–18 avril 1830.
105. Voir, dans cette exposition, les nᵒˢ 3, 13, 59, 60, 73, 100, 101, 105, 108, 116, 124, 126, 130 et 135.

«*TOUTE LA PEINTURE EST EN L'AIR*»

Eugène Delacroix, août 1827

31: Alexandre-Marie Colin (1798–1873)
Bonington assoupi, vers 1825
Mine de plomb, 18,8 × 14,1
Winnipeg, Winnipeg Art Gallery
Donation de la succession Arnold O. Brigden

Outre qu'il rouvrit le débat sur la voie qu'empruntait ou que devait suivre l'École française, le Salon eut pour effet immédiat de convaincre un assez grand nombre de jeunes artistes de l'utilité d'un séjour à Londres. Bonington en avait manifestement décidé ainsi à l'automne car, dans une lettre adressée à Mme Perrier, il notait : «Au printemps prochain, Colin et moi au retour de notre voyage d'Angleterre nous espérons avec votre bonne permission, revenir par votre pays, et que je regrette toujours[106].» Après un passage à Paris pour y déposer ses œuvres au Salon, Bonington avait repris ses activités à Dunkerque. Bien qu'on puisse, à juste titre, supposer qu'il retourna, même brièvement, voir le Salon en automne, on constate que ce fut encore à Colin qu'il destina sa correspondance, adressée de Dunkerque, à l'occasion de la Toussaint. En dehors de ses lamentations familières et constantes concernant son incapacité à s'absorber dans le travail, l'artiste mentionne une commande de Taylor dont Colin s'occupait — il est fort possible qu'il s'agisse des lithographies pour le premier volume des *Voyages pittoresques* consacré à la Franche-Comté[107]. Parmi les neuf lithographies exécutées pour cette série pendant les deux années qui suivent, certaines des planches datées de 1825 furent sans nul doute réalisées durant l'hiver. Comme nous le verrons plus loin (n°151), toutes les estampes de Bonington étaient fondées sur des dessins d'autres artistes, dont Taylor et le beau-frère d'Isabey, Pierre-Charles Ciceri (1782–1868), alors dessinateur de l'Opéra.

Le 3 décembre, Bonington avait regagné Paris et écrivait à Mme Perrier :

«Tandis que je passais des jours heureux auprès de vous, je ne savais pas ce qui m'attendait à mon retour, j'ai trouvé mon père au lit depuis 18 jours, et j'ai maudit les amis qui dans la crainte de me bouleverser me l'avaient laissé ignorer ; grâce à Dieu, il est convalescent dans ce moment et je n'ai plus d'inquiétude. J'ai revu cette ville de boue et de mal propreté qui m'a paru bien dégoûtante en me rappelant celle que je viens de quitter où tout me semble si riant et si propre et qui s'arrangeait si bien avec mes goûts. Je suis impatient d'avoir des nouvelles de votre santé. Si vous me voyez maintenant, vous ne demanderez plus à M. Bonington de descendre pour vous distraire un instant, l'ennui m'a gagné depuis mon arrivée, je vais travailler si je peux pour m'en distraire [...] Eh Mesdames, je courrai le monde mais je ne retrouverai point ici des soirées comme celles de Dunkerque[108].»

Ayant pour habitude d'écrire à l'occasion des congés, à la veille du Nouvel An, Bonington s'adressa à nouveau à Mme Perrier, pour la remercier de «la plus heureuse année de ma vie passée chez vous» et, sur le ton badin pour lequel il était tant apprécié, il ajoutait :

«Vous pouvez dire à votre bon fils que puisque il a bien voulu avoir des nouvelles, mes boutons vont tant et si bien qu'avec un peu de beau temps je pourrai me présenter comme rosière à la première fête de village qui aura lieu — et même avec succès. J'ai peu travaillé depuis mon retour. Je cours, je déjeune chez un, dîne chez un autre, cela n'en finit pas, je ne fais que boire et manger. Je deviens flamand tout à fait[109].»

On peut supposer qu'il assista en janvier à la clôture du Salon, lors de la remise des médailles par Charles X, et qu'il passa le printemps à exécuter les commandes que lui avait values un tel honneur.

Il effectua son voyage à Londres à la fin du printemps et au tout début de l'été 1825. Ce n'était pas par excès de dandysme, comme on le croit souvent, car il s'agissait d'un itinéraire soigneusement préparé en vue d'études et d'une recherche de nouveaux clients potentiels. Samuel Prout qui était passé à Paris en janvier, l'aida peut-être — même s'il estivait sur la côte anglaise lorsque ses amis arrivèrent à bon port — à organiser une visite de la collection du Dr Samuel Meyrick (n°s 37 et 40). Le 28 avril, Colin obtint son passeport pour la Basse-Écosse et l'Angleterre, et le 8 mai, Francia écrivait à John Thomas Smith, conservateur au département des estampes du British Museum, le priant de présenter Bonington et Colin au célèbre collectionneur de tableaux nordiques anciens, Karl

32 : Alexandre-Marie Colin (1798–1873)
Près du quai : l'attente du ferry
Mine de plomb, 7,9 × 13,9
Winnipeg Art Gallery

106. BN Dossier Bonington ; lettre manuscrite non retrouvée datée du 3 décembre 1824.
107. Lettre manuscrite datée du 1er novembre 1824 (Fondation Custodia, coll. F. Lugt, Institut néerlandais, Paris).
108. BN Dossier Bonington, lettre manuscrite perdue datée du 3 décembre 1824.
109. BN Dossier Bonington, lettre manuscrite perdue.

Aders. Ils demandèrent aussi à Smith la permission de dessiner les marbres de Lord Elgin et d'étudier dans la salle des estampes. Francia insista pour qu'on leur montre les *Cris de Londres*, qui servirent probablement aux *Etchings of Remarkable Beggars* (Londres, 1815) de Smith ou à *Vagabondia* (Londres, 1817) et qui, selon Celina Fox, avaient eu une influence sur Géricault[110]. Comme Bonington et Colin se trouvaient probablement avec Francia à Calais lorsque ce dernier rédigea cette note, il est plausible de situer leur arrivée à Londres à la fin du mois de mai ou au début du mois de juin. Plusieurs artistes français de leur connaissance ayant voyagé et s'étant installés de leur côté étaient déjà en Angleterre. Delacroix arriva le 20 mai pour découvrir Augustin Enfantin (1793-1827), élève du peintre paysagiste Jean-Victor Bertin, qui se livrait à la copie d'après Constable. Bonington griffonna son nom et son adresse à Londres sur un morceau de papier et lui rendit probablement visite, avant le départ d'Enfantin, le 27 juin. Henri Monnier, lui aussi, se trouvait déjà à Londres et, dans une lettre adressée à son ami Wattier, datée du 24 juin, il notait, outre les artistes déjà mentionnés, l'arrivée récente d'Hippolyte Poterlet et d'Eugène Isabey[111]. Édouard Bertin devait apparaître un peu plus tard. Le portraitiste Auguste Mayer (1805-1890) un autre des amis de Delacroix, allait lui aussi entreprendre le voyage.

À Londres, Bonington demanda à l'artiste William Westall (1781-1850) la permission de visiter Westminster pour y exécuter des esquisses des monuments funéraires (n° 36). Delacroix avait déjà visité Westminster à la fin du mois de mai, mais il rejoignit probablement Bonington, Colin et Bertin pour une seconde visite en juillet. La brève réponse de Westall est intéressante parce qu'elle fournit l'adresse où Bonington et Colin se trouvaient alors[112]. Delacroix avait demandé à son ancien camarade d'atelier Thales Fielding d'aménager des chambres dans un café, bien qu'il emménageât plus tard chez le marchand de chevaux Alfred Elmore, qui avait déjà accueilli Géricault. L'adresse à laquelle Westall adressa son billet de recommandation, 7 Acton Street, Gray's Inn Road, correspondait au 9 Constitution Row, Gray's Inn Road, adresse anglaise que Bonington utilisa en 1826, lorsqu'il envoya, depuis Paris, deux huiles destinées à l'exposition de la British Institution. L'établissement appartenait à la veuve d'un graveur de renom, Charles Warren (mort en 1823), à son frère, A. W. Warren, lui aussi graveur, et à son élève et beau-fils, H. C. Stenton, qui grava plus tard certaines compositions de Bonington pour les *keepsakes*. C'est aussi à cette adresse que William Ensom revint, après avoir quitté la France en 1824, et il l'utilisa comme adresse professionnelle pendant plusieurs années. En clair, Ensom faisait office de correspondant principal et était l'hôte attitré de Bonington et Colin.

Un autre graveur, en étroit contact avec Charles Warren, Abraham Raimbach, connu pour ses gravures de reproduction d'après Sir David Wilkie, dut lui aussi certainement prêter son assistance à Bonington et à Colin. Raimbach se rendit souvent à Paris dans les années 1820; il s'y trouvait durant l'automne 1824 pour visiter le Salon et pour renouer avec d'influents protecteurs et acheteurs potentiels. Parmi ceux-ci, figurait le révérend Edward Forster (1769-1828), alors aumônier protestant de l'ambassade d'Angleterre à Paris, où sa famille résidait depuis 1816. Au tournant du siècle, cependant, Forster était un éditeur d'estampes d'une envergure comparable à celle de Macklin ou Bowyer. Raimbach et Warren avaient tous deux prêté leur concours à ses entreprises les plus ambitieuses — sa traduction illustrée des *Arabian Nights* (1801) et sa *British Gallery of Engravings* (1806-1813). Il est possible que le père de Bonington ait été en relation d'affaire avec Forster à cette époque, mais il ne fait aucun doute qu'à partir de 1827, au plus tard, Bonington se trouvait en très bons termes avec la famille. Cette digression a pour objet d'émettre l'hypothèse d'une relation commune à Bonington et Raimbach. Le 16 avril, en effet, ce dernier fit parvenir une note à son ami et compagnon, le graveur William Cooke, lui demandant de présenter deux «amis étrangers», qu'il ne nommait pas, à Sir Walter Fawkes, Sir John Leicester et la marquise de Stafford[113]. Stafford et Leicester possédaient

une superbe collection de tableaux de maîtres anciens et modernes que n'importe quel artiste aurait rêvé de visiter. L'architecte C.R. Cockerell emmena Delacroix voir la collection de Stafford le 15 juin. Fawkes, d'autre part, était le protecteur et bienfaiteur de Turner, dont Bonington était fort impatient d'étudier les œuvres (n° 48).

Comme les Cooke étaient aussi les principaux graveurs de Turner, Bonington les avait presque certainement rencontrés, avec ou sans la recommandation de Ensom ou Raimbach. Les estampes de reproduction des Cooke d'après les aquarelles de Bonington commencèrent à paraître dans les *keepsakes* à l'automne. Puisque Bonington et Colin travaillèrent sans doute indépendamment de Delacroix, jusqu'en juillet, il est peu probable qu'ils aient accompagné l'artiste français dans les ateliers de Thomas Phillips (fin mai), William Etty (6 juin) ou David Wilkie (18 juin). Par ailleurs, on admet que Bonington demeura en compagnie de Colin lors de son retour en France vers le début du mois d'août, ce qui pourrait être la raison pour laquelle il n'accompagna pas Delacroix à l'atelier de Sir Thomas Lawrence, tout à la fin du mois de juillet, et ne le rejoignit, lui et Isabey, dans leur excursion maritime aux Cornouailles, qu'au mois d'août.

Les études qui nous sont parvenues indiquent que Bonington passa le plus clair de son temps à visiter les collections privées et publiques. Il put aussi voir les expositions annuelles de l'école moderne à la *Society of Painters in Watercolours*, à la Royal Academy, et à la British Institution. Le *Portrait de John Kemble en Hamlet* de Lawrence et les *Pensionnaires de Chelsea* de Wilkie furent le point de mire de la dernière exposition. On pouvait aussi voir les expositions des ateliers de Benjamin West et Sir Joshua Reynolds. Cette multitude d'expositions ne faisait pas impression sur Delacroix, pas plus que l'École anglaise elle-même dont la sujétion au style de la peinture ancienne était, à ses yeux, le défaut majeur. Il critiqua aussi l'achat par la Royal Academy du *Christ couronné d'épines* de William Hilton (1786-1839), mais s'inquiéta inutilement sur les effets que produirait un tel encouragement, susceptible, selon lui, de détourner l'école britannique de sa véritable originalité : les œuvres de genre de dimensions modestes. Toutefois, il réalisa immédiatement que ce pays, submergé d'or, offrait un marché potentiel à ses propres tableaux[114]. Bonington quant à lui, ne méconnaissait pas ces opportunités et s'appliqua, sans aucun doute, à rencontrer autant de mécènes et d'éditeurs que son bref séjour le lui permit. Les aquarelles existantes, dont les titres laissent supposer qu'il se rendit aussi à Burnham dans le Surrey ou au Mont Saint-Michel, dans la Manche, sont mal identifiées ou mal attribuées et la rumeur selon laquelle il s'aventura jusqu'à Nottingham est sans fondement. À l'exception d'un possible arrêt d'un jour à Richmond, son parcours semble s'être confiné à l'agglomération londonienne de Greenwich[115].

Ainsi que le notait Delacroix, Londres était, en 1825, une métropole offrant des distractions multiples ; c'était en particulier un centre vivant d'activités théâtrales pour ce groupe de jeunes artistes. Delacroix se souvint plus tard avoir passé de nombreux moments en Angleterre en compagnie de Bonington et, outre les séances de travail dont on a parlé plus haut, il est vraisemblable que le jeune Anglais bilingue servit de commentateur et de traducteur à ses condisciples français dans grand nombre des représentations en soirée. Delacroix mentionne, dans sa correspondance, qu'il dut s'astreindre à un sévère régime de Shakespeare, dont les pièces — *Richard III*, *La Tempête*, *Othello*, *Hamlet* et le *Marchand de Venise* — étaient d'autant plus intéressantes qu'elles étaient, pour la plupart, interprétées par l'acteur le plus talentueux du siècle, Edmund Kean. Une adaptation pour l'opéra du *Faust* de Goethe, qui impressionna profondément Delacroix, fut saluée par les critiques du monde entier comme un spectacle sans précédent, magnifique d'ingéniosité et de splendeur, avec ses changements de décors des plus sophistiqués, ses costumes inspirés des illustrations gravées de Moritz Retzsch (1779-1857) conçues pour la pièce originale, et l'ouverture de Karl Maria von Weber. Delacroix et ses amis assistèrent également aux représentations des *Noces de Figaro* de Mozart, du *Barbier de Séville* de Rossini, et du *Freischütz* de Weber. Pour tous, il s'agissait de se plonger complètement dans la vie culturelle britannique contemporaine, et leurs expériences allaient considérablement réduire l'abîme qui séparait les goûts respectifs des Anglais et des Français. Pour Bonington, elle devrait être aussi un événement crucial, justifiant l'orientation très britannique qu'avait prise son art.

Il ne fait aucun doute que Bonington et Colin se tinrent à leurs projets d'origine de visiter Dunkerque à leur retour en France, et l'anecdote rapportée par l'artiste de Saint-Omer, Jules Jouets, selon laquelle ils travaillèrent quelque temps dans cette ville avec Francia, Delacroix et Isabey, du milieu à la fin du mois d'août, est tout à fait plausible. Delacroix avait informé son ami Charles Soulier qu'il serait de retour à Paris vers la fin du mois et Colin, en raison de ses obligations domestiques, revint probablement avec lui. Bonington semble, de son côté — si l'on en croit des tableaux stylistiquement datables de la fin de 1825 et du début de 1826 —, avoir effectué un séjour sur la côte jusqu'à Trouville (n° 44). De plus, l'existence de compositions très proches représentant Saint-Valéry-sur-Somme (n° 119) réalisées par Bonington et Isabey, laisse supposer qu'Isabey l'avait accompagné. Au début de l'automne, il quitta sans doute Paris pour séjourner à Rouen en compagnie de Paul Huet. Huet et Isabey, que Bonington avait vus irrégulièrement pendant plusieurs années, allaient devenir, avec Delacroix, de joyeux compagnons. Une lettre du 14 décembre adressée à Colin, fait mention de l'essor de ses relations dans le monde artistique parisien à la suite de son voyage à Londres[116].

Immédiatement après cette visite londonienne, Bonington se mit à exécuter des paysages aux sujets plus variés et plus complexes dans leur style et leur technique. Dans l'année qui suivit, l'artiste s'attacha à représenter des scènes prises de l'intérieur des terres, notamment des vues de canaux et de rivières dans lesquelles l'expression d'un lyrisme pittoresque s'est substituée à toute considération topographique. Au service de ces nouveaux centres d'intérêt, il disposait d'une connaissance toute fraîche de l'extraordinaire diversité de la peinture de paysage anglaise et portait un jugement lucide sur le goût qui la sous-tendait. Delacroix pouvait déplorer que les artistes anglais se nourrissent à ce point des styles et des sujets des maîtres anciens, mais les allusions manifestes de Turner au Lorrain, les imitations de Cuyp par Augustus Wall, les variations sur la peinture de genre hollandaise de David Wilkie et les références de Sir Thomas Lawrence à Reynolds et Van Dyck connaissaient probablement un plus grand succès auprès de la clientèle cosmopolite que la «peinture [purement] naturaliste» de Constable. Il n'est donc pas surprenant qu'à cette époque, Bonington ait commencé à s'essayer à des compositions plus directement imprégnées de références aux maîtres anciens et modernes, soit en s'inspirant de sources évidentes telles que l'eau-forte *Chaumière entourée de planches* (voir le n° 71) de Rembrandt, soit en empruntant des schémas formels à certains maîtres tel Claude Gellée, dit le Lorrain, soit en imitant certaines qualités techniques propres à des artistes comme Turner.

C'est aussi de l'automne 1825 que datent ses toutes premières esquisses à l'huile de plein air, *Près de Rouen* (n° 55) et *Dans la forêt de Fontainebleau* (n° 52), qui, à l'évidence, s'apparentent par leur style aux peintures à l'huile presque contemporaines de Huet (n° 56) ou à ses propres aquarelles de la même date (n° 54). Ces deux œuvres furent peintes sur une sorte de carton au fond préparé avec un gesso blanchâtre, spécialité de la firme londonienne de R. Davy, dont l'adresse commerciale, située Newman Street, se trouvait non loin de l'académie de dessin dirigée par la famille Fielding. Bonington revint à Paris en rapportant ces légers supports rigides aux propriétés réfléchissantes et brillantes et il les utilisa sans cesse, jusqu'à sa mort, tant pour les peintures exécutées en plein air qu'en atelier. Huet l'encouragea probablement à peindre des esquisses de plein air, mais il aurait trouvé cette pratique peu commode

33: *Glenfinlas*, 1826
Lithographie, 15,9 × 22,2
New Haven, Yale Center for British Art

110. Celina Fox, «Géricault's Lithographs of the London Poor», *Print Quarterly*, n° 5, mars 1988, p. 62–65.

111. Lettre manuscrite de Monnier adressée à Wattier, datée du 24 juin 1825 (Bibliothèque d'art et d'archéologie, Paris).

112. Lettre manuscrite (Bibliothèque nationale, BN Dossier Bonington, AC 8020):
«Bonington Esq.
7 Acton St.
Gray's Inn Road.
Mr Westall se rappelle au bon souvenir de M. Colin et de M. Bonington et est très heureux de leur faire parvenir la permission qu'ils désiraient obtenir du doyen de Westminster(Mr. Westall presents his best compts to Mr Colin et Mr Bonington and is very glad to enclose his permission which they wished from the Dean of Westminster).
South Crescent Thursday Morn.»
La lettre comportait aussi une petite esquisse à l'encre et à la plume représentant des embarcations près des falaises (de Douvre?) et une notation au crayon «Enfantin Haymarket / Hôtel Giraudier / Jermyn Street Corner.»

113. Lettre manuscrite de Raimbach adressée à W. Cooke, datée du 16 avril 1825 (Free Public Library of Philadelphia, John F. Lewis Collection):
«Cher Monsieur,
Pouvez-vous m'obtenir une permission, pour deux amis étrangers, de visiter les collections de M. Walter Fawkes, de la marquise de Stafford, de Sir John Leicester, ou l'une d'entre elles.
Votre obligé
Abraham Raimbach
(Dear Sir
Can you put me in the way of obtaining permission for two foreign friends to view the collections of Mr Walter Fawkes, the Marquess of Stafford, Sir John Leicester or any one of them. Your obliged, Abraham Raimbach.)»

114. Les lettres de Delacroix, adressées à des amis à Paris (*Correspondance*, t. 1, p. 153–171), ainsi qu'une lettre du 31 décembre 1858 adressée à Silvestre (*Correspondance*, t. 4, p. 57–62) donnent un aperçu des activités et intérêts du cercle de Bonington. Voir aussi Lee Johnson, «Géricault et Delacroix seen by Cockerell», *Burlington Magazine*, septembre 1971, p. 547.

115. On supposa longtemps qu'il s'était rendu à Hampton Court puisque le personnage de Surrey dans son aquarelle *Le comte de Surrey et la blonde Geraldine* s'inspire d'un portrait du poète conservé dans cette demeure; quoi qu'il en soit, il est probable que Bonington tira sa source immédiate d'une gravure de Edward Scriven, publiée par James Carpenter en juin 1821, bien qu'il ait pu également connaître la version en buste de Scriven, qui illustrait *The Works of Henry Howard Earl of Surrey* de l'édition de G.F. Nott (Londres, 1815–1816), comme le fit remarquer Ingamells (*Catalogue*, t. 1, p. 47, n° 2).

116. Traduction (BN Dossier Bonington) par Dubuisson ou Curtis d'un extrait d'une lettre manuscrite non retrouvée adressée à Colin.

34: Eugène Delacroix (1798–1863)
L'exécution du doge Marino Faliero, 1825–1826
Huile sur toile, 146 × 114
Londres, Wallace Collection

35: James Duffield Harding (1797–1863), d'après Bonington
Un Albanais (Portrait du comte Demetrius de Palatiano), 1830
Lithographie, 18,6 × 11,2
New Haven, Yale Center for British Art

36: Eugène Delacroix (1798–1863)
Étude du comte Demetrius de Palatiano, 1825
Mine de plomb, 25,2 × 10
Paris, musée du Louvre

37: *Étude d'un modèle en costume turc*, vers 1825–1826
Mine de plomb, 17,5 × 10,9
Bowood, collection du comte de Shelburne

s'il n'avait pas découvert ce produit commercial. Comme plusieurs des esquisses à l'huile faites en Italie et légèrement plus tardives, la vue de Rouen présentait des traces d'écrasement de surface aux endroits où les couches de peinture étaient les plus épaisses, phénomène généralement dû à la pression d'une surface rigide sur une couche de peinture insuffisamment sèche. Il est fréquent qu'une esquisse de plein air soigneusement emballée pour le transport montre de telles altérations ; ce n'est généralement pas le cas d'un tableau d'atelier. Une trace de coup au dos de l'huile de Fontainebleau et des accidents de la surface picturale donnent à penser qu'il fut aussi peint en grande partie à l'extérieur. On remarquera cependant que les deux tableaux, si on les juge strictement sur le plan de la technique ou de la description naturaliste, pourraient tout aussi bien avoir été peints en atelier, puisque les différences de facture et de finition sont négligeables entre ces esquisses «de premier jet» et les productions dont on sait de façon certaine qu'elles furent composées en atelier, de la *Jetée de Calais* à la plus contemporaine *Plage de Trouville* (n° 44) ou encore aux *Péniches sur l'eau* (n° 72), où l'on peut distinguer les différentes couches de peinture par leurs degrés de séchage respectifs. Cette similitude optique rend difficile la distinction entre l'esquisse et le tableau achevé. Diderot préférait les esquisses et Delécluze les productions d'atelier soignées, mais tous deux souscrivaient à l'idée que la finition, à cause du travail qu'elle entraînait, tempérait les élans de l'imagination auxquels on se laissait aller dans des études plus spontanées. Pour ses contemporains, les huiles de Bonington n'étaient ni de pures esquisses, ni des œuvres achevées ; elles demeuraient cependant *faites* au sens où l'entendit plus tard Baudelaire lorsqu'il défendit les styles de Corot et Manet :

« *Une œuvre de génie [...] est toujours très bien exécutée, quand elle l'est suffisamment — Ensuite — qu'il y a une grande différence entre un morceau fait et un morceau fini — qu'en général ce qui est bien fait n'est pas fini, et qu'une chose très finie peut n'être pas faite du tout — que la valeur d'une touche spirituelle, importante et bien placée est énorme [...]*[117]»

La conséquence la plus déterminante du voyage en Angleterre fut l'installation de Bonington dans l'atelier de Delacroix, rue Jacob, à l'invitation de ce dernier. Dans une lettre du 31 janvier 1826, Delacroix reconnaît que Bonington est resté avec lui pendant un certain temps et que sa compagnie lui a été des plus profitables[118]. À cette époque, il peignait, ou était sur le point de peindre *L'exécution du doge Marino Faliero* (ill. 34). Mécontent de l'aménagement de son propre atelier, Bonington s'installa probablement avec Delacroix durant l'hiver après avoir terminé ses divers voyages pittoresques. Ils travaillaient certainement encore ensemble à la fin de l'année lorsque le réfugié grec, le comte Demetrius de Palatiano, de passage à Paris, accepta de poser pour les amis de Delacroix (n°s 64, 65 et ill. 35).

Les commandes des éditeurs parisiens affluèrent au cours de cette période. Taylor, qui avait été fait baron au mois de mai de la même année, revenait d'un séjour dans le Mont-Blanc avec Nodier et Victor Hugo. Bonington exécuta des lithographies d'après les dessins que ce dernier ramenait de Brou et Tournus pour les *Voyages pittoresques*. Aucune preuve solide n'atteste la présence de Bonington aux soirées hebdomadaires du célèbre salon littéraire de Nodier à l'Arsenal. Même si, à en croire William Wyld, «il n'avait que très peu de relations sociales en dehors du cercle de ses amis dessinateurs[119]», on est en droit de supposer que, tout comme Delacroix, Huet et Isabey, il s'y rendait au moins occasionnellement. En effet, ce furent sans nul doute les relations qu'il y noua qui le conduisirent à exécuter son unique illustration d'une *Chanson* du comte Jules de Resseguier et d'Amédée de Beauplan, «La Villageoise» (n° 42). La plupart des premières lithographies d'Isabey furent, de la même façon, exécutées pour le comte de Beauplan.

La fréquentation plus assidue du cercle de Nodier lui attira une commande plus importante de planches lithographiques pour les *Vues pittoresques de l'Écosse* (n° 113) d'Amédée Pichot, dont les premiers fascicules

parurent en décembre et janvier, et pour lesquels Bonington fut engagé, comme principal collaborateur, au cours de l'année suivante. N'ayant jamais visité l'Écosse, il transforma, une fois encore avec une grande réussite, les vues d'un artiste de moindre génie — en l'occurrence François-Alexandre Pernot (1793–1865) — en des images attrayantes (ill. 33). Dans le second fascicule, consacré en grande partie à la ville d'Édimbourg, Bonington se démarque des divers lithographes, dont Francia et Enfantin qui travaillaient sur cette influente publication en collaboration avec Pichot. Selon l'opinion d'un critique, «les amateurs reconnaîtront que les deux planches de M. Bonington sont chefs-d'œuvre de lithographie : c'est avec un art surprenant qu'il a rendu ce dais de vapeur qui couvre assez habituellement Édimbourg[120].»

Pichot fut probablement le défenseur le plus fervent de l'art et de la littérature britanniques durant les années 1820. Comme bon nombre de ses compatriotes, il commença à lire la poésie de Byron dès son adolescence, «car elle s'harmonisait singulièrement avec l'atmosphère désordonnée et passionnée dans laquelle nous vivions». Il traduisit Scott, Byron et Thomas Moore en 1820, Shakespeare en 1821 et *Tom Jones* en 1828. Il collabora plus tard avec Bulwer Lytton, Thackeray, Dickens et enfin Thomas Wright, avec lequel il écrivit une histoire de la caricature. Lorsqu'il publia son *Voyage historique et littéraire en Angleterre et en Écosse* simultanément en français et en anglais en 1825, sa bibliothèque personnelle était déjà saturée d'œuvres des principaux auteurs britanniques contemporains, de Quincey et Southey à Beckford et Wordsworth. Cette étude en trois volumes sur la culture britannique, qui fut nettement inspirée par le succès des publications similaires de son ami Nodier en 1822, mais qui les surpassait par la profondeur de ses investigations et par sa rigueur intellectuelle, contenait des appréciations originales et judicieuses sur les poètes de la région des lacs et les toiles de Turner, avec un hommage appuyé rendu à Walter Scott, idole de Pichot. Dans la mesure où leurs intérêts se rejoignaient, il est difficile d'imaginer que Pichot et Bonington ne furent que de simples collaborateurs dans des publications telles que les vues d'Écosse. En outre, Bonington fut sans doute encouragé et par le cercle littéraire de Pichot et par Delacroix, à s'essayer sérieusement au genre de l'illustration narrative et historique, pour lequel, jusqu'à cet automne, il n'avait eu qu'un intérêt marginal, car

117. Baudelaire, *Œuvres complètes*, Paris, 1976, éd. C. Pichois, t. 2, p. 390 (Salon de 1845).
118. Delacroix, *Correspondance*, t. 1, p. 172, 31 janvier 1826.
119. P. G. Hamerton, «A Sketchbook by Bonington in the British Museum», *Portfolio* (1881).
120. *Journal des Débats*, 4 mars 1826, p. 2.
121. William Makepeace Thackeray (1811–1863), qui se destinait à la peinture, écrivit un jour à Edward FitzGerald : «Je vous envoie ci-joint une très mauvaise copie d'une mauvaise copie faite par moi-même du Bonington que j'ai réussi à dérober, tout de grâce et d'imagination et d'une extraordinaire délicatesse de couleur. L'original est, à mon avis, l'aquarelle la plus belle qu'on ait jamais vue au monde.» Voir Lady Ritchie, *W. M. Thackeray and Edward FitzGerald, a Literary Friendship*, publication privée, s. l. n. d., p. 9. Thackeray ne cite pas l'aquarelle originale. Je remercie William Drummond de m'avoir communiqué cette référence.

38: *Anne Page et Slender*, vers 1825
Huile sur toile, 45,7 × 37,8
Londres, Wallace Collection

brusquement, on trouve dans sa production à l'aquarelle et à l'huile une profusion d'œuvres de ce genre.

Parmi les sujets avec personnages traités à l'aquarelle datés de 1825, on compte deux illustrations pour le *Quentin Durward* (nos 59 et 60) de Scott et une troisième pour *Les Mille et Une Nuits* (Londres, Wallace Collection). Une nouvelle traduction française de ces contes par E. Gauttier était parue en septembre 1825, mais ce fut sans aucun doute l'orientalisme prononcé de Delacroix qui poussa avant tout Bonington à traiter un sujet d'une telle invraisemblance. Elle révèle une exécution maladroite, tant dans son utilisation des couleurs opaques que dans sa composition, dont les personnages de Shéhérazade et de sa sœur ont été empruntés aux copies exécutées par Delacroix d'après les enluminures persanes originales de la Bibliothèque nationale[122]. C'est avec un peu plus d'assurance que furent traitées les illustrations d'après Walter Scott, ainsi que l'aquarelle datée, *Escalier d'un château* (Londres, Wallace Collection) et celle, non datée mais certainement contemporaine, *Le comte de Surrey et la blonde Geraldine* (ill. 40), qui, toutes deux, reflètent l'extraordinaire construction spatiale du *Marino Faliero* de Delacroix. Le personnage de Surrey occupe aussi une place importante dans l'étude de Pichot sur la littérature élisabethaine[123].

Le lien commun à ces toutes premières œuvres datables est l'importance exceptionnelle des emprunts de Bonington qui se livrait à la copie, tantôt à la mine de plomb, tantôt à l'aquarelle (no 61), de gravures publiées ou de tableaux très connus. Son *Souvenir de Van Dyck* (Londres, Wallace Collection) est un assemblage de plusieurs œuvres du maître. Les traits de Surrey sont empruntés à un portrait gravé attribué, à l'époque, à Holbein. Rubens et Adrian van de Venne lui inspirèrent certains des personnages dans sa version à l'aquarelle de *Henri IV et l'ambassadeur d'Espagne* (ill. 29). Pour les aquarelles de *Quentin Durward*, ses emprunts aux *Monuments de la monarchie française* (Paris, 1729–1733) de Bernard de Montfaucon, aux *Monuments français inédits pour servir à l'histoire des arts* (Paris, 1808–1839) de Willemin — tous deux exploités par Delacroix et Ingres —, aux gravures de Dürer et Schongauer (ill. 65) et même à la grille de chœur du XVe siècle de la cathédrale d'Amiens (ill. 13), sont moins évidents. Dans chaque cas, la reconstitution d'un décor historique était méticuleusement recherchée. S'il emprunta à Rubens le personnage de Marie de Médicis pour son aquarelle de *Henri IV*, il fit également des études préparatoires, mais qu'il n'utilisa pas, des enfants du monarque, copiées à partir des gravures de la *Vie de Henri IV* rédigée au XVIIe siècle par Gaultier. Bonington faisait, pour le moins, des recherches archéologiques approfondies, tout en traduisant à son aise, et dans son propre langage stylistique, ces sources monochromes ou peintes, de sorte qu'on ne trouve pratiquement pas dans son œuvre, comme le fit remarquer Delacroix, de traces de pastiche ou d'imitation servile[124].

Ce fut également durant cette période de proximité avec Delacroix, pendant l'hiver 1825–1826, qu'apparurent ses premières peintures à l'huile avec personnages.

Il est probable que la toute première ait été le sujet shakespearien d'*Anne Page et Slender* (ill. 38) pour lequel l'artiste emprunta les poses et les costumes des personnages au *Complete Book of English Costumes and Vestments* (Londres, 1797) de Joseph Strutt. La facture est plutôt soignée et les éléments architecturaux considérablement retravaillés. Le rendu du clair-obscur demeure hésitant, comme dans les aquarelles datées de 1825. Il est possible que l'huile de C.R. Leslie, *Slender, assisté de Shallow, courtise Anne Page* (ill. 39) exposée à la Royal Academy cette année-là, ait inspiré à Bonington le choix de son sujet[125] ; mais en adaptant la pose crispée d'un courtisan médiéval au personnage de Slender, il exprima brillamment ce qui, dans la composition de Leslie, demeurait absent — la maladresse de ce personnage qu'Hazlitt décrivit comme «l'exemple le plus convaincant de stupidité» dans toute la littérature anglaise[126]. Nous reverrons par la suite plus en détail l'utilisation des sources visuelles chez Bonington, mais pour l'instant nous nous contenterons d'observer qu'en composant

39: Charles Robert Leslie (1794–1859)
Slender, assisté de Shallow, courtise Anne Page, 1825
Huile sur toile, 67,7 × 77,5
New Haven, Yale Center for British Art

122. Les études de Delacroix sont réunies dans un carnet d'esquisses conservé au Louvre (Sérullaz, *Delacroix*, no 1750). Les dessins originaux que Delacroix copia se trouvent dans les *Modèles d'écriture ornés de portraits et costumes de prophètes et autres personnages indiens et persans* (Bibliothèque nationale ; Od. 60 rés, petit fol.) et *Costumes turcs de la Cour et de la ville de Constantinople peints et coloriés par un artiste turc en 1720* (Bibliothèque nationale, Od. 6, in 4°), offerts par Achmet III à Louis XV. Comme il était d'usage en 1826, ce carnet d'esquisses de Delacroix comprenait aussi des études pour *La Grèce sur les ruines de Missolonghi* et des copies de gravures des fresques du Campo Santo de Pise.

123. «Les anecdotes fabuleuses de sa vie errante pourraient mieux fournir des traits heureux au romancier qui voudrait peindre, comme Sir Walter Scott, les mœurs de l'époque» (*Voyage littéraire et historique en Écosse*, Paris, 1825, t. I).

124. Bonington dessina ou esquissa à l'aquarelle de nombreuses copies de personnages de tableaux ou gravures de maîtres anciens. Outre celles qui sont citées ailleurs dans le présent catalogue, elles comprenaient : *Vénus et Cupidon* (Louvre), *La prédication du Christ* (gravure à l'eau-forte) et *La résurrection de Lazare* (gravure à l'eau-forte) de Rembrandt ; *La remise de l'anneau au Doge* (Accademia, Venise) de Paris Bordone ; *Naissance de Henri IV*, *Henri IV donnant la régence à sa femme* et *Le Traité d'Angoulême* (Louvre) de Rubens ; le *Concert* et *Le Duo* de Terborch (Louvre) ; *Le fils prodigue* (Louvre) de Téniers ; *Les joueurs de cartes* de Hooch (Louvre) ; *Le Banquier et sa femme* (Louvre) de Quentin Metsys ; *Louis XIII couronné par la Victoire* (Louvre) de Philippe de Champaigne ; *Portrait de la princesse d'Orange* (Brera, Milan), *Portrait d'une dame et sa fille* (Louvre), et *La famille du comte de Pembroke* (version gravée) de Van Dyck ; le *Portrait de femme* (Louvre) de van der Helst ; *Portrait d'homme* (Louvre) d'Antonio Moro ; *L'atelier du peintre* (Louvre) de Joos van Craesbeck ; le *Portrait d'homme* (Louvre) de Tintoretto ; *Les noces de Cana* (Louvre) de Véronèse ; l'*Enterrement de saint Philippe* (SS. Annunziata, Florence) de Andrea del Sarto ; l'*Adoration des Bergers* (Louvre) de Palma le Vieux.

125. Une vignette de la même scène exécutée à la sépia (Huntington Art Gallery, San Marino) permet peut-être d'antidater l'huile de plusieurs années.

126. William Hazlitt, *Characters of Shakespeare's Plays*, Londres, 1817 ; *Complete Works*, t.4, p. 351.

40: *Le comte de Surrey et la blonde Geraldine*, vers 1825
Aquarelle, 14 × 11,9
Londres, Wallace Collection

son *Marino Faliero*, Delacroix, peintre d'histoire beaucoup plus expérimenté, cherchait lui aussi certaines de ses sources dans la Renaissance, pour la recherche d'effets d'ordre dramatique, historique ou émotionnel.

Des tableaux comme la *Chambre d'Henri IV au château de la Roche-Guyon* (voir le n° 63), le *Don Quichotte dans son cabinet* (n° 70), et le *Turc assis* (n° 68) que Bonington entreprit d'abord à l'aquarelle, dans une veine manifestement rembranesque, marquent une orientation tout à fait différente et une nette progression dans la compréhension des ombres et des lumières. Si, comme le confessa Delacroix à Soulier, il y avait beaucoup à apprendre de Bonington, ce serait alors non dans la conception de telles œuvres qu'il faudrait l'entendre, mais dans l'exécution, où le raffinement des coloris et la maîtrise des techniques de glacis indiquent un authentique et rapide progrès en comparaison d'*Anne Page et Slender*. L'éclatante palette de Bonington, plus frappante dans les aquarelles et dans les paysages à l'huile qu'il préparait alors pour les envoyer à Londres (n° 49), fut, à l'évidence, à l'origine de l'admiration de Delacroix. Mais l'artiste ne demeurait pas moins frappé de stupeur devant la maîtrise technique innée de son émule :

« Je ne pouvais me lasser d'admirer sa merveilleuse entente de l'effet et la facilité de son exécution ; non qu'il se contentât promptement. Au contraire, il refaisait fréquemment des morceaux entièrement achevés et qui nous paraissaient merveilleux ; mais son habileté était telle, qu'il retrouvait à l'instant sous sa brosse de nouveaux effets aussi charmants que les premiers[127]. »

Il est difficile de préciser dans quelle mesure exacte ces deux artistes s'influencèrent réciproquement, à ce moment décisif de leur carrière, en l'absence d'analyse technique détaillée. Sans aucun doute, Delacroix insuffla-t-il à Bonington un désir d'accroître ses ambitions, tandis que l'on devine l'influence du jeune Anglais sur lui — comme Gautier, le premier, le fit remarquer — dans le nouvel éclat des couleurs et dans le mouvement vigoureux et sûr du pinceau des œuvres peintes en 1826, notamment le *Combat du Giaour et d'Hassan* (Chicago, Art Institute)[128].

Alors qu'il était encore avec Delacroix, Bonington envoya deux tableaux à Londres pour l'exposition annuelle de la British Institution : *Côte française avec des pêcheurs*, aujourd'hui non localisé (dimensions avec cadre d'origine : 3 pieds sur 4), — fut acheté par Amabel, comtesse de Grey, souscripteur à vie de la British Institution. Sir George Warrender qui en fut, sa vie durant, le président, acheta le second tableau à l'huile *Vue de la côte picarde avec enfants, soleil levant* (n° 49). L'accueil des critiques ne fut pas moins enthousiaste que lors de la réception des tableaux de Bonington au Salon de Paris ; ils furent loués, non seulement pour leur beauté et leur adresse d'exécution, mais aussi, comme nous l'avons vu plus haut, parce que l'artiste demeurait complètement inconnu de l'ensemble du public britannique. « Qui est R. P. Bonington ? Nous n'avions auparavant jamais vu son nom dans aucun catalogue, et pourtant voici des tableaux qui donneraient son titre de noblesse au paysage, » écrivait un critique anonyme de la *Literary Gazette* dans son premier compte rendu de l'exposition[129]. Ce journal sera par la suite accusé d'avoir pris les œuvres de Collins (1738-1847) pour celles de Bonington ; mais en réalité, c'est *Un bateau marchand sur la Scheldt* (Londres, Victoria and Albert Museum) de Clarkson Stanfield (1793-1867) que le critique du journal avouera avoir confondu avec un tableau de Collins[130]. Il est vraisemblable que les trois artistes se connaissaient, et Stanfield acheta par la suite à Bonington son aquarelle *Visite de Charles Quint à François Ier* (Londres, Wallace Collection). Collins, de son côté, occupé à consolider ses appuis au sein de l'institution rivale, la Royal Academy, n'exposa pas cette année-là à la British Institution.

Outre un intérêt commun pour les marines, il existe de frappantes similitudes entre le style de la maturité de Collins et celui que développa Bonington à la suite de son voyage à Londres. Il se peut également que Collins ait influencé son évolution à ce moment[131]. L'importance que Bonington commença à accorder aux petits groupes discrets des personnages du premier plan constituait, par exemple, l'une des techniques de composition favorites de Collins, bien qu'il ne fût certainement pas le seul à employer ce procédé. On serait plutôt tenter de penser que Bonington avait également appris que deux des tableaux de Collins qu'il avait pu voir à l'exposition de la Royal Academy en 1825, *Pêcheurs avec leurs filets* et *Marché aux poissons sur une plage*, avaient été commandés par deux des collectionneurs les plus en vue, Sir Robert Peel, gouverneur héréditaire, et le duc de Bedford, vice-président de la British Institution. Peut-être Bonington avait-il également eu écho de la commande de Peel à Collins, l'automne précédent, pour un autre tableau, *Paysage d'hiver* (ill. 41) s'élevant à la somme inouïe de 500 guinées. Cette commande représentait une somme presque dix fois plus importante que le prix des huiles de Bonington à Paris. En conséquence, il n'est pas surprenant que Bonington ait présenté deux vues côtières, même si, à l'époque, ses préoccupations se tournaient davantage vers le genre et vers l'élargissement de son répertoire de sujets de paysage.

Collins devint vite un concurrent quelque peu acerbe — trait qu'il avait en commun avec Constable qui, de son côté, le méprisait pour ses ambitions artistiques mégalomanes — car, immédiatement après ses premiers succès, Bonington obtint des commandes et vendit des marines au comte Grosvenor (n° 50) et à la marquise de Lansdowne (n° 76) qui étaient tous deux des protecteurs de Collins et d'influents administrateurs de la British Institution. Viendront bientôt s'ajouter à la liste de ces clients d'autres administrateurs et mécènes de renom : Sir Thomas Baring, Lord Northwick, la marquise de Stafford, Lord Charles Townshend, les comtes Mulgrave et Normanton, Samuel Rogers, William Haldimand, E. Fuller Maitland, l'Hon. Gen. Edmund Phipps et enfin Sir Robert Peel. Mais tout aussi important que celui de ces collectionneurs fut l'appui d'une des personnalités les plus puissantes du monde artistique londonien, William Seguier (voir n°25). D'origine française, il remplit successivement les fonctions de directeur de la British Institution, de conservateur en chef de la National Gallery et de conservateur de la collection royale. Il fut le principal conseiller artistique de Peel — parmi d'autres notables de ce groupe — et, au grand dépit de Constable et Collins, celui qui contribua peut-être le plus — après Sir Thomas Lawrence — à établir en Angleterre la réputation posthume de Bonington.

Le succès et la popularité de Bonington gagnèrent rapidement Paris. Sur le conseil magnanime de l'artiste Augustus Wall Callcott, le duc de Bedford, qui résidait alors en France, se rendit dans l'établissement des parents de Bonington pour acheter au moins une scène côtière et en commander une autre (n° 120). Trois autres importants collectionneurs britanniques à Paris commencèrent à acheter des œuvres de l'artiste à cette même époque : Lord Henry Seymour, le plus jeune frère de la quatrième marquise de Hertford — elle fut probablement le plus important collectionneur des œuvres de Bonington durant le XIXe siècle ; Henry Labouchère, Lord Taunton, ami intime de Charles Rivet, Sir Henry Webb, neveu du comte Mulgrave, et enfin son frère, l'Hon. Gen. Edmund Phipps (voir n° 31).

Les préférences esthétiques de ce large éventail de collectionneurs demeuraient cohérentes et nettement plus compatibles que leurs statuts sociaux et leurs opinions politiques, qui les opposaient souvent. En dressant la liste des tableaux qui avaient été achetés lors de l'exposition, la *Literary Gazette* déplora que les peintres du «département classique» aient reçu peu d'encouragement, car la grande majorité des tableaux vendus étaient des scènes de genre historique ou des paysages, susceptibles de satisfaire le goût dominant pour la couleur et l'effet. Il est certain que la passion que de nombreux collectionneurs nourrissaient depuis des années pour Titien, Rubens, Rembrandt ou Cuyp les entraîna à découvrir et à protéger une partie de l'école moderne qui les séduisait, en particulier la manière éclatante et colorée d'Edwin Landseer (1802–1873), de Richard Westall (1765–1836 ; ill. 42), de Stanfield ou encore de Bonington, même si, aux yeux de nombreux critiques tels Hazlitt ou Wilkie, leur ardeur paraissait souvent peu fondée. Dans une lettre d'Italie datée de décembre

41 : William Collins (1788–1847)
Paysage d'hiver, 1825–1826
Huile sur toile, 84 × 109
New Haven, Yale Center for British Art

127. Delacroix, *Correspondance*, t. 4, p. 287, 30 novembre 1862.
128. Théophile Gautier, *Histoire du Romantisme*, 2e éd., Paris, 1874, p. 212.
129. *The Literary Gazette*, 4 février 1826, p. 76.
130. *Ibid.* : «N° 102. *Un bateau marchand sur la Scheldt.* C. Stanfield. Nous l'avons confondu avec un Collins : est-il besoin d'un plus grand éloge ?»
131. On ne doit pas écarter l'hypothèse, pourtant moins vraisemblable, selon laquelle Bonington aurait exercé une influence sur Collins, puisque ce dernier se trouvait à Paris durant l'été de 1824, et aurait fort bien pu voir les huiles de Bonington exposées au Salon.

42: Richard Westall (1765–1836)
Portia et Bassanio, 1795
Huile sur toile, 82 × 56
Londres, Bonham's

1825 et adressée à Collins, Wilkie alla jusqu'à critiquer les maîtres vénitiens et hollandais, leur reprochant de privilégier «la virtuosité technique
au point que la simplicité initiale laisse place à la complexité ; partant, ils
semblent avoir peint beaucoup plus pour l'artiste et le connaisseur que
pour l'homme ordinaire au jugement peu formé[132].»

Outre l'impact qu'avait le goût des collectionneurs pour la peinture
ancienne, un autre facteur — qui n'avait pas son équivalent en France —
allait infléchir également l'école anglaise moderne : l'influence déterminante de l'aquarelle, notamment sur la peinture à l'huile des années 1820,
attestée par une solide documentation. Pour citer à nouveau la correspondance de Wilkie en Italie :

*«J'insiste peut-être trop sur la couleur ; elle devient l'objet de nos débats avec
certains de mes amis. Sir George Beaumont avait coutume d'affirmer que
l'aquarelle infestait nos expositions. J'ai noté une discrimination entre les œuvres
modernes et celles des maîtres anciens ; on ne les trouve jamais exposées dans la
même pièce, et rarement dans la même galerie. Les collectionneurs ne les
rassemblent jamais et les artistes s'en insurgent. Le duc de Bedford partage leur
sentiment ; il s'est séparé de ses œuvres anciennes pour les remplacer par des œuvres
modernes. Il m'a demandé un jour de lui peindre un pendant à son Teniers.
Il n'avait alors nullement l'idée de s'en séparer[133].»*

La spectaculaire évolution de Wilkie lui-même vers un traitement plus
transparent et l'emploi d'une palette plus riche qui contrastent avec le
fini minutieux de ses œuvres de jeunesse, ne doit pas être exclusivement
considérée comme la conséquence de son séjour prolongé sur le continent
dans les années vingt et de sa fréquentation des œuvres de la peinture
italienne et espagnole. Il faut en chercher l'origine dans ses *Pensionnaires de
Chelsea* de 1824–1825 et dans sa pratique, fréquente et de plus en plus
sophistiquée, de l'aquarelle. L'effacement progressif des distinctions
techniques entre les différentes pratiques fut un tournant décisif pour les
aquarellistes. Ils abandonnèrent les styles de lavis propres à la génération
de Francia dans le but de donner aux œuvres qu'ils exposaient, toujours
plus grandes et plus élaborées, l'apparence visuelle des huiles. De leur
côté, les peintres à l'huile tirèrent parti de techniques tel le glacis, afin
d'imiter les effets lumineux de l'aquarelle. L'une des premières œuvres
maîtresses de Landseer, *La dernière chasse de Chevy Chase* (Woburn Abbey)
qui fut commandée par Bedford en 1825, fournit un excellent exemple de
cette combinaison de moyens. D'importants morceaux ont été peints
avec des hachures de couleurs éclatantes, juxtaposées sur des lavis à
l'huile plus légers, imitant directement Rubens et le style à l'aquarelle et
à la gouache de son ami intime, John Frederick Lewis (1805–1876). Ce fut
bien sûr Turner qui utilisa avec le plus d'audace l'aquarelle pour les
finitions, en l'appliquant par-dessus les huiles vernies ; comme Bonington, sa recherche d'effets naturalistes et de nouvelles formes de composition au moyen de l'aquarelle dans ses études préparatoires, exerça
également une influence constante sur ses tableaux de chevalet. Dans un
tel contexte, l'art de Bonington ne pouvait que susciter l'intérêt.

Bien qu'aucune exposition officielle n'eût été prévue à Paris en 1826,
des artistes français avaient été invités à présenter leurs toiles à une
exposition particulière organisée à la galerie Lebrun au profit des Grecs
qui avaient été assiégés par les Turcs à Missolonghi. La galerie était
dirigée par Charles Paillet, et habituellement réservée à la Société des
amis des arts. En l'absence d'un Salon, l'exposition en faveur des Grecs
devint la principale scène artistique où l'on pouvait observer les évolu-
tions de la peinture française depuis 1824. Louis Vitet, critique du *Globe*,
décrivait cet événement comme la «preuve du véritable schisme existant
entre l'élite de nos peintres et les protecteurs officiels de l'art ; c'est le
prototype du nouveau salon[134]. » Elle se déroula en deux étapes, la première, de mai à juillet, et la seconde, pendant le reste de l'année. Parmi
des œuvres aussi importantes que le *Marino Faliero*, *La Grèce sur les ruines de
Missolonghi* et le *Combat du Giaour et du Pacha* de Delacroix, la *Mort de Socrate*
de David, et le *Retour de Marcus Sextus* de Guérin, on trouvait des illustra-

tions de Scott par Joseph West et Alexandre Colin et un envoi impromptu de Bonington à la dernière minute, *Un Turc assis* (n° 68). Hugo en fit une longue critique en s'attachant à promouvoir les plus jeunes artistes, qui «nous arrachaient de l'engourdissement où nous tenait plongés la seconde école de M. David,» mais elle ne fut jamais publiée, probablement parce qu'elle était trop polémique pour une manifestation destinée à rassembler tous les artistes français en faveur d'une cérémonie philhellénique. Hugo ne fit, dans ses écrits, qu'une brève référence au *Turc* de Bonington[135].

La réflexion approfondie de plusieurs commentateurs modernes, pour qui l'envoi du *Turc assis* à une exposition organisée pour le secours des Grecs confirme l'absence totale d'engagement politique et social de Bonington, est peu convaincante car elle ne parvient pas à saisir dans toute sa complexité l'attrait qu'avaient exercé la culture orientale et les Maures sur les romantiques français. À titre d'exemple, l'attachement d'Alphonse de Lamartine et de son cénacle pour les Grecs et leur héritage culturel ne l'empêchait pas de se définir comme un «Oriental» :

«La nature ne m'avait pas fait pour le monde de Paris. Il m'offusque et il m'ennuie. Je suis oriental et je mourrai tel. La solitude, le désert, la mer, les montagnes, les chevaux, la conversation intérieure avec la nature, une femme à adorer, un ami à entretenir, de longues nonchalances de corps pleines d'inspiration d'esprit, puis de violentes et aventureuses périodes d'action comme celles des Ottomans ou des Arabes, c'était là mon être : une vie tour à tour poétique, religieuse, héroïque ou rien[136].»

Dans une acception plus large, l'Orient de Hugo embrassait presque tout ce qui se trouvait au-delà des faubourgs de Paris :

«L'Orient, soit comme image, soit comme pensée, est devenu pour les intelligences autant que pour les imaginations, une sorte de préoccupation générale [...] Les couleurs orientales sont venues comme d'elles-mêmes empreindre toutes ses pensées, toutes ses rêveries ; et ses rêveries et ses pensées se sont trouvées tour à tour, et presque sans l'avoir voulu, hébraïques, turques, grecques, persanes, arabes, espagnoles même[137].»

Sans doute, Bonington était-il lui aussi tout autant sensible à la condition des Grecs qu'à l'attrait du Proche-Orient, mais son engagement artistique en faveur de ces deux causes demeurait limité, et encore, avait-il été stimulé par l'exemple de Delacroix. Il composa peu de sujets «orientaux» et, outre les deux versions du *Turc assis* et l'illustration des contes des *Mille et Une Nuits*, il n'exécuta que quelques odalisques (ill. 43).

Peu de temps après avoir peint le *Turc assis*, Bonington regagna son atelier situé 11, rue des Martyrs, dans le quartier à la mode de Montmartre. Par l'entremise de Delacroix, il avait fait la connaissance du plus grand «orientaliste» de la décennie, l'artiste et collectionneur Jules-Robert Auguste (1789–1850 ; n° 67), qui lui proposa la location d'un spacieux grenier occupé auparavant par Horace Vernet (ill. 61). On trouve plusieurs références à Auguste dans la correspondance de Delacroix en janvier et en février d'où l'on peut déduire que Bonington et lui étaient souvent conviés aux réunions hebdomadaires qui se tenaient dans le salon d'Auguste. Prosper Mérimée, Honoré de Balzac et Théophile Gautier, trois autres visiteurs assidus d'Auguste, commençaient à peine leur brillantes carrières littéraires.

Bonington partagea quelque temps son atelier avec le futur président de la *Society of Painters in Watercolours*, Frederick Tayler, qu'il avait rencontré, ainsi que le graveur en mezzo-tinto Samuel William Reynolds (1773–1835), l'été précédent à Calais. Tayler était un jeune artiste spécialisé dans les scènes de chasse sur lequel le style désormais mûr des aquarelles de Bonington eut une influence formatrice. Vraisemblablement, ces artistes travaillaient aussi côte à côte au Louvre, esquissant des feuilles d'études à l'aquarelle d'après leurs tableaux italiens et flamands favoris. Reynolds, à cette époque, était passé maître dans la gravure de reproduction et avait acquis une réputation internationale. C'était aussi un peintre paysagiste d'une veine plus imaginative que topographique,

43: *Odalisque en jaune*, 1826
Aquarelle et gouache, 15,5 × 17,4
Londres, Wallace Collection

132. Collins, *Life*, t. 1, p. 256–257.

133. *Ibid.*, t. 1, p. 290–291, 26 août 1827.

134. Louis Vitet, *Le Globe*, 3 juin 1826.

135. Victor Hugo, «Exposition de tableaux au profit des Grecs : la nouvelle école de peinture», *Œuvres complètes*, t. 2, p. 984. Hugo avait fait l'éloge de *La Grèce sur les ruines de Missolonghi* de Delacroix, peut-être parce que le *Journal des débats* (13 juillet 1826), tout en applaudissant l'exposition, s'était montré dur : «Le talent inné se laisse apercevoir et lutte d'une manière singulière avec la bizarrerie systématique et le faire désordonné de l'artiste, dans un tableau de M. Delacroix, comme on voit des lueurs de raison, quelquefois même des éclairs de génie, percer déplorablement dans les discours de l'insensé. »

136. Alphonse de Lamartine, *Premières et Nouvelles Méditations poétiques*, Paris, 1874, p. 185.

137. Victor Hugo, *Les Orientales*, Paris, 1828, ed. Flammarion, Paris, 1982, p. 322.

44: *Le tombeau des Scaliger à Vérone*, 1826
Mine de plomb, 37,5 × 26,5
Bowood, collection du comte de Shelburne

qui suscita, à l'instar de Bonington, l'admiration et l'amitié de Huet. Les rares œuvres de cet artiste qui nous soient parvenues et qu'on peut lui attribuer révèlent par certains côtés, comme Huet le fit remarquer, «l'intelligence et l'éminence de Poussin, avec une touche rembranesque et un sentiment plus moderne,» provenant surtout de «ses vigoureuses et mystérieuses couleurs»[138]. Ces prouesses étaient le résultat d'un travail de plusieurs dizaines d'années consacré à l'étude approfondie et à la reproduction des tableaux de Sir Joshua Reynolds et de sa propre collection de paysages hollandais du XVIIᵉ siècle. Sans aucun doute, l'intérêt grandissant des artistes de l'entourage immédiat de Bonington pour Rembrandt tient en partie à l'engouement de Reynolds pour ce maître[139]. Mais c'est en tant que graveur que Reynolds servit le mieux Bonington, car ses mezzo-tinto d'après les sujets figurés de Bonington — qui commencèrent à paraître en 1827 — jouèrent un rôle crucial dans la promotion et la réputation de l'artiste dans ce genre, de part et d'autre de la Manche.

Bonington n'eut que peu de temps pour s'installer dans son nouveau logement, car le 4 avril, il quittait Paris avec Charles Rivet pour l'Italie. Ce voyage avait probablement été prévu depuis un certain temps et Delacroix devait peut-être y participer. Bien que ce dernier n'accompagnât finalement pas ses amis, ses lettres de février et mars font très souvent allusion à ce voyage. Le journal tenu par Rivet et sa correspondance personnelle ont disparu depuis que Dubuisson en a publié, pour la première fois, des extraits en 1924 ; il est néanmoins possible de reconstituer la trame de leur voyage, même si le programme détaillé de leurs journées fait défaut, à partir des notes de Dubuisson et des dessins plus récemment découverts des sites qu'ils visitèrent. Ils voyagèrent en grande hâte, parcourant la distance séparant Paris et Dole en l'espace de deux jours, et celle de Dole à Genève en un seul. C'est dans la soirée du 10 avril qu'ils arrivèrent à Brig, où ils furent réveillés au beau milieu de la nuit et contraints de traverser le Simplon pour éviter la menace d'une avalanche. Par la suite, le voyage de Genève à Brig prit deux jours et, bien que Dubuisson notât seulement qu'ils «passèrent quelques jours» au lac de Genève, les esquisses qu'il nous reste, sur lesquelles sont soigneusement inscrits les noms des lieux, indiquent des arrêts à Meyrin (nᵒ 84), Lausanne, Vevey, Saint-Gingolph, Saint-Maurice (nᵒ85) et Sion. Les sites qu'indique une seconde série d'esquisses exécutées à Thun, Interlaken, Staubach, Berne et Bâle sont trop éloignés pour concorder tout à fait avec leur rapide progression de Genève à Brig et laissent supposer qu'ils retournèrent en France en juin, en passant à nouveau par la Suisse. C'était une pratique courante chez les voyageurs de l'époque, et elle expliquerait pourquoi ils mirent neuf jours pour gagner Paris depuis Turin, partie de leur voyage sur laquelle Dubuisson ne nous laisse aucun commentaire.

Après avoir traversé le Simplon, ils ne firent halte que quelques jours à Milan, car Rivet devait écrire depuis cette ville : «Bonington ne pense qu'à Venise». Désireux d'atteindre à tout prix cette destination, ce fut au grand galop qu'ils parcoururent les lacs, arrivant à Vérone le 18 avril (nᵒˢ 87 et 88, ill. 44) et à Venise plusieurs jours après (ill. 45). Il n'avait cessé de pleuvoir depuis qu'ils avaient quitté la Suisse, Rivet de se souvenir, lorsqu'ils gagnèrent Venise, que Bonington «était d'une humeur triste ; il lui aurait fallu sans cesse quelqu'un pour le faire rire.» Pour se distraire, ils visitèrent plusieurs fois l'Accademia et différentes collections privées, dont une de costumes médiévaux et d'époque Renaissance, bien que leurs études d'après les œuvres de ces collections, notamment les œuvres maîtresses de Titien et de Véronèse, aient, pour la plupart, disparu. Dès le début du mois de mai, le temps et les humeurs s'étaient améliorés :

« *Mon ami est devenu un peu plus traitable depuis quelques jours. Il a reçu de son père une lettre qui lui apprend que non seulement tous les tableaux qu'il avait vendus sont payés, mais même que tous ceux qu'il a faits sont vendus et payés, voire même la vue de Mantes, en sorte qu'il se trouve à la tête d'un capital de 7 à 8000 francs, gagnés depuis le mois de janvier. [. . .] Il travaille beaucoup et prend tellement l'habitude et la manière qui convient, qu'il réussit beaucoup mieux et surtout plus facilement[140].»*

Rivet aurait sans doute préféré qu'ils adoptassent une cadence moins infernale, mais résolus à rattraper le temps que leur avaient fait perdre les intempéries, les deux hommes travaillèrent studieusement, voire avec acharnement, presque sans répit, et prolongèrent de dix jours la durée de leur séjour à Venise.

Bonington travaillait sans relâche et, malgré ses dispositions naturelles, sa fièvre de travail ne le quittait jamais. C'était un trait de personnalité qu'il avait gardé de son apprentissage et qui se trouvait, en l'occurrence, exacerbé par l'idée qu'il n'aurait peut-être jamais l'occasion de revoir Venise. Rivet reconnut que Bonington était habité par un tel pressentiment. Toutefois, les analyses modernes qui ont été faites de l'approche conceptuelle des sujets vénitiens par Bonington se sont peut-être trop focalisées sur cette remarque. Ce n'était probablement pas la prémonition de sa mort prématurée qu'il ressentait comme un obstacle à de futures visites, mais la disparition de Venise elle-même, car en chaque écrivain romantique — de Mme de Staël à Nodier et Delavigne — et chez un grand nombre de peintres français, était ancrée la conviction que la nature reprendrait ses droits sur la ville enchanteresse dans une dizaine d'années. Ainsi que le remarquait le comte de Forbin dans *Un mois à Venise*, ouvrage que Bonington avait certainement dû lire attentivement avant son départ :

«*Venise, affirmaient-ils sous forme de conclusion, est maintenant dans un état d'agonie : la mer viendra bientôt reconquérir le sol que le génie des hommes lui avait ravi ; le lion de Saint-Marc verra son effigie couverte par les flots[141].»*

Aux yeux de romantiques comme Chateaubriand et Stendhal, Venise était un chef-d'œuvre de virtuosité humaine, le triomphe suprême de l'art post-classique et des Maures sur la nature. Néanmoins, le spectacle de cette gloire ruinée par des facteurs tant sociaux que politiques et naturels délivrait un message irréfutable et mélancolique qui révélait l'inanité de l'homme devant la nature, seule survivante des ravages du temps.

Il fallait aux romantiques une Venise pleine de désespoir, mais les Français, plus que les Anglais, étaient enclins à exagérer l'état actuel des choses et les conséquences de l'effondrement de la puissance de Venise. Hazlitt écrivait : «Le sentiment d'un ultime et inéluctable déclin *humanise*, et à la fois confère un caractère émouvant aux triomphes de l'art glorifié. Les œuvres immortelles exécutées par les mains des mortels sont une sorte d'insulte à la nature humaine[142].» Il trouva donc fort agréable la visite de la ville en 1825, et ne fit aucune allusion à sa dégradation dans le récit publié de son voyage, *Notes of a Journey Through France and Italy*. En fait, l'état ruiné de Ferrare semblait davantage l'affecter que les façades vétustes des palais abandonnés de Venise. D'autre part, ce fut probablement Antoine Valéry, conservateur-administrateur des Bibliothèques de la Couronne, qui exprima le mieux l'opinion française. Son guide d'Italie, *Voyages historiques et littéraires en Italie, pendant les années 1826, 1827 et 1828* (Paris, 1831) fut le vade-mecum des romantiques et une source dont s'inspira abondamment Chateaubriand dans ses méditations sur la ville des *Mémoires d'outre-tombe* (Paris, 1833). Ami de Stendhal (ainsi qu'Hazlitt), de Mérimée, de Nodier, Valéry se rendit pour la première fois à Venise un mois seulement après le départ de Bonington. Selon Valéry, l'histoire de Venise, d'Attila à Bonaparte, constituait une tragédie historique jouée sur le plus haut mode esthétique, mais son déclin ne s'était accéléré de façon alarmante qu'à partir de l'occupation de la ville par les Autrichiens. Entre autres réflexions sur le nombre exact des habitants qui avaient fui vers le continent et sur les sommes misérables dépensées chaque année par ceux qui s'occupaient de préserver les palais et les églises, il songeait :

45: *La statue de Colleoni à Venise et études de personnages*, 1826
Mine de plomb, 23,2 × 14,2
Bowood, collection du comte de Shelburne

138. Huet, *Huet*, p. 95–96.
139. Poterlet et Arrowsmith essayèrent réellement de persuader Reynolds de graver des mezzo-tinto d'après Rembrandt en 1827.
140. Dubuisson and Hughes, p. 71–72.
141. Comte de Forbin, *Un mois à Venise, ou recueil de vues pittoresques, dessinées par M. le Comte de Forbin et M. Dejuinne* (Paris, 1825) ; citation empruntée à Maurice Levaillant, *Chateaubriand, Madame Récamier et les Mémoires d'outre-tombe*, Paris, 1936, p. 121.
142. William Hazlitt, «The Marquis of Stafford's Gallery», *The Picture Galleries of England*, London, 1824 ; *Complete works*, t. 10, p. 28.

46: *Le palais des Doges, avec une procession*, 1827
Huile sur toile, 114,5 × 162,5
Londres, The Tate Gallery

«Cet aspect de Venise a quelque chose de plus triste que celui des ruines ordinaires :
la nature vit encore près de celles-là, et quelquefois elle les décore ; debout depuis
des siècles, on sent qu'elles verront passer la puissance de leurs maîtres et d'autres
empires : ici les ruines nouvelles périront rapidement [. . .] Il faut donc se hâter
de visiter Venise, et d'aller y contempler ces tableaux du Titien, ces fresques du
Tintoret et de Paul Véronèse, ces statues, ces palais, ces temples, ces mausolées
de Sansovino et de Palladio, prêts à disparaître[143].»

Dans un autre passage, il médite :

« C'est un plaisir doux et triste aujourd'hui que d'errer, que de voguer sur
le grand canal, au milieu de ces palais superbes, de ces anciennes demeures
aristocratiques qui portent de si beaux noms, qui rappellent tant de puissance,
tant de gloire, et sont maintenant désertes, délabrées ou en ruine[144].»

Cette image mélancolique est à la fois outrancière et sybaritique. Les
noires gondoles ressemblent à des tombeaux flottants qui portent le deuil
de la ville. Le palais ducal suscite le souvenir du doge Marino Faliero,
exécuté pour trahison en 1355 avec son architecte, Calendario, qui en
avait entrepris la construction. Les palais longeant le Grand Canal ne sont
rien moins que des mausolées, et la lune est le «soleil» des «nobles ruines»
de la ville. Seule l'omniprésence des pigeons sur la place Saint-Marc
contraste avec ce spectacle de tristesse solennelle.

Dans ce contexte, les remarques avec lesquelles Valéry commence son
chapitre sur Venise sont particulièrement intéressantes :

«Les tableaux du Canaletto ont tellement familiarisé avec le port, les places et les
monuments de Venise, que lorsqu'on y pénètre, il semble que déjà elle vous soit
connue. Un peintre anglais, M. Bonington, a fait de nouvelles vues de Venise,
dans lesquelles sont parfaitement empreintes les traces de la désolation actuelle ;
comparées à celles du peintre vénitien, elles semblent comme un portrait de femme
belle encore, mais flétrie par l'âge et le malheur[145].»

On retrouve cette réflexion sous la plume de Chateaubriand, mais modifiée, quand il livre ses impressions sur la visite qu'il rendit, en 1833, à sa vieille amie Lucia Mocenigo, une des dernières et des plus illustres aristocrates de Venise : «Son portrait (le portrait de madame Mocenigo) peint dans sa jeunesse (titre singulier et authentique de sa beauté) était accroché au mur devant elle : quelquefois une *Vue de Venise* dans son premier éclat, par Canaletto, fait pendant d'une *Vue de Venise* défaillante par Bonington[146].» La réaction de Valéry devant la vue de Venise peinte par Bonington n'était pas unique : Chateaubriand n'aurait certes pas repris cette métaphore s'il n'avait pas éprouvé ce sentiment communément répandu ; à son tour, Roger de Beauvoir n'aurait pas décrit, la même année, avec des accents plus funèbres encore, le charme morose «de la ville morte que Bonington seul a comprise en ne fardant pas ses joues creuses au pinceau, en la faisant vraie par sa couleur : une momie[147].»

Les premières vues de Venise par Bonington exposées en 1827 et 1828 suscitèrent d'inévitables comparaisons avec les œuvres de Canaletto, à cause de la similitude du thème, et parce que rares étaient les artistes de sa génération qui avaient représenté la ville. Les paysagistes français tardèrent à obéir au conseil de Stendhal qui, en 1824, leur avait recommandé d'abandonner Rome pour Venise et Florence, car ils étaient bien trop soucieux de suivre le sillage tracé par la prestigieuse école romaine et les traditions du Lorrain et de Poussin. Aujourd'hui, à la vue de l'ensemble des œuvres resplendissantes de couleurs et de lumière que Bonington nous a laissées, le public moderne a peine à accepter l'idée que Bonington aurait transformé l'image de la ville élégante, prospère et fastueuse de Canaletto en une vision plus sobre, d'une inquiétante résignation. Les tableaux exposés plus tardivement, tel le *Palais des Doges, avec une procession* (ill. 46), accréditent mal cette vision d'une civilisation déchue et, selon toute probabilité, l'opinion de Valéry fut forgée à partir des esquisses à l'huile tel le *Palazzo Contarini-Fasan* (n° 97) ou le *Canal de la Giudecca* (n° 93) qu'il avait peut-être pu voir à l'atelier de la rue des Martyrs. En effet, ces deux œuvres s'accordaient parfaitement avec la vision de morne désuétude de Valéry à cause de leurs surfaces patinées, du sentiment de profonde tranquillité qui s'en dégage, des personnages et des embarcations peu ou presque pas représentés. Mais une impression quelque peu différente ressort des études, plus nombreuses, à la mine de plomb et à l'aquarelle. Bonington s'est efforcé d'y restituer l'atmosphère animée qui fit la célébrité de cette porte de l'Orient. Dans quelle mesure Bonington partagea-t-il le pessimisme de Valéry ? Nous ne le saurons probablement jamais. Au reste, il se pourrait que l'interprétation faite par Valéry du tempérament de Bonington fût fondée sur une méconnaissance de ses méthodes de travail.

Durant son séjour à Venise, Bonington produisit trois catégories d'œuvres que l'on peut distinguer par une technique et une facture spécifiques. La multiplicité des études exécutées en une si courte période témoigne d'une extraordinaire assiduité et du désir de rassembler, à l'occasion de son séjour, une grande variété de documents visuels dont il se servirait ultérieurement pour exécuter ses tableaux de chevalet. Les sujets ont, en général, été choisis pour leur intérêt topographique. Les vues touristiques classiques, à cause de leur caractère commercial, sont majoritaires. Toutefois, il ne négligea pas les monuments plus anodins et les églises ou canaux inconnus. La plus importante catégorie regroupe les études à la mine de plomb caractérisées par un rendu minutieux et très exact de la perspective. Bonington s'en servira ensuite à Paris pour ses aquarelles et ses huiles achevées (ill. 47 et 48). Les aquarelles semblent avoir été peintes sur le motif, sous forme d'études rapides (n° 101) ou d'œuvres achevées (n° 87). Enfin, on trouve des esquisses à l'huile. On s'est souvent demandé si celles-ci avaient été peintes en plein air ou en atelier, à son retour à Paris. Invariablement, les deux douzaines d'études italiennes qui étaient en possession de la famille de l'artiste en 1829 furent peintes sur des cartons Davy, lesquels, soigneusement emballés, ne posèrent aucun problème particulier de transport. Les autres esquisses à l'huile représen-

47: *Le palais des Doges*, 1826
Mine de plomb, 27,5 × 38
Bowood, collection du comte de Shelburne

143. Valéry, *Voyages*, p. 144.
144. *Ibid.*, p. 160.
145. *Ibid.*, p. 143.
146. Chateaubriand, *Mémoires d'outre-tombe*, éd. Maurice Levaillant, Paris, 1982, t. 4, p. 375.
147. Roger de Beauvoir, *L'Eccelenza ou les soirs au Lido*, Paris, 1833 ; citation empruntée à Levaillant, *Chateaubriand, Madame Récamier et les Mémoires d'outre-tombe*, Paris, 1936, p. 355–356.

48: *Rio dei Greci, Venise*, vers 1827
Aquarelle, 18,5 × 13,5
Collection particulière

49: Attribué à William Callow (1812–1908)
La piazza del Nettuno à Bologne, vers 1830
Huile sur papier, 22,7 × 32,4
New Haven, Yale Center for British Art

tant des sites italiens et exécutées sur un papier fixé sur châssis, donc plus encombrantes, lui ont en général été attribuées à tort. La vue de la *Piazza del Nettuno à Bologne* (ill. 49) attribuée à William Callow en est la preuve. Cette composition offre une étroite correspondance avec les œuvres de Bonington sur le même thème exécutées à la mine de plomb et à l'aquarelle. Il n'en est pas de même pour les esquisses à l'huile qui ne furent pas, en général, l'objet de répliques. En outre, ceci laisse supposer que les huiles sur carton sont d'authentiques études de plein air. Enfin, la technique employée dans leur production permet de trancher résolument en faveur de cette proposition.

La plupart des esquisses à l'huile furent exécutées en une seule séance, sur le vif, ou en quelques heures. Lorsque l'architecture est l'objet principal de la composition, comme c'est le cas pour la majorité des études vénitiennes, le procédé de composition est assez cohérent d'une esquisse à l'autre. On remarquera que plusieurs d'entre elles conservent de légers traits sous-jacents exécutés à la mine de plomb qui marquent les formes et les lignes architectoniques du second plan. L'architecture était alors remplie par de larges bandes blanches ou crème, puis précisée à l'aide d'autres teintes si le fond était encore humide, ou d'une légère préparation brune ou sepia s'il était plus sec. De la même façon, des lavis translucides bleus sont utilisés pour la représentation des canaux de Venise. Un personnage ou une gondole esquissés étaient parfois introduits pour préciser l'échelle, mais leur état d'ébauche suffit à démontrer que ces huiles n'étaient que des études rapides où Bonington n'inscrivait que les grandes lignes de la topographie, et non des œuvres d'art achevées. Le degré d'élaboration du ciel varie considérablement et dans certains cas, comme probablement dans *Le palais des Doges à Venise avec des chalands au mouillage* (n° 94), il peut avoir subi des ajouts ou avoir été retravaillé en atelier. Cela ne semble pas surprenant, car, à l'exception d'une esquisse du *Corso Sant'Anastasia à Vérone* (collection privée), que Bonington reprit pour l'exposer chez le marchand londonien Dominic Colnaghi, en 1827, toutes les esquisses italiennes semblent être restées entre les mains de l'artiste jusqu'à sa mort. Il est également possible qu'en prévision d'une commande, comme c'est le cas de *Venise, le palais des Doges vu du quai des Esclavons* (n° 132), l'artiste ait utilisé une esquisse d'une composition similaire pour expérimenter des effets particuliers.

Ces études vénitiennes se caractérisent par l'absence des multiples effets que Bonington aurait pu tirer des variations atmosphériques, tels qu'on en trouve souvent dans les aquarelles plus tardives de Turner ; ceux que l'artiste traduit dans les tableaux réalisés ultérieurement en atelier, comme par exemple dans *Le Grand Canal avec le Rialto au loin ; soleil levant* (n° 154), furent exécutés uniquement de mémoire. La palette restreinte qu'on trouve dans le groupe des œuvres vénitiennes concorde avec la simplicité d'approche mise en œuvre dans les vues topographiques. Toutefois, la blonde tonalité d'ensemble est peu fidèle au souvenir que conserve de la ville un visiteur qui la voit pour la première fois, même par une éclatante journée d'été ensoleillée. Une vive lumière de midi fait virer le marbre des façades à de douces harmonies pastel et confère aux riches ornements sculptés un relief pittoresque et puissant. Sans les informations laissées par Rivet, on aurait pu croire, à la seule vue des œuvres qui nous sont parvenues, que les voyageurs avaient, tout au long de leur séjour, joui d'un soleil éclatant. Venise avait sans doute subi les coups du sort, mais pour Bonington, elle demeurait un diadème scintillant capable de captiver et d'enchanter ses visiteurs du Nord, dotée, pour reprendre Chateaubriand, de «toutes les grâces et tous les sourires de la nature[148]».

Bonington aurait été heureux de passer le reste de son séjour à Venise, mais Rivet insista pour qu'ils visitassent Bologne et Florence. Le 19 mai, Bonington partit à contre-cœur. À Padoue, ils copièrent des fresques de la jeunesse de Titien à la Scuola del Santo (voir n° 105), et à l'Accademia de Ferrare, ils furent déçus par les tableaux de Raphaël, Reni et Guerchin. Depuis Bologne, Rivet se contentait d'écrire que «Bonington ne [disait] plus rien depuis les lagunes[149].» Finalement, il gagnèrent Florence le 24

50: *Venise ; San Giorgio Maggiore*, 1826
Huile sur carton, 35,7 × 51
San Marino, Huntington Art Gallery

mai, après avoir traversé les Appenins et fait une brève halte à Clavigliago et Mascheri pour y exécuter des esquisses. Malheureusement, il ne reste aucune trace de cette partie du voyage qui, plus tard, laissa à Hazlitt ses souvenirs les plus beaux. Rivet ne livre aucun commentaire sur leurs activités durant la semaine passée à Florence et à Pise, mais les esquisses à la mine de plomb exécutées d'après les figures ornant les portes de bronze du Baptistère, la copie à l'aquarelle d'un portrait de Van Dyck conservé aux Offices, ainsi que plusieurs esquisses à l'huile des jardins Boboli montrent qu'ils travaillèrent avec la même cadence qu'à Venise. Après Florence, ils parcoururent l'extraordinaire côte ligure, passant par Sarzana et faisant une halte de quelques jours à Lerici (n° 102), La Spezzia, et Porto Venere. Ils passèrent aussi deux jours à Gênes (n°s 103 et 104), dont les environs inspirèrent les plus ravissantes et les plus pures esquisses de paysage peintes en Italie. Le 11 juin, ils arrivèrent à Turin et, vers le 20 juin, ils étaient de retour à Paris. Comme nous l'avons précédemment supposé, ils retournèrent probablement en France en passant par la Suisse.

Malgré la brièveté du voyage, Bonington avait réuni une multitude d'études en prévision de commandes et d'œuvres destinées à des expositions, dont la nouveauté allait captiver les publics anglais et français avides de curiosité envers les peuples plus exotiques. Jean Adhémar[150] a supposé qu'il préparait des ébauches pour un panorama de Venise destiné aux théâtres extrêmement populaires de Daguerre à Londres et Paris. Toutefois, le journaliste anonyme de la revue citée par Adhémar, qui attribua à Bonington le panorama de Venise de 1830, était mal renseigné : il s'agissait en fait d'un diorama de Clarkson Stanfield. On ne décèle dans les esquisses à la mine de plomb de Bonington — dont la plupart trouvè-

148. Chateaubriand, *Mémoires d'outre-tombe*, éd. Maurice Levaillant, Paris, 1982, t. 4, p.337.
149. Dubuisson, 1909, p. 208.
150. Jean Adhémar, « Les lithographies de paysages en France à l'époque romantique», *Archives de l'art français*, 1935–37, p. 235, n° 2.

rent un acquéreur en la personne de la marquise de Landsdowne, lors de la vente d'atelier en 1829 — aucune trace d'un projet aussi important et ambitieux que la représentation de la ville à 360 degrés.

En dépit de sa brève durée, l'expérience vénitienne de Bonington atteste l'élargissement de ses intérêts artistiques et, dès son retour à Paris, il entreprit de nouvelles scènes de genre. Les dates prévues pour le Salon de 1827 n'avaient pas encore été déterminées, mais Bonington était résolu à présenter, à l'occasion de sa troisième apparition publique, un large éventail de ses compétences dans ce domaine. En prévision de l'année suivante, il s'absorba dans la production d'aquarelles figurées, domaine de la peinture de genre dans lequel, à l'évidence, il surpassait Delacroix. Ce dernier ne fit jamais autant usage de l'aquarelle dans ses œuvres achevées (n° 110) que pendant les années où il demeura en étroit contact avec son ami anglais.

Delacroix avait confirmé, dans sa correspondance, que le voyage à Venise avait exercé «une certaine influence sur la façon de peindre [de Bonington][151].» Il est difficile de savoir s'il se référait à l'emploi contrasté des rehauts de couleur et de lumière — caractéristiques dominantes des paysages qui furent exécutés après le voyage en Italie de Bonington — et au traitement plus savant de la couleur, inspiré par les œuvres vénitiennes, dans les tableaux de genre plus tardifs. Car, dans la même lettre adressée à Théophile Thoré, il notait également que Bonington «se passionnait de plus en plus pour la détrempe et s'en était servi pour esquisser plusieurs tableaux.» Des copies à la détrempe d'après Titien et Giorgione firent effectivement partie de la vente d'atelier de 1829 et la petite esquisse, conservée dans une collection privée, exécutée d'après *Le Calvaire* de Véronèse (Paris, musée du Louvre) pourrait bien être une des copies qu'on supposait perdues. En l'absence de tout document relatif à la technique qu'employa Bonington dans ses huiles, il est impossible de savoir dans quelle mesure il fit usage de la détrempe dans ses dernières productions à l'huile. Néanmoins, en dehors de son intérêt purement historique, la détrempe avait sans nul doute attiré l'artiste car elle combinait les avantages offerts par l'huile et l'aquarelle. Simple technique à base d'eau, la détrempe permettait d'obtenir une luminosité et une vivacité de couleur plus intenses que dans l'aquarelle, plus opaque. Toutefois, à la différence de l'huile, elle séchait plus rapidement et ne se ternissait pas en vieillissant. Associée à des glacis à l'huile translucides, elle pouvait constituer une parfaite *imprimatura* servant à la préparation des tableaux peints en atelier. S'il est vrai que Bonington était parfois trahi par ses facilités naturelles — il arrivait que sa main devançât sa pensée —, l'usage de la détrempe ne contribua pas à pallier ses difficultés. Plus vraisemblablement, elle le séduisait parce qu'elle lui permettait d'y combiner l'utilisation de l'huile et aussi d'obtenir les effets sophistiqués qu'il recherchait alors dans l'aquarelle, avec un gain de temps considérable. Pour cet artiste accablé de commandes et gagné par l'épuisement physique, ce fut un argument déterminant.

L'évolution technique des aquarelles peintes au cours des douze derniers mois est plus facilement perceptible. Bonington recourut de plus en plus aux couleurs opaques, notamment dans les parties d'une gamme chromatique plus brillante ou dans les rehauts, et utilisa abondamment un liant à base de gomme arabique dans les couleurs plus sombres, afin de rehausser leur translucidité et leur profondeur de ton. Même aux yeux d'un observateur anglais habitué aux progrès qui, d'exposition en exposition, étaient réalisés dans ce domaine, les aquarelles de Bonington, *Vieillard et enfant* (n° 133) par exemple, apparurent d'une incomparable sophistication. À partir de l'été 1827, seule la dimension des œuvres avec personnages permet de faire une distinction entre les deux techniques. Dans les aquarelles, l'utilisation de la gouache permettait d'imiter la texture plus dense de l'huile, tandis que celle du lavis à l'huile dans les ombres et pour les personnages permettait d'obtenir les effets limpides et translucides propres à l'aquarelle, en particulier dans les scènes d'intérieur. La préparation blanchâtre d'une toile est parfois laissée en réserve

ou encore découverte après coup par frottis de la couche picturale afin d'intensifier les rehauts. Cette utilisation du support est caractéristique de la technique de l'aquarelle. En général, les combinaisons de couleurs peuvent varier considérablement, et sont souvent dictées, comme plusieurs contemporains en ont fait la remarque[152], par la volonté de l'artiste de faire référence à une œuvre d'art historique dans l'espoir d'accroître l'intérêt de son public. Le contraste des rouges et des noirs qui dominent dans *Anne d'Autriche et Mazarin* (n° 118), œuvre datée de la fin de l'année 1826, par exemple, rend un hommage délibéré au cycle consacré à Marie de Médicis par Rubens; ailleurs, les harmonies plus subtiles et ténébreuses d'or, de verts et de rouges célèbrent la palette de Titien.

Dans sa notice nécrologique sur Bonington, Auguste Jal prétendit que l'ambition finale de l'artiste était d'emprunter «au Moyen Age les sujets d'une suite de tableaux de chevalet où il voulait combiner et faire valoir l'une par l'autre la finesse des Hollandais, la vigueur des Vénitiens, et la magie des Anglais[153].» C'est-à-dire la manière descriptive et détaillée de la peinture hollandaise qui était alors en vogue — mais sans la finition minutieuse de Wilkie et l'École de Lyon —, la richesse de la palette vénitienne, et enfin le brio de Sir Thomas Lawrence, l'artiste britannique que Bonington admirait probablement le plus. D'une manière très personnelle, Bonington parfit ce style dans ses dernières aquarelles et parvint pratiquement à le maîtriser dans ses dernières huiles historiques. Bien que cité à maintes reprises, le jugement que porta Delacroix sur une telle science mérite d'être rappelé, puisque tout le monde y souscrivit:

«À mon avis, on peut trouver dans d'autres artistes modernes des qualités de force ou d'exactitude dans le rendu supérieures à celles des tableaux de Bonington, mais personne dans cette école moderne, et peut-être avant lui, n'a possédé cette légèreté dans l'exécution, qui, particulièrement dans l'aquarelle, fait de ses ouvrages des espèces de diamants dont l'œil est flatté et ravi, indépendamment de tout sujet et de toute imitation[154].»

Cette métaphore du diamant, reprise par Delacroix dans son éloge sur Lawrence[155], peut paraître banale à qui connaît bien la littérature sur Bonington, mais elle exprime parfaitement le charme purement visuel qu'exerçaient ce style raffiné et sa discrète préciosité, qui séduisaient tant les connaisseurs de l'époque.

Les derniers termes de l'appréciation de Delacroix, «indépendamment de tout sujet et de toute imitation», disculpent Bonington d'un certain nombre de maladresses — inexactitudes anatomiques du modelé de certains personnages (n° 141) ou trop grande opacité des intentions narratives. Elle aborde aussi un problème théorique crucial. La plupart des biographies modernes ont souscrit à la thèse avancée par Léon Rosenthal, au début du siècle. Selon lui, Bonington était un «peintre pur», partisan archétypique de l'art pour l'art, pour qui le sujet était hors de propos, comme pour la génération de Whistler[156]. À l'opposé, on a tenté, plus récemment, de rechercher des significations sous-jacentes d'ordre social, politique, sexuel à ces mêmes peintures de genre[157]. Ces conceptions tendant à faire de l'artiste tantôt un prodige au talent simple tantôt un concepteur d'images souvent absconses — non seulement à nos yeux, mais aussi à ceux de ses propres contemporains à qui échappait leur véritable signification — ne sont pas totalement irrecevables. Mais chacune demande une recherche plus fouillée de l'approche de la peinture de genre chez Bonington.

L'étude sur le Romantisme publiée par Rosenthal, dans laquelle il soutenait que l'apport de Bonington fut déterminant dans l'art moderne français, apparut très judicieuse mais provocante. Au cœur de sa démonstration sur l'importance de la peinture romantique, reposait la conviction que ses représentants n'avaient accordé qu'un rôle secondaire aux intentions didactiques, en faisant primer le processus formel. En d'autres termes, la valeur d'une œuvre d'art tenait, en tout premier lieu, à son attrait visuel et à sa capacité à éveiller les sens, avant toute prise de conscience de son sujet: le sujet n'était plus qu'un véhicule de l'expression sensuelle[158]. Vu ainsi, Bonington devient le plus pur et le plus moderne des romantiques car, «parmi les sujets qu'il traite, il n'y a pas l'ombre, je ne dis pas d'une idée philosophique ou abstraite, mais d'une intention quelconque[159]», seulement une aisance de la touche et une invention de coloriste. Son intérêt pour les sujets à personnages et pour ceux empruntés à l'histoire ou à la littérature du Moyen Age et de la Renaissance s'explique simplement par un désir très vif de tirer parti du caractère pittoresque du costume historique. Ses emprunts récurrents et apparemment désinvoltes aux tableaux connus de maîtres anciens — phénomène que Delacroix nota favorablement (voir le n° 121) — furent interprétés comme une preuve d'indifférence envers la conception traditionnelle de l'invention. Complètement imperméable aux préjugés de son époque sur le rôle narratif dévolu à la peinture et aux techniques académiques qui en découlaient, il avait restitué à l'art français sa noblesse et la joie sensuelle de peindre que le néoclassicisme et ses suiveurs académiques avaient étouffées.

On pourrait reprocher à la thèse de Rosenthal de n'être que pur prolepse, mais son point de vue apparemment moderne procède également des idées chères à la théorie romantique. Les théories associationnistes de Payne Knight, les écrits de Delacroix et la théorie germanique dans une large mesure[160], entrevoient la possibilité d'un art dont la noblesse tiendrait à sa faculté d'engendrer lui-même ses propres moyens sans être asservi aux conventions, y compris dans sa fonction de représentation. Issues des révolutions impressionniste et cubiste, les vues de Rosenthal doivent être naturellement replacées dans le contexte artistique de leur époque. Il est pourtant vrai que son analyse de Bonington rejoignait les conceptions, antérieurement exprimées, mais moins systématiques, par des personnalités ayant fréquenté l'artiste, voire par ses amis intimes, dont Gautier, Sainte-Beuve, Flaubert, Thoré et Baudelaire. Cette façon d'exalter Bonington pour mieux déprécier Delaroche, Vernet et d'autres artistes de la même génération — romanciers et historiens avant que d'être, incidemment, peintres[161] — se greffa sur une brève note que consigna Delacroix dans un de ses carnets : «Bonington supérieur aux peintres de genre. Ces gens-là ne reculent jamais les bornes d'un art[162].» Le témoignage de James Roberts, lui aussi, corrobore cette idée de la primauté de l'art sur l'exégèse chez Bonington : «Je n'ai pas souvenir d'avoir jamais vu Bonington enthousiasmé par quoi que ce soit qui fût étranger à l'art, ou aux conceptions personnelles qu'il en avait dans le moment[163].» Il est impossible de regarder une œuvre de cet artiste sans pressentir immédiatement un talent ivre d'expression et assoiffé d'histoire de la peinture. Mais Bonington était loin du copiste talentueux du récit de Balzac, «Pierre Grassou», qui se bornait à pasticher les maîtres anciens pour une bourgeoisie à l'esprit prosaïque. Il fut et le produit et l'explorateur des caprices et des exigences qui régissaient les goûts dominants de son époque. Il était en quête d'une virtuosité picturale, engendrée par ses goûts artistiques éclectiques, qui se transmua rapidement en une singulière qualité esthétique qui procédait de la doctrine de l'art pour l'art ; mais il subit d'autres influences déterminantes. Embrasser l'opinion de Rosenthal, dont l'éloge de Bonington repose sur le caractère désinvolte de ses tableaux historiques, reviendrait à réduire sensiblement l'identité créatrice de cet artiste et de ses émules, ainsi que son contexte historique.

Malheureusement, il est difficile d'élucider la complexité des intentions de l'artiste, puisqu'il n'a laissé aucun témoignage de ses pensées et de ses aspirations et que les circonstances qui pourraient expliquer la conception ou le choix particuliers d'un sujet, par exemple le programme d'un mécène, sont vagues ou inconnues. L'*Entrée de Charles VI à Paris* (n° 144) illustre à merveille à quel point la connaissance de telles circonstances peut élargir notre compréhension des facultés créatrices d'Ingres, en dehors de la nature de l'appréciation que l'on peut porter sur ses innovations stylistiques. La documentation dont nous disposons sur les commandes passées à Bonington n'est malheureusement pas aussi riche.

51: *Femme se coiffant*, 1827
Aquarelle et gouache, 15,2 × 10,2
Londres, Wallace Collection

151. Delacroix, *Correspondance*, t. 4, p. 287, 30 novembre 1861.
152. Jal, *Bonington*, p. 746, et Cunnigham, *Lives*, p. 254.
153. Jal, *Bonington*, p. 746.
154. Delacroix, *Correspondance*, t. 4, p. 286, 30 novembre 1861.
155. «Le tableau [de Lawrence] est une espèce de diamant qui brille tout seul là où il se trouve.» «Portrait de Pie VII de Sir Thomas Lawrence», *Revue de Paris* (1829) ; cité dans *Delacroix* par Piron, p. 128 *sqq.*
156. Rosenthal, *Peinture romantique*, chap. IV, p. 190–201.
157. Pointon 1986.
158. Rosenthal, *Peinture romantique*, p. 158 sqq.
159. *Ibid.*, p. 193.
160. À l'occasion d'une conférence à Berlin dans les années 1820, Hegel défendit l'art romantique dans sa phase finale et la plus pure : «L'artiste romantique peut, d'un autre point de vue, saisir les objets du monde extérieur comme ils se présentent à sa conscience subjective [...] L'élément essentiel est le talent individuel de l'artiste, son intuition subjective et son habileté à représenter l'objet tel qu'il est. D'un autre côté, l'artiste peut aussi bien déplacer l'accent vers la quintessence de l'objet. Dans chaque cas, la subjectivité de l'artiste transcende à la fois le contenu et la forme de la représentation artistique, et c'est le point de vue esthétique de notre époque. Dans sa subjectivité romantique, l'artiste cesse d'être dominé par l'univers autonome de la pensée religieuse ou philosophique qui déterminerait ce qu'il représente et comment il le représente.» (*Esthétique*).
161. Rosenthal, *Peinture romantique*, p. 191.
162. On trouve cette remarque — ainsi que diverses réflexions sur l'art — dans un carnet de croquis de Delacroix des années 1835–45 (Sérullaz, *Delacroix*, n° 1758 f°4v).
163. Roberts, BN, Dossier Bonington.

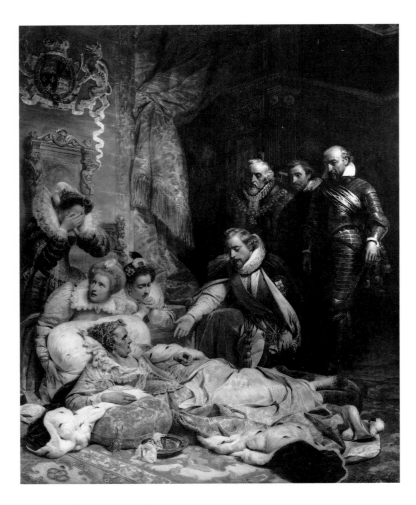

52: Paul Delaroche (1797–1856)
La mort d'Elisabeth I, Salon de 1827–1828
Huile sur toile, 422 × 343
Paris, musée du Louvre

Rosenthal se demandait pourquoi, s'il voulait communiquer quelque idée ou sentiment, il avait alors composé tant d'œuvres comparables à la *Femme se coiffant* (ill. 51), où l'accent dramatique émotif ou moral que l'on trouve d'habitude dans la représentation narrative romantique fait totalement défaut. Cette question requiert une réflexion approfondie sur l'originalité véritable de Bonington. Delacroix, après tout, décrivit son ami, non seulement comme un peintre magique, mais aussi comme un homme «plein de sentiment.» Il se rappelle également, d'une façon très significative, que Bonington était déterminé, à la fin de sa vie, à peindre des sujets d'histoire de grande dimension et que son impuissance à surmonter les difficultés posées par ce défi le déprimait. Cette remarque laisse supposer que Bonington était engagé dans les perspectives esthétiques de sa décennie et qu'il était parfaitement au fait des enjeux contemporains qu'elles impliquaient[164].

L'évaluation de la peinture de genre historique chez Bonington appelle plusieurs remarques liminaires. À cause de sa productivité, les critiques modernes tendent à le considérer comme un artiste ayant mené une vie ordinaire et ayant acquis, par l'expérience et le temps, une maturité de réflexion. Or, Bonington n'était encore qu'un étudiant lorsqu'il mourut et, comme tout novice précoce, il était extrêmement sensible, assimilait passionnément les idées nouvelles et révisait allègrement des manières de penser aussi facilement qu'il improvisait de nouveaux styles. Par ailleurs, il ne commença à s'essayer sérieusement aux sujets à personnages qu'à partir de 1825 et se lança dans cette découverte indépendamment de toute formation d'atelier. Rechercher un programme intellectuel cohérent dans un travail ne s'étalant que sur trois années, et y trouver d'hypothétiques significations, reviendrait à ignorer la possibilité que l'indifférence présumée de Bonington envers l'invention — capitale dans toute composition narrative — était due, en partie, à son manque d'expérience. Enfin, la mise en scène d'*Anne d'Autriche et Mazarin* ou du *Chevalier et son page* (n° 112) n'est peut-être «sans signification», pour reprendre l'assertion de Rosenthal, que si on la conçoit uniquement comme une illustration dont on ne reconnaîtrait pas la source textuelle parce que l'artiste l'a transformée ou qu'il livre une interprétation visuelle plus qu'il ne s'attache à la narration d'un événement. Pourtant, ces deux toiles ne sont pas dépourvues d'intérêt iconographique ou métaphorique, si on les replace dans le contexte de la propagande des Bourbons ou des œuvres de fiction populaire.

Selon Roberts, Bonington avait lu la plupart des chroniques médiévales françaises et se passionnait pour les histoires modernes et les romans historiques. Les sujets identifiables qu'il puise dans la littérature témoignent de ces intérêts. Walter Scott et Shakespeare furent ses toutes premières sources d'inspiration et les plus importantes. Mais après 1825, tandis que son amitié avec Delacroix et Huet grandissait, et que ses rapports avec les personnalités et les œuvres de l'avant-garde littéraire française s'élargissaient, il illustra certains auteurs du panthéon «proto-romantique», tels Cervantes et Goethe (n°s 70 et 111), ainsi que des poètes de ce même cercle, dont Jules de Resseguier et Pierre-Jean de Béranger (n°s 42 et 159). Les œuvres de Dante et Byron, et en général le drame «sublime» — les plus grandes tragédies de Shakespeare, par exemple — furent à l'évidence laissés de côté. Les romans et les écrits publiés de la Renaissance aux temps modernes servirent peut-être d'inspiration à certaines œuvres, mais la spécificité narrative d'une composition n'était jamais pour lui un impératif. À la différence de Delaroche (ill. 52), qui connut un immense succès parce que ses sujets de genre historique étaient mélodramatiques et leurs sources immédiatement identifiables, Bonington se situait à mi-chemin entre les conventions, les exigences prosaïques de l'illustration et l'adhésion moins rigide aux textes. Il nous est aujourd'hui impossible de savoir si l'huile *La leçon de luth* (n° 121) était destinée à illustrer *Roméo et Juliette* ou se référait seulement à un sujet d'amour également puisé dans la littérature populaire, tout comme *Paolo et Francesca*. Dans le texte de Shakespeare, la sérénade n'a pas lieu en intérieur. Toutefois, ce même public qui avait accueilli la *Juliette et sa suivante* de Turner, transposée à Venise, concéda volontiers à Bonington cette petite fantaisie.

Les compositions d'illustration nous permettent de constater combien Bonington était méticuleux dans sa reconstitution d'un cadre historique. En cela, il ne différait pas sensiblement de la plupart de ses contemporains, et il est important d'en tenir compte dans l'identification de ses sujets. Avec leurs costumes du XVe siècle, les personnages de *La leçon de luth* incarnent peut-être les amoureux malheureux de Shakespeare ; il est en revanche invraisemblable de les identifier au couple également infortuné que furent Mary, reine d'Écosse et David Rizzio. La raison pour laquelle bon nombre des sujets avec personnages de Bonington n'ont pu être identifiés tient à ce que l'artiste n'était pas exclusivement illustrateur et n'était pas non plus nécessairement censé l'être.

La série des lithographies publiées vers la fin de 1826, *Cahiers de six sujets*, confirme l'ambiguïté de ses intentions. On n'y décèle pas la cohérence iconographique des séries d'images traditionnelles — les quatre arts, les cinq sens, les «sept âges de l'homme» de Shakespeare. Leurs titres imprimés, que Bonington dut approuver, sont génériques. *Le silence favorable*, à titre d'exemple, est, de toute évidence, une illustration de *Kenilworth* (voir le n°141) de Walter Scott, mais il se pourrait que le public de Bonington ne l'ait pas su, de sorte qu'il ne put partager sa passion pour l'auteur écossais. À l'inverse, *La prière* (n° 114), qui mettait en scène Henri IV — dont les traits sont aisément reconnaissables — dans son intimité et le faisait apparaître comme un fervent défenseur de la tolérance religieuse, attira le public, dont l'engouement pour la vie de ce monarque était général. Cette scène, qui n'illustre pas un récit particulier, n'a été tirée du vaste répertoire des images de chevalerie qu'après une mûre réflexion qui atteste à elle seule que ce sujet ne servit pas de simple prétexte à l'artiste pour faire montre de sa virtuosité.

L'approche de Rosenthal pêche par défaut d'analyse. N'ayant pu discerner, dans l'œuvre de Bonington, de formulation morale ou politique manifeste — telle qu'on en trouve notamment dans les chefs-d'œuvre d'avant-garde tels le *Serment des Horaces* de David ou les *Massacres de Scio* de Delacroix — qui viendrait soutenir une évidente recherche formelle, il a supposé une absence totale de motivations intellectuelles. Pourtant l'œuvre de Bonington se distingue avant tout par un ensemble de partis pris discrets et étudiés. À l'instar de ses paysages, qui révélaient essentiellement une nature transcendante dans sa passivité radieuse, ses sujets de genre étaient dépourvus de toute théâtralité. Il ne faudrait pas en conclure pour autant que l'artiste se désintéressait de la nature humaine ; il n'était simplement pas enclin à en représenter toutes les facettes. Par ailleurs, il compta beaucoup plus sur l'érudition de son public que ne le firent la plupart de ses contemporains, mais le type de dialogue qu'il adopta, indirect, non normatif, incitant le spectateur à un exercice de corrélation entre les sources et les allusions visuelles, s'inscrivait dans une stratégie typiquement romantique. La *Femme se coiffant* n'illustre pas le poème de Keats *The Eve of St. Agnes*, comme on l'a supposé[165], mais il est fort possible que le public, à l'exemple de Pichot, l'ait interprété ainsi. De même, *L'antiquaire* (ill. 53) n'illustre pas un passage du roman de Scott du même titre, le seul style des costumes le confirme ; toutefois, l'artiste n'aurait pas attaché d'importance à ce qu'il soit gravé comme tel. Tout comme les «morceaux de fantaisie» qui proliféraient dans les albums des collectionneurs privés, on pourrait penser que ces aquarelles n'étaient que de simples tours de force faisant montre d'une adresse picturale. Cependant, elles pourraient aussi receler de nombreuses allusions historiques ou littéraires.

Dans l'analyse des motivations et des intentions de Bonington, il serait, par conséquent, tout aussi imprudent de négliger l'importance des implications d'un sujet que de rechercher la source narrative de chaque illustration. On peut admettre que Bonington ne visa jamais exclusivement à l'illustration et que, par exemple, les différentes versions à l'aqua-

53: *L'antiquaire*, vers 1827
Aquarelle et gouache, 20,7 × 16
Londres, Wallace Collection

164. Cunnigham écrivait : «C'était là toute son ambition [. . .] de s'exercer en exécutant des commandes, pour ensuite consacrer son temps et son pinceau aux compositions historiques» (*Lives*, p. 258).
165. Ingamells, *Catalogue*, t. 1, p. 50.

relle et à l'huile de *L'usage des larmes* (nᵒˢ 139 et 140) — comme on l'intitula après la mort de l'artiste — étaient simplement des démonstrations d'adresse picturale évoquant Rembrandt. Au reste, c'était une attitude répandue chez les artistes à l'égard de la peinture de genre en général. Dans une certaine mesure, ce furent les éditeurs de *keepsakes* et d'anthologies à caractère sentimental qui encouragèrent cette pratique ; ils réunissaient d'abord les matériaux visuels avant de charger les auteurs de composer un texte en prose ou en vers destiné à «illustrer» l'illustration. De telles interversions avaient connu des précédents dans l'histoire de l'illustration, mais elles avaient rarement été pratiquées d'une façon aussi délibérée. Ainsi, on ne peut se livrer à la surinterprétation que dans les œuvres qui se réfèrent effectivement à des faits historiques réels ou implicites.

Le besoin de se réapproprier le passé — notamment le Moyen Age et la Renaissance — et de le reconstituer fut une obsession telle, dans les années 1820, qu'elle toucha tous les domaines de la création. Il est très difficile de savoir si, dans le cas de Bonington, elle répondait à des aspirations nationalistes ou à un spiritualisme gothique, ou encore au désir endémique d'échapper à l'affaiblissement de l'ordre bourgeois post-napoléonien — de «rêver», comme l'écrivait Alfred de Vigny, «que parfois ont paru des hommes plus forts et plus grands, qui furent des bons ou des méchants plus résolus[166]. » Il paraît cependant clair que Bonington n'adopta pas le genre historique dans le simple but de pouvoir jouer de beaux coloris et de costumes baroques ; il le fit parce que cet historicisme, tout comme l'amateurisme, était aussi fondamental à sa propre quête émotionnelle et intellectuelle qu'à celle de son époque[167]. Si la précédente génération d'artistes en quête d'identité morale avait adopté l'antique, celle de Bonington lui substitua l'éventail plus large de sources pré-modernes, quand, enfin, ce procédé « revivaliste » discutable — fonctionnant par le biais de co-références — qui consistait à revendiquer la légitimité et la fonction des arts picturaux, devint lui-même, dans l'œuvre de Manet, objet d'imitation. Bonington participa à ce processus ; à la différence de Manet, il ne le parodia pas.

La remise en question, à partir de 1800, de la notion traditionnelle de la peinture d'histoire transforma les attitudes envers la représentation d'événements historiques et nuança les méthodes. Si l'on veut tenter de retrouver celles de Bonington, il faut partir du souvenir de Roberts : «Ce n'était pas tant l'amour de l'histoire qui prédominait dans son esprit [. . .] [mais] la « couleur de l'histoire » qui exerçait sur lui une fascination — ce sentiment qui est caractéristique des artistes en général l'était singulièrement chez lui[168].» La notion fondamentale de cette époque qui fait le lien entre les méthodes de dramatisation, d'illustration, de versification ou d'analyse d'événements historiques, est bien celle de la «couleur locale». Terme utilisé par les peintres pour définir la couleur d'un objet exposé à la lumière naturelle, il fut emprunté par les écrivains du début du siècle comme palliatif de la rigoureuse convention classiciste. Prosper Mérimée, avec qui Bonington noua d'intimes relations par l'entremise d'Auguste, publia, en juillet 1827, *La Guzla*, pastiche de ballades serbes conçu tout particulièrement pour satisfaire le goût moderne de l'exotisme folklorique et pour déconcerter, au moyen d'une intelligente supercherie, l'*establishment* littéraire. Dans une introduction à une édition plus tardive, il écrivait :

« *Vers l'an de grâce 1827, j'étais* romantique. *Nous disions aux* classiques : *vos Grecs ne sont point des Grecs, vos Romains ne sont point des Romains ; vous ne savez pas donner à vos compositions la* couleur locale. *Point de salut sans la* couleur locale *ce qu'au XVIII⁰ siècle on appelait les mœurs ; mais nous étions très fiers de notre mot et nous pensions avoir imaginé le mot et la chose[169]*. »

Benjamin Constant, quant à lui, proposait la définition suivante, l'une des toutes premières, en 1809 : « [la couleur locale] est une modification d'images, de pensées, de sentiments, de façons de dire exclusivement propres à tel état de la nature humaine, et à tel moment de la civilisation

qu'il plaît au poète de reproduire[170].» L'imprécision d'une telle formule, comme celle du pittoresque auquel elle se rattache clairement, se révéla utile, car plus qu'un élargissement du champ de l'investigation historique et qu'une certaine apparence de vraisemblance descriptive dans le processus, elle ne prescrivait aucune hiérarchie de sujets et n'entretenait aucun préjugé stylistique. Il était entendu que le succès de son application dépendait d'une parfaite connaissance des événements, des coutumes et des personnalités de l'époque décrite, ou au moins de la faculté à simuler une telle érudition, mais la façon de reconstituer cette information ressortissait au génie individuel.

Stephen Bann nous livre une analyse très lucide sur la façon dont cette notion fut adaptée, de diverses façons et à des degrés différents, à la jeune historiographie moderne[171]. Les écrits de Prosper de Barante (1782–1866), un historien que Bonington admirait, eurent un impact significatif sur ce processus. Dans son *Histpire des ducs de Bourgogne* (Paris, 1824–1828) — *opus magnum* que l'artiste révérait — Barante imita les chroniques historiques en incorporant certaines de leurs particularités linguistiques et narratives dans son propre texte ; le romanesque et les données véri-fiables étaient ainsi associés dans un style d'exposé mélodieux qui mainte-nait l'illusion d'un authentique témoignage écrit. C'est par la pureté et la nouveauté évidentes de son style, et non par l'érudition critique ou scientifique, que le récit de Barante parvenait à enflammer les imagina-tions de ses contemporains, mais pour cette même raison, il fut plus tard relégué à un statut secondaire par des générations d'historiens.

En schématisant grossièrement, on peut avancer que Bonington eut une approche similaire de la représentation d'un événement historique — comme par exemple la rencontre entre François Iᵉʳ et Charles V (nᵒ 138). En reproduisant fidèlement les traits du monarque français, il fait stylistiquement référence au plus grand peintre chroniqueur de cette époque, Titien. La «couleur de l'histoire» était non seulement donnée par un recours à des moyens formels indispensables — les parures ; la des-cription exacte des artefacts, des costumes, ou des portraits de l'époque — mais également par une interprétation très personnelle de ce que Bonington percevait comme l'expression quintessenciée et traduisible de l'art de cette époque historique. Quoique moins manifeste, cette méthode apparaît dans son illustration de *Quentin Durward à Liège* d'après Scott (nᵒ 143). Ici, il ne se contente pas d'illustrer l'extrait d'un roman histo-rique dont l'action se déroule au XVᵉ siècle, mais il s'efforce d'y restituer avec force l'atmosphère d'une époque et d'une scène précises en conce-vant la composition comme un bas-relief flamand de la fin du Moyen Age. Toutefois, il ne faut pas uniquement concevoir ces «emprunts» dans cette optique particulière, car jamais il ne se sentit obligé d'imiter servilement le style de Gérard David (voir le nᵒ 123) ou d'Albrecht Dürer, tout comme Barante ne se sentit pas obligé d'employer l'orthographe de Frois-sart. Il s'arrêta, en d'autres termes, au bord d'un «primitivisme» ou d'un «archaïsme» de technique qui concordait davantage avec la stylisation académique de son époque — telles les conceptions d'Ingres — et que Delacroix dénonçait comme un «enfantillage pernicieux» en raison de son incapacité délibérée à accorder la suprématie dans les arts picturaux à Rubens ou Titien[172]. Comme Hazlitt, Delacroix considérait que la pein-ture était une invention moderne qui atteignait la perfection chez les maîtres de la Haute Renaissance et du Baroque. Toute tentative d'utiliser la peinture pour imiter la sculpture antique ou pour parvenir à un hyper-réalisme de description néo-gothique revenait nécessairement à la priver de ses propriétés singulières les plus précieuses. À l'évidence, Bonington partageait ce point de vue et, bien qu'il substituât simplement, à l'occa-sion, les formes gothiques aux formes antiques, il mit l'accent sur la sophistication des styles picturaux plus tardifs.

Poursuivre plus avant une étroite comparaison entre les méthodes d'un historien tel Barante et celles d'un jeune peintre de genre historique conduirait au-devant d'incongruités. Il s'agit simplement d'admettre que les emprunts artistiques et historiques de Bonington peuvent être élargis et ont peut-être été inspirés par les techniques d'un auteur contemporain qu'il admirait ; c'est la raison pour laquelle il y a moins de différence — si l'on excepte les divergences d'ordre stylistique plus évidentes — entre l'approche de Bonington et celle des peintres troubadours qui furent les initiateurs de ce type de peinture d'histoire.

Le style troubadour fit sa première apparition dans les Salons de 1802 et 1804 dans les œuvres de deux peintres de l'École de Lyon, Fleury Richard (1777–1852) et Pierre Revoil (1776–1842). Défi lancé à l'omnipotence de la peinture d'histoire néoclassique, il promouvait un art de cabinet intimiste caractérisé par ses surfaces émaillées et qui avouait sa dette envers les œuvres laborieusement détaillées et minutieusement finies de Gérard Dou (1613–1675 ; ill. 54) et de Gabriel Metsu (1629–1667). Son originalité tenait à son louable effort de ressusciter et d'ennoblir la peinture de genre du XVIIIᵉ siècle en substituant à l'anecdote familière et souvent triviale ou érotique des figures historiques tirées des vies d'illustres artistes, monarques, ou des récits d'amours tragiques de la Renaissance. Dans la mesure où ses principaux thèmes pouvaient révéler des intentions tantôt pieuses, tantôt nationalistes, monarchiques ou sentimentales, il conciliait aisément les goûts fluctuants de l'Empire et de la Restauration ; dans la mesure où ses adeptes étaient infatigables dans leur anticomanie, il gagnait également les faveurs du nouvel historicisme. Le succès retentissant qu'obtint cette peinture chez les collectionneurs privés, dès son avènement, effraya l'Institut qui haussa le ton parce qu'il y entrevoyait la menace d'une remise en cause, voire l'anéantissement, de l'idéal académique.

Vers 1824, cependant, les surfaces polies et les compositions au dessin soigné avaient perdu l'attrait de leur nouveauté. Les objectifs de Delaroche, analysés d'une façon pertinente comme une recherche d'authenticité par le biais de substituts rejoignaient ceux de l'École de Lyon : tous deux s'exprimaient à grands renforts d'hyperdescription mais leur recherche du sensationnel vouait leurs œuvres à être, comme les figures de cire de Mme Tussaud, dépourvues de vie. De façon ironique, Delécluze rejoignait, sur ce point, ses adversaires :

«MM. Richard et Revoil, on desireroit que les artistes eussent plus profité des progrès que les peintres de genre ont fait dans certaines parties de l'art, telles que l'aisance dans le contour, la vérité de la couleur, et l'observation des effets de la lumière. M. Revoil semble trop compter sur la précision d'un trait et l'exactitude du costume. En quelque genre que ce soit, l'érudition seule ne suffit pas aujourd'hui, dans les sciences elle doit être éclairée par la critique ; un artiste doit la réchauffer par le sentiment[173].»

Ce critique conservateur tendait ici à accréditer dangereusement la notion de la «couleur locale» telle qu'elle avait été définie, dans les années 1820, non par les historiens, mais bien par les peintres et les écrivains du cercle de Bonington. Hugo demeurait sur ce point plutôt équivoque dans la préface de *Cromwell* : «Non qu'il convienne de *faire*, comme on dit aujourd'hui, *de la couleur locale*, c'est-à-dire d'ajouter après coup quelques touches criardes ça et là sur un ensemble du reste parfaitement faux et conventionnel [...] Elle doit en quelque sorte y être dans l'air[174].» Mais Alfred de Vigny, lui, fut considérablement moins pontifiant dans la préface de *Cinq-Mars*, roman historique inspiré, de l'aveu général, par Scott : «Ce que l'on veut, c'est le spectacle philosophique de l'homme profondément travaillé par les passions de son caractère et de son temps [...] *La vérité dont il doit être nourri est la vérité d'observation sur la nature humaine, et non l'authenticité du fait[175].»* Dans les œuvres de fiction, l'historicisme avait pour fonction d'humaniser autant que d'élucider le récit ; c'est pourquoi le succès incomparable qu'obtinrent les romans de Scott chez les écrivains et les peintres souleva une inquiétude grandissante chez les historiens qui s'interrogeaient sur les méthodes et les buts de cet auteur, bien que ces mêmes historiens, comme Barante, aient d'abord cautionné ses premiers romans. Timidement, les directions suivies par la science de l'histoire et l'art de la représentation historique commençaient à diver-

54: Gérard Dou (1613–1675)
La femme hydropique, 1663
Huile sur bois, 86 × 67,8
Paris, musée du Louvre

166. Alfred de Vigny, *Cinq-Mars*, Bruxelles, 1834, t. I, p. 10
167. Les études récentes les plus importantes sur ce sujet sont celles de Roy Strong, *And When Did You See Your Father ? The Victorian Painter and British History* (London, 1978) ; Francis Haskell, *Past and Present in Art and Taste* (New Haven and London, 1987) ; Stephen Bann, *The Clothing of Clio* (Cambridge, 1984).
168. Roberts, BN Dossier Bonington.
169. Propagande pour l'édition de 1842.
170. Citation extraite de Hugo, *Cromwell*, p. 84, note 225.
171. Bann, *The Clothing of Clio*.
172. Piron, *Delacroix*, p. 409 (notes non datées) : «Le goût de l'archaïsme est pernicieux ; c'est lui qui persuade mille artistes qu'on peut reproduire une forme épuisée ou sans rapport à nos mœurs du moment. Il est impardonnable de chercher le beau à la manière de Raphaël ou de Dante. Ni l'un ni l'autre, s'il était possible qu'ils revinssent au monde, ne présenteraient les mêmes caractères dans son talent. On a imité chez l'un, de nos jours, une sorte de naïveté austère, chez l'autre, ces effets simples de la fresque, où l'on se passe de l'effet et de la couleur. [...] Retourner à l'austérité de la fresque après Rubens et le Titien, n'est qu'un enfantillage.»
173. Delécluze, *Salon de 1824*, 5 septembre 1824, p. 1. Delaroche se servait souvent de modèles de cire pour figurer ses personnages. Ce fut certainement ainsi qu'il procéda pour son *Cromwell devant le cadavre de Charles Iᵉʳ* (Nîmes, musée des Beaux-Arts). Gustave Planche laissa une critique caustique de Delaroche, notamment sur ce tableau : «Le *Cromwell* est en effet, sous tous les rapports, la pire et la plus pauvre de toutes les œuvres de M. Paul Delaroche. Jamais, à ce qu'il nous semble, il n'avait révélé d'une façon plus décisive et plus triste la nullité de sa pensée [...] Où a t-il lu que le Protecteur, après avoir abattu la seule tête qui lui faisait obstacle, se soit ainsi arrêté pour la contempler ? Je ne le demanderai pas. Que la chose soit vraie ou non, peu importe, il lui appartenait, à lui artiste, de la rendre vraisemblable. Cinq-Mars, de Thou, Richelieu, ne sont pas les mêmes dans l'histoire que dans l'imagination d'Alfred de Vigny ; mais s'ils ne sont pas réels, ils sont vrais selon l'art [...] Non seulement son *Cromwell* n'est pas vrai, non seulement il n'est pas vraisemblable ; il est impossible.» (*Salon de 1831*, p. 73–74.)
174. Hugo, *Cromwell*, p. 84.
175. Vigny, *Cinq-Mars*, Paris, 2 ed., p. ix–xii.

55: *François Ier et Marguerite de Navarre*, 1827
Huile sur toile, 45,7 × 34,5
Londres, Wallace Collection

ger ; quelque vingt années plus tard, Ruskin pouvait établir, avec l'assurance d'être immédiatement compris, une distinction semblable entre l'art noble des paysages de Turner et la nature topographique banale de la plupart des autres peintures modernes de paysage, distinction comparable à celle qui élevait les romans historiques de Scott au-dessus de l'objectivité plus stricte de l'historien.

Malgré l'effondrement du prestige de ses initiateurs, la tradition troubadour continuait à susciter l'intérêt de tempéraments divers et souvent antagonistes. Dans ce genre, Ingres produisit certaines de ses plus brillantes abstractions formelles, et Delacroix y transposa certaines de ses conceptions les plus intimes et les plus lascives. Ce dernier, sans doute, était le plus proche de la définition, révisée par Vigny, de la «vérité» de la représentation historique, car il combinait le charme dramatique et psychologique à la recherche soigneuse de détails dans les costumes, les décorations, les portraits, etc. On peut se demander, à juste titre, dans quelle mesure, et de quelle façon, Bonington participa, lui aussi, à ce renouveau.

Durant la dernière année de sa vie, Bonington réalisa trois tableaux d'histoire, qu'il destinait à des expositions publiques : *François Ier et Marguerite de Navarre* — dont une version se trouve à Londres, à la Wallace Collection (ill. 55) —, *Henri IV et l'ambassadeur d'Espagne* (ill. 57), et *Henri III de France* (ill. 58). La composition du premier s'inspirait d'une œuvre exposée par Richard en 1804 (ill. 56) et gravée à maintes reprises du vivant de Bonington. La même anecdote historique fut le sujet d'une œuvre, non retrouvée, exposée par Lecœur au Salon de 1824. Le second tableau représentait une anecdote également populaire, relative aux Bourbons ; elle soulignait la bienveillance paternelle du fondateur de leur dynastie monarchique. Bonington emprunta ses sources à l'huile de Revoil exposée en 1814, puis en 1817, année où, soit dit en passant, quatorze autres œuvres illustrant des scènes de la vie du monarque furent exposées. Ingres (ill. 30) et Vallin présentèrent, en 1824, deux interprétations de la même anecdote. Le sujet d'Henri III, sur lequel nous reviendrons, semble n'avoir eu aucun précédent artistique à l'époque.

La première version d'*Henri IV et l'ambassadeur d'Espagne* fut exécutée à l'aquarelle vers 1825 (ill. 29). L'intérêt que Bonington témoignait pour ce roi dont la popularité se prêtait à l'anecdote et le récent succès obtenu par la réplique d'Ingres constituaient des raisons suffisantes à ses yeux pour qu'il s'essaie à son tour à ce sujet. Le grand succès, en 1824, qui avait accueilli d'autres tableaux illustrant la vie de ce «roi des rois» (pour reprendre les termes de Jal), pourrait aussi l'avoir également incité à réaliser son tableau à l'huile, en vue du prochain Salon. Marcia Pointon voit dans cette décision une volonté délibérée de parodier non seulement Ingres, mais aussi le programme propagandiste tout entier des Bourbons lancé par la tradition troubadour, mais qui ne pouvait souscrire à la politique répressive de Charles X, vers 1827[176]. Cette hypothèse contredit cependant et la persistance et la diversité et le ton employé par Bonington dans le genre historique ; elle ne tient pas davantage compte de la profondeur avec laquelle il traite ce sujet familier. Si Bonington avait en l'occurrence une quelconque intention de critiquer Ingres ou Revoil, c'était simplement parce qu'ils avaient échoué, selon lui, à hausser la représentation du puissant monarque au rang de «spectacle philosophique» en le représentant comme un père ordinaire.

L'*air glacial* — selon Delacroix — des personnages et accessoires précisément définis et de la construction spatiale iconique d'Ingres bridait l'imagination du spectateur. L'un des concepts fondamentaux que Delacroix voulut inclure, quelques années plus tard, dans son projet de «Dictionnaire philosophique des Beaux-Arts» fut l'*effet*. Dans son journal, il notait sous la rubrique *effet sur l'imagination* :

«La peinture n'était qu'un pont jeté entre l'esprit du peintre et celui du spectateur. La froide exactitude n'est pas l'art : l'ingénieux artifice, quand il plaît et qu'il exprime, est l'art tout entier. La prétendue conscience de la plupart des peintres n'est que la perfection apportée laborieusement à l'art d'ennuyer[177].»

Pour Delacroix qui, sa vie durant, s'attaqua au problème du fini, une «pédanterie d'exécution» avait dominé la peinture française, de David à Delaroche, en passant par les imitateurs «pompiers» d'Ingres au milieu du siècle. Leur exploit commun consistait en un pur calque des apparences, dépourvu de ces qualités essentielles qui confèrent à l'œuvre d'art un caractère émotif. Le choix de sujets dramatiques et l'invention dans la composition constituaient des moyens de lutter contre une telle pédanterie et une telle banalisation, mais plus efficace était la conquête de l'*effet*, qu'il définit dans un article de journal plus ancien par le seul mot de *clair-obscur*, par lequel il signifiait la maîtrise de l'expression picturale mise au service d'une imagination vigoureuse. Pour Delacroix, la supériorité de Bonington sur les peintres de genre ou les artistes troubadours tenait à sa maîtrise parfaite de la couleur et de la lumière, et à leur utilisation à des fins émotives. Par le biais de sa seule originalité, il était capable d'insuffler à tout sujet — y compris à ceux qu'il empruntait à d'autres artistes — la nouveauté ou le sentiment. Ingres avait fait de son Henri IV livré aux joies domestiques un *tableau vivant*; Bonington, lui, invitait le spectateur à participer aux charmes intimes de l'histoire en utilisant les artifices d'une technique expressive.

Pourtant la virtuosité picturale n'était qu'un aspect de la question. Malgré le réalisme néo-médiéval et l'éclat lumineux des couleurs du *François Ier et la reine de Navarre*, Richard représente des mannequins mimant, d'une façon fatiguée, un scénario, comme dans tant de livres illustrés, sans passion de l'époque. Joué par une séductrice inconnue, le roi avait fait graver sur la fenêtre de ses appartements de Chambord, un distique qu'il soumit alors à sa sœur: *Souvent femme varie / Bien fol est qui s'y fie*. Dans la version que nous conservons de Bonington, un subtil échange psychologique s'opère. Le roi attend timidement l'avis de sa sœur dévouée — poétesse réputée — sur l'ingéniosité de son vers satirique, tandis qu'elle médite d'un air guindé la réponse qu'elle doit faire à cette injure à la fidélité féminine. L'affectation de la pose et des gestes de celui-ci et l'hésitation de cette dernière donnent du piquant à cette version. Le traitement de ses personnages est d'un plus grand mérite que sa séduisante technique et c'est, en général, une très sincère sympathie pour l'humanité qui anime son œuvre, des pêcheurs anonymes de la Normandie aux personnages imaginaires de Scott ou aux potentats de l'histoire. Il n'est guère étonnant que Rembrandt ait exercé une telle emprise sur l'imagination du jeune artiste.

Pour résumer, il apparaît que Bonington, comme la plupart des artistes de sa génération, ne se servit des costumes ou des autres éléments décoratifs tirés de différentes sources visuelles, que pour mieux recréer l'authenticité d'une atmosphère historique. Mais les idées et le style qu'il développait transfiguraient ces emprunts et insufflaient à son œuvre un sentiment particulier, en osmose avec l'esprit de son temps. Les mêmes motivations le poussent à emprunter et réinterpréter des modèles de composition tels Henri IV et François Ier. En traitant ces thèmes, il s'attachait non pas au problème de leurs significations manifestes, mais plutôt à la manière dont les autres artistes les avaient traités. On peut, dans une certaine mesure, prêter la même intention à Ingres dans son rapport à Revoil. Par ailleurs, le besoin de rivaliser avec les autres artistes concordait avec les conceptions premières de Delacroix sur l'originalité[178].

Au printemps 1827, Bonington entreprit un second séjour à Londres. Nous ne connaissons ni la date ni la durée exactes de ce voyage, mais il eut probablement lieu au moment de l'exposition de la Royal Academy, inaugurée le 4 mai, et à laquelle il avait présenté une seule huile, *Sur la côte d'Opale* (n° 120). Un reçu de sa main adressé à l'artiste George Fennel Robson, daté du 2 juin, accusant réception du paiement de 15,15 livres pour l'aquarelle *Vieillard et enfant* (n° 133), porte un timbre-poste de six pennies, ce qui laisse supposer qu'il se trouvait probablement encore à Londres à cette date. Il logea au Green's Hotel, peut-être parce que son ami Ensom avait quitté l'établissement Warren de la Constitution Row.

56: Fleury-François Richard (1777–1852)
François Ier et Marguerite de Navarre, 1804
Huile sur toile, 77 × 65
Arenenberg, musée Napoléon

176. Pointon, 1986.
177. Delacroix, *Journal*, t. 3, p. 200, 11 janvier 1857, et p. 235, 23 janvier 1857, bien qu'il eût déjà formulé cette idée dès le 26 janvier 1824 après la lecture de Madame de Staël et la découverte des illustrations de *Faust* par Retsch (*Journal*, t. 1, p. 59).
178. Delacroix, *Journal*, t. 1, p. 102, 27 avril 1824: «Dimier pensait que les grandes passions étaient la source du génie! Je pense que c'est l'imagination seule, ou bien, ce qui revient de même, cette délicatesse qui fait voir là où les autres ne voient pas, et qui fait voir d'une façon différente [...] que ce qui faisait l'homme extraordinaire était radicalement une manière tout à fait propre à lui de voir les choses [...] mon esprit n'est jamais plus excité à produire que quand il voit une médiocre production sur un sujet qui me convient.»

Il voyagea sans doute seul et n'utilisa pas la lettre de recommandation à Sir Thomas Lawrence que lui avait remise Lavinia Forster, par crainte de ne pas être encore digne de l'attention de cet artiste[179]. Il semble plutôt, à nouveau, s'être essentiellement attaché à rechercher une clientèle parmi l'élite du commerce artistique de Londres et à consolider ses relations professionnelles avec les marchands et les éditeurs dont il avait obtenu des commandes. À l'évidence, ses efforts portèrent leurs fruits, car dans les lettres qu'il adressa par la suite à Dominic Colnaghi, James Carpenter, John Barnett et les Cooke, il fait sans cesse allusion à sa surcharge de commandes en s'excusant de ne pas les satisfaire avec célérité. Dans une lettre datée du 13 juillet, il promettait d'illustrer *Le Songe d'une nuit d'été* de Barnett, et mentionnait des «tableaux» commandés par Colnaghi et Carpenter[180]. Colnaghi désirait des sujets shakespeariens dans un cadre italien, mais Bonington ne lui remit, en octobre, qu'une vue topographique que du *Corso Sant'Anastasia à Vérone* (voir le n° 155)[181]. Au cours du même mois, Bonington écrivit à nouveau à Barnett, en lui donnant des détails sur la commande de Carpenter :

« *Mon cher ami,*

Pour répondre à votre question sur la taille du tableau auquel je travaille pour M. Carpenter et à votre silence à propos des toiles que Mme *Carpenter désirait exposer ici, je crains que vous n'ayez pas reçu la réponse que je vous ai faite concernant le vœu de M*^{me} *C. Si tel était le cas, vous seriez en droit de me reprocher la plus grande indifférence et négligence. Au contraire, je serais le plus heureux des hommes en intervenant pour placer les œuvres de M*^{me} *C. à notre exposition. À propos de celle-ci, je vous répéterai quelques détails contenus dans ma dernière. L'exposition ouvrira le 4 novembre et durera 3 ou 4 mois. À la fin de chaque mois, les artistes ont la possibilité de remplacer les 3 œuvres qu'ils ont obtenues d'exposer par 3 autres, de sorte que si M*^{me} *C. le désire encore, ses œuvres arriveront à temps pour le premier ou le second réaccrochage. Si tel est le cas, adressez-les à M. Lagache, Hôtel Dessein à Calais, qui me les réexpédiera à Paris. S'il vous faut des cadres, envoyez-moi le plus tôt possible leurs dimensions. En outre, l'épître citée plus haut contenait différents mots d'esprit heureux, des plus plaisants, très bien trouvés, ainsi qu'une moralité bien ordonnée. En jetant un coup d'œil sur l'ensemble des choses dont vous m'avez parlé, le tableau de M. C. mesure environ 3 pieds sur 4. Une vue de Venise plus ou moins comme ceci [petite esquisse] etc. J'espère réaliser quelques dessins très prochainement. Quant à mon tableau plus grand, que j'ai promis à une personne qui se trouvait ici dernièrement, pour un de ses amis, si je devais ne pas m'en défaire ici, et j'ai bien peur que cela ne soit guère possible, pour dire les choses telles qu'elles sont, le prix que j'ai annoncé était de 125 guinées. J'espère exposer cet hiver à Pall Mall et pourriez-vous alors aborder la question de [la vente ?], peut-être serai-je assez heureux pour qu'il agrée à M. C. J'en ai dit assez et je crains de devoir terminer cette lettre ici car ma source d'inspiration se tarit etc. Je n'ai rien d'achevé pour l'instant. Il est grand temps de conclure en vous priant de me rappeler à tous mes amis, particulièrement à W. Cooke fils, mais je lui écrirai très prochainement, à Ensom, etc. etc., je suis très heureux d'apprendre qu'il fait mon pont. J'aurai beaucoup de choses à lui dire quand cela sera fini, mais par crainte de retard ou d'accident, je vous prie de croire en mes plus sincères amitiés.*

R. P. Bonington

rue des Martyrs, n° 11
21 octobre 1827

Si j'avais une, deux, trois minutes au moins, juste le temps pour les œufs de cuire, «a putting while» comme dit l'homme dans la pièce, je vous dirais alors des choses plus réjouissantes etc. [la phrase suivante était biffée : «mais lorsqu'un homme est harcelé matin et soir[182]*. »*

«Toute la peinture est en l'air», remarquait Delacroix, à propos de l'ouverture du Salon depuis longtemps reportée, mais qui devait avoir lieu en automne. Il devait se dérouler en deux étapes consécutives : la première, de novembre à janvier, et la seconde, de février à avril, au cours de laquelle on pouvait remplacer certaines toiles avec l'approbation d'un

57: *Henri IV et l'ambassadeur d'Espagne*, 1827
Huile sur toile, 38,4 × 52,4
Londres, Wallace Collection

58: *Henri III de France*, 1828
Huile sur toile, 54 × 64,4
Londres, Wallace Collection

179. Lavinia Forster était l'épouse du Révérend Edward Forster. L'une de ses filles était mariée au sculpteur Henri Triqueti (voir *Annals of Thomas Banks*, éd. C.F. Bell, Cambridge, 1938, p. 207 *sqq.*).
180. Dubuisson et Hughes, p. 81.
181. Lettre adressée à Colnaghi, datée d'octobre 1827, traduite par Dubuisson et Hughes, p. 78–79, et lettre du 13 juillet 1827 adressée à Barnett, mentionnée par Dubuisson et Hughes, p. 91.
182. Lettre manuscrite rédigée en anglais, adressée à John Barnett, datée du 21 octobre 1827 (Londres, British Library).

«My dear friend,
From your questions about the size of the picture, I am about for Mr. Carpenter and your silence respecting the pictures Mrs. Carpenter wished to exhibit here, I fear you have not received my letter in answer to yours principally regarding Mrs. C's wish to exhibit. Should it so have happened you must have taxed me with a most rude indifference and neglect. On the contrary, I should feel most happy in being the means of placing any of Mrs. C's works in our exhibition —respecting which I will repeat a few particulars of my last. The exhibition will open on the 4th of November, and will continue for three or four months. At the end of each month, the three paintings an artist has the right to exhibit may be changed for three others, so that should Mrs. C still wish to send, the paintings will yet arrive in time for the first or second renewal, in such case direct them to M. Lagache, Hotel Dessein, à Calais to be forwarded to me at Paris -in case frames are wanted, write as soon as possible with the sizes — after this, the above mentioned epistle contained diverse happy conceits, marvellously pleasing, passing pretty, as well as well digested morality — looking over your waggon load of items and etc. — Mr. C's picture is some three feet by four. A view of Venice somewhat this [petite esquisse] etc. I hope to get a few drawings done very soon — for my larger picture I have promised the refusal of it to a person who was over here lately, for a friend of his, should I not dispose of it here, of which I fear there is but little chance, so the matter stands — the price I mentioned was 125 guineas. I hope to send it over for the winters exhibition in Pall Mall and should you be able to put the question of [vente ?] then, perhaps it may still be lucky enough to please Mr. C. — «somewhat too much of this », but I fear I must end here for my wit is not over plentiful etc. I have none ready made for the present must need conclude in requesting you to remember me to all friends, especially W. Cooke Jr. but will write him very shortly, Ensom, etc. etc., am very happy to hear him doing my bridge -shall remember lots of things to say when this is gone but for fear of delay or accident I will ever beg you to believe me your most truly,
R.P. Bonington
Rue des Martyrs n° 11
October 21 1827
If I had a minute, two, three and one half, just time for the eggs to boil, «a putting while» as the man in the play says, even would I communicate things of much gladness etc. [la phrase suivante était biffée : «but when a man is pestered morning and evening»]»

59: *Milan ; l'intérieur de Sant'Ambrogio*, 1827
Aquarelle et gouache, 22,1 × 28,6
Londres, Wallace Collection

60: *Près de Dieppe*, 1828
Aquarelle et gouache, 19,8 × 26,3
Londres, Wallace Collection

61: James Duffield Harding (1797–1863), d'après Bonington
L'entrée du Grand Canal à Venise, 1830
Lithographie, 16,8 × 22
New Haven, Yale Center for British Art

62: Thomas Shotter Boys (1803–1874)
L'atelier de Bonington au 11 rue des Martyrs, 1827
Mine de plomb sur papier huilé, 32 × 39
Londres, British Museum

second jury. Cette réorganisation, inspirée par l'exposition de la galerie Lebrun de 1826, était destinée à contrôler à la fois le nombre d'œuvres exposées à n'importe quel moment et le niveau qualitatif de l'ensemble. Les membres du jury avaient reçu les consignes d'être beaucoup plus sélectifs qu'en 1824, mais comme Bonington n'avait soumis que deux huiles et une aquarelle pour la première session, il réussit mieux que la plupart de ses amis. Étaient également exposées deux lithographies de Bonington, soumises par ses éditeurs : une vue de la cathédrale de Brou destinée au volume sur la Franche-Comté de Taylor, alors achevée, et l'une des trois estampes exécutées d'après des dessins de Maurice Rugendas pour la publication du *Voyage pittoresque dans le Brésil*, sur laquelle Bonington travaillait depuis le début de l'année. Parmi les premiers envois, figuraient l'huile *Le palais des Doges, avec une procession* (ill. 46) — le «tableau plus grand» mentionné dans sa lettre à Barnett —, une *Vue de la cathédrale de Rouen* non retrouvée (dimensions avec cadre : 56 × 50 cm) et l'aquarelle *Le tombeau de saint Omer* (dimensions avec cadre : 86 × 67 cm) qui trouva un acquéreur en la personne du duc d'Orléans et fut détruite lors de la mise à sac du Palais Royal en 1848. Comme le nombre d'artistes britanniques représentés était beaucoup moins important qu'en 1824, on considéra que la «menace anglaise» s'était quelque peu assagie, et même les critiques auparavant hostiles se permettaient de formuler des éloges polis à propos du tableau vénitien.

La portraitiste Margaret Carpenter, belle-fille de James Carpenter, parvint à faire accepter un portrait. Les vues de Windsor présentées par William Daniell (1769–1837) furent également bien accueillies — peut-être en raison de ses relations avec le duc d'Orléans —, alors que les critiques concernant l'unique envoi de Constable, *The Cornfield* (Londres, National Gallery) et les portraits de la *Duchesse de Berry* (ill. 28) et de *Lord Lambton* par Lawrence furent plus nuancées que réellement acerbes. Delécluze affirma que les œuvres vénitiennes de Bonington étaient «réellement remarquables[183].» Dans la *Revue encyclopédique*, Coupin établit, non sans condescendance, une comparaison avec Canaletto[184]. La critique de Jal fut un peu plus prolixe :

« *Bonington dont je viens d'écrire le nom, c'est un habile. Cette aquarelle représentant le tombeau de saint Omer est très belle. Sa* Vue du palais ducal à Venise *est un chef-d'œuvre. J'aime mieux cela que les Canaletti, si justement vantés. Vivacité, fermeté, effet, couleur, largeur de touche, il y a tout dans ce tableau où les eaux sont admirables. Les figures ne sont qu'indiquées, mais si grandement ! -Je préfère cette manière de faire un homme à celle de Granet[185].* »

Depuis plusieurs décennies, Granet se livrait à la représentation de scènes de couvents ou de cérémonies religieuses italiennes, qu'il situait souvent dans des intérieurs sombres et spacieux. Le comte de Forbin fut son ami et protecteur dévoué, et l'on sait que Granet exécuta les figures de nombreuses vues topographiques exécutées par Forbin. Il avait également des accointances avec le style troubadour, mais, grâce à la protection de Forbin, il ne se ressentit pas du déclin que connut ce genre auprès de la critique dans les années 1820. Son style se distinguait de celui de Revoil ou Richard par sa rigueur moins austère, mais il était loin de posséder la liberté qui lui aurait réellement valu la dénomination par ses contemporains de «Rembrandt moderne». Si l'on admet que la *Vue du Pausilippe* (Dijon, musée Magnin) soit de sa main, ses emprunts au style des toiles italiennes de Bonington sont manifestes. Dans son *Intérieur de l'église Sant'Ambrogio à Milan* (1827; ill. 59), Bonington offre de toute évidence une réponse plaisante aux sujets chers à Granet, mais son œuvre est dépourvue de cette atmosphère de spiritualité gothique et romanesque dont sont imprégnées les plus belles conceptions de l'artiste français. Comme le laissent deviner les commentaires de Jal, Bonington accorda une importance, certes moins évidente, mais réelle, au thème de la procession religieuse dans la *Vue du palais des Doges* et dans la vue légèrement plus tardive du *Corso Sant'Anastasia à Vérone* (n° 155). Par leurs sujets, ces vues sont, certes, redevables aux meilleures œuvres de Granet dans ce genre, mais elles les défient dans le style et l'interprétation mêmes du sujet. Une fois encore, Bonington cherchait sans faillir à rivaliser avec ce qu'il considérait comme la meilleure part du génie d'un individu, en puisant ses sources d'inspiration chez ses contemporains — Robson, Francia, Turner, Delacroix, Ingres ou Granet — ou chez les maîtres anciens : Rubens, Titien ou Rembrandt. Un nécrologue affirma qu'avant sa mort, Bonington projetait de peindre une série de tableaux sur le même thème, semblable à celle de la *Vue du palais des Doges*. Cette initiative concorderait avec les méthodes de création de l'artiste qui, sans conteste, préférait exploiter une idée précise jusqu'à l'épuiser et laisser surgir en lui une nouvelle inspiration ou innover une autre manière de la réinterpréter. Il serait vain de se demander quel aurait pu être l'aboutissement de sa créativité. On observera seulement dans ses tout derniers paysages une telle liberté dans le traitement des couleurs qu'elle tend à noyer toute fonction descriptive (ill. 60).

La vie de Bonington durant les derniers mois de l'année 1827 fut particulièrement mouvementée car, non seulement il était occupé à la préparation du Salon et d'expositions prévues à Londres, mais il organisait également une nouvelle excursion en Angleterre et s'était chargé de transférer son atelier de la rue des Martyrs (ill. 62) à la rue Saint-Lazare, située non loin de là. Il ne nous reste aucun souvenir visuel de son dernier atelier, mais un des membres de la famille Alaux, peintres et décorateurs, rapporta plus tard à l'artiste Alfred de Curzon que «Bonington avait son atelier entièrement blanchi à la chaux avec bordures rouges en bas et en haut : il avait plusieurs draperies de couleurs diverses pour mettre derrière ses modèles[186].» Cette courte, mais précieuse, description — si elle est exacte — laisse transparaître l'atmosphère austère de l'atelier, dont le décor était essentiellement destiné à accroître la lumière naturelle ambiante et à éliminer toute tentation de diversion. Il est tout à fait plausible que l'artiste, soucieux de la délicatesse naturelle des harmonies de couleurs, ait choisi un environnement aussi dépouillé. Néanmoins, la description d'Alaux est en totale contradiction avec celles que nous ont laissées la plupart des peintres et écrivains de l'époque : on trouvait couramment dans les ateliers un fatras d'accessoires historiques, de bibelots exotiques, de tapisseries et de tentures bigarrées, etc. En dépit des qualités de l'aménagement supposé de Bonington, Curzon n'en remarquait pas moins que «nos ateliers avec leur ton rompu et sombre font valoir les tableaux, mais n'en font pas faire de bons.»

Une lettre du 21 décembre, du comte Turpin de Crissé — peintre paysagiste académique qui fit partie du second jury du Salon — adressée au graveur du roi, Henri Laurent, indique que Bonington avait chargé ce dernier de l'envoi d'une œuvre pour l'exposition. Le comte répondit que le jury, à l'occasion de sa réunion officielle en janvier, accepterait probablement l'œuvre de Bonington «si elle égale en splendeur la magnifique

THE GRAND CANAL AT VENICE.
BY BONINGTON.

183. Delécluze, «Salon de 1828», *Journal des débats*, 25 avril 1828, p. 2.

184. «Exposition de 1827», *Revue encyclopédique*, janvier-mars 1828, p. 316: «Bonington désire à imiter Canaletto. C'est un rude jouteur que Canaletto ; cependant, Bonington est resté si loin de son modèle que l'on n'ait, avec raison, admiré son ouvrage. »

185. Jal, *Salon de 1828*, p. 237.

186. Citation extraite de Miquel, *Art et Argent*, p. 217.

vue de Venise du même artiste[187].» Il faisait ici allusion à l'huile *Entrée du Grand Canal, Venise* (ill. 61), commande de Carpenter que Bonington venait probablement de terminer, puisque cette œuvre est représentée avec son cadre dans le dessin que fit Boys de l'atelier de la rue des Martyrs. Le fait que Bonington ne se soit pas chargé personnellement de son envoi laisse à penser qu'il avait déjà quitté Paris pour Londres ou qu'il était trop absorbé par le déménagement de son atelier. Accablé de travail, il pria à nouveau Colin de l'excuser de négliger leur amitié[188].

Le jury refusa ses envois : sa vue vénitienne, ses huiles de *François Ier et Marguerite de Navarre* et d'*Henri IV et l'ambassadeur d'Espagne*, ainsi que trois aquarelles sans titre[189].

Quant à l'accueil peu enthousiaste que reçurent ces nouveaux envois, nous ne disposons que de la critique de Jal :

On dirait, au premier coup d'œil, que le Henri IV *avec l'ambassadeur d'Espagne est de M. Poterlet, et c'est un éloge pour les deux artistes ; en y regardant cependant de plus près, on trouve dans l'*Henri IV *quelque chose de maître, qui n'est pas encore dans les ouvrages de M. Poterlet. Il est fâcheux que M. Bonington n'ait pas arrêté davantage ses figures, et qu'il en ait fait comme des fantômes agissant au milieu d'une vapeur brillante coloriée, qui voile leurs traits et ne laisse apercevoir que leurs mouvements.* François Ier *et la reine de Navarre est une petite esquisse tout-à-fait vénitienne pour la couleur ; un peu plus de soin dans l'indication des contours en aurait fait un tableau charmant ; les chiens sont très bien par la forme et le ton. La* Vue de l'entrée du Grand Canal à Venise *est un bon ouvrage, moins bon pourtant que celui auquel il fait pendant[190].»*

Malheureusement, à l'exception d'*Henri IV*, tous les envois de Bonington au Salon ont disparu, qu'ils soient détruits ou bien si endommagés qu'il est impossible de juger de leur impact ou de leur qualité.

Ses deux tableaux vénitiens constituaient les plus grands paysages auxquels il s'était essayé jusqu'alors, et ceux-ci furent copiés par maints artistes français et britanniques durant les deux décennies qui suivirent. À l'instar de Granet[191], il en était arrivé à la conclusion, à la suite du Salon de 1824, que pour faire montre de ses compétences, il était essentiel de produire une œuvre d'exposition de grande dimension. En dépit des revenus réguliers et substantiels que lui fournissaient les commandes d'œuvres de cabinet des collectionneurs privés, les acquisitions et les commandes de l'État étaient, individuellement, plus rémunératrices. L'ouverture du musée Charles X, situé au Louvre, avec ses galeries rénovées et destinées à l'exposition permanente d'antiquités et de porcelaines, coïncidait avec celle du Salon et corroborait cette constatation. Les décors des plafonds avaient été attribués à tout un groupe hétérogène composé de peintres officiels et de plus jeunes artistes qui avaient préalablement fait leurs preuves dans des tableaux de grande dimension. Le *François Ier et Marguerite de Navarre* d'Alexandre-Évariste Fragonard, qui fut exposé au Salon, avant son installation, en fournit un très bon exemple. D'un style plus proche des inclinations de Bonington, la *Naissance d'Henri IV* d'Eugène Devéria (1808–1865 ; ill. 63) avec ses couleurs vénitiennes et sa veine rubénienne, fit également sensation. Bien qu'il n'ait pas été exécuté pour le musée Charles X, ce tableau fut acquis par l'État et procura par la suite à Devéria la commande d'un programme de décorations. La peinture de paysage, séduisante pour sa petite dimension et ses sujets italiens, offrait une liberté plus grande aux artistes qui devaient affronter les puissances établies, en particulier Forbin ; il est par conséquent regrettable que l'état actuel des deux tableaux vénitiens ne permette d'analyser avec exactitude la façon dont Bonington conduisit ses modifications stylistiques. Pour la peinture d'histoire, le changement d'échelle était beaucoup plus problématique, mais Bonington était convaincu que, puisque Devéria ou Fragonard en avaient eu raison, sa patience le récompenserait et qu'il parviendrait à son tour à des prouesses.

Son troisième séjour à Londres coïncidait avec l'exposition annuelle de la British Institution, où il n'avait pas exposé depuis 1826. En novembre 1827, Bonington s'adressait à William Bernard Cooke, lui promettant de lui envoyer des vues du cimetière du Père-Lachaise et de Venise, afin qu'il les grave, et lui demandant de se charger de soumettre à la British Institution une huile, *Venise, la Piazzetta* (n° 131), qui avait déjà été expédiée avec l'aquarelle *Le pont de Saint-Maurice* (n° 85)[192]. Pressentant alors que la *Piazzetta* était trop peu importante pour être exposée et profitant de la possibilité qui lui était offerte de lui substituer une autre œuvre, il remplaça la *Vue du palais des Doges* par l'œuvre de Carpenter, emporta la première avec lui à Londres et obtint qu'elle soit acceptée à la British Institution avant l'ouverture de l'exposition du 4 février. La date portée sur un dessin représentant une femme assise en costume du XVIIe siècle qu'il offrit à la fiancée de son hôte londonien, John Barnett, et celle du récépissé de 131 £ de Carpenter concernant sa toile vénitienne qu'il n'avait pas encore exposée, nous permettent de situer approximativement son séjour entre le 31 janvier et le 23 février[193]. Il ne séjourna pas à Londres jusqu'à l'ouverture de l'exposition de la Royal Academy en mai, comme on l'a longtemps supposé. Sans doute, eut-il finalement suffisamment d'assurance pour se présenter de son propre chef à Sir Thomas Lawrence durant son séjour, comme en témoigne cette lettre du président de la Royal Academy adressée à Lavinia Forster peu après la mort de Bonington en septembre :

«À en juger par la direction tardive que prirent ses études, et par le souvenir d'une conversation matinale, son esprit semblait se déployer en tout sens et avoir atteint une pleine maturité de goût qui rendait la stricte distinction des genres mineurs de l'art douloureusement ingrate et ennuyeuse[194].»

Il entendait sans doute par «mineurs» les domaines de la gravure et de l'aquarelle. Auparavant, en décembre, le *Journal des débats* avait annoncé la publication de la *Relation historique, pittoresque et statistique du voyage de S. M. Charles X dans le département du Nord* de Charles Durozoir, ouvrage auquel Bonington devait collaborer avec au moins une lithographie. Peut-être se heurta-t-il à un refus de dernière minute, néanmoins, il est plus vraisemblable que des affaires urgentes et plus importantes aient fait avorter ce projet. Mais Bonington n'abandonna pas complètement les travaux «ingrats et ennuyeux» de l'illustration de livres, car, au printemps, il esquissa trois vignettes à la sépia pour l'édition des *Chansons* de Béranger (n° 159), qui n'étaient pas sans signification esthétique et politique. Ce fut un projet monumental auquel tous les artistes de son cercle prêtèrent leur concours.

Le *Palais des Doges* reçut un accueil enthousiaste de la part des critiques londoniens et de leurs homologues français. La *Literary Gazette* notait :

«S'il était d'un effet plus lumineux, ce beau tableau serait comparable aux meilleures œuvres des Canaletti. Il a toute la vérité d'une chambre noire. L'exécution est magistrale ; et ceci ne s'applique pas seulement à l'architecture, à l'eau, etc., mais aussi aux personnages, nombreux, auxquels, par quelques coups de pinceau audacieux et bien placés, Mr. Bonington a donné un caractère et une expression que l'on voit rarement dans les productions de ce domaine des arts[195].»

Dans ses premiers comptes rendus de l'exposition, le critique de la *London Weekly Review* faisait remarquer « qu'il est, peut-être, supérieur à tout ce que l'on a pu voir depuis plusieurs années [...] Mr. H. P. Briggs, Mr Etty, Mr. R. P. Bonington, Mr. Lance et Mr. Stanfield comptent parmi ceux qui se sont particulièrement distingués[196]. » Selon lui, le *Palais des Doges* était le tableau «le plus étourdissant» de l'exposition, bien que la *Piazzetta* fût décevante. Néanmoins, celui-ci trouva un acquéreur en la personne de Robert Vernon, qui collectionnait alors des œuvres modernes en vue d'en faire don à l'État.

L'agitation fébrile des mois d'hiver se prolongea jusqu'au printemps. Le succès remporté par les tableaux vénitiens avait entraîné une avalanche de commandes de Coutan, Sir Robert Peel, Sir Thomas Lawrence et d'autres collectionneurs, tandis que l'approche de l'exposition de la

63: Eugène Devéria (1805–1865)
La naissance d'Henri IV, Salon de 1827
Huile sur toile, 484 × 392
Paris, musée du Louvre

Royal Academy offrait à nouveau l'occasion d'une exposition publique. En mai, Bonington choisit d'envoyer à Londres trois huiles représentatives de l'étendue de ses ambitions : une *Scène côtière* non identifiée ; *Henri III de France*, le premier sujet historique qu'il exposerait en Angleterre ; et l'*Entrée du Grand Canal*, commande de Carpenter, réintitulée à cette occasion, *L'entrée du Grand Canal, avec Santa Maria della Salute*. La *London Weekly Review* limita sa critique à la dernière œuvre: «Elle rappelle par certains côtés la manière large de Prout. La perspective de cette longue nappe d'eau tranquille est pleine de vérité ; mais l'atmosphère est à peine asse tiède pour Venise[197].» Le *New Monthly Magazine* considérait *Henri III* comme une œuvre «certes inachevée, mais où se déploient un style puissant et une large facture qui révèlent la main d'un maître[198].» Le 24 mai, la *Literary Gazette* recommandait la gravure de W. J. Cooke d'après *Le pont de Saint-Maurice* que Colnaghi venait de publier et, dans sa critique de l'exposition, saisit le prétexte du tableau vénitien pour rendre hommage à Bonington : «En très peu de temps, cet artiste de talent s'est tant distingué par le brio de sa touche que son nom apposé à une œuvre est une garantie suffisante de l'excellence de celle-ci[199].» Une semaine auparavant, le même critique fulminait contre le jury du Salon, lui reprochant d'avoir placé *Henri III* près du sol :

«*Who put my man i'th' stocks?*» *s'écria Lear indigné, après avoir trouvé son fidèle serviteur dans cette position peu enviable. C'est avec le même accent d'indignation que nous nous demandons : qui a placé ce tableau ici ? Pourquoi fant-il s'abaisser jusqu'à en avoir le dos rompu, est-ce là le prix qu'il faut payer pour avoir le plaisir d'admirer cette œuvre talentueuse ? Cette exécution aurait fait honneur au jugement de l'Académie, si on lui avait accordé une place honorable telle que le permettait la configuration des salles (la cimaise de la Grande Salle aurait été une place tout indiquée pour ce tableau). Outre l'harmonie des couleurs qui honorerait l'école d'art toute entière, le sujet est traité d'une façon magistrale. La justesse de cette illustration du caractère et des coutumes de ce monarque français, permet de la placer au même rang que certaines scènes si bien décrites par Walter Scott dans Quentin Durward, ou que n'importe lequel de ses romans historiques[200].*»

187. Lettre manuscrite (Pierpont Morgan Library, New York) citée par Pointon, *Circle*, p. 113 et p. 116 n° 56.

188. C'est probablement à cette période que remonte une lettre manuscrite rédigée sur papier filigrané, datée de 1826, et adressée à Colin (Fondation Custodia, Institut neerlandais, coll. F. Lugt) :

«*Mon cher Colin*

Je te demande mille excuses de t'avoir négligé si longtemps que me direz vous quand vous saurez que je pars demain pour Londres, sois un peu patient, je serais de retour un jour – du reste, mon déménagement et mille autres choses ont fait qu'il m'été impossible d'aller te voir fait je t'ai prie mon interprète auprès de ta faite des mille excuses de ma parte -Croyez mon cher que je ne suis pas moins ton ami.

R. P. Bonington»

189. Le catalogue du Salon ne mentionne qu'une aquarelle, mais le registre d'inscription des œuvres indique que trois dessins furent acceptés. Ils sont inventoriés comme de simples «aquarelles» ; dimensions avec cadre : 39 × 35 cm ; 39 × 45 cm ; et 48 × 42 cm.

190. Jal, *Salon de 1828*, p. 498.

191. Granet notait dans ses *Mémoires* : «Je composais toujours quelques petits tableaux que je vendais aux amateurs qui venaient visiter Rome : mais lorsque j'en avais peints plusieurs d'une petite dimension, il me semblait avoir perdu mon temps, mes idées de gloire se réveillaient dans ma tête et je cherchais quelque site plus important pour prouver à ceux qui suivaient mes progrès que tous mes efforts tendaient à faire de mon mieux.» Citation extraite d'Edgar Munhall, *François-Marius Granet, Watercolors from the Musée Granet at Aix-en-Provence*, New York, The Frick Collection, 1988, p. 45.

192. Lettre du 5 novembre 1827 adressée à W. B. Cooke, publiée par Dubuisson et Hughes, p. 79.

193. Le dessin est conservé à la National Gallery, Washington, D.C. Le récépissé, daté du 23 février 1828, fut cité par Dubuisson et Hughes, p. 81.

194. Dubuisson et Hughes, p. 82–83.

195. *The Literary Gazette*, 9 février 1828, p. 90.

196. *The London Weekly Review*, 16 et 23 février 1828, p. 92 et p. 124.

197. *The London Weekly Review*, 31 mai 1828, p. 348.

198. *The New Monthly Magazine*, 1er juin 1828, p. 254.

199. *The Literary Gazette*, 24 mai 1828, p. 332.

200. *The Literary Gazette*, 17 mai 1828, p. 315.

64: Eugène Delacroix (1798–1863)
Illustration pour *Faust*, 1827
Lithographie, 31,5 × 24
New Haven, Yale Center for British Art

Ce critique élogieux ne savait pas que le tableau de genre le plus ambitieux de Bonington, *Quentin Durward à Liège* (n° 143), se trouvait alors dans son atelier à Paris et devait être vendu à la duchesse de Berry. *Henri III* ne se vendit pas à Londres, mais il paraît avoir suscité l'intérêt des graveurs puisqu'ils demandèrent l'autorisation de le reproduire[201].

Cet éloge faisait immédiatement suite à la critique accablante à l'égard du *Boccace racontant l'histoire d'une cage d'oiseau* (Londres, Tate Gallery) de Turner :

«Sur terre comme sur mer, Mr. Turner est résolu, non pas à briller, mais à étinceler et à éblouir. Watteau et Stothard, silence ! Vous avez enfin trouvé votre maître ! Si Mr. Turner avait qualifié cette production d'«esquisse», exécutée à la manière de l'un ou l'autre des artistes ci-dessus mentionnés, on aurait pu croire qu'en dépit du dépassement atteint dans le rendu de l'éclat et du rayonnement, s'il avait terminé son œuvre, il aurait pourtant apporté des qualités qui auraient pu racheter un tel clinquant, non plus simple offense aux principes de l'art mais également au sens commun[202].»

La confrontation critique de ces deux œuvres était, à l'évidence, intentionnelle. Toutes deux étaient incluses dans la section peinture, toutefois il est vraisemblable que le tableau de Turner, artiste plus âgé et membre de la commission d'accrochage, avait obtenu en conséquence une meilleure place. Tout comme Bonington, Callcott ou d'autres maîtres paysagistes, Turner partageait le goût répandu pour les tableaux de genre et s'efforçait, lui aussi, du milieu à la fin des années 1820, de répondre à cet engouement, mais sans autant de succès. Le *Boccace* était une vignette agrandie qui faisait intentionnellement écho aux imitations des œuvres de Watteau par Thomas Stothard, et était destiné à une édition illustrée du *Decameron* (Londres, 1825). Toutefois, aucune analyse ne pourrait hisser ce qui n'était qu'une simple curiosité au rang de chef-d'œuvre. *Henri III* n'était pas un sujet de genre historique populaire en France et le *Henri III à son lit de mort* (Paris, musée du Louvre) de Joseph Beaume (1796–1855) fut le seul tableau connu relatif à la vie de ce monarque qui fut exposé à Paris dans les années 1820. Dernier représentant de la lignée des Valois, il fut éclipsé par son successeur de fait, Henri IV et c'est lui qui était, en définitive, le véritable héros de l'œuvre de Beaume[203]. Autour de 1820, les opinions sur le personnage étaient mêlées : il était perçu comme un homme cultivé, d'une vive intelligence, mais aussi comme un monarque indolent, efféminé, velléitaire, totalement sous l'emprise de sa mère et de la coterie de mignons débauchés dont il s'entourait. À cause de défauts ajoutés à une intolérance religieuse, il servait de repoussoir parfait à Henri IV, et son assassinat pour avoir fait exécuter son adversaire politique, Henri, duc de Guise — châtiment qu'au XIXᵉ siècle on considéra comme mérité — désensibilisa l'opinion à son égard. Il ne fait aucun doute qu'il faille expliquer le regain d'intérêt qu'il suscita à la fin de la décennie par des motivations d'ordre politique : la déception consécutive aux mesures répressives prises par Charles X. Toutefois, il est délicat de déterminer les intentions exactes de Bonington : voulait-il condamner cette politique ou seulement lancer un cri d'alarme ? À l'évidence, il avait connaissance des implications éventuelles d'un tel sujet, mais il était surtout soucieux de renvoyer de Henri III une image qui correspondrait à celle du public anglais, lequel nourrissait une véritable aversion envers celui qu'il voyait comme l'instigateur du massacre de la Saint-Barthélémy, le soupirant éconduit de la reine Elizabeth — totalement mythifiée à l'époque. En outre, l'Angleterre était alors pleinement consciente des réalités politiques européennes et condamnait la récente intervention armée de la France en Espagne.

Le portrait que Bonington fit du monarque était décidément flatteur et contrastait violemment avec l'œuvre, quasi contemporaine, de Delacroix *Henri III près du lit de mort de Marie de Clèves* (collection privée). Comme l'a noté Lee Johnson, Delacroix tentait de réévaluer Henri en le montrant en proie à l'intense douleur que lui causait la perte de sa maîtresse. La pose et le portrait de Henri lui furent inspirés par le *Recueil de F.-R. de Gaignères*

(1642–1715) qu'il prêta plus tard à Bonington (Paris, Bibliothèque nationale). À son tour, il emprunta à ce dernier une esquisse à la mine de plomb de la tête de la Vierge de la *Visitation* de Sebastiano del Piombo (Paris, musée du Louvre), qui lui servit pour le portrait de Marie de Clèves[204]. Bonington avait, quant à lui, déjà utilisé cette étude pour le visage de l'infirme dans son *Usage des larmes*. Par conséquent, les deux artistes avaient une connaissance évidente de leurs œuvres respectives et entraient en compétition dans un esprit de rivalité bienveillante.

Johnson a pris le parti d'analyser le *Henri III* de Delacroix en le replaçant dans le contexte d'un programme d'illustration précis, qui comportait de petites œuvres de cabinet exécutées sur le thème de la vie amoureuse de la monarchie française de Charles VI à Henri IV. Brantôme fut pour lui une possible source historique, en lui fournissant la conception générale et une foule d'anecdotes particulières[205]. Bonington connaissait certainement les sources de son ami, mais dans ce cas précis, il fut totalement réfractaire à l'idée de faire rentrer en grâce Henri III. D'une façon qui ne lui était pas coutumière, il livrait ses propres sources historiques dans le livret de l'exposition de la Royal Academy en transcrivant une citation d'Alexandre Dumesnil tirée de *Don Juan d'Autriche* (Paris, 1825) :

«*Je [Don Juan] suis allé ce matin au Louvre sous les auspices de Gonzagues. Le Roi venait de présider au Conseil, nous l'avons trouvé dans son cabinet avec une demi-douzaine de petits chiens, ses plus affectionnés mignons, des perroquets, et une guenon qui sautait sur les épaules de sa majesté. Les chiens et les mignons furent congédiés. Nous restâmes avec les perroquets.» Hist. de Don Juan d'Autriche[206].*»

Le sujet choisi par Bonington était une anecdote secondaire, sans rapport avec un grand moment historique, mais qui, toutefois, dévoilait la psychologie du roi. La féminité affectée des manières et du costume de Henri, est totalement exprimée dans le geste de la pâle main qui agite un éventail de plumes de paon. Son amour, connu et d'ordre pathologique, des animaux est exprimé à l'aide d'une palette généreuse en couleurs. Toutefois, le singe — dont il n'est fait que mention dans le texte de Dumesnil — remplit ici une importante fonction narrative et sans doute métaphorique : en effet, aux yeux du public anglais des années 1820, le singe symbolisait le caractère français[207]. Son jeu avec le crucifix, qui pourrait facilement être interprété comme une allusion satirique à la faiblesse morale et à l'hypocrisie religieuse du roi, accentuait l'inquiétude manifeste de Don Juan, dont la mission était de découvrir les véritables convictions de Henri pour son maître très catholique, Philippe II d'Espagne, en se faisant passer pour un noble italien.

Tout comme dans ses premières œuvres, Bonington a disposé dans son tableau un abondant bric-à-brac d'objets historiques. Sur la table, la nature morte resplendissante de cristal et de dorures est presque digne de Rembrandt. Le traitement de la nappe verte évoque le *Faust et Mephistophélès* de Delacroix, exposé au Salon précédent. Les incisions ou les coups de brosse dans la couche épaisse de peinture pour rendre la grossièreté d'un tissage était un procédé de prédilection de Delacroix à cette époque, qui lui venait peut-être de la technique par hachures de ses lithographies. Les traits d'un ambassadeur espagnol de la *Fête donnée à l'occasion de la trêve de 1609* (Paris, musée du Louvre) par Adrien van de Venne (1589–1662) servirent, eux, de modèle à Don Juan. La pose du monarque fut souvent interprétée comme une imperfection de dessin. Des morceaux semblables, comme dans *Amy Robsart et Leicester*, passaient aux yeux de certains comme la preuve que Bonington avait des progrès à réaliser dans la représentation en raccourci des personnages en costume. Quant à Thoré, il louait l'aisance dans le rendu de la légèreté et de l'inconsistance des personnages de cette œuvre qui en faisait l'un des meilleurs tableaux avec figures britannique[208]. Toutefois, l'inélégance de la pose et du modelé qu'on notait — dans les œuvres de Delacroix à cette période ne pouvait être mise au compte de la seule influence britan-

65 : *Personnages du* Portement de croix *de Martin Schongauer*, vers 1825
Mine de plomb, 11,1 × 15,1
Collection particulière

201. H.C. Shenton, qu'il avait rencontré en 1825, fut choisi par Ackermann pour graver le *Henri III* pour sa publication annuelle *Forget-Me-Not*. L'éditeur devait payer 10,10 £ pour les droits de reproduction. Dans une lettre du 10 juillet, Bonington demanda l'aide de Barnett pour les négociations : «craignant que les tableaux soient invendus, je voudrais en retirer tout le profit possible, mais je serais aussi heureux d'en tirer 15,15 £ que 10,10 £» (voir Noon 1981).

202. *The Literary Gazette*, 17 mai 1828, p. 315.

203. On le décrivait souvent ainsi dans les livres d'histoire sur le règne de Henri IV ; voir notamment, Hardouin de Péréfixe, *Histoire du Roi Henri le Grand*, dont Delacroix et Bonington connaissaient bien l'édition du XIXᵉ siècle.

204. Johnson, *Delacroix*, t. 1, nᵒ 126 ; t. 2, pl. 110 ; et «A new Delacroix : *Henri III at the Deathbed of Marie de Clèves*», *Burlington Magazine*, septembre 1976, p. 620–622. Johnson a fourni une analyse approfondie sur cet intéressant échange d'inspiration. Toutefois, il est possible que ce soit plutôt Delacroix, et non Bonington, qui ait attiré l'attention de ce dernier sur le Piombo. Il est important de savoir que les deux artistes ont maintenu d'étroites relations dans leur création jusqu'à la mort de Bonington.

205. L'édition par Monmerqué des œuvres complètes de Brantôme fut publiée à Paris en 1822.

206. Tel qu'il fut imprimé dans le catalogue de la Royal Academy.

207. Voir par exemple Hazlitt, *Notes*, p. 139 : «Parce que les Français ont une vivacité de geste et de parole, ils sont un peuple théâtral ; s'ils sourient et usent de politesse, ils ressemblent à des singes — idée dont un Anglais ne peut se défaire.»

208. Thoré 1867, p. 12.

66: *Soirée vénitienne*, vers 1826—1827
Huile sur toile, 55 × 46,5
Cambridge, Fogg Art Museum

nique, ni être interprétée comme un manque de justesse de dessin, car ces distortions anatomiques délibérées, et souvent extrêmes, se retrouvent dans des illustrations de Goethe — *Faust* (ill. 64), *Cromwell au château de Windsor* (n° 142) ou *François Ier et la duchesse d'Étampes* (n° 134) — dont la force psychologique extraordinaire est indiscutable.

Plusieurs années après, se remémorant l'accueil qui avait été réservé aux lithographies de *Faust*, Delacroix racontait sa consternation devant les nombreuses caricatures dont elles avaient fait l'objet, le dénonçant comme l'apôtre de «l'école du laid[209]». En 1824, «laideur» était le terme qui revenait le plus fréquemment sous la plume de Delécluze, appliqué aux sujets et au style des peintres romantiques et à leur entourage littéraire dont Victor Hugo avait fait l'exposé complet des doctrines dans sa préface de *Cromwell*. La parution de cet ouvrage et des lithographies du *Faust* furent contemporaines et la critique établit inévitablement une parenté entre les deux œuvres. La démonstration quelque peu polémique de Hugo sur la civilisation occidentale faisait de la notion du «grotesque» le centre de la pensée post-classique, se manifestant dans l'art, l'architecture, le costume, les superstitions, les rites religieux, le sens civique de toute société. Nier cet héritage, à la manière des néoclassiques, c'était renoncer à la modernité et se méprendre sur la complexité, et de la nature humaine, et de la relation de l'homme à la nature.

«Le Beau n'a qu'un type, le laid en a mille. C'est que le beau, à parler humainement, n'est que la forme considérée dans son rapport le plus simple, dans sa symétrie la plus absolue, dans son harmonie la plus intime avec notre organisation. [...] Ce que nous appelons le laid, au contraire, est un détail d'un grand ensemble qui nous échappe, et qui s'harmonise, non pas avec l'homme, mais avec la création tout entière[210].»

La thèse d'Hugo justifiait, dans des termes plus généraux, la majorité des écrits, des pièces de théâtre et des tableaux de ses pairs, et réhabilitait des notions esthétiques qu'on avait jugé dépassées, telles le pittoresque, la couleur locale ou le sublime. Dans le domaine des arts picturaux, il citait Rubens et Veronese qu'il considérait comme des utilisateurs brillants du grotesque, mis en œuvre dans l'exploitation récurrente des figures de nains, de noirs ou d'autres types physiques inattendus qu'on trouvait dans leurs œuvres magistrales. Toutefois, en peinture, Hugo était à la fois conservateur et étonnamment inculte et, pensant s'exprimer au nom de Delacroix et d'autres, il effleurait seulement les problèmes réels qui les préoccupaient. Les nains, les monstres, les sujets hideux et la formidable et froide angulosité des armures médiévales constituaient de puissants stimulants visuels, ce qui explique pourquoi la caricature et l'effet macabre furent tant exploités dans l'illustration littéraire au cours des décennies qui suivirent, en particulier dans le cercle des dessinateurs qui fréquentaient le salon de Hugo. Cependant, la «laideur» et, paradoxalement, la beauté idéale des lithographies de *Faust* — qui en font des œuvres exceptionnelles et bien supérieures aux lithographies d'illustration romantiques — venaient à la fois de l'extrême distorsion des physionomies, de l'invraisemblance des poses et de l'insolite construction spatiale exprimant l'obsession diabolique proprement nordique qui habitait le texte indépendamment de la scène et des personnages représentés. Pour Hugo, la Marguerite de Delacroix ressemblait à un têtard ; pour Baudelaire, elle était l'essence de la modernité. Parce qu'il s'agissait d'illustrations, Delacroix s'était, dans ses lithographies, autorisé une liberté plus grande que s'il s'était agi de tableaux de grands formats ; toutefois, on trouve aussi dans certaines de ses huiles, majeures ou mineures, une invention formelle supérieure domptée par une intuition et un tempérament uniques[211]. On trouve également chez Ingres des exemples de déformations stylisées intensifiant la force dramatique de la composition et, quoique l'utilisation de ces procédés soit, chez Bonington, moins systématique et prononcée, on la trouve, contre toute attente, dans la pose gauche du page des versions de *Soirée vénitienne* (n° 123 et ill. 66) ou dans la figure de Slender dans l'huile *Anne Page et Slender* (ill. 38). Replacées

209. Delacroix, *Correspondance*, t. 4, p. 303–305 ; lettre adressée à Philippe Burty, datée du 1er mars 1862, dans laquelle Delacroix rapporte en détail la commande de *Faust*. Il fut mal dédommagé par Motte, bien qu'il reçût (la commande d'?)une gravure d'après le *Portrait de Pie VII* de Lawrence, à propos duquel il écrivit un article flatteur en 1829. Dans la même lettre, il se souvient également avoir exécuté une lithographie d'après une aquarelle originale de Bonington : «Peut-être s'en sera-t-il répandu quelque autre qui aura donné l'idée de l'attribuer à Bonington. Mais mon dessin est bien loin de la légèreté qu'il mettait dans ses lithographies et, il faut le dire, dans tout ce qui sortait des mains de cet admirable talent. J'apprends que la jeunesse de ce temps ne l'apprécie guère. Il partage cette réprobation avec l'illustre Charlet qui, pour cette génération, est un homme de l'Empire et d'une exécution arriérée.»

210. Hugo, *Cromwell*, p. 50 *sqq.*

211. L'invention formelle des illustrations de Delacroix a souvent été entrevue comme le contrecoup de sa découverte du théâtre anglais lors de son séjour à Londres en 1825. Toutefois, ses idées étaient déjà en germe avant ce séjour. Au printemps 1824, son ambition la plus chère était de créer un nouveau style de peinture qui «rendrait intéressantes par l'extrême variété des raccourcis, les poses les plus simples.» (*Journal*, t.1, p. 63). A la lumière des observations qu'il fit au cours de ces mêmes semaines dans son journal, il est clair que Delacroix voulait que ce nouveau style se combinât aux techniques de peinture de Ingres et de Velasquez et à l'approche formelle des gravures du *Faust* de Retzsch et des *Désastres de la guerre* de Goya.

67: *La prière*, vers 1826
Huile sur toile, 35,9 × 27,9
Londres, Wallace Collection

dans le contexte de l'émancipation artistique des années 1820, de telles déformations sont l'expression d'une volonté consciente et ne peuvent être attribuées aux maladresses étourdies d'un geste machinal[212].

À la suite de l'ouverture de la Royal Academy, Bonington adressa une brève note à Barnett, dans laquelle il disait aller «cahin-caha, ni bien ni mal[213].» La remarquable feuille d'esquisses datée de la fin du mois de mai, représentant l'acteur Edmund Kean (n°158) — qui avait interprété le rôle de Shylock lors d'une tournée shakespearienne ayant eu lieu à Paris au printemps — ne permet pas de déceler la trace d'un affaiblissement physique; pourtant, au début du mois de juillet, il n'était plus capable de rédiger sa propre correspondance, bien que ses facultés mentales ne fussent pas encore altérées et qu'il continuât à diriger ses affaires. On ne sait pas ce qui survint alors, mais la majorité des premiers témoignages nous apprennent qu'il fut victime d'une insolation ou d'un épuisement nerveux tandis qu'il dessinait, puis, qu'il se rétablit brièvement avant de succomber brutalement à une complication d'ordre pulmonaire[214]. La soudaineté et la gravité de sa maladie surprirent ses amis intimes qui le croyaient d'une constitution plus robuste. En apprenant la nouvelle consternante à la fin du mois de juin, Paul Huet, qui avait prévu de retrouver Bonington et Isabey à Trouville, écourta son voyage et revint à Paris. Entouré des soins de ses amis, Bonington continua courageusement à travailler pendant l'été, exécutant de rares vues de Paris de l'intérieur d'un fiacre qu'il avait loué (n°s 161–163); mais la note qu'il envoya à un ami, dans laquelle il lui demandait instamment de lui rendre visite, ne dit que trop la gravité de son état à la fin du mois de juillet[215]. L'assistance médicale du père de Carrier se révéla inutile et, en septembre, les parents de Bonington décidèrent d'un traitement plus énergique. Un Anglais, spécialiste des troubles pulmonaires, que l'on dénonça plus tard comme un charlatan, John St John Long, avait, au mois de juin, été célébré pour ses traitements, et ils décidèrent d'aller le consulter en dépit de la fatigue qu'occasionnerait un voyage à Londres. Tous les traitements furent inutiles, et le 23 septembre, un mois avant son vingt-sixième anniversaire, Bonington succomba chez John Barnett.

La première des nombreuses notices nécrologiques qui parut dans la *Literary Gazette* le 27 septembre avait vraisemblablement été écrite par le même critique qui avait, peu de temps auparavant, tant vanté les œuvres de Bonington exposées à la Royal Academy. En remémorant, avec chaleur, sa carrière, et en faisant l'éloge de sa dévotion filiale, il offrait de nombreuses et intéressantes observations. En plus de la *Vue du Grand Canal* qu'il avait commandée, Carpenter avait acquis le grand *Palais des Doges*. On jugea que la collection George IV était la seule qui fût digne de *Henri III de France* et on le proposa alors à l'achat. La Royal Academy avait également décidé de rendre hommage à Bonington en tant qu'artiste britannique et organisa par la suite ses funérailles. Cette institution était représentée par Lawrence et Henry Howard, et la *Society of Painters in Watercolours* par George Fennel Robson et Augustus Pugin. Le Révérend T.J. Judkin, membre honoraire de la Royal Academy, officiait à la cérémonie. La nouvelle de la mort de Bonington était arrivée à Paris avant même la parution de la notice nécrologique. À la veille des funérailles, le *Journal des débats* (28 septembre), dont le critique d'art avait été le plus honnête à l'égard de Bonington, publia à son tour une très longue nécrologie tout aussi laudative, dans laquelle il lui donnait une envergure comparable à celle de Géricault, tout en revendiquant son appartenance à l'école française. La notice la plus documentée, écrite par Auguste Jal pour *Le Globe* (5 octobre), commençait en fournissant une liste de jeunes peintres récemment décédés, dont bon nombre étaient des amis de Bonington — Géricault, Michallon, Le Prince, Enfantin. Après avoir brièvement retracé la carrière de Bonington, il concluait en déplorant simplement, mais avec justesse: «la nouvelle école a perdu en lui une de ses gloires; la mort est venu en aide au classique[216].» La popularité et l'influence de Bonington en furent accrues jusqu'en 1840, date à laquelle elles déclinèrent. Lawrence, Prout, Colnaghi et d'autres artistes et marchands qui se montrèrent coopérants[217] organisèrent une succession de quatre ventes d'atelier qui commencèrent en 1829 et s'échelonnèrent jusqu'à la mort de la mère de l'artiste, en 1838. La vente de 1834 fut par ailleurs précédée d'une exposition publique habilement organisée à Londres où l'on pouvait voir des œuvres prêtées par des particuliers et des reliquats de son atelier, alors de plus en plus rares. La vente de 1829 fut la plus impressionnante, car en plus de la grande quantité des études et des premières aquarelles de Bonington, elle rassemblait une grande partie des esquisses italiennes à l'huile, et au moins une douzaine de toiles achevées. En qualité de mandataire du général Edmund Phipps, William Seguier acquit pour la somme la plus élevée (105 £) la sentimentale *Prière* (ill. 67). L'industriel Joseph Neeld obtint le *Quentin Durward à Liège* (n° 143) pour 94 £, et la marquise de Stafford le *Corso Sant'Anastasia à Vérone* (n° 155) pour 73 £. Peut-être en raison de l'excentricité de son sujet, le *Henri III* fut, quant à lui, acquis par la famille pour 84 £. Si l'on se souvient de la somme de 120 £ que Constable avait obtenue pour chacun de ses deux plus importants paysages, à peine quelques années plus tôt, et des 160 £, que Delacroix avait reçues en 1828 pour une commande de l'État, sa monumentale *Bataille de Nancy* (Nancy, musée des Beaux-Arts), il apparaît que les toiles de Bonington étaient devenues particulièrement recherchées.

Seguier s'acharna, en vain, dans les années 1830, à solliciter les administrateurs de la National Gallery afin qu'ils acquissent des œuvres pour l'État, tandis qu'Outre-Manche, Charles Rivet échoua dans ses entreprises de donations au Louvre. Malgré ces rebuffades officielles, la renommée de l'artiste s'étendit prodigieusement. Carpenter, Reynolds et d'autres encore tirèrent grand profit de leurs publications de gravures de reproduction, et les revues artistiques londoniennes s'acharnèrent à alimenter ces torrents d'enthousiasme par d'abondantes flatteries biographiques et critiques. En France, cet engouement n'était pas moins prononcé. La *Revue britannique*, dont Amédée Pichot devint le rédacteur en chef en 1835, publia un éditorial dont l'auteur anonyme, peut-être Pichot lui-même, expliquait l'étendue et les raisons de la célébrité de Bonington :

«Le dix-neuvième siècle [...] ne peut avoir qu'un seul caractère, dans les arts, dans la philosophie, dans la littérature. C'est l'éclectisme [...] Heureux si, par la fusion de ces genres divers, par la combinaison de ces styles, il parvient à une originalité propre et individuelle. Tel fut Richard Bonington. De toute l'école de peinture moderne, c'est peut-être le talent le plus original [...]. Bonington, sans préjugé, sans école, presque sans patrie, était précisément l'homme qu'il fallait pour régénérer l'art, pour en prévenir l'anarchie et présider à sa brillante métamorphose [...]. Le mouvement qui entraîne la peinture en France [...] c'est une confusion inouïe de souvenirs, de pensées, de génies divers ; le Moyen Age et l'Espagne catholique, et l'Italie papale, et l'Allemagne du dix-huitième siècle y ont part à la fois. Tel imite Joinville, et tel autre Rabelais ; celui-ci puise son originalité dans l'imitation de Walter Scott, et cet autre dans un calque du Dante [...] Parmi ces influences, celle de Bonington doit être comptée[218].»

Le commerce florissant de ses œuvres s'accompagna inéluctablement de la multiplication de faux et de pures imitations, en particulier pour le paysage. Les ambitions de la présente exposition ne sont pas de rendre compte d'un tel phénomène ; au reste, ce serait imposer au spectateur un exercice visuel fastidieux car, bien que des artistes compétents aient rivalisé avec Bonington — et un grand nombre y parvinrent —, ils ne purent s'approprier la vivacité de sa touche, sa compréhension instinctive des subtiles harmonies de couleurs et, surtout, le caractère transcendant de son serein naturalisme. Ses plus grands contemporains, tels Huet, Isabey, Corot, Delacroix, Rousseau, Decamps, puisèrent dans cette réserve d'innovations techniques et de singularité ce qui servirait leurs propres objectifs et transformerait le cours de la peinture française. Il est certain qu'ils y parvinrent d'une manière quelconque ; mais en isolant un groupe d'œuvres authentiques du fatras d'œuvres apocryphes et en les comparant avec une sélection d'œuvres exécutées par ses contemporains,

cette exposition voulait convaincre les visiteurs que l'apport de Bonington enrichit sensiblement l'histoire du Romantisme. Dans son *Essay, supplementary to the Preface* (1815), William Wordsworth écrivait : «Dans le domaine des beaux-arts, l'unique marque infaillible de génie tient dans l'élargissement du champ de la sensibilité humaine, pour le plaisir, l'honneur et le profit de la nature humaine[219].» Les hommages qui lui furent rendus et qui introduisent cet essai, les pastiches stylistiques, les souvenirs sincères d'amis comme Delacroix et Huet, constituent, à eux seuls, l'aveu d'une dette envers un tel talent.

212. Dans les cas de *Henri III* et d'*Amy Robsart et Leicester*, les évocations intentionnelles de Watteau doivent également attirer notre attention. L'intérêt de Bonington pour cet artiste est attesté par la documentation. Auguste-Joseph Carrier rapportait à Dubuisson que Bonington lui avait proposé le «contenu de son atelier» en échange d'une huile de Watteau alors en la possession de Carrier. Ce dernier, quoi qu'il en soit, avait déjà vendu l'œuvre à son professeur, Daniel Saint. Selby Whittingham supposa qu'il s'agissait de *La Perspective*, aujourd'hui conservée au musée des Beaux-Arts de Boston, mais autrefois à la Saint Collection. Cette œuvre servit peut-être de référence au *What you will* de Turner (Sobell collection) de 1822, qui s'inspire ouvertement de Watteau, mais l'hypothèse de Wittingham selon laquelle Turner et Bonington se seraient rencontrés à Paris en 1821 est fort peu probable («What you will ; or some notes regarding the influence of Watteau on Turner and other British Artists », *Turner Studies*, n° 5, 1985, p. 2 *sqq.*). Selon Ingamells (*Catalogue*, t. 1, p. 27) le *Mezzetin* de Watteau aurait pu servir de référence à la pose de Henri III.
213. Lettre manuscrite adressée à John Barnett, datée du 5 mai 1828 (Royal Academy of Arts Library, MSS. Collections, And/20/145) :
Cher Barnett,
Vous trouverez ci-joint un flacon d'huile de noix. Les nouvelles se font rares, quand vous aurez une minute, donnez-m'en. Quant à moi, tout va cahin-caha, ni bien ni mal.
Votre serviteur/R P Bonington
(Dear Barnett
The enclosed is the sample of the nut oil — news is scant here when you have a minute send me some everything with me is tol-lol neither good nor bad — hope all is well with you.
Yours truly/R P Bonington)
214. Frédérick Tayler définit de façon précise la cause des premiers affaiblissements de Bonington, en rapportant qu'il fut pris d'une insolation en dessinant sur une embarcation sur la Seine ; voir William T. Whitley, *Art in England 1821–1837*, Cambridge, 1930, p. 150–151. Cunningham (*Lives*, p. 256) publia une lettre de Lavinia Forster qui lui était adressée dont voici un extrait : «hélas... l'immense succès qu'obtenaient ses œuvres, les innombrables commandes de tableaux et de dessins qu'il avait reçues et le travail auquel il se livrait sans relâche lui causèrent une fièvre cérébrale, dont il ne se rétablit que pour sombrer ensuite dans un brutal effondrement.» («alas... the great success of his works, the almost numberless orders which he received for pictures and drawings, together with unremitting study, brought on a brain fever, from which he recovered only to sink in a rapid decline.»)
215. Lettre manuscrite datée du 21 juillet 1828 (BN Dossier Bonington, AC 8021) ; transcrite par Dubuisson et Hughes, opp. 81. Cette lettre est adressée à «Mons. Godefroy» et «Mon Cher Godefroy». On admet en général qu'il s'agissait de Pierre-Julien Gaudefroy, ancien camarade d'atelier. L'orthographe incorrecte de son nom peut prêter à confusion, mais on peut supposer qu'elle était admise à l'époque, puisque ce fut par l'intermédiaire du fils de Gaudefroy que cette lettre parvint à la Bibliothèque nationale.
216. «Bonington, Peintre de Genre», *Le Globe*, 5 octobre 1828, p. 745–746.
217. Lawrence semble avoir été particulièrement obligeant, comme le laisse supposer cet extrait d'une lettre de Richard Bonington qui lui est adressée (Royal Academy of Arts library, MSS. Collections, LAW/5/307) :
«Paris, le 16 février 1829
Cher Monsieur,
[...] Faisant appel à votre bonté, j'ai expédié dans une grande malle tout ce qui subsistait comme preuves du talent et du travail de mon cher fils, tâche qui m'incomba après sa mort fatale et prématurée. J'espère qu'ils vous parviendront bien sûrement et intacts, puisque je crois que l'emballeur y a mis un grand soin etc. et qu'il en a été fait de même pour les listes des tableaux, dessins et esquisses etc. etc. Je vous les transmettrai par l'entremise de mon cher ami M. Barnett par le courrier demain. La malle est expédiée pour Londres. [...]
Rd Bonington/Paris, rue des Mauvaises-Paroles, n° 16.
(Esteemed Sir,
[...] Availing myself of your goodness, I have forwarded in one large case all the reliques of my dear child's talents and industry, which devolved to me after his fatally premature death.
These I hope will reach you in safety and free from any injury, as I believe every possible care has been employed by the packer etc. and the lists of the paintings, drawings, and sketches etc. etc.
I transmit to you through the medium of my kind friend Mr. Barnett by tomorrow's post.
The case I hope by this is shipped for London. [...]
Rd. Bonington/Paris, rue des Mauvaises Paroles, n° 16.
218. «Bonington et ses émules» *Revue britannique*, juillet 1833, p. 158–167.
219. *William Wordsworth*, éd. Stephen Gill, Oxford, 1984, p. 659.

Avertissement

Cette rétrospective Bonington rassemble la plupart des peintures à l'huile connues, mais une présentation des œuvres sous forme de catalogue raisonné ne semblait pas convenir pour la publication proposée à cette occasion. C'est pourquoi nous avons limité les renvois bibliographiques aux textes historiques et critiques les plus importants. Les références citées en abrégé sont données *in extenso* à la fin de l'ouvrage. En revanche, l'historique des œuvres est aussi complet que possible : le critère d'authenticité le plus fiable consiste à retrouver la trace d'une œuvre dans l'une des ventes d'atelier organisées après le décès de l'artiste ou dans l'une des expositions destinées à promouvoir ces ventes. Il faudrait faire preuve d'une méfiance bien excessive pour imaginer que des œuvres offertes à l'artiste de son vivant, par des amis comme Eugène Isabey ou Paul Huet, aient pu passer sans encombre pour d'authentiques Bonington lors des ventes d'atelier. Celles-ci étaient en effet étroitement surveillées par les parents du peintre qui connaissaient parfaitement son œuvre et protégeaient jalousement sa réputation.

Le catalogue et l'exposition suivent l'ordre chronologique. L'alternance des peintures à l'huile et des œuvres sur papier est toujours un cauchemar pour les commissaires d'expositions et leurs architectes. Mais cette formule s'imposait ici, si l'on voulait mettre en lumière les méthodes de Bonington et son évolution artistique. Sauf mention contraire, le support des œuvres graphiques est un papier vélin blanc ou crème, généralement fabriqué en Angleterre.

Les dimensions des œuvres sont données en centimètres, la hauteur précédant la largeur.

I

PORT DE PÊCHE, BOULOGNE,   vers 1818
Mine de plomb et aquarelle avec grattages sur
papier vergé, 12 × 20,5

Fausse signature à la plume, en bas à droite :
RPB. Au verso, inscription au crayon : *11 /
Bonington*

Provenance : amateur anonyme (Londres,
Sotheby's, vente du 14 juillet 1988, n° 102)

Collection particulière

Cette aquarelle de jeunesse, l'une des rares à
être bien conservée, est à peine postérieure à
l'arrivée de Bonington en France vers la fin de
l'automne 1817. Le port de Boulogne avait pris
de l'importance sous Napoléon. Le duc de
Rutland, souvent amené à traverser la Manche,
exprimait son étonnement lors d'un
débarquement à Boulogne en 1815 : « C'est
vraiment un beau travail, quand on songe que
ce qui n'était jadis qu'une simple petite crique
misérable formée par la marée est à présent un
excellent port [...] capable d'accueillir trois
cents navires[1]. » L'aquarelle représente un
mouillage réservé aux bateaux de pêche.
   Si l'on y retrouve peu d'éléments du style
adopté alors par son maître, le Calaisien Louis
Francia (voir le n° 17), cette œuvre n'en révèle
pas moins des compétences peu communes pour
un adolescent. À cette date, les aquarelles de
Bonington rappellent plutôt les œuvres tardives
de Thomas Girtin (1775–1802), telles les études
pour son *Eidometropolis* (Londres, British
Museum, 1802) ou les *Vues de Paris et ses environs*

gravées à l'eau-forte (1802–1803 ; ill. 3). Des
gravures de ce genre, ajoutées aux dessins de
marines exécutés par Francia d'après Girtin et
aux aquatintes imprimées d'après d'autres
peintres de l'école de Girtin comme Samuel
Prout (voir le n° 89), ont indéniablement inspiré
à Bonington la touche ample et la palette
discrète de ses premiers essais à l'aquarelle.
   Le dessin nerveux mais subtil de la partie
droite, qui a son corollaire dans les contours très
fouillés du gréement, confirme que l'artiste a
d'abord tracé les grandes lignes de la
composition au crayon, avant de la modifier
radicalement en appliquant les lavis. Ces
remaniements en cours d'exécution sont
caractéristiques de la technique de Bonington.

1. Duc de Rutland, *Journal of a Short Trip to Paris During
the Summer of 1815*, Londres, 1815, p. 7.

2

PETITES EMBARCATIONS SUR UNE MER
AGITÉE,   vers 1818–1819
Mine de plomb et aquarelle avec grattages,
13,8 × 19

Signé à la plume en bas à gauche : *R P Bonington*

Provenance : sans doute acheté à l'artiste par
L.-J.-A. Coutan ; transmis par héritage à Mme
Milliet ; donation Milliet, Schubert et Hauguet,
1883 (Lugt 1886)

Paris, musée du Louvre, département des Arts
graphiques (R.F. 1467)

Ce type de composition avec un bateau isolé
bravant la houle et un ciel menaçant, dans
lequel excellait Francia, allait devenir une source
de revenus faciles pour beaucoup de peintres de
marines moins inventifs, tel Théodore Gudin
(1802–1880). Cette feuille a peut-être un
pendant à Édimbourg (National Gallery of
Scotland, collection Barlow), qui représente un
bateau analogue retournant au port sous des
cieux plus cléments. Ici, on reconnaît la
signature en cursive utilisée par l'artiste
jusqu'aux environs de 1820.

Après l'arrivée de sa famille à Paris à la fin de
1818 ou au début de 1819, Bonington commença
à peindre à l'aquarelle des marines qu'il
destinait avant tout aux albums de certains
collectionneurs. Les gravures et dessins de
maîtres anciens sous couverture cartonnée ont
toujours figuré en bonne place dans les cabinets
d'amateurs, mais la vogue de ce type de
collections très personnelles n'eut guère
d'incidence sur l'activité des artistes avant le
XIXe siècle. Cet engouement fut favorisé par des
nouveautés comme les paysages peints à
l'aquarelle ou lithographiés, par la mode du
dessin considéré comme un passe-temps et par
la transformation des pratiques du mécénat.
Dans sa critique du Salon de 1824, Stendhal
remarquait malicieusement que, désormais,
étant donné l'exiguïté des appartements
parisiens, les collectionneurs ne pourraient plus
conserver chez eux que des gravures[1]. Honoré
de Balzac attribuait l'abandon des peintures
monumentales au profit des miniatures et des

œuvres graphiques dans les collections
particulières à un nivellement du goût provoqué
par la nouvelle répartition des richesses[2]. De
toute évidence, la prospérité d'un jeune artiste
reposait plus que jamais sur le soutien officiel de
l'État et de l'Église, seuls capables de payer et
d'héberger des «grandes machines» de Salon, et
sur la volonté manifestée par la bourgeoisie et
l'aristocratie d'acquérir des œuvres d'un format
et d'un prix plus modestes. Vers 1825,
n'importe quel artiste travaillant à Paris pouvait
tirer un revenu substantiel de la vente
d'aquarelles, et c'est précisément ce que firent la
plupart des principaux peintres de la génération
de Bonington. La renommée précoce de
Bonington tenait exclusivement à ses petits
paysages à l'aquarelle, mais, d'après Eugène
Delacroix, il comprit en avançant dans sa
carrière qu'il lui faudrait démontrer ses talents
sur une plus vaste échelle pour parvenir à une
véritable consécration[3].

Une grande confusion entourait jusqu'ici
l'identité de l'un des premiers clients de
Bonington, Louis-Joseph-Auguste Coutan (mort
en 1830), à cause de son homonymie avec un
peintre actif à la même époque, et sans aucun
lien de parenté avec lui, Amable-Paul Coutan
(1792–1837). L'introduction au catalogue de la
dernière vente de sa collection (en 1889)
indique bien que le client de Bonington était un
riche drapier domicilié près de la place
Vendôme. Le commerce de la famille Bonington
a pu fournir l'occasion de la première rencontre
entre l'artiste et l'amateur d'art, encore qu'ils

aient dû se croiser souvent, dès cette date, dans les galeries et les ateliers parisiens à la mode.

Coutan, fervent défenseur de l'école moderne, s'était lié d'amitié avec ses principaux représentants, notamment avec le premier maître de Bonington, le baron Antoine-Jean Gros (1771–1835) qui devait prononcer son éloge funèbre, et avec Delacroix, qu'il rencontra en 1823. La vente après décès de Coutan, les 17 et 18 avril 1830, comportait trois huiles et huit aquarelles de Bonington. Une part tout aussi importante de la collection revint par héritage à la nièce de Coutan, Mᵐᵉ Hauguet (morte en 1838), qui la transmit à son tour aux familles Milliet, Schubert et Hauguet. Avant d'organiser une vente aux enchères, les héritiers invitèrent le vicomte Both de Tauzia, conservateur des peintures au musée du Louvre, à choisir des œuvres au nom de l'État. Tauzia sélectionna quatre œuvres de Bonington : deux huiles et deux aquarelles, dont celle qui est reproduite ici. Au cours de la vente proprement dite, dix autres œuvres sur papier de Bonington furent dispersées[4].

1. Stendhal, *Mélanges*, à la date du 2 septembre 1824.
2. Balzac, *Les Illusions perdues*, Paris, 1837, p. 43
3. Delacroix, *Correspondance*, t. IV, p. 287–288.
4. Paris, hôtel Drouot, vente des 16 et 17 décembre 1889, nᵒˢ 37 à 46.

3

LE PONT DES ARTS VU DU QUAI DU LOUVRE, vers 1819–1820
Mine de plomb et aquarelle, 21 × 29

Signé (?) à la plume en bas droite : *RPB*.
Filigrane : *Cresw[ick]/1818*[1]

Provenance : sans doute Lewis Brown (Paris, vente des 12 et 13 mars 1839, *Pont des Arts et Notre-Dame, le lever du jour*) ; James Mackinnon, 1988 ; Paul Mellon

Collection Paul Mellon

Dans sa période de formation, faute de ressources financières suffisantes, Bonington ne pouvait aller au-delà de Paris et ses environs immédiats pour travailler sur le motif[2]. À la même date que cette vue du pont des Arts, il a exécuté des aquarelles représentant l'hôtel des Invalides et un panorama de Paris vu du cimetière du Père-Lachaise[3]. Puis il a peint des vues du Pont-Neuf (collection particulière) et du jardin du Luxembourg (Londres, British Museum). Bonington reviendra maintes fois sur ce site du pont des Arts, l'un des plus touristiques de la capitale[4].

La signature a peut-être été rajoutée après coup, Bonington n'ayant pris l'habitude d'apposer ses initiales sur ses aquarelles que vers 1825. L'aspect encore assez imprécis du premier plan, du ciel et du pont oblige à se demander s'il s'agit bien d'une œuvre « achevée ». On dirait plutôt une étude d'après nature, portant sur la lumière matinale et la brume qui enveloppent l'île de la Cité. Cette démarche consistant à étudier un effet précis caractérise aussi ses esquisses à l'huile plus tardives, exécutées en plein air.

1. Une copie grossière à l'aquarelle (New Haven, Yale Center for British Art) du *Port de Boulogne à marée basse* (Nottingham 1965, nᵒ 202, repr.) est exécutée sur un papier présentant le même filigrane.
2. Roberts, Paris, B.N., dossier Bonington.
3. Londres, Christie's, vente du 24 mars 1987, nᵒ 116, repr. couleur ; et Londres, Victoria and Albert Museum (Pointon, *Bonington*, nᵒ 16).
4. Plusieurs aquarelles portant le même titre sont passées dans les ventes d'atelier : 1829, nᵒ 43, non adjugé, et 1834, nᵒ 108 ; 1834, nᵒ 124, acheté par W.J. Cooke, et vente Cooke, Londres, Sotheby's, 16 mars 1840, nᵒ 130, non adjugé ; voir également le nᵒ 163 infra.

4

ENTREVUE D'ELISABETH Iᵉ AVEC LES COMTES
DE LEICESTER ET DE SUFFOLK,   vers 1821
Mine de plomb et lavis brun avec grattages,
10 × 7,9

Signé à la plume en bas à gauche : *R P Bonington*.
Au verso, inscription au crayon : *Kenilworth p.
137 | Quarrel and reconcilement between Sussex and
Leicester*

Provenance : Edward Basil Jupp (1812–1877) ;
legs de ce dernier à la Royal Academy

Londres, Royal Academy

Cette composition évoque l'entrevue durant
laquelle la reine Élisabeth Iᵉ d'Angleterre
enjoignit aux comtes de Leicester et de Suffolk
de mettre fin à leur rivalité. L'épisode est relaté
par Sir Walter Scott au chapitre XVI de son
roman *Kenilworth*, publié au début de 1821. Dans
son journal intime, Henry Edward Fox note
qu'il l'a lu à la date du 15 janvier. Un long
compte rendu du livre parut dans la *Literary
Gazette* du 20 janvier. À cette époque, on n'avait
pas commencé à publier en même temps à
Londres et à Paris chacun des nouveaux romans
de Walter Scott, mais selon toute apparence,
Kenilworth était en vente chez les libraires
français dès le mois de février.

Quand il étudiait auprès du baron Gros,
Bonington dessinait souvent des illustrations
pour gagner un peu d'argent et partir en
excursion dans les environs de Paris avec son
condisciple Jules-Armand Valentin. James
Roberts explique : « Vers cette époque,
Bonington commença à exécuter
professionnellement de petits dessins d'histoire
d'après des sujets tirés des romans de Walter
Scott, qu'il avait trouvé le temps de lire dans
leur intégralité à cette date, et qu'il avait tous
dévorés avec avidité. Il trouva facilement une
clientèle pour ces images qu'il commença par
vendre en France à vil prix, seulement 15 francs,
mais même une aussi petite somme semblait
considérable pour un jeune garçon (car il n'était
encore qu'un jeune garçon en ce temps-là)
chichement fourni en subsides.[1] »

Par son style, cette feuille ne diffère pas très
sensiblement du *Portrait d'homme assis* (peut-être
Pierre-Julien Gaudefroy ; ill. 10)[2], qui porte la
date de 1820. La composition toute simple est
caractéristique des illustrations réalisées à ce
moment-là par les Anglais Richard Westall et
Robert Smirke ou par leurs admirateurs
parisiens, tels Eugène Lami (voir le nᵒ 5) et
Alexandre Desenne (1785–1827). Pour le
costume de Leicester, Bonington a trouvé un
modèle dans le *Recueil de Gaignières*, véritable
encyclopédie visuelle de costumes et
personnages historiques français alors conservée
à la Bibliothèque royale. On a présumé à tort
que Delacroix avait signalé l'existence de ce
recueil à Bonington en 1825.

L'artiste a peint une autre aquarelle
représentant un entretien entre la reine
Élisabeth et le comte de Leicester. Cette œuvre,
aujourd'hui perdue, a appartenu à l'un des
premiers marchands de Bonington, Claude
Schroth, puis à Anatole Demidoff, duc de
Rivoli[3]. Mais la plus ambitieuse de ses peintures
inspirées de *Kenilworth* est l'huile plus tardive
intitulée *Amy Robsart et Leicester* (nᵒ 141).
Durant cette période, il ne se passionna pas
seulement pour Walter Scott, mais aussi pour
Shakespeare, comme l'attestent des dessins au
lavis monochrome, de dimensions à peu près
semblables, représentant *Prospero, Miranda et
Ariel* (d'après *La Tempête*, I, 1) et *Anne Page et
Slender* (d'après *Les Joyeuses Commères de Windsor*,
I, 1), ainsi qu'une illustration montrant *Olivia,
Maria et Malvolio* (d'après *La Nuit des rois*, III,
4)[4].

1. Roberts, Paris, B. N., dossier Bonington.
2. C'est peut-être l'aquarelle à laquelle Thoré (1867,
p. 6, note 2) fait allusion : « M. Carrier possède encore un
autre portrait charmant, peint à l'aquarelle, par
Bonington, celui de l'un de leurs camarades,
M. Godefroy [sic], assis sur une petite colline dans un
paysage clair. »
3. Claude Schroth (Paris, vente du 18 mars 1833) ; duc
de Rivoli (Paris, vente du 18 avril 1834).
4. Les deux premiers dessins sont actuellement à San
Marino, Art Collections, Huntington Library, et
figuraient dans la vente d'atelier de 1834 (nᵒˢ 27 et 29).
Voir Robert Wark, *Drawings from the Turner Shakespeare*,
San Marino, 1973, p. 20, repr. 18 et 58. L'illustration de
La Nuit des rois se trouve à Londres, British Museum
(1857-2-28-164).

5

EUGÈNE LAMI (1800–1850)
DON QUICHOTTE AU BAL,   vers 1820–1821
Mine de plomb, lavis brun et rehauts de
gouache blanche, 11,2 × 87

Provenance : Louis Roederer ; transmis par
héritage à A.S.W. Rosenbach, 1922

Bibliographie: K. Rorschach, *Blake to Beardsley :
The Artist as Illustrator*, Philadelphie, Rosenbach
Museum and Library, 1988, nᵒˢ 20–23

Philadelphie, Rosenbach Museum and Library
(54.672.26)

Eugène Lami commença par prendre des cours
particuliers auprès d'Horace Vernet avant
d'entrer dans l'atelier de Gros en 1818. Il
comptait parmi ses meilleurs amis Théodore
Géricault, avec qui il collabora à une suite de
lithographies destinées à illustrer les écrits de
Byron (1823), et ses condisciples Bonington,
Paul Delaroche (1797–1856) et Nicolas-
Toussaint Charlet (1792–1845). Sur les
instances de Bonington, il se rendit en
Angleterre en 1825–1826. Par la suite, il réalisa
deux séries de lithographies, dont celle des
Voyages en Angleterre (1829–1830) exécutée en
collaboration avec son compagnon de voyage
Henry Monnier (voir le nᵒ 57). Lami et
Bonington avaient beaucoup d'amis et de clients
communs, mais le premier était beaucoup plus
mondain que le second, et s'imposa pendant des
années comme l'un des plus brillants
chroniqueurs de la bonne société française et de
ses modes. Eugène Lami fut, au XIXᵉ siècle, l'un
des premiers aquarellistes français
authentiquement professionnels et, par son
talent, sa productivité et son rôle décisif dans la
fondation de la Société des aquarellistes, il
contribua notablement à l'acceptation officielle
de ce moyen d'expression dans son pays.

Les toutes premières illustrations de Lami
sont des images sur des thèmes militaires,
correspondant à des commandes procurées par
Horace Vernet et souvent réalisées avec sa
collaboration. Les huit illustrations de *Don
Quichotte*, autre projet mené à bien avec Vernet
qui conçut quatre compositions originales,
constituent sa première incursion dans le
domaine littéraire. La scène évoquée ici est tirée
du chapitre LXII de la traduction établie par
Dubornial (publiée à Paris en 1821, gravée par
Caron). À l'occasion d'un bal donné par l'épouse
de Don Antonio, deux coquettes s'efforcent de
séduire le chevalier errant après avoir dansé
avec lui jusqu'à épuisement de ses forces. Cette
offensive malveillante contre sa vertu et son état
de fatigue extrême le font défaillir, tandis qu'il
proclame frénétiquement son amour pour
Dulcinée. Cette composition semble une
création originale, alors que plusieurs autres
illustrations de Lami pour *Don Quichotte*
s'inspirent de celles de Robert Smirke pour
l'édition anglaise du même roman établie en
1818 par Cadell.

La façon dont Lami utilise les couleurs
transparentes reflète l'influence de son maître
Vernet, tandis que la prédilection pour le
monochrome correspond aux usages alors en
vigueur en France pour l'illustration de livres.
Comme la plupart des artistes pratiquant cette
activité dans l'entourage de Bonington, Eugène
Lami allait s'orienter vers un style plus fluide et
plus coloré dès le milieu des années 1820.

Outre les commandes relatives aux ouvrages
de Cervantes et de Byron, les plus importants
projets de Lami dans les années 1820
concernaient des gravures pour les *Vues
pittoresques en Écosse* d'Amédée Pichot (voir le
nᵒ 113), neuf compositions pour les *Œuvres
complètes* de Walter Scott en cours de publication
par Gosselin, et le *Quadrille de Marie Stuart*
(1829) commémorant le bal costumé donné par
la duchesse de Berry (ill. 26) à la veille de la
chute des Bourbons.

6

ÉTUDE DE Mlle ROSE, 1820
Pierre noire et craie blanche avec estompages,
59,5 × 44,5

Inscription autographe à la plume, en bas à
droite : *Rose / April 30th 1820*

Provenance : baron Charles Rivet ; transmis par
héritage au propriétaire actuel

Exposition : Nottingham 1965, n° 2

Bibliographie : Dubuisson, 1909, p. 200, note 2,
et p. 203 ; Dubuisson et Hughes, repr. en face
de la p. 32

Collection particulière

C'est la seule académie de Bonington que l'on
connaisse aujourd'hui, même si d'autres ont pu
être signalées[1]. Comme l'indique l'inscription
ajoutée par l'artiste, le modèle était Mlle Rose,
dont il a également exécuté un portrait en buste
à la pierre noire[2]. Dubuisson suppose que ce
modèle professionnel était aussi la maîtresse de
Bonington, mais rien ne vient étayer cette
hypothèse.

Lee Johnson situe vers 1820 une esquisse à
l'huile de Delacroix représentant Mlle Rose. Le
même auteur parle aussi d'une étude au pastel
de Jules-Robert Auguste (voir le n° 67)
représentant le même modèle, et un dessin
anonyme à la pierre noire où la jeune femme est
coiffée de la même façon[3]. Dans une lettre écrite
vers 1820, Delacroix annonçait que Rose allait
poser pour lui dans l'atelier de Monvoisin, au
11, rue de Sèvres[4].

À la séance du 8 juillet 1820, le corps
enseignant de l'École des beaux-arts décida de
partager en deux l'atelier de dessin, en créant
une « salle de la bosse » pour les copies d'après
des plâtres, et une « salle du modèle » pour les
études d'après le modèle vivant. Bonington
suivait les cours du baron Gros depuis un peu
plus d'un an dans cette école. Le premier
examen d'entrée à la salle du modèle eut lieu le
3 octobre. Bonington se classa 60e sur 61,
piètre performance quand on considère cette
Étude de Mlle Rose et les résultats obtenus aux
examens pour la salle de la bosse, le 6 août et le
11 septembre[5]. Il aurait pu faire appel à Rose
afin de s'exercer à cette épreuve, et jamais plus
il ne s'est porté candidat pour la salle du
modèle. L'une des raisons souvent invoquées
pour expliquer la brouille entre Bonington et le
baron Gros est justement le refus opposé par ce
dernier à une admission du jeune artiste dans la
classe de dessin d'après le modèle vivant. Si
cette attitude procède du souci pédagogique de
faire respecter la discipline, on peut imaginer
que le baron Gros s'était arrangé pour faire
peut-être classer dans les tout derniers un élève
un peu trop sûr de lui à son gré.

Le baron Jean-Charles Rivet (1800–1872)
acquit cette œuvre et d'autres directement de
Bonington[6]. Rivet était resté l'ami de Delacroix
depuis leurs études au Lycée impérial. Il occupa
un poste d'adjoint dans le gouvernement
Martignac pendant les dernières années de la
Restauration. Après la révolution de 1830,
il obtint divers mandats électoraux et
nominations politiques à des fonctions
importantes, dont celle de préfet du Rhône.
Si l'on ignore la date exacte de la première
rencontre de Rivet et Bonington, la présence de
ce dessin et d'autres œuvres de la même période
dans la collection du baron laisse supposer que
les deux hommes se sont connus au début des
années 1820. Ils restèrent très proches,
Bonington initiant Rivet au dessin et à la
peinture, tandis que le baron l'invitait souvent
dans son château, près de Nantes. C'est sans
doute Rivet qui paya tous les frais de leur
voyage en Italie en 1826.

1. Vente Bonington, 1834, n°s 46 et 48.
2. Paris, collection particulière, Paris ; Dubuisson, 1909,
repr. p. 202.
3. Johnson, *Delacroix*, t. I, n° 4 et fig. 4.
4. Delacroix, *Correspondance*, t. I, p. 66–67. Monvoisin,
lauréat du prix de Rome en 1820, passa les trois années
suivantes en Italie.
5. Registre de l'École des beaux-arts, Paris, Archives
nationales, AJ52.
6. Voir les n°s 24, 35, 58, 106, 112, 121.

7

L'ÉGLISE SAINT-SAUVEUR À CAEN,   vers 1821
Mine de plomb et rehauts de craie blanche sur
papier chamois, 32,5 × 26,4

Inscription à la plume en haut à gauche : *59*

Provenance : vente Bonington, 1829, n° 185,
acheté par le troisième marquis de Landsdowne ;
transmis par héritage au propriétaire actuel

Expositions : Agnew's, 1962, n° 68 ; Nottingham,
1965, n° 34

Bibliographie : Harding, *Works*, 1829 ; voir Curtis,
n° 7 ; Shirley, p. 86, pl. 10 (titre erroné) ;
Miller, *Bowood*, p. 42 (n° 138)

Bowood, collection du comte de Shelburne

En septembre 1821, Bonington ne se présenta
pas à l'examen d'entrée en classe de sculpture à
l'École des beaux-arts pour le semestre d'hiver
(octobre à avril). Il consacra cette période à ses
premières excursions de travail sur le motif par
delà les environs immédiats de Paris. Roberts
note simplement que Bonington voyagea en
Normandie, puis rentra en passant par Rouen.
Marion Spencer affirme qu'il s'est dirigé vers les
Flandres[1]. Mais une chronologie de ses premiers
dessins établie d'après l'évolution de son style
indique qu'il est parti dans la direction de Caen,
en faisant des haltes à Ouistreham, Dives-sur-
Mer, Trouville, Honfleur, Le Havre, Lillebonne
et Rouen.

Caen occupe une place importante dans
l'histoire de France et d'Angleterre et regorge
d'architectures gothiques grâce aux largesses de
Guillaume le Conquérant. D'où l'attrait que
devait exercer cette ville sur une imagination
enflammée par les chroniques de Jehan de
Saintré, Chrétien de Troyes ou Enguerrand de
Monstrelet. Cette vue du chevet, à l'arrière de
l'église du XIVe siècle, accentue son insertion
dans la rue Saint-Pierre. C'est probablement
l'image d'architecture la plus aboutie de toutes
celles que Bonington a rapportées de ce voyage.
Une aquarelle de la même date ne se différencie
que par les éléments accessoires[2], et l'on
retrouve la même composition sous forme de
lithographie dans la série des *Restes et fragmens*
(voir le n° 19). Une autre gravure de la série
montre les colombages finement sculptés
visibles juste à l'est de la rue Saint-Pierre,
sur la façade d'un édifice qui abrite aujourd'hui
le musée de la Poste.

Les dessins exécutés pendant ce voyage, dont
un ensemble exceptionnel se trouve rassemblé à
Bowood, nous offrent les exemples les plus
anciens de la façon dont Bonington maniait le
crayon. La touche est précise mais pas
excessivement méticuleuse. Le rendu des
surfaces et des lézardes de cet édifice patiné par
le temps repose avant tout sur la transcription
des valeurs de gris, et non sur l'exactitude des
contours. Sa technique ressemble beaucoup à
celle que l'on associe généralement aux artistes
anglais de l'entourage du docteur Monro. Les
similitudes sont assez frappantes pour nous
donner la certitude que Bonington a vu à Paris
des dessins d'artistes rattachés à cette tendance,
tels que Francia, mais aussi Henry Edridge et
Samuel Prout, tous deux actifs dans la capitale
française en 1820 et 1821. On est surpris de
découvrir à quel point l'adolescent Bonington
était en pleine possession de ses moyens, et la
façon dont il affirmait sa maîtrise dans un style
personnel qui ne prétendait pas à une fidélité
prosaïque. Ce talent n'a pas échappé à ses
contemporains. Ainsi, Paul Huet (voir le n° 56)
devait observer plus tard : « Il y a dans l'œuvre
d'un artiste quelque chose qu'aucun instrument
ne peut donner ; quelle que soit la perfection
d'une photographie, jamais on n'y trouvera la
main vibrante qui a gravé les eaux-fortes de
Rembrandt, ou dessiné les églises gothiques de
Bonington. [...] La perfection du rendu de
certains détails détourne les œuvres de
l'imagination, de l'invention, et de tant d'autres
qualités que seul l'art peut donner.[3] »

Les libertés artistiques prises par rapport à
l'aspect réel du monument participent aussi de
l'invention plastique qui caractérise
l'historicisme de Bonington. Par exemple, il a
éliminé, dans les trois versions de cette
composition la flèche que l'on aurait dû voir au-
dessus de l'abside sur la droite. Pour bon
nombre de ces études d'architectures réalisées
dans sa première période, Bonington a choisi un
papier chamois. Il devait tenter plus tard, en
vain, de reproduire l'effet de cette teinte dans
l'impression de ses lithographies.

1. Spencer, Nottingham, 1965. On a conservé de
nombreuses études historicisantes, dont celles qui se
trouvent aujourd'hui à Bowood, à Stoke-on-Trent et à
Cambridge (Fogg Art Museum).
2. Anonyme (Paris, palais d'Orsay, vente du 21 juin
1979, n° 4).
3. Huet, *Huet*, p. 78.

8

LE PORT DU HAVRE,   vers 1821–1822
Mine de plomb et aquarelle, 19,7 × 27

Signé à la plume en bas à droite : *R P Bonington*

Provenance : acheté à l'artiste par Mme Benjamin
Delessert ; liquidation de la succession (Paris,
palais d'Orsay, vente du 30 novembre 1978,
acheté par Spink) ; Spink and Sons, 1979, acheté
par le propriétaire actuel

Collection particulière

On a traditionnellement, et faussement,
identifié le port représenté ici à celui de
Dunkerque. L'aquarelle nous montre en fait la
rade du Havre, dont l'entrée est gardée par la
tour fortifiée de François Ier. J.M.W. Turner a
adopté à peu près le même point de vue pour
une esquisse à l'aquarelle exécutée vers 1832[1].

Bonington s'est rendu au Havre durant son
premier voyage en Normandie, en 1821. En
avril de l'année suivante, il faisait ses débuts au
Salon avec deux aquarelles dont on a perdu la
trace : *Vue prise à Lillebonne* et *Vue prise au Havre*.
La Société des amis des arts acheta ces deux
œuvres. D'après une tradition familiale, le baron
Gros aurait présenté Bonington à Mme Delessert
(1799–1891) qui tenait l'un des salons les plus
progressistes de Paris, au faubourg Saint-
Germain, et dont le mari dirigeait une très
grosse entreprise bancaire et commerciale.
Apparemment, les Delessert achetèrent
directement à l'artiste cette vue du bord de
mer, ainsi qu'une autre, légèrement postérieure
(n° 18).

La plupart des auteurs du XIXe siècle ont
accordé une importance exagérée à la brouille
intervenue entre Bonington et le baron Gros,
juste avant le voyage en Normandie. Nous
ignorons la cause de ce désaccord, mais la
plupart des témoins bien informés, dont
Delacroix et Huet, devaient expliquer plus tard

que le maître et l'élève s'étaient réconciliés
avant l'automne 1822, date à laquelle Bonington
cessa de fréquenter l'atelier de Gros. L'artiste
Pierre-Antoine Labouchère (1807–1873), un
parent par alliance du baron Rivet et ami intime
d'Alexandre Colin (voir le n° 136), attribuait
l'amélioration des rapports entre les deux
hommes à la forte impression produite sur Gros
par les aquarelles très abouties représentant
Rouen, Caen et d'autres villes françaises,
découvertes dans la galerie de Mme Hulin[2].

1. Londres, Tate Gallery, legs Turner (CCLIX–83).
2. P.A.L., «R.P. Bonington», *Notes and Queries*, 10 juin
1871, p. 502–503 ; voir également A. Labouchère, «M.
P.A. Labouchère ("P.A.L.")», *Notes and Queries*, 17 mai
1873, p. 399–400.

9

UN VILLAGE DE PÊCHEURS SUR L'ESTUAIRE DE
LA SOMME, PRÈS DE SAINT-VALÉRY-SUR-
SOMME, vers 1821
Mine de plomb et aquarelle, 15,7 × 23,2

Signé à la plume en bas à gauche : *R. P.
Bonington*

Provenance : vraisemblablement vente Bonington,
1838, nº 47 (*View of St. Valerie on the French Coast,
with boats and figures in the foreground, an early
drawing*), non adjugé

Crans-sur-Sierre, collection particulière

Le baron Gros n'était pas le seul artiste à
admirer l'originalité et le naturalisme des
aquarelles de Bonington. Camille Corot (1796–
1875), qui était encore un jeune commis drapier
rêvant d'une carrière artistique, éprouva lui
aussi une vive impression en découvrant une
aquarelle de Bonington exposée dans la vitrine
de Schroth : «On n'était pas gâté alors par les
paysagistes ; il me sembla en apercevant celle-ci,
une vue des bords de la Seine, que l'artiste avait
reproduit pour la première fois des choses qui
m'émotionnaient toujours quand je les trouvais
dans la nature et qui n'étaient rendues nulle
part. J'en fus émerveillé. Cette petite peinture
fut pour moi une révélation. Je découvris la
sincérité devant la nature et de ce jour
m'affermis dans ma résolution de devenir
peintre [1]. »
   Cette aquarelle est une transposition d'un
dessin au lavis brun de mêmes dimensions,
gravé par Noël en 1829 [2]. Le port visible au loin
est identique à celui que représente une huile
postérieure, traditionnellement intitulée *Près de
l'embouchure de la Somme* (nº 35). Bonington a
peint à l'aquarelle une vue prise plus près de la
digue (Birmingham, Museum and Art Gallery)
que l'on a récemment, et indûment, réattribuée
à Francia [3].

Une copie assez libre de ce *Village de pêcheurs*,
exécutée à l'aquarelle (Belfast, Ulster Museum),
pourrait être due au père de Bonington [4], qui
commença sa vie professionnelle mouvementée
comme dessinateur topographe, et se vit
reprocher plus tard, peut-être injustement,
d'avoir vendu des copies non signées de
compositions de son fils.

1. Dubuisson, 1912, p. 123.
2. Londres, Christie's, vente du 18 mars 1980, nº 87,
repr.
3. Calais, *Francia*, p. 91. Cette aquarelle pourrait passer,
à la rigueur, pour une œuvre de jeunesse d'Isabey, mais
son authenticité est garantie par sa provenance : vente
Bonington, 1829, nº 131 ou 132, acheté par Bone pour le
compte de Neeld ; Joseph Neeld ; transmis par héritage
jusqu'à son acquisition par le musée de Birmingham. Ce
musée possède une deuxième aquarelle montrant des
bateaux, dont l'historique est exactement le même, et
que Marcia Pointon (*Bonington*, fig. 57) attribue
également à tort à Francia.
4. Vente Bonington, 1838, nº 90, présenté dans le
catalogue comme une copie exécutée par Bonington
père, d'après le nº 47, c'est-à-dire l'aquarelle reproduite
ici.

MACHINES À ENFONCER LES PIEUX, ROUEN,
vers 1821–1822
Mine de plomb et aquarelle, 37,8 × 25,2

Inscription à l'encre brune, en haut à gauche :
77. Filigrane : *J. Whatman / Turkey Mill / 1821*

Provenance : vente Bonington, 1829, n° 45 (*A
Spirited Sketch -View of a machine for driving piles*),
acheté par Roles ; Edward Croft-Murray ;
Mme Edward Croft-Murray ; don de cette
dernière au British Museum, 1981

Exposition : Nottingham 1965, n° 198

Bibliographie : Cormack, « Compte rendu »,
p. 286

Londres, British Museum (1981-5-16-12)

Le numéro inscrit au recto indique que l'artiste
comptait garder cette aquarelle pour en faire
une réplique d'atelier. D'après la date du
filigrane, on peut présumer que Bonington a
exécuté cette étude sur le motif vers la fin de
1821 ou le début de 1822. La version à la mine
de plomb (n° 11), également réalisée à Rouen,
comporte des personnages plus nombreux et
constitue la dernière étape dans la préparation
d'une œuvre de commande (Cambridge,
Fitzwilliam Museum)[1].

   Bonington finança son premier voyage
au-delà de la région parisienne avec l'argent
procuré par des illustrations de livres et des
aquarelles de paysages, qu'il exécutait en plus
grand nombre et vendait de plus en plus cher.
James Roberts écrit à propos des vues
topographiques rapportées de ce voyage : « Il a
d'abord filé en direction de la côte normande,
dont il a réalisé diverses études, simples
préludes à une future moisson dans cette
région. Il rentra par Rouen où il fit maintes esquisses
toutes remarquables, déjà, par l'éclat du coloris
et l'ampleur de la touche, non point une touche
inepte, simplement hardie, qui n'aurait pour
toute excuse que la nonchalance, une touche
dont l'ampleur serait la seule qualité, mais une
touche large, vigoureuse et chaleureusement
insistante dans les détails si nécessaires[2]. »

1. Cormack, *Bonington*, fig. 20.
2. Roberts, Paris, B. N., dossier Bonington.

MACHINES À ENFONCER LES PIEUX,
vers 1821–1822
Mine de plomb sur papier vélin bleu,
35,7 × 26,4

Provenance : John Percy (vraisemblablement
Londres, Christie's, vente du 22 avril 1890,
n° 102 *Harbour Scene*]) ; O'Bryne (Londres,
Cristie's, vente du 3 avril 1962, n° 50), acheté
par la Cecil Higgins Art Gallery

Exposition: Nottingham 1965, n° 48

Bedford, Cecil Higgins Art Gallery

Cette esquisse exécutée à Rouen est une étude
pour une aquarelle légèrement postérieure et
beaucoup plus grande (Cambridge, Fitzwilliam
Museum), commandée par une certaine «Miss
C.» pour la somme de deux cents francs[1].

Les machines à enfoncer les pieux, ou
sonnettes, figurent encore dans un autre dessin
au crayon, une vue panoramique de Rouen et
des quais prise du pont Corneille[2]. On trouve de
nombreuses représentations d'équipements
portuaires et de leurs utilisateurs sur les pages
détachées d'un carnet utilisé par Bonington vers
1824 (Paris, Bibliothèque nationale).

Dans un compte rendu de la vente d'atelier
de 1829, un critique notait fort justement :
«Plusieurs des esquisses rapides de marines, de
paysages, d'ouvriers enfonçant des pieux, etc.,
donnent l'impression qu'il a saisi les
personnages en pleine action pour les transférer
sur le papier, tellement ils ont de vitalité et de
vérité[3].»

1. D'après une inscription autographe au verso. Il existe
une version à l'huile de l'aquarelle du Fitzwilliam
(BFAC 1937, n° 13), qui est, selon toute apparence, une
copie dont on ignore l'auteur.
2. Dubuisson et Hughes, repr. en face de la p. 203.
3. *New Monthly Magazine*, 1er août 1829, p. 349.

LA CATHÉDRALE DE ROUEN ET LES
QUAIS, vers 1822
Mine de plomb, encre et aquarelle avec
grattages et emploi d'un cache, sur papier vélin
à gros grain, 40,4 × 27,5

Signé (?) sur la voile du bateau en bas à gauche :
B [effacé]

Provenance : probablement vente Bonington,
1829, n° 35 (*View of the Cathedral of Rouen*),
acheté par Colnaghi ; H. Palser

Exposition : Nottingham 1965, n° 197, pl. 2

Bibliographie : *Portfolio*, 1888 (eau-forte de Frank
Short) ; Shirley, pl. 13

Londres, British Museum (1859-7-9-3251)

Cette composition, légèrement modifiée, a été
lithographiée dans *Restes et fragmens* (voir le
n° 19). On y voit la portion du quai qui venait
juste d'être achevée à l'ouest du chantier
représenté dans *Machines à enfoncer les pieux*
(n° 10). La lithographie s'intitule *Rouen,
cathédrale de Notre-Dame telle qu'elle était avant
l'incendie de 1822*, allusion à la catastrophe du 15
septembre 1822 qui détruisit la flèche du
clocher[1]. Cette aquarelle, exécutée avec soin, fut
sans doute peinte peu après l'incendie, d'après
des études dessinées plus tôt à Rouen. James
Roberts exposa au Salon de 1824 une vue de la
cathédrale de Rouen en précisant bien qu'elle
représentait le monument avant l'incendie.
Étant donné sa parfaite connaissance de la
première excursion de Bonington en
Normandie, on peut penser qu'il l'a accompagné
pendant une partie du voyage.

Bonington a laissé d'autres vues de la
cathédrale, légèrement postérieures à celle-ci :
une aquarelle exécutée vers 1825 (Londres,
Wallace Collection) et une autre gravée par
Legrand pour les *Excursions sur les côtes et dans les
ports de France* (1823-1825) de d'Ostervald. Il a
exposé au Salon de 1827 une huile portant le
même titre, dont on a perdu la trace.

1. L'importance du sinistre est bien visible sur la
lithographie réalisée en 1823 par Léger pour les *Voyages
pittoresques, Normandie II*, p. 125.

DIVES, PROCESSION DEVANT L'ÉGLISE NOTRE-
DAME, vers 1822
Mine de plomb, aquarelle et gouache,
32,5 × 38,1

Signé sur le mur en bas à droite : *R P Bonington*

Provenance : vente Bonington, 1834, n° 113 (*View
of the Cathedral of Dives, with a religious procession
entering the gateway - a capital drawing*), acheté par
Colnaghi ; vraisemblablement Lewis Brown
(Londres, Christie's, vente du 28 mai 1835,
n° 64), acheté par Houghton ; probablement
amateur anonyme (Londres, Christie's, vente
du 4 mars 1864, n° 166 *Dives Cathedral*) ; Mlle
I.A. Abram ; legs de cette dernière à la Walker
Art Gallery

Expositions : Londres, Cosmorama Rooms, 209
Regent Street, 1834, n° 129, *View of the Cathedral
of Dives in Normandy* ; Nottingham 1965, n° 204,
pl. 6

Liverpool, National Museums and Galleries on
Merseyside (Walker Art Gallery)

Dives fut au Moyen Age un port stratégique :
situé à mi-chemin entre Caen et Trouville, cette
ville servit de point de départ pour l'invasion de
l'Angleterre par Guillaume le Conquérant.
L'église Notre-Dame de Dives, construite au
XIVe siècle, devint un refuge pour les
catholiques pendant les guerres de religion.

Bonington a exécuté à Dives, en 1821, une
étude au crayon pour cette aquarelle, montrant
l'église sans la procession (Liverpool, Walker
Art Gallery). L'aquarelle est à peu près
contemporaine de *La cathédrale de Rouen et les
quais* (n° 12) et ses dimensions laissent supposer
que ce fut l'une des plus ambitieuses œuvres sur
papier du jeune Bonington.

On ne connaît aucune étude pour les
personnages de la procession, même si certaines
pages détachées d'un carnet de 1824 (Paris,
Bibliothèque nationale) comportent des motifs
assez similaires, esquissés à une date ultérieure.
Comme la religion constituait l'un des piliers de
la monarchie des Bourbons, les ajouts de ce
genre étaient courants dans les compositions des
dessinateurs romantiques, et assez fréquents
chez Bonington.

L'ARRIÈRE-PORT DE DIEPPE, 1824
Aquarelle et gouache avec grattages, 21,5 × 30

Signé et daté en bas à droite : *RPB 1824*

Provenance : vraisemblablement don Mathieu Barathier, début du XIXᵉ siècle

Narbonne, musée d'Art et d'Histoire (LB 848)

En 1823, J.-F. d'Ostervald, originaire de Suisse et grand propagateur du mouvement pittoresque, qui dirigeait une galerie et maison d'édition sur le quai des Augustins, entreprit de publier les *Excursions sur les côtes et dans les ports de Normandie*, avec un texte de l'industriel Noël-Jacques Lefebvre-Duruflé et des illustrations dues, pour l'essentiel, à des artistes suisses ou britanniques. Il fit paraître en même temps le deuxième volume de son monumental *Voyage pittoresque en Sicile*, pour lequel Bonington avait réalisé deux aquarelles d'après des compositions du comte de Forbin.

D'Ostervald rivalisait avec le *Voyage pittoresque et maritime sur les côtes de la France* d'Étienne Jouy et Louis Garneray (Paris, 1823), autre riposte pittoresque au didactisme encyclopédique de la fameuse série des *Ports de France* exécutée au XVIIIᵉ siècle par Joseph

Vernet. Il voulait proposer au public français quelques vues inédites des petits ports nichés parmi les falaises normandes, entre les embouchures de la Seine et de la Somme. Cette partie du littoral semblait éminemment pittoresque, tant par sa topographie que par ses coutumes locales. Même un Écossais comme David Wilkie pouvait écrire, après avoir débarqué à Dieppe pour la première fois : «La différence entre toutes les choses que je voyais ici et celles que j'avais laissées sur l'autre rive paraissait si grande qu'on aurait dit un voyage sur la Lune. [...] J'ai trouvé que les gens étaient beaucoup plus démodés que les Parisiens en matière de constructions et tout le reste, et en retard de près de deux siècles relativement au peuple anglais[1].»

William Hazlitt exprima la même stupéfaction lorsqu'il arriva à Dieppe en septembre 1824 : «Cette ville est un régal pour les yeux. Il est fâcheux qu'elle ne soit pas aussi délicieuse à respirer, et le visiteur qui se hasarde à en explorer les recoins et ruelles est chassé par un «mélange d'odeurs infectes» qui semblent émaner du sol. [...] Les maisons et les vêtements sont tout aussi surannés. En France, on vit dans un passé imaginaire ; en Angleterre tout est sur le mode nouveau et perfectionné. [...] Il y a à Dieppe une église gothique d'aspect ancestral, énorme et difforme (un instrument théologique installé à demeure), au lieu d'une

vingtaine d'édifices modernes dans les styles égyptien, grec ou copte. [...] Ici, la vie rayonne, ou tourne sur elle-même dans l'insouciance. Le même entrain qui fournit des réserves de pensées joyeuses se manifeste dans toute l'exubérance des réjouissances communes. Pour ces gens, l'air est un fortifiant et ils boivent des gorgées de soleil[2].»

Cette vision de la vie dieppoise, qui tenait quelque peu du stéréotype sur la félicité sans contrainte de l'existence provinciale, allait bientôt se transformer. La mode des bains de mer, lancée en 1822 dans le sillage de la vogue anglaise, fit une grande adepte en la personne de la duchesse de Berry qui vint à Dieppe pour la première fois en juillet 1824. Elle allait revenir tous les ans, et dès 1830, Dieppe devint le lieu de villégiature préféré de l'aristocratie parisienne.[3]

En inventoriant la publication de d'Ostervald, J.R. Abbey a dénombré quarante-et-une aquatintes imprimées entre 1823 et 1825[4]. Les éditeurs français ayant accordé très peu d'attention au procédé de l'aquatinte, d'Ostervald, qui voulait manifestement diffuser la mode anglaise de la peinture de paysage à l'aquarelle par le moyen le mieux adapté, s'adressa aux graveurs étrangers déjà sollicités pour le *Voyage pittoresque en Sicile*. Ainsi, les frères Thales, Theodore et Newton Fielding (voir le nᵒ 146), et George Reeve gravèrent à eux seuls

vingt-huit planches. Parmi les dix peintres invités à collaborer au projet, Bonington occupe la deuxième place après Johann Luttringshausen (1783–1857), avec deux vues de Rouen, deux du Tréport, une de Fécamp, une de Dieppe et une du Havre. L'importance de sa participation atteste l'augmentation rapide de sa renommée après le Salon de 1822. *L'arrière-port de Dieppe* est l'aquarelle qui a servi à confectionner la planche gravée par Reeve. Bonington était à Dieppe lorsque la duchesse de Berry y fit une entrée remarquée, car il y a rencontré Newton Fielding entre le 24 et le 29 juillet. Mais il a sans doute peint cette aquarelle dans son atelier parisien, en janvier ou février, en s'inspirant d'esquisses dessinées ou peintes en 1823.

En se fondant sur les *Ports et côtes de France, de Dunkerque au Havre* publiés par Lefebvre-Duruflé en 1833, Abbey présumait que d'Ostervald avait également prévu de présenter le littoral de Picardie, sans doute dans un deuxième volume. Un exemplaire apparemment unique de la première livraison de cette publication est conservé à la Bibliothèque nationale, mais Abbey en ignorait l'existence. La page de titre porte la date de 1825 et les noms de deux coéditeurs associés à d'Ostervald : Claude Schroth, le marchand de Bonington, et Sazerac, qui allait publier plus tard le *Cahier de six sujets* (voir le nº 114). Cette livraison comporte deux planches gravées d'après des œuvres de Bonington : *Dunkerque, entrée du port*, qui reprend la composition de sa première lithographie connue, et *Gravelines, entrée du port*. Le projet devait être beaucoup plus ambitieux à l'origine, comme l'indique le grand nombre des aquarelles de Bonington représentant des ports de Picardie qui sont parvenues jusqu'à nous ou signalées dans la collection personnelle de d'Ostervald[5], sans compter les quatre aquatintes supplémentaires soumises à l'agrément des censeurs en 1825. Ces dernières reproduisaient des vues de Saint-Valéry-sur-Somme, du Crotoy, de Boulogne et de Calais (voir le nº 15). Le procédé coûteux et délicat de l'aquatinte, la concurrence avec Jouy et Garneray, et la popularité croissante de la lithographie à

l'époque ont peut-être dissuadé les éditeurs de poursuivre leur projet après les premières livraisons.

Il est évident que Bonington passa une grande partie de 1823 et les premières semaines de 1824 à préparer des aquarelles pour cette publication. Considérées dans leur ensemble, ces œuvres présentent des analogies avec les *Picturesques Views of the Southern Coast of England* de J.M.W. Turner (1814–1826), notamment par la diversité des compositions et par l'importance accordée aux conditions atmosphériques fugitives. Mais pour ce qui est de la technique, elles empruntent surtout à Louis Francia (nº 17), que Bonington voyait souvent à Paris ou à Calais. On discerne notamment des rappels de Francia dans les petits traits de plume qui soulignent les détails, dans les touches de gouache parcimonieuses mais bien fermes, et dans le tracé sinueux du chemin au premier plan. Bonington a exécuté une étude à la sépia pour la partie droite de cette composition, entre le quai Duquesne et l'église Saint-Jacques avec sa tour, qui a été reproduite par Shirley[6].

Plusieurs aquarelles de Bonington pour d'Ostervald furent exposées au Salon de 1824 et répertoriées dans le catalogue sous le nom de l'éditeur[7].

1. Cunningham, *Wilkie*, t. I, p. 402, lettre du 7 juin 1814 à Thomas Wilkie.
2. Hazlitt, *Notes*, p. 92–93.
3. Voir Alain Corbin, *Le Territoire du vide*, Paris, 1988, p. 310 *sq.*
4. Abbey, *Travels*, t. I, nº 92.
5. Par exemple vente d'Ostervald, Paris, 22–24 décembre 1823, nºˢ 59–68.
6. Pl. 31. Autre aquarelle représentant Dieppe : Londres, Sotheby's, vente du 15 novembre 1983, nº 187.
7. Livret du Salon, nº 2028.

15

LE PORT DE CALAIS, vers 1823
Mine de plomb, 11,4 × 28,2

Inscription à la plume en haut à gauche : *95* (par-dessus un *38* noté au crayon)

Ottawa, Galerie nationale du Canada (6822)

Ce dessin est une étude pour une aquarelle fortement décolorée aujourd'hui (Paris, Bibliothèque nationale), que Thales Fielding grava à l'aquatinte pour les *Excursions sur les côtes et dans les ports de Normandie* publiées par d'Ostervald (1825)[1].

Bonington a employé pour ce dessin deux styles graphiques et deux épaisseurs de trait dont la disparité extrême peut s'expliquer de diverses façons. La vue panoramique du port est peut-être antérieure aux détails rajoutés par-dessus, qui correspondent exactement à ceux de l'aquarelle et de l'aquatinte. Ou alors, la vue panoramique tracée plus succinctement et plus légèrement a été exécutée soit à l'aide d'une chambre claire, dispositif souvent employé par Francia, soit directement d'après nature, avant l'introduction des détails effectuée plus posément en atelier. Bonington a adopté cette dernière méthode pour plusieurs de ses études italiennes ultérieures.

1. Pointon, *Bonington*, fig. 15. À signaler une aquarelle apparentée : Londres, Christie's, vente du 4 mars 1975, nº 123, acheté par Green.

PRÈS DE HONFLEUR, vers 1823
Mine de plomb et aquarelle, 20,8 × 27,1

Inscription au crayon, au verso: *Present to Mrs Bonington*

Provenance: Martyn Gregory[1] ; Davis et Langdale, 1979 ; Alan Stone, 1988 ; acheté à ce dernier par Paul Mellon

Collection Paul Mellon

Dans les années 1820 et 1830, on s'intéressa beaucoup au littoral français considéré comme une plaque tournante du commerce, un lieu de villégiature et un bastion des valeurs sociales et religieuses traditionnelles. D'Ostervald comptait bien exploiter ce phénomène en publiant ses *Excursions sur les côtes et dans les ports de Normandie*. L'aquarelle reproduite ici, qui imite la facture et la conception des œuvres exécutées par Francia à la même époque, fut sans doute peinte dans le cadre de ce projet, même si elle ne fut pas gravée en fin de compte. Une version plus simple de cette composition, à la sépia, est conservée dans une collection particulière.

1. L'historique de cette œuvre est incomplet, mais c'est peut-être l'une des aquarelles de la première période simplement répertoriées comme des vues de Honfleur dans les ventes d'atelier : 1834, nos 81 et 92 ; 1836, nos 44 et 96 ; 1838, no 48.

PRÈS DE HONFLEUR, vers 1823
Mine de plomb et aquarelle, 20,8 × 27,1

LOUIS FRANCIA (1772–1839)

LE PONT DE LA CONCORDE ET LE PALAIS DES
TUILERIES VUS DU COURS-LA-REINE, 1823
Encre rouge, aquarelle et gouache avec grattages
et effaçages, 16,8 × 27,1

Signé et daté en bas à gauche : *L Francia / 1823*

Provenance : John Morton Morris, 1985 ; acheté à
ce dernier par le Yale Center for British Art

Bibliographie : Calais, *Francia*, p. 100

New Haven, Yale Center for British Art, fonds
Paul Mellon (B1985.11.2)

Louis Francia, originaire de Calais et formé dans
les années 1789 à 1817 au contact des
paysagistes anglais les plus progressistes, fut
sans nul doute l'artiste qui eut la plus grande
influence sur Bonington à ses débuts. Il joua en
outre un rôle cardinal dans les échanges
artistiques franco-anglais des années 1820. S'il
initia Bonington à l'aquarelle, son protégé ne
semble pas avoir notablement imité son style
avant 1823 environ, lorsqu'il commença à
travailler pour d'Ostervald. Apparemment,
Francia a passé presque tout le printemps 1823
à Paris. Une épreuve de sa lithographie *Colonne
monumentale de Calais* fut déposée à la
Bibliothèque royale le 21 mars, suivie le 28 mai
par deux grandes lithographies du château de
Saint-Ouen qui rappellent fortement Thomas
Girtin. Entre ces deux dates, Francia exécuta
une suite d'études au crayon assez poussées,
représentant des sites et monuments parisiens,
dont la vue peinte ici à l'aquarelle[1]. Selon
certains auteurs, Francia avait peut-être décidé
de réaliser une série de lithographies ou de
gravures comparable au *Paris and Its Environs* de
Girtin, qu'il connaissait fort bien. À part les
études au crayon, l'aquarelle reproduite ici et les
deux lithographies du château de Saint-Ouen
sont les seuls témoins de ce projet. Vers la
même époque, Francia fournit une aquarelle à
d'Ostervald pour ses *Excursions sur les côtes et dans
les ports de Normandie*.

Quant à Bonington, on peut supposer que,
cette année-là, il a partagé son temps entre de
longs voyages sur la côte, où il allait rassembler
des matériaux pour sa collaboration avec
d'Ostervald, et Paris, où il préparait notamment
les pierres lithographiques pour *Restes et fragmens*
(voir le n° 19). C'est sans doute au cours du
printemps qu'il a appris la technique de la
lithographie auprès de Francia.

Bonington a exécuté plusieurs vues du palais
des Tuileries, dont on a perdu la trace[2].

1. Calais, *Francia*, n°ˢ 67–72, p. 47–48 et repr. p. 47.
2. Une version à l'huile, connue par une copie
ultérieure, daterait de 1825 selon certaines sources
(Londres, Sotheby's, vente d'un amateur anonyme, 18
mai 1838, n° 85, non adjugé). Une aquarelle portant ce
titre a appartenu à Lewis Brown (Paris, vente d'avril
1843, sans numéro) et pourrait bien être l'original
utilisé comme point de départ pour les deux versions
reproduites dans Roundell, *Boys*, pl. 10 et 11. La
première, attribuée à Thomas Shotter Boys, correspond
peut-être à l'aquarelle intitulée *View of the Tuileries* dans
la vente W.J. Cooke (Londres, Sotheby's, 16 mars 1840,
n° 140). La deuxième, souvent attribuée à Bonington,
porte ses initiales et la date de 1827. Cette page est bien
trop médiocre pour être de sa main. La sanguine utilisée
pour mettre en place les grandes lignes de la
composition est caractéristique des méthodes de Boys,
surtout dans ses répliques et copies.

BORD DE MER AVEC BATEAUX ÉCHOUÉS ET
PERSONNAGES,   vers 1823–1824
Mine de plomb et aquarelle avec grattages,
15,3 × 21,3

Signé à la plume, en bas à gauche : *R P Bonington*

Provenance: acheté à l'artiste par Mme Benjamin
Delessert ; transmis par héritage (Paris, palais
d'Orsay, vente du 30 novembre 1978), acheté
par Spink ; Spink and Sons, 1979 ; acheté à ces
derniers par le propriétaire actuel

Exposition : Londres, Spink and Sons, 1979 (avec
une notice de Marion Spencer)

Collection particulière

Marion Spencer situe l'exécution de cette
aquarelle vers 1825, mais la composition se
rattache à la suite de vues du littoral préparée
pour les *Excursions sur les côtes et dans les ports de
Normandie* de d'Ostervald. Cette aquarelle,
signée avec soin, pourrait être la dernière de la
série, même si elle n'est pas postérieure aux
premiers mois de 1824. La technique des lavis
pommelés soulignés de petits traits de plume
est empruntée à Francia. Mais le ciel présente
des transitions plus délicates entre les tons gris
bleuté et bleu clair.

BORD DE MER AVEC BATEAUX ÉCHOUÉS ET
PERSONNAGES

RESTES GOTHIQUES,   vers 1823–1824
Lithographie sur papier vélin blanc, 17,3 × 12,5

Provenance : R.E. Lewis ; don de ce dernier au
Museum of Art, Stanford University en 1975

Bibliographie : Bouvenne, n° 37 ; Curtis, n° 2
(I/III)

Palo Alto, Stanford University, Museum of Art
(75.163.1)

C'est l'un des quatre tirages connus du premier
état (avant la lettre, et avant l'ajout d'un petit
chien sur les marches) de la page de titre
exécutée, mais pas utilisée, pour la suite de dix
lithographies de Bonington intitulée *Restes et
fragmens d'architecture du Moyen Age, recueillis dans
diverses parties de la France et dessinés d'après nature
par R. P. Bonington*, parfois appelée *La Petite
Normandie*. L'ensemble fut imprimé par Feillet et
coédité par Charles Motte, Mme Hulin, Feillet,
Gihaut, Bonington et, à Londres, S. & J. Fuller.
Les planches furent publiées en deux livraisons,
déposées respectivement à la Bibliothèque
royale les 8 juin et 1er septembre 1824. Dans
une lettre envoyée de Dunkerque le 3 mars 1824
(d'après le cachet de la poste), Bonington
demandait à James Roberts où en étaient les
pierres lithographiques « chez Feillet ». On peut
en déduire que la plupart des planches étaient
prêtes pour l'impression avant son départ de
Paris vers la fin février. Selon toute probabilité,
le travail sur ce projet a commencé dans le
courant de l'automne 1823.

   Apparemment, Feillet a imprimé la série
diversement sur du papier blanc, sur du papier
de Chine encollé ou sur du papier blanc utilisé
avec des pierres teintées en brun tabac selon
une technique expérimentale essayée à ce
moment-là pour l'édition de luxe des *Voyages
pittoresques* du baron Taylor. Les lithographies
imprimées avec une pierre teintée sont les plus
nombreuses, et souvent les plus belles, mais le
procédé donnait des résultats imprévisibles, et
plusieurs épreuves présentent des défauts dus à
des bulles ou à un encrage irrégulier. Cela peut
contribuer à expliquer l'échec financier
rencontré par cette publication. À Londres,
Colnaghi a publié une édition posthume réalisée
à partir de pierres déjà usées, ce qui n'était pas
fait pour améliorer le mauvais effet déjà produit
sur les critiques.

   Au dire de Bouvenne, la pierre utilisée pour
Restes gothiques était trop petite pour donner un
bon résultat à l'impression, ce qui obligea
Bonington à redessiner la page de titre sur une
autre pierre pour l'édition définitive. Cette
deuxième version (Curtis n° 3), portant les

inscriptions *Caen* au-dessus de la voûte et
Architecture du Moyen Age dans l'embrasure,
nous montre l'architecture inversée en miroir,
tandis que les personnages sont restés sur le
côté gauche[1]. Sa facture est beaucoup plus
subtile, et l'on peut penser qu'elle date de la fin
du printemps 1824. Le monument n'a pu être
identifié, mais il pourrait s'agir de la chapelle
Saint-Georges construite au XIIe siècle dans le
château-fort de Caen, dont on verrait ici l'entrée
latérale. Un dessin au crayon, en rapport avec
cette composition, est conservé à Bowood.

1. On connaît une autre version lithographiée de la
page de titre (Curtis, n° 3 bis), peut-être due à Eugène
Lepoittevin, un imitateur de Bonington.

20

ÉTUDE DU PALAIS DE JUSTICE DE
ROUEN,   vers 1823
Mine de plomb sur papier chamois, 30,1 × 12

Inscription à la plume, en haut à gauche : *64*

Provenance : Victor Reinacker ; don à Tom
Girtin, 1933 ; acheté à ce dernier par Paul
Mellon

Exposition : Nottingham 1965, n° 47

New Haven, Yale Center for British Art,
collection Paul Mellon (B1975.3.1097)

21

ENTRÉE DE LA SALLE DES PAS PERDUS, PALAIS
DE JUSTICE, ROUEN,   vers 1823–1824
Lithographie imprimée avec une pierre teintée,
20,6 × 23,2

Signé en bas à gauche : *R P Bonington* ; titre
inscrit dans la marge et, en bas à droite : *Lith de
Feillet*

Provenance : James Bergquist ; acheté à ce dernier
par le Yale Center for British Art, 1990

Bibliographie: Curtis, nº 11 (II/III)

New Haven, Yale Center for British Art, fonds
Paul Mellon (B1990. 24. 13)

Cette lithographie, la neuvième des dix planches
de la suite des *Restes et fragmens*, représente une
partie de la façade du palais de justice de Rouen,
construit dans un style gothique tardif[1]. James
Roberts affirme que, parmi toutes les phases du
gothique, Bonington avait une préférence pour
le flamboyant. Le palais de justice de Rouen,
qui en offrait un exemple admirable, ne pouvait
manquer de flatter son goût historiciste. Il n'est
pas possible d'identifier une seule étude
expressément destinée à la lithographie, mais
Bonington a exécuté à partir de 1821 plusieurs
dessins au crayon minutieusement détaillés
représentant des parties de cet édifice[2]. Plus
tard, Delacroix allait utiliser un mur de la salle
des Pas perdus comme toile de fond pour son
Intérieur d'un monastère dominicain [3].

1. Une lithographie de la même époque montrant la
façade entière et la cour, exécutée par Vauzelle, Lanté et
Adam, fut publiée dans les *Voyages pittoresques*, *Normandie*,
t. I, pl. 164.
2. Par exemple ceux qui sont conservés à Bowood (vers
1821) et qui étaient chez Colnaghi en 1972 (vers 1823).
3. Johnson, *Delacroix*, t. I, nº 148. Dans un carnet
conservé au musée du Louvre, Delacroix a exécuté des
études au crayon d'après les fenêtres (Sérullaz, *Delacroix*,
nº 1753).

ABBEVILLE, PORTE DE L'ÉGLISE SAINT-
WULFRAN, vers 1823
Mine de plomb et gouache blanche, 40 × 24,5

Provenance : P.R. Bennett ; amateur anonyme
(Londres, Sotheby's, vente du 19 mars 1981,
nº 179), acheté par le Yale Center for British
Art

Bibliographie : voir Curtis, nº 13

New Haven, Yale Center for British Art, fonds
Paul Mellon (B1983.9.2)

Il s'agit d'une étude pour une lithographie
destinée à la série des *Restes et fragmens*, qui
comportait également un panorama d'Abbeville
vue de loin. La lithographie en question n'a pas
été publiée. Curtis en a répertorié seulement
deux épreuves. Une troisième est conservée au
musée de l'université de Stanford, mais on ne
sait pas à quel état elle correspond. L'artiste a
exécuté une étude du portail ouest, superbe
exemple de gothique flamboyant réalisé entre la
fin du XVᵉ siècle et le début du XVIᵉ.

Bonington se rendait fréquemment à
Abbeville, une localité située non loin de Saint-
Valéry-sur-Somme, riche en évocations du
Moyen Age et de la Renaissance. Il a exécuté
d'autres études au crayon dans cette ville,
notamment d'après une façade de maison à
colombage (vers 1821 ; Bowood, coll. du comte
de Shelburne), une rue avec la tour Saint-Gilles
(collection Ingram) et la place du Grand Marché
avec une vue de la façade latérale de Saint-
Wulfran (vers 1823; Paris, musée du Louvre)[1].

1. Thomas Shotter Boys a repris ce point de vue pour
sa lithographie publiée dans le volume des *Voyages
pittoresques* consacré à la Picardie. Une aquarelle exécutée
d'après le dessin de la place du Grand-Marché,
conservée à la Bibliothèque nationale, est attribuée par
erreur à Bonington, mais pourrait reproduire un original
perdu.

23

RUE DU GROS-HORLOGE, ROUEN, 1824
Lithographie sur papier de Chine encollé,
24,5 × 24,7

Inscriptions sur la pierre, dans la marge du
haut : *P 173* ; dans la marge du bas : *Bonington
1824, Lith de G Engelmann,* et *Rue du Gros Horloge*

Bibliographie : Curtis, n° 16 (II/III)

Palo Alto, Stanford University, Museum of Art

Comme Bonington attendit 1823 pour
apprendre la technique de la lithographie auprès
de Francia, le baron Taylor ne fit pas appel à lui
pour ses *Voyages pittoresques et romantiques dans
l'ancienne France* avant d'avoir largement entamé
la publication du deuxième volume, qui
commença en avril 1822. La vingt-sixième
livraison de ce volume (la première à comporter
des images de Rouen) parut en juin 1823. Cette
Rue du Gros-Horloge, qui constituait la première
contribution de Bonington à l'entreprise, fut
publiée au printemps 1824. On peut donc
supposer que la pierre lithographique était prête
avant son départ pour Dunkerque en février.
Le 8 juillet, il avait terminé ses quatre autres
estampes destinées à la même publication, car,
à cette date, il fit savoir au baron Taylor que la
Tour des Archives, Vernon était à sa disposition et
qu'il demandait 200 francs pour prix de son
travail[1]. Ses deux vues de Gisors et la *Tour de
l'Horloge, Évreux* s'inspiraient de dessins
exécutés sur le trajet de Dunkerque à Paris en
mai ou juin. Une épreuve de la *Rue du Gros-
Horloge* fut exposée au Salon par l'imprimeur
George Engelmann.

Cette *Rue du Gros-Horloge,* chef-d'œuvre de la
lithographie romantique, remplit pleinement les
promesses de Charles Nodier affirmant dans le
prospectus que l'éditeur ne proposait pas un
simple voyage de découverte, «mais un voyage
d'impressions». La vue que l'on a en regardant
vers l'ouest dans la grande artère commerçante
de Rouen se trouve inversée sur l'image.
L'artiste s'est arrêté avec autant de plaisir sur
les détails pittoresques que sur les faits de la vie
citadine moderne, sans quoi les monuments
médiévaux manqueraient totalement d'intérêt.
Il a volontairement déformé la perspective de la
composition afin d'obtenir un effet
spectaculaire : il a exagérément grossi les
proportions des architectures du premier plan,
de sorte que les fuyantes convergent
abruptement vers le principal monument,
à savoir le Gros-Horloge. Ce type de procédé
était couramment employé dans le dessin
architectural britannique au début du XIXe
siècle, mais très rarement utilisé par les
collaborateurs du baron Taylor. Cela semble
surprenant étant donné la diffusion
internationale des images réalisées en
perspective raccourcie, et le recours
apparemment fréquent aux perspectives
plongeantes dans les dioramas présentés à un
vaste public tant à Paris qu'à Londres.

1. Lettre manuscrite envoyée le 9 juillet 1824 (d'après
le cachet de la poste), reproduite en fac-similé dans
Studio, n° 33, 1905, p. 100. En novembre 1827, Delacroix
proposa à Charles Motte d'illustrer *Le Giaour* de Byron
pour le même tarif (*Correspondance,* t. I, p. 203).

24

PRÈS D'OUISTREHAM,   vers 1824
Huile sur toile, 26 × 45,1

Signé en bas à droite : *B*

Provenance : baron Charles Rivet ; transmis par
héritage à Mlle F. de Catheu ; Shaun Plunket
jusqu'en 1965 ; Sir Peter Green, 1965

Expositions : BFAC 1937, n° 4 ; Agnew's 1962,
n° 2 ; Nottingham 1965, n° 245, pl. 24

Bibliographie : Charles Damour, *Œuvres inédites de
Bonington*, Paris, 1852, pl. 7 ; Dubuisson et
Hughes, repr. en face de la p. 120 ; Shirley,
p. 93, pl. 36

Londres, collection particulière

Une esquisse de cette composition, exécutée au
crayon, permet d'identifier la ville représentée
au loin, car elle porte l'inscription *Ouistreham*.
Cette petite ville portuaire située près de Caen,
à l'embouchure de l'Orne, possède une église
anglo-normande du XIIe siècle visible ici. Ce
dessin, ainsi qu'un panorama de Salinelles vu de
l'ouest et un autre de Trouville vu des hauteurs
de Bon-Secours[1], provient d'un carnet
aujourd'hui démembré, utilisé par l'artiste
pendant sa première excursion normande en
1821.

Le tableau reproduit ici, sans doute peint
à Paris au cours de l'automne 1823, est la
première huile connue de Bonington. Comme
dans les aquarelles de la même année, l'influence
de Louis Francia se manifeste dans le coloris
pâle, dans la configuration nuageuse complexe
et dans la facture minutieuse, plus
particulièrement le modelé, très étudié, voire
méticuleux, des navires et des personnages.
Le cerne de terre de Sienne brûlée qui délimite
ces éléments et la composition rappellent
curieusement l'impression produite par les
élégants traits de plume de Francia. La même
touche serrée et délicate caractérise les feuillages
du fond, tandis que la couleur appliquée en
couche relativement peu épaisse contredit les
propos de Delacroix affirmant que les premières
marines de Bonington étaient lourdement
empâtées[2].

On ne sait pas très bien à quelle date
Bonington a commencé à peindre des paysages
à l'huile, ni qui l'a initié à cette technique.
Ni Francia ni Prout ne pratiquaient beaucoup la
peinture à l'huile[3], et la formation de Bonington
auprès de Gros n'a pas duré assez longtemps
pour laisser des traces notables. Son père avait
exposé plusieurs paysages à l'huile à la Liverpool
Academy quelque dix ans auparavant[4], mais il
semble bien que Bonington ait agi là en
autodidacte, et adapté son expérience de
l'aquarelle à ce moyen d'expression plus
exigeant de manière à la fois instinctive et
prudente.

1. Londres, Christie's, vente du 5 novembre 1974,
n° 46, repr.
2. Delacroix, *Correspondance*, t. IV, p. 288.
3. Actuellement, seulement deux peintures à l'huile de
Francia (Norwich Castle Museum) et une de Prout
(Londres, Tate Gallery) sont parvenues jusqu'à nous.
4. Pointon, *Circle*, p. 33.

LA JETÉE DE CALAIS,   vers 1824
Huile sur bois, 29 × 35,3

Inscription au verso, à la plume sur une
étiquette : *View of Fort Rouge, Calais | Painted by
R P Bonington | and purchased at the sale | of his
pictures and sketches | at Sotheby & Sons in
Wellington | Street June 29, 1829 | Being lot 24
First day's sale | -WmS* ; cachet d'atelier en cire
noire au verso

Provenance : vente Bonington 1829, n° 24 (*View of
Fort Rouge Calais, oil sketch*), acheté par Seguier ;
William Seguier (Londres, Christie's, vente du 4
mai 1844, n° 58 (*Coast scene with a brig and fishing
boat near the head of a jetty*) ; Lady Hillingdon ;
acheté à cette dernière par Paul Mellon

Exposition: Londres, Cosmorama Rooms, 209
Regent Street, 1834, n° 37 (*View of Fort Rouge*)

New Haven, Yale Center for British Art,
collection Paul Mellon (B1981.25.57)

À l'occasion de la vente d'atelier de 1829, ce
tableau était présenté comme une vue du Fort-
Rouge à Calais, mais une esquisse au crayon en
rapport avec cette œuvre, portant l'inscription
Calais[1], permet de reconnaître la jetée qui se
trouve à quelques centaines de mètres de la
forteresse. Malgré tout, la composition restitue
davantage une impression générale qu'une
topographie précise.

Une comparaison avec *Près d'Ouistreham*
(n° 24) indique une grande proximité dans les
dates d'exécution. Cependant, *La Jetée de Calais*,
remarquable par sa sérénité immuable et par sa
mise en page limpide, doit beaucoup moins à
Francia. Bonington a utilisé ici un système de
perspective aérienne plus recherché, et l'on peut
penser qu'il a peint ce tableau peu après son
arrivée à Dunkerque avec Alexandre Colin (voir
le n° 136), vers la fin février 1824. Il devait
passer la majeure partie de l'année dans cette
ville, chez les Perrier, qui avaient une maison
sur le quai des Furnes.

William Seguier (1771–1843), premier
propriétaire de ce tableau, occupait les fonctions
importantes de conservateur à la National
Gallery et de directeur de la British Institution,
et conseillait en outre certains des plus grands
collectionneurs anglais. Devenu un admirateur
inconditionnel de l'art de Bonington dès leur
première rencontre en 1825, Seguier mena une
véritable campagne pour faire acheter ses
œuvres par l'État et contribua à organiser
l'exposition aux Cosmorama Rooms en 1824.
Cette activité persistante en faveur de
Bonington agaça profondément John Constable[2].

1. Nottingham 1965, n° 38.
2. *John Constable's Correspondence IV*, présentée par R.B.
Beckett, Suffolk, 1965, VIII, p. 73 ; voir également le n°
68.

SAINT-OMER VU DE LOIN,   vers 1824
Huile sur toile, 31,5 × 44

Provenance : James Price (Londres, Cristie's, vente du 15 juin 1895, n° 38), acheté par Agnew's ; George Salting ; legs de ce dernier à la Tate Gallery, 1910

Bibliographie : H. Hall, «Discovery of a Bonington Pencil Sketch», *Apollo*, août 1953, p. 37–39 ; Shirley, pl. 24 ; Peacock, pl. V

Londres, Tate Gallery (2664)

Ce tableau, où l'on avait cru reconnaître une vue des environs de Boulogne ou de Mantes, ou encore un paysage normand, représente en fait la ville de Saint-Omer telle qu'elle apparaît de la route Boulogne-Calais. Les ruines de l'abbaye Saint-Bertin, la basilique Notre-Dame et l'église Saint-Denis se découpent sur l'horizon. Par son coloris froid et sa facture énergique cette toile se rapproche des *Canots dans la brise* (Londres, Wallace Collection ; ill. 21) et fut sans doute exécutée dans les premiers mois du séjour de Bonington à Dunkerque.

Plusieurs esquisses de la même composition ont été attribuées par erreur à Bonington, notamment une copie à la sépia rehaussée de blanc[1], qui passait pour avoir été adressée par l'artiste à son amie Mme Perrier en décembre 1824. Or, dans une lettre, Bonington précise qu'il a envoyé à Mme Perrier et à ses filles des informations sur la mode parisienne, deux esquisses de Colin, des lithographies d'un «ami» et quelques romans sentimentaux «insipides» mais en vogue[2]. H. Hall a publié une autre version de cette composition, à la mine de plomb et à la craie, qui porte sur son support cartonné l'inscription *A sketch taken on the spot in the plain of St. [?] Denis by R P Bonnington [sic]*. Il supposait à tort que cette inscription pouvait être de la main de Samuel Prout[3].

On ne sait pas ce qu'il est advenu de la toile reproduite ici juste après son exécution, mais une copie lithographiée par Jules Laurens et publiée à Paris en 1851, semble indiquer qu'elle a appartenu dans un premier temps à un collectionneur français. Une copie à l'huile, fort honorable, exécutée à la même époque est conservée dans une collection particulière[4].

L'année où la Tate Gallery reçut le legs Salting, Edith Wharton évoquait cette toile dans une lettre à William Morton Pullerton :

«J'ai beaucoup pensé à vous hier devant le divin petit Bonington de la collection Salting, à côté de quoi les somptueux Constable ne sont que littérature, tellement il possède la perfection d'une urne grecque. Cet homme fut assurément le Keats de la peinture[5].»

1. Paris, hôtel Drouot, vente du 6 décembre 1984, n° 62.
2. Lettre conservée par les héritiers de Colin, datée du 31 décembre 1824 et transcrite par Dubuisson (B.N., dossier Bonington).
3. Ce dessin, ou plus vraisemblablement un original perdu dont il n'est que la copie, a appartenu au graveur W.J. Cooke (Londres, Sotheby's, vente du 16 mars 1840, n° 135 *A sketch made on the spot in the plains of St. Denis*], non adjugé. Dans le catalogue de la vente, il figure dans un ensemble de dessins que Cooke est censé avoir achetés directement à l'artiste.
4. Agnew's 1962, n° 24.
5. L'année précédente, Edith Wharton avait enchéri dans une vente pour une autre huile finalement adjugée à Salting : la *Vue du Grand Canal* (Édimbourg, National Gallery of Scotland), attribuée à l'époque à Bonington. Voir *The Letters of Edith Wharton*, présentées par R.W.B. Lewis, New York, 1988, p. 185 et 188.

LA ROUTE ENCAISSÉE, AVEC SAINT-OMER AU
LOIN,   vers 1823–1824
Mine de plomb et lavis brun, 13 × 21,3

Provenance : comte de Faucigny, Paris, 1867 ;
vraisemblablement Léopold Fleming ; Jules
Michelin jusqu'en 1898 (Paris, vente des 21–23
avril 1898, n° 257) ; Percy Moore Turner ; A.C.
Hampson (Londres, Christie's, vente du 18
mars 1980, n° 84), acheté par Reed ; Anthony
Reed, 1980 ; collection particulière jusqu'en
1987 ; Anthony Reed ; acheté à ce dernier par le
propriétaire actuel

Bibliographie: Dubuisson et Hughes, p. 199 ;
Shirley, p. 95 et 146 (Mantes)

New York, collection particulière

Cette vue du sud-est de Saint-Omer revient
assez souvent dans l'œuvre de Louis Francia[1].
La composition dessinée ici par Bonington
ressemble beaucoup à sa version à l'huile (n° 26)
pour ce qui concerne le traitement du ciel, mais
les détails du premier plan sont différents.
Bonington a sans doute exécuté les deux œuvres
à la même époque, en commençant par le dessin
au lavis selon sa coutume. Pourtant, le dessin ne
constitue pas une étude préparatoire pour la
peinture à l'huile. C'est une œuvre autonome,
destinée à la vente. Les vues panoramiques de
ce genre, d'inspiration hollandaise, occupent une
place importante dans les premières expositions
de Bonington et dans son œuvre graphique.

Ainsi, une vue de Lillebonne prise des hauteurs
environnantes fut l'une des deux aquarelles avec
lesquelles il fit ses débuts au Salon en 1822.

Les lavis ne coïncident que rarement avec les
contours assez librement tracés au crayon. Le
traitement du ciel démontre une bonne maîtrise
du procédé humide sur humide. De manière
générale, la facture de ce dessin est
caractéristique des aquarelles de la fin 1823 et
du début 1824, où nous voyons s'affirmer une
technique plus assurée, plus fluide et plus
concise, qui ne compromet nullement les effets
atmosphériques ou la précision du rendu. Cette
aisance nouvelle a autorisé Bonington à étendre
du bout du doigt les lavis appliqués un peu trop
généreusement dans le feuillage.

Dans le même temps où les paysages à
l'aquarelle suscitaient un intérêt de plus en plus
marqué, les dessins au lavis brun connaissaient
une vogue alimentée dans une large mesure par
l'engouement pour les albums de dessins
d'artistes. Les maîtres du genre étaient Jean-
Baptiste Isabey, Jules-Louis-Frédéric Villeneuve
et Hippolyte de Boug d'Orschviller, qui
participaient régulièrement aux Salons avec des
dessins de sites français ou italiens
minutieusement exécutés à la sépia[2]. Les
critiques ne réservaient pas toujours un accueil
enthousiaste à ces œuvres. Ainsi, Étienne
Delécluze écrivait en 1824 : « Je me trompe peut-
être, mais les petits dessins d'album font bien
du tort à nos talentueux paysagistes[3]. » Selon
lui, leur facilité d'exécution favorisait une
peinture frivole et superficielle. Bonington
réalisa une quantité prodigieuse de dessins de ce
type entre 1823 et 1825, notamment de

nombreuses marines[4] étroitement apparentées
aux œuvres graphiques de Francia et aux
planches sépia du *Liber Studiorum* de J.M.W.
Turner.

Le premier propriétaire connu de la *Route
encaissée*, Ferdinand-Victor-Amédée, comte de
Faucigny-Lucinge (1789–1866), fut une grande
figure de la Restauration. Ancien aide de camp
du duc de Berry, il épousa Charlotte-Marie
Auguste, fille naturelle du duc de Berry et
d'Amy Brown, l'année même où Bonington
acheva ce dessin. Il se réfugia en Angleterre en
1830. On sait qu'il a eu aussi dans sa collection
au moins une aquarelle de Bonington[5].

1. Calais, *Francia*, entre autres le n° 103, où l'on voit
également des personnages assis et debout au premier
plan.
2. Delécluze, « Salon de 1828. Paysage », *Journal des
débats*, 25 avril 1828, p. 3.
3. Delécluze, « Exposition du Louvre-XXI », *Journal des
débats*, 7 décembre 1828. On trouvera une critique
anonyme de l'engouement pour les albums dans le
Journal des artistes, 23 mars 1828.
4. Par exemple *Voiliers encalminés*, signé et daté de 1824,
repr. dans *Jongkind and the Pre-Impressionists*,
Northampton, Smith College Museum of Art, 1976,
n° 4 ; *Le port de Boulogne*, signé et daté de 1825, repr. dans
Gobin, *Bonington*, pl. 14 ; *Navires dans la houle au large de
Calais*, vers 1824, Paris, musée du Louvre ; et *Bateaux de
pêche sur une plage*, vers 1824 (Londres, Sotheby's, vente
du 16 juillet 1987, n° 125).
5. *Vue de la côte avec bateau échoué*, vers 1824, New
Haven, Yale Center for British Art.

LES RUINES DE L'ABBAYE SAINT-BERTIN À
SAINT-OMER,   vers 1824
Huile sur toile, 61 × 49,5

Provenance : William Twopenny ; James Orrock

Expositions : BFAC 1937, n° 19 ; Nottingham
1965, n° 249, pl. 26

Bibliographie : Dubuisson et Hughes, repr. en
face de la page 28 ; Shirley, p. 90, pl. 23 ;
Peacock, pl. XI ; Lockett, *Prout*, p. 131

Nottingham, Castle Museum and Art Gallery
(7-85)

Samuel Prout affirmait avoir vu Bonington au
moment où il exécutait une esquisse à l'huile
des *Ruines de l'abbaye Saint-Bertin*[1]. On situe
traditionnellement en 1823 cette rencontre des
deux artistes, mais Lockett suppose qu'elle a eu
lieu un an avant. Indépendamment de la date de
l'esquisse disparue, le style de la toile
reproduite ici indique qu'elle n'a pas été
exécutée avant 1824. Si l'on ne connaît aucun
dessin de Bonington représentant les ruines de
l'abbaye, il a laissé en revanche des études au
crayon d'autres monuments de Saint-Omer,
notamment des images détaillées du portail sud
de la cathédrale (vers 1823 ; Bowood, collection
du comte de Shelburne) et de l'hôtel de ville
(collection Ingram). Bonington dessina une
étude de la tour de l'abbaye (Bowood) vers la
fin de l'été 1825, à son retour de Londres,
lorsqu'il rejoignit sans doute Delacroix et
Eugène Isabey à Saint-Omer (voir le n° 46), en
compagnie de Colin. Deux vues de la nef en
ruine, exécutées par Prout avec un grand souci
du détail historique, sont conservées au Victoria
and Albert Museum. Les études les plus
nombreuses sont dues à Francia, qui fit
découvrir à ses confrères les monuments de
Saint-Omer et pour qui l'abbaye resta un motif
privilégié jusqu'à la fin de sa carrière[2]. Sans
témoigner un intérêt aussi soutenu, Bonington
trouva tout de même dans cette ville le sujet
d'au moins une commande importante : une
aquarelle (détruite en 1848) du tombeau de
saint Omer, achetée au Salon de 1827 par le duc
d'Orléans[3].

Le traitement du premier plan annonce des
œuvres comme l'esquisse de la *Forêt de
Fontainebleau* (n° 52). La représentation de
l'architecture s'attache à la précision des détails,
qui n'est pas vraiment obtenue par le dessin,
comme dans les vues ultérieures de Venise, mais
par des modulations de teintes soigneusement
calculées. On retrouve là, et dans le recours à un
éclairage doux et enveloppant, des similitudes
avec la facture des dessins au crayon de 1823, et
avec la subtilité des perspectives aériennes dans
les lithographies du début de 1824 (voir le
n° 23). Bonington s'est bien gardé de suivre la
tradition romantique consistant à grossir les
dimensions des ruines et à découper leurs
silhouettes sur un ciel menaçant.

Le petit personnage au premier plan est peut-
être un carrier, si l'on en juge par les ouvriers
analogues rencontrés dans les dessins de Prout.
Pendant et après la Révolution, l'État vendit
des bâtiments monastiques, en ruine ou encore
intacts, à des entrepreneurs qui comptaient
récupérer les pierres de construction. Cette
affaire devint une cause célèbre dans les années
1820 et inspira à Victor Hugo l'une de ses
diatribes les plus virulentes. Si l'écrivain
reprochait aux Anglais d'avoir
systématiquement détruit Jumièges, il ne se
montrait guère plus indulgent à l'égard de ses
compatriotes qui avaient quasiment anéanti les
vestiges du cloître de Saint-Wandrille et
d'autres témoins du passé gothique : « Les
profanations de Lord Elgin se renouvellent chez
nous, et nous en tirons profit. Les Turcs ne
vendaient que des monuments grecs ; nous,
nous faisons mieux, nous vendons les nôtres[4]. »

Hugo ne parlait pas de l'abbaye Saint-Bertin,
qui ne fut pourtant pas épargnée. La démolition
commença en 1799, date de la vente, et se
poursuivit jusque dans les années 1820. Un
dessin exécuté vers 1821 par Louis Francia[5], qui
montre les ruines pratiquement sous le même
angle de vue que l'huile de Bonington
reproduite ici, permet de mesurer l'ampleur
redoutable prise par ce vandalisme officiel dans
le court laps de temps qui sépare les deux
œuvres. Francia, farouchement opposé à ces
agissements, n'en acheta pas moins le retable de
l'abbaye pour le revendre ensuite avec un
bénéfice, à Londres en 1822. Au reste, les
fonctionnaires ne furent pas toujours les seuls
responsables des destructions, si l'on en croit le
défenseur du patrimoine F.-T. de Joliment, qui
déplorait en 1823 de voir le propriétaire de
l'église Sainte-Paix de Caen, l'artiste Floriot,
laisser ce monument tomber en ruine afin de
nourrir ses méditations quotidiennes sur la
décadence inéluctable des civilisations[6].

1. Vente Bonington, 1829, n° 114, acheté par Byng.
2. Calais, *Francia*, n°s 57, 94 et 127, par exemple. Il
exécuta également une série d'aquarelles dont on a
perdu la trace.
3. Une copie à l'huile anonyme est reproduite par
Dubuisson et Hughes, en face de la p. 156.
4. Victor Hugo, « Sur la destruction des monuments de
France », *Œuvres complètes*, t. II, p. 569-572.
5. Calais, *Francia*, n° 57. Une peinture à l'huile due à un
artiste anonyme de l'époque reprend encore plus
fidèlement la composition de Bonington, en y
introduisant des personnages qui se battent en duel
(Monaco, Sotheby's, vente du 3 décembre 1989,
n° 636).
6. F.-T. de Joliment, *Description historique et critique et
vues des monuments du Calvados*, Paris 1825, p. 42 *sq.*
Joliment a également réalisé plusieurs copies d'après des
marines de la première période de Bonington.

29

MARCHÉ AUX POISSONS PRÈS DE
BOULOGNE, vers 1824
Huile sur toile, 82 × 122,5

Provenance : James Carpenter (mort en 1852),
avant la fin 1830 ; vraisemblablement amateur
anonyme [Carpenter?] (Londres, Phillips, vente
du 23 février 1833) ; vraisemblablement Sir
Henry Webb (Paris, vente des 23–24 mai 1837,
n° 2) ; Hugh A. J. Munro de Novar, entre 1857
au plus tard et 1878 (Londres, Christie's, vente
du 6 avril 1878, n° 3) ; acheté par Agnew's pour
Lewis ; C.W. Mensil Lewis jusqu'après 1885 ;
Sir Charles Tennant vers 1896 ; transmis par
héritage à Sir Colin Tennant ; acheté à ce
dernier par Paul Mellon en 1961

Expositions : Paris, Salon de 1824, n° 191 ;
Agnew's 1962, n° 5 repr.

Bibliographie : E. Delécluze, « Salon de 1824 »,
Journal des débats, 30 novembre 1824, p. 2–3 ;
Jal, *Salon de 1824*, p. 417 ; « The Collection of
Hugh Munro of Novar », *Art Journal*, 1857,
p. 134 ; Dubuisson 1909, repr. p. 283 ;
Dubuisson et Hughes, p. 118–120, repr. en face
de la p. 119 ; Noon 1986, p. 239–253 ; Pointon,
Bonington, p. 153

New Haven, Yale Center for British Art,
collection Paul Mellon (B1981.25.50)

Dans mon article de 1986, j'évoquais
longuement la genèse et la signification de cette
marine, la plus ambitieuse et peut-être la plus
importante jamais peinte par Bonington.
L'examen de l'œuvre et la lecture attentive des
critiques, sans apporter de preuves concluantes,
plaident très fortement en faveur de
l'identification avec la peinture à l'huile
intitulée *Marine, pêcheurs débarquant leur poisson*,
qui portait le n° 191 au Salon de 1824 et qui
valut une médaille d'or à Bonington. Avec son
étonnante raie échouée, sa luminosité et sa foule
de pêcheurs rustauds, cette toile est un
remarquable exercice de naturalisme anglo-
hollandais, d'une qualité inégalée dans la
peinture de paysage française de cette époque,
et situé aux antipodes du goût académique
régnant.

Auguste Jal écrivait dans son compte rendu
du Salon : « M. Bonington [...] est un Anglais
transporté à Paris, où il a apporté la foi. Assez
longtemps les amateurs n'ont juré que par lui ; il
a fait des prosélytes et des imitateurs. Ses
tableaux ont, vus de quelques pas, l'accent de la
nature. Mais ils ne sont, à vrai dire, que des
ébauches. Je préfère de beaucoup ceux de M.
[Eugène] Isabey. Les figures de Bonington sont
indiquées avec esprit, mais elles sont trop
léchées[1]. »

Étienne Delécluze, protégé de David et
traditionaliste, critiquait moins les innovations
plastiques que la remise en question de la
suprématie du paysage historique par le choix
d'un sujet aussi banal : « Pour juger du talent de
ce peintre, il faut observer une marine dans
laquelle on voit des pêcheurs qui débarquent
leur poisson. L'exactitude et la finesse avec
lesquelles sont rendus ces effets blafards du ciel
et de la mer, de la côte de la Manche, sont
vraiment dignes d'éloge, mais j'avoue qu'un ciel
triste, une mer houleuse et des pêcheurs sales,
se débattant au milieu d'un monceau de
poissons, ont peu d'attrait pour moi. La vérité
de l'imitation augmente chez moi le dégoût, et
par un mouvement involontaire je vais du côté
où je pourrai voir les riants paysages de la
Grèce, de l'Italie. [...] Non, je ne pourrai jamais
accorder qu'il suffit d'être vrai pour plaire ; je
dirai même que j'aime mieux voir une mauvaise
gouache du beau golfe de Naples qu'un monceau
de morues exécuté par le peintre le plus
habile[2]. »

C'est en 1857 qu'un auteur a pu situer près
de Boulogne le marché aux poissons représenté
ici. Le tableau ne comporte aucun repère
architectural ou topographique susceptible de
confirmer cette hypothèse, mais Bonington a
exécuté une étude à la sépia pour cette
composition au verso d'un dessin au lavis
montrant l'arrière-port de Boulogne (collection
particulière). Il a dû réaliser aussi des dessins à
la pierre noire, comparables au n° 30, pour au
moins quelques-uns des personnages,
notamment la femme qui traîne le grand panier
et que l'on voit sous trois angles différents, mais
toujours dans la même attitude. Les pages
détachées du carnet de 1824 (Paris, Bibliothèque
nationale ; ill. 16 et 17) comportent de très

nombreuses études rapides de pêcheurs, de marchés aux poissons et d'objets liés à cette activité.

James Carpenter (mort en 1852), le premier propriétaire connu de ce tableau, était un libraire et éditeur londonien prospère, qui protégea très tôt John Constable. Il était le beau-père de Margaret Geddes Carpenter, qui peignit un portrait de Bonington (Londres, National Portrait Gallery), et dont la sœur avait épousé le peintre de marines William Collins. Carpenter fit sans doute la connaissance de Bonington en 1827 par l'intermédiaire de leurs amis communs dans le milieu des imprimeurs. Dans la notice nécrologique que lui consacra le *Art Journal* de mai 1852, le journaliste lui attribuait le mérite d'avoir présenté Bonington au public anglais. Même si Bonington avait déjà fait son entrée sur la scène artistique anglaise avant cette rencontre, il est vrai que Carpenter a généreusement défendu les intérêts de l'artiste par ses commandes et, après la mort du peintre, par la publication de gravures et l'édition des fac-similés lithographiques de J.D. Harding, *A Series of Subjects from the Works of Late R.P. Bonington* (Londres, 1829–1830).

Parmi les estampes publiées par Carpenter figurait un mezzo-tinto exécuté par J.P. Quilley d'après le *Marché aux poissons près de Boulogne* (janvier 1831). L'annonce publicitaire parue dans la *Literary Gazette* (12 février 1831) laisse clairement entendre que le grand public connaissait fort bien cette œuvre à cette date[3]. Une critique extrêmement sévère du mezzo-tinto, parue dans le *Repository of Arts* de juin 1833, a peut-être convaincu Carpenter, s'il ne l'était pas déjà, de commander une taille-douce à Charles Lewis pour faire pendant à son *Entrée du Grand Canal*, son autre gravure d'après une œuvre importante de Bonington, publiée le 30 mars 1831 (ill. 61)[4]. La version à l'aquarelle du *Marché aux poissons près de Boulogne*, assez sommairement exécutée et mise au carreau à la pierre noire (Paris, musée du Louvre) n'est pas une étude réalisée par Bonington, comme l'écrit Marcia Pointon, mais la copie préparatoire pour la gravure de Lewis. Dans trois répliques anonymes exécutées d'après cette gravure, l'édifice visible à gauche du tableau de Bonington a disparu[5]. On connaît aussi d'autres copies à l'aquarelle ou à l'huile[6].

1. Jal, *Salon de 1824*, p. 417.
2. Delécluze, *Salon de 1824*, p. 2–3.
3. « Tout amateur d'art se rappelle cet admirable tableau de Bonington, où l'agencement et la composition n'ont rien à envier aux plus grands maîtres de l'école flamande. »
4. Charles Lewis, célèbre graveur de l'époque victorienne et frère de l'artiste John Frederick Lewis, débuta vers le milieu des années trente en gravant des peintures notables de Bonington pour Carpenter, Colnaghi et d'autres clients.
5. Autrefois dans la collection George Coats ; autrefois dans la collection Paul Müller (Paris, vente du 25 mai 1910, n° 2) ; et New York, John Nicholson Gallery, 1948. L'une de ces répliques est peut-être celle qui se trouve actuellement dans la collection de Lord Belper.
6. Une huile signée *A G* est passée en vente à Londres, chez Sotheby's Belgravia, le 30 octobre 1972 (n° 162), tandis qu'une aquarelle est conservée à Manchester, à la Whitworth Art Gallery.

30

ÉTUDE DE PÊCHEURS,   vers 1824
Dessin aux trois crayons rehaussé de lavis gris
sur papier ocre, 20 × 26

Fausses signatures partiellement effacées en bas
à gauche

Provenance : vraisemblablement E.V. Utterson
(Londres, Christie's, vente du 24 février 1857,
n° 379) ; William Russel (Londres, Christie's,
vente du 10 décembre 1884, n° 106), acheté par
Rigall ; Colnaghi, 1901 ; acheté chez ce dernier
par le British Museum

Exposition : Nottingham 1965, n° 4, pl. 35

Bibliographie : Shirley, p. 94 et pl. 51

Londres, British Museum (1901–4–17–17)

Cette feuille de croquis se rattache à l'ensemble
des études de pêcheurs normands destinées à la
série de marines que Bonington entreprit au
cours du printemps 1824. On reconnaît parmi
ces croquis les études de trois personnages de la
première de ces toiles, *Vue de la côte française avec
pêcheurs* (collection vicomtesse Boyd de Merton ;
ill. 18). D'autres présentent le pêcheur et la
femme dans la même attitude, à quelques
variations près. On connaît un ensemble de
croquis d'enfants dans le même style[1].

Bonington faisait probablement allusion à ce
type de dessins quand il écrivait de Dunkerque,
le 5 avril 1824, dans une lettre adressée à Colin
qui était déjà rentré à Paris à cette date : «Je te
remercie des soins que tu as eus pour mes
dessins, etc. Aussi il ne faut pas que j'oublie les
costumes de matelots[2].» Une étude du panier
porté par les personnages, minutieusement
exécutée au crayon (collection particulière),
porte la mention «Trouville». Les croquis
rapides de pêcheurs occupés à toutes sortes
d'activités quotidiennes tiennent une place
importante dans le carnet utilisé en 1824 et
aujourd'hui démembré (Paris, Bibliothèque
nationale; ill. 16).

1. Deux se trouvaient autrefois dans la collection
Seligmann, une troisième est conservée au Fitzwilliam
Museum, et une quatrième est passée en vente à
Londres, chez Sotheby's, le 17 novembre 1983, n° 120.
Voir également Shirley, pl. 51.
2. Lettre conservée par les héritiers de Colin, transcrite
par Dubuisson (B.N., dossier Bonington).

PAYSAGE DE RIVIÈRE EN PICARDIE, vers 1824
Huile sur toile, 43,2 × 55,8

Provenance : vraisemblablement Sir Henry Webb
(Paris, vente des 23–24 mai 1837, n° 7 [*Shipping
on the Canal at Calais. Morning*]) ; T. Horrocks
Miller ; Thomas Pitt Miller (Londres, Christie's,
vente du 26 avril 1946, n° 9), acheté par
Agnew's ; Agnew's, 1952 ; acheté chez ce
dernier par Sir John Heathcoat Amory ; acheté à
ce dernier par le National Trust en 1972

Expositions : Agnew's 1962, n° 19 ; Nottingham
1965, n° 246, pl. 28

Knightshayes, The National Trust, collection
Heathcoat-Amory

D'après son style, on peut dater du printemps 1824 ce tableau qui représente avec une admirable subtilité les brumes du petit matin enveloppant les canaux dans les environs de Saint-Omer et de Calais. Marion Spencer notait en 1965 l'existence de plusieurs copies et, selon toute apparence, la composition était très connue au siècle dernier, peut-être parce qu'une de ces versions avait figuré au Salon de 1824[1].

En France, un amateur qui se constitua l'une des plus belles collections de Bonington fut un certain « chevalier Webb », qui demeure aujourd'hui assez mystérieux. Dubuisson l'appelait diversement « monsieur Webb » ou « W. Webb », tandis que Shirley ajoutait à la confusion en le désignant sous le nom de « capitaine Webb ». En fait, c'était quasi certainement Sir Henry, sixième baronnet Webb (1806–1874), unique héritier de Sir Thomas Webb et de sa première épouse Lady Frances Dillon. Le couple vint s'installer en France vers 1800, et Mme Récamier devait citer les Webb à plusieurs reprises dans sa correspondance à partir de 1807. Lady Webb (morte en 1819) était la sœur du premier comte de Mulgrave et d'Edmond Phipps, respectivement directeur et administrateur de la British Institution, qui collectionnèrent eux aussi les peintures de Bonington. Sir Thomas Webb épousa en secondes noces la vicomtesse Boyne (morte en 1826), à l'ambassade britannique de Paris en 1822.

Né à Lyon, Henry Webb hérita du titre de baronnet à la mort de son père, en mars 1823. Il commença à disperser son patrimoine le 6 juin 1823, lors d'une vente parisienne, où il était désigné sous le nom de « Webb, baronnet anglais ». Cette vente, de dimension modeste, ne comprenait aucun Bonington. Mais, entre janvier 1832 et mai 1837, Sir Henry organisa huit autres ventes à Paris, comportant plus de deux cent cinquante huiles et six cents dessins et aquarelles d'artistes modernes, britanniques pour une large part. La dernière vente des 3 et 24 mai 1837 réunissait cinquante-deux huiles de Bonington, dont trois seulement provenaient de ventes d'atelier de Bonington où Webb avait enchéri personnellement. Après 1837, son nom n'apparaît plus dans les salles de ventes, même pas à la suite de son décès à Würtemberg en 1874. Cette courte mais intense période d'activité dans les années 1830 semble indiquer que Webb était un marchand-amateur. Il s'était peut-être associé avec un marchand parisien comme Arrowsmith, qui fit faillite vers la fin des années 1830, ou Claude Schroth, commissaire de sept des ventes Webb. Sans doute ne saura-t-on jamais s'il avait accumulé cette formidable collection d'huiles de Bonington pour spéculer ou en raison d'une admiration sincère.

1. Le tableau présenté au Salon, *Étude en Flandre*, fut acheté par la Société des amis des arts. Le 3 juin 1880, il passa dans une vente anonyme chez Christie's, à Londres (n° 507), assorti de la notice suivante : « Paysage de rivière avec un moulin à vent, des bateaux et des personnages. Signé. Société des amis des arts, 1824. Provient de la collection de feue Mme du Cayla. »

BATEAUX DE PÊCHE SUR UNE MER
AGITÉE, vers 1824
Mine de plomb et aquarelle avec grattages. Au
verso : croquis au crayon d'une voile. 14 × 21,3

Inscription au crayon en haut à droite : *Sketch -/
[illisible] nature*. Autre inscription au crayon au
verso, de la main de Louis Francia : *R: P:
Bonington | à Mr Arrowsmith : Ls Francia*, et le
chiffre *3*.

Provenance : Louis Francia ; offert par ce dernier à
John Arrowsmith ; marquis de Lansdowne, de
1936, ou avant, à 1970 ; Agnew's ; acheté chez
ce dernier par Paul Mellon en 1970

Expositions : BFAC 1937, n° 114 ; Agnew's 1962,
n° 57 ; Nottingham 1965, n° 206

Bibliographie : Shirley, p. 113, pl. 135 (à
l'envers) ; Ingamells, *Bonington*, p. 34, et
Catalogue, I, p. 22

New Haven, Yale Center for British Art,
collection Paul Mellon (B1977.14.6105)

Cette aquarelle un peu moins fouillée que la
marine suivante semble avoir servi d'étude
préparatoire pour une huile peinte vers la même
époque (Londres, Wallace Collection ; ill. 20).
L'inscription au crayon semble indiquer que
Bonington a exécuté cette esquisse sur le motif
lors de son séjour à Dunkerque. Lui et Colin
allaient volontiers chercher des sujets au large
de la côte, comme le confirment plusieurs
esquisses au crayon de Colin représentant
Bonington à l'œuvre « en mer »[1].

Une autre aquarelle de dimensions analogues,
datée de 1825, reprend, jusque dans la plupart
de ses détails, le motif de l'huile conservée à la
Wallace Collection[2]. L'artiste a réalisé dans cette
période beaucoup de compositions plus ou
moins semblables, traitées au lavis
monochrome[3].

L'inscription au verso nous apprend que
Bonington donna cette aquarelle à Louis
Francia, qui l'offrit à son tour à John
Arrowsmith, marchand de tableaux établi à
Paris et artiste amateur lui-même. Arrowsmith
fit beaucoup de publicité pour les tableaux de
Constable en 1824 et exposa une de ses propres
œuvres au Salon de 1827, une huile intitulée *Un
intérieur*, qualifiée d'imitation de Bonington par
un critique[4]. Il fut aussi l'un des premiers et des
plus fidèles clients de Théodore Rousseau.

1. Paris, musée Carnavalet (n°s D437 et D439).
2. Budapest, Szépmüvészeti Muzeum (n° 1935–2627);
repr. en couleur dans W. Koschatzky, *Watercolour
History and Technique*, Londres, 1980.
3. Par exemple, Paris, musée du Louvre, département
des Arts graphiques (inv. 31142) ; et Londres,
Sotheby's, vente du 12 mars 1987, n° 112.
4. Jal, *Salon de 1827*, p. 237. Au sujet d'Arrowsmith,
voir *John Constable's Correspondence. IV*, présentée par R.B.
Beckett, Suffolk, 1966, t. IV, p. 177 *sq*.

33

DUNKERQUE VU DE LA MER,   vers 1824
Mine de plomb et aquarelle, 19,7 × 26

Provenance : baron Van Zuylen (Londres,
Christie's, vente du 14 juin 1977, n° 96 ;
Agnew's ; acheté à ce dernier par le propriétaire
actuel

Bibliographie : Peacock, repr. p. 83

Collection particulière

D'après Charles du Rozoir, Dunkerque
accueillait en moyenne cinq cents navires par an
dans la période 1814–1820, mais en 1826, le
nombre de bateaux passa brusquement à 2730[1].
De fait, ce port fut l'un de ceux qui connurent
le développement le plus rapide sur la côte de la
Manche pendant les dix années où Bonington y
fit de fréquentes visites et de longs séjours.
Dans cette ville habitait Benjamin Morel
(1781–1860), personnage influent et
collectionneur averti, à qui Francia avait
présenté Bonington. L'artiste parlait de Morel
dans sa correspondance en 1824, année où il
exécuta très probablement cette aquarelle.

1. *Relation historique, pittoresque et statistique du voyage de
S.M. Charles X dans le département du Nord*, Paris, 1827,
p. 13.

PRÈS DE QUILLEBEUF, vers 1824–1825
Huile sur toile, 42,5 × 53,4

Provenance : baron Jean-Charles de Vèze ; Paul Barroilhet (Paris, vente de 1855, [*Environs de Quillebeuf*]) ; Henry Didier (Paris, vente du 15 juin 1868, [*A River Bank*]) ; baron Nathaniel de Rothschild jusqu'en 1882 ; Mme Denain (Paris, vente des 6–7 avril 1893, [*Banks of a River*], repr. par photogravure) ; Robert W. Redford jusqu'en 1937 ; acheté à ce dernier par Paul Mellon en 1960

Exposition : BFAC 1937, n° 7

Bibliographie : Dubuisson et Hughes, p. 193, 195, 198–199 ; P. Oppé, *Burlington Magazine*, septembre 1941, p. 99–101, pl. 2 ; Peacock, repr. p. 43

New Haven, Yale Center for British Art, collection Paul Mellon (B1981.25.49)

Les touches de teintes plus vives introduites au premier plan pourraient refléter l'influence de Constable[1], mais, de manière générale, on retrouve dans cette peinture les effets que Bonington cherchait habituellement à obtenir dans ses huiles de la première période. Là encore, c'est dans le ciel que réside tout le mouvement souhaité par Bonington pour son tableau, même si l'artiste a transposé sur un mode beaucoup plus serein la convention romantique des rayons de soleil perçant les nuages, si courante dans les œuvres de Francia et de Turner. Une étude au crayon pour la partie gauche de la composition est conservée à Édimbourg, à la National Gallery of Scotland.

Le baron Charles de Vèze (1788–1855), premier propriétaire connu de ce tableau, peignait et lithographiait des paysages en amateur, et collabora aux publications de d'Ostervald. Le chanteur d'opéra Paul Barroilhet, qui posséda *Près de Quillebeuf* vers le milieu du XIXe siècle et collectionnait assidûment les peintures françaises modernes, accueillit chez lui des peintres de paysages de la génération la plus fortement influencée par Bonington, notamment ceux de l'école de Barbizon et les peintres de marines Johan Barthold Jongkind (1819–1891) et Eugène Boudin (1824–1898).

1. Pendant plusieurs années, à partir de 1824, des peintures à l'huile de Constable entrèrent à intervalles réguliers sur le territoire français. Ainsi, en janvier 1825, Claude Schroth en acquit trois auprès de l'artiste.

35

PRÈS DE SAINT-VALÉRY-SUR-SOMME,   vers
1824–1825
Huile sur toile, 77,5 × 113,7

Provenance : baron Charles Rivet ; transmis par
héritage à Mme Paul Tiersonnier, née Marie de
Catheu, 1937 ; baron Fairhaven, Anglesey
Abbey

Expositions : BFAC 1937, n° 29 ; Agnew's 1962,
n° 2

Bibliographie : Dubuisson 1909, p. 384–386,
repr. ; Dubuisson et Hughes, p. 120 ; P. Oppé,
Burlington Magazine, septembre 1941,
p. 99–101, pl. 1

Anglesey Abbey, The National Trust, collection
Fairhaven

Le baron Rivet proposa ce tableau au musée du
Louvre peu après la mort de Bonington, mais le
comte de Forbin le refusa sous prétexte que les
personnages étaient inachevés et que le succès
de l'artiste auprès du public n'était pas une
raison suffisante pour l'accueillir dans les salles
du Louvre. Le baron répliqua en décidant de
léguer le tableau à sa famille avec interdiction
formelle de le vendre ou l'offrir à l'État[1].

Cette toile présente, dans sa conception
générale et dans sa facture, beaucoup de points
communs avec le *Marché aux poissons près de
Boulogne* (n° 29), bien que le modelé des figures
soit plus vigoureux, ce qui laisse supposer une
exécution un peu plus tardive. On ne sait pas
très bien pourquoi l'artiste a laissé quelques
personnages du premier plan à l'état d'ébauches.
En réalité, le raffinement des détails ne joue pas
un grand rôle dans le degré de réussite de ce
tableau, et d'autres œuvres de Bonington
présentent des « omissions » ou simplifications
analogues. Néanmoins, même le comte de
Forbin, pourtant favorable à l'école romantique,
avait condamné une désinvolture jugée aussi
inconvenante.

Les maisons et le quai visibles dans le
lointain apparaissent également dans l'aquarelle
du *Village de pêcheurs* (n° 9) censée représenter
Saint-Valéry-sur-Somme ou La Ferté. Le titre
habituel de la présente toile, *Près de la baie de la
Somme*, était sans doute celui qu'employait le
baron Rivet, et incite à penser qu'il s'agit bien
des environs de Saint-Valéry-sur-Somme.

1. Dubuisson 1909, p. 385 note 1, rapportant les propos
de René-Paul Huet, fils de Paul Huet, un ami commun
du baron Rivet et de Bonington.

DEUX FEUILLES D'ÉTUDES D'APRÈS LE
MONUMENT D'AYMER DE VALENCE, COMTE DE
PEMBROKE, À L'ABBAYE DE
WESTMINSTER,   vers 1825
Mine de plomb et aquarelle, 12,2 × 11,8 et
11,5 × 17,6

Inscription en haut à gauche de la feuille du
bas : 72

Provenance : vente Bonington 1829, n° 64 (*Spirited
sketches from ancient tombs, some tinted*), acheté par
Utterson ; E.V. Utterson (Londres, Christie's,
vente du 24 février 1857, n° 381), acheté par le
British Museum

Exposition : Nottingham 1965, n°s 234 et 235,
pl. 10

Bibliographie : Shirley, p. 89

Londres, British Museum (1857-2-28-142,
145)

Le succès retentissant de l'école anglaise au
Salon de 1824 marqua l'apogée de l'anglomanie
qui s'était emparée des jeunes Parisiens dès
l'arrêt des hostilités entre les deux nations.
Dans l'entourage de Bonington, les artistes
s'extasiaient devant tous les aspects de la
culture britannique. Dès le mois de décembre,
Bonington et Colin avaient résolu d'aller à
Londres au cours de l'été. Ils y arrivèrent en
juin 1825 pour un séjour d'environ six semaines.

Marion Spencer fut la première à reconnaître
sur ces deux feuilles des études d'après les
pleurants sculptés sur le monument funéraire
d'Aymer de Valence, comte de Pembroke, à
l'abbaye de Westminster. Bonington, muni
d'une autorisation procurée par le conservateur
William Westall[1], se rendit au moins une fois à
Westminster au début du mois de juillet, en
compagnie d'Eugène Delacroix, d'Alexandre
Colin et d'Édouard Bertin. Les études de
Bonington et de Delacroix parvenues jusqu'à
nous, quelquefois impossibles à distinguer sur
des critères de style, attestent une remarquable
convergence d'intérêts. Dessinant côte à côte,
ils copièrent les monuments de Lord Norris
(mort en 1601, voir le n° 114), du comte de
Shrewsbury (mort en 1617), de Sir Francis de
Vere, et plusieurs effigies du XVe siècle[2]. On
possède également des études exécutées par les
deux artistes d'après le trône du Couronnement
et d'après le plafond à entretoises de
Westminster Hall[3].

Bonington avait une lettre de recommandation pour J.T. Smith, conservateur au British
Museum. Celui-ci rapporta une conversation
qu'il eut avec Henry Smedley le 25 juillet 1829,
un mois après la première vente Bonington chez
Sotheby's : « Ensuite, la conversation porta sur
les dessins de Bonington, tenus à distance
respectable du beurrier. « Vous avez raison,
remarqua mon ami, ils sont inestimables ;
chaque coup de crayon est superbe. Je vous ai
montré les études d'après les statues qui
entourent le monument de Lord Norris à
l'abbaye ; n'y a-t-il pas là tout l'esprit de Van
Dyck ? » Oui, on dirait que vous avez un faible
pour ce dessin des anciens bâtiments ; que tout
cela est bien tourné, et d'un coloris ravissant !
-Jamais il n'y eut autant de monde à une vente
d'art moderne[4]. »

1. Lettre manuscrite (B.N., dossier Bonington).
2. D'après le monument de Lord Norris : un croquis à
la plume conservé à Édimbourg, National Gallery of
Scotland ; des dessins de Delacroix passés en vente à
Londres chez Sotheby's, le 16 juin 1982 (n° 569), et
actuellement au musée du Louvre (Sérullaz, *Delacroix*,
n° 1304). D'après le monument du comte de
Shrewsbury : des esquisses à la plume rehaussées
d'aquarelle représentant la fille de Shrewsbury
agenouillée sont conservées dans une collection
particulière et aux Courtauld Institute Galleries ; des
études de Delacroix appartiennent au musée du Louvre
(Sérullaz, *Delacroix*, n° 1305). D'après le monument de
Sir Francis de Vere : trois croquis à la plume
représentant les membres du cortège funèbre
appartiennent à des collectionneurs particuliers ; l'un
d'eux porte l'inscription erronée « Delacroix ». Une étude
au crayon de la tête d'Elizabeth, baronne Daubeny
(morte vers 1508), est conservée dans une collection
particulière. Un croquis à la plume représentant trois
gisants appartient à la Royal Academy ; le croquis des
mêmes sculptures exécuté par Delacroix est au musée du
Louvre (Sérullaz, *Delacroix*, n° 1394).
3. Collection particulière et Édimbourg, National
Gallery of Scotland. Delacroix a exécuté ses croquis du
plafond dans un carnet inédit, où il a noté « Westminster
28 mai ». Lee Johnson m'a généreusement communiqué
cette information.
4. *A Book for a Rainy Day*, 3e édition, Londres, 1861,
p. 260.

37

EUGÈNE DELACROIX (1798–1863)
ÉTUDES D'ARMURES, 1825
Mine de plomb et aquarelle, 26,5 × 18,5

Date au pinceau et à l'encre, au centre : *Samedi 9 juillet*. Inscription au crayon en bas à gauche : *français / infanterie*. Cachet d'atelier : *ED* (Lugt 838)

Provenance: vente Delacroix, Paris, 17–29 février 1864, n° 655 ; Edgar Degas (Paris, vente des 26–27 mars 1918, n° 115)

Bibliographie : Sérullaz, *Delacroix*, avec le n° 1460

Londres, British Museum (1975-3-1-35)

Dès le mois d'octobre 1824, Delacroix exprimait dans une lettre son fervent désir de se rendre en Angleterre[1]. Il avait reçu une invitation de Thales Fielding, et s'était sûrement laissé influencer par ce que lui avaient dit de ce pays ses amis Géricault, Jules-Robert Auguste, Eugène Isabey et Charles Soulier, qui tous avaient fait ce voyage, en passe de devenir un pèlerinage obligé. Delacroix concrétisa son projet en débarquant à Douvres le 19 mai 1825. Il devait rester en Angleterre jusqu'à la fin du mois d'août. Quand il rentra en France avec Isabey, il était exténué et dépité de ne pas avoir fait de progrès en anglais.

Henry Monnier était déjà à Londres en mai et Delacroix, qui semble être parti seul, fut bientôt rejoint par Bonington et Colin, puis par Isabey, Hippolyte Poterlet, Augustin Enfantin, et son ami d'enfance Édouard Bertin. Les 7, 10 et 12 juin, Delacroix dîna avec Simon Rochard, le miniaturiste français qui séjournait alors à Londres, et avec l'architecte C.R. Cockerell, qui l'emmena voir la collection du marquis de Stafford à Cleveland House le 15 juin[2]. Delacroix rencontra également David Wilkie (le 6 juin au plus tard), Sir Thomas Lawrence (le 1er août au plus tard) et peut-être John Constable et Thomas Phillips. Il se rendit dans l'atelier de Benjamin West et, avec Bonington, fit des esquisses à Westminster et dans la collection de Samuel Rush Meyrick au début juin. Il assista aussi à de nombreux spectacles, dont trois mises en scène de Shakespeare interprétées par Edmund Kean, et une représentation de Faust à l'Opéra qui l'incita à traiter ce thème (ill. 64).

La plupart des dessins indiscutablement exécutés par Delacroix pendant son voyage à Londres sont soit des esquisses de paysages à l'aquarelle, soit des études minutieuses d'armures et de sculptures. L'attention que Bonington et Delacroix accordaient aux cuirasses démontre leur attachement aux détails historicisants. D'autres dessins d'armures suggestivement colorés à l'aquarelle sont conservés au musée du Louvre[3].

1. Lettre à Soulier, que Joubin date du 11 octobre 1823 (*Correspondance*, t. I, p. 150). Voir les arguments avancés par Lee Johnson pour redater cette lettre de 1824 (*Delacroix*, t. I, p. 46, note 1).
2. Cockerell avait déjà noué des relations amicales avec Ingres, Géricault et monsieur Auguste. Voir Lee Johnson, « Géricault and Delacroix seen by Cockerell », *Burlington Magazine*, septembre 1971, p. 547 *sq.*
3. Sérullaz, *Delacroix*, n°s 1459, 1460, 1462 et 1136v.

Samedi 2 Juillet

DEUX FEUILLES D'ÉTUDES D'ARMURES,
vers 1825
Mine de plomb, 26 × 18 (feuille de gauche),
et 17,8 × 12,7 (feuille de droite)

Inscription au crayon, de la main de l'artiste,
sur la feuille de gauche : *guerrier / italien 1485* ;
et *brass / red*. Sur la feuille de droite : *34*

Provenance : vente Bonington, 1829, n° 14, 15 ou
16 (*Antient Armour from Dr. Meyrick's collection*;
vingt-sept feuilles au total), acheté par Colnaghi
et Triphook ; E.V. Utterson (Londres,
Christie's, vente du 24 février 1857, n° 381),
acheté par le British Museum

Exposition : Nottingham 1965, n°s 154 et 163

Bibliographie : Shirley, p. 100

Londres, British Museum (1857–2–28–157,
158)

Ces deux feuilles datent d'une visite rendue les
8 et 9 juillet 1825 à Samuel Rush Meyrick,
demeurant 20, Upper Cadogan Place, à Londres.
La quantité d'études de ce genre réalisées par
Bonington, Delacroix et Bertin indique que ces
jeunes artistes n'ont pas perdu leur temps
quand ils sont allés voir l'une des collections
d'armures les plus réputées d'Europe. Meyrick,
avocat au tribunal maritime, venait de publier
sa *Critical Inquiry into Antient Armour, as it existed
in Europe, but particularly in England from the
Norman Conquest to the Reign of King Charles* II en
trois volumes (Londres, 1824). Il devait faire
paraître en 1830 un copieux catalogue de sa
collection (dont une part importante est
conservée aujourd'hui à Londres, Wallace
Collection). Bonington fit peut-être la
connaissance de cet amateur d'objets historiques
par l'intermédiaire de Samuel Prout, que
Meyrick devait parrainer ensuite à la *Society of
Antiquaries*.

Sur la plus petite des deux feuilles, Bonington
a étudié l'armure de Thomas Sackville, baron
Buckhurst, et non celle du duc de Longueville,
comme on l'a cru à l'époque. Sur la deuxième, il
a représenté la cuirasse d'un guisarmier italien,
un détail de celle-ci et une autre armure. Ces
deux armures figurent aussi sur une seule et
même feuille d'études de Delacroix[1], ce qui
permet de penser qu'elles étaient placées côte
à côte dans la collection.

1. Sérullaz, *Delacroix*, n° 1468. Voir également Toronto,
Delacroix, n° 28.

39

EUGÈNE DELACROIX (1798–1863)
ÉTUDES DE L'ARMURE DE THOMAS SACKVILLE,
BARON BUCKHURST, 1825
Mine de plomb, 19,1 × 27,6

Inscription au crayon, en haut au milieu : *Le Duc
de Longueville 1555 | de son château en [Brie]*; et :
*mâchoire du cheval | velours rouge | fer | velours
rouge | fer | étoffe chamarrée*. Cachet d'atelier :
ED (Lugt 1838)

Provenance : vente Delacroix, 1864, avec le
n° 655 ; Alfred Robaut ; Étienne Moreau-
Nélaton; legs de ce dernier au musée du Louvre
en 1927

Bibliographie : Sérullaz, *Delacroix*, n° 1461

Paris, musée du Louvre, département des Arts
graphiques (R.F. 9846)

EUGÈNE DELACROIX (1798–1863)
ÉTUDES D'ARMURES, DONT CELLE DE THOMAS
SACKVILLE, BARON BUCKHURST, 1825
Mine de plomb, 19 × 27,8

Inscriptions au crayon, en haut au milieu : *83 Newman Street* ; en bas à gauche : *Le Duc de | Longueville | de son château | en Brie* ; en bas au milieu : *Knight of S. George. Rav [Ravenne] | 1534* ; en bas à droite : *Ferdinand | Roi des Romains | 1548*. À l'encre, en bas à droite : *Vendredi 8 juillet | le soir chez Dr Meyrick*. En bas au milieu, cachet d'atelier : *ED* (Lugt 838)

Provenance : Paris, vente Delacroix, 17–29 février 1864, avec le nº 655 ou 656 ; un amateur anonyme (Londres, Sotheby's, vente du 15 février 1950, nº 58), acheté par Mann ; Sir James Mann ; offert par ce dernier à la Hertford House en 1954

Exposition : Nottingham 1965, nº 340

Bibliographie : Robaut, *Delacroix*, nº 1914 ou 1915. Voir Sérullaz, *Delacroix*, nº 1461

Londres, Hertford House Library

Ces feuilles portent les croquis de trois armures exécutés par Delacroix dans la collection de Samuel Meyrick les 8 et 9 juillet 1825. L'armure du baron Buckhurst qui figure sur ces deux feuilles de Delacroix, et aussi parmi les croquis de Bonington (nº 38), s'ajoute dans le nº 40 à deux autres d'origine allemande. Toutes trois furent ensuite publiées dans les *Engraved Illustrations of Ancient Arms and Armour* (Londres, 1830, t. I, pl. XX, XXII et XXIX). Les armures du baron Buckhurst et de l'empereur Ferdinand sont conservées aujourd'hui à la Wallace Collection, tandis que celle du « chevalier de Saint-Georges » est au château de Warwick[1].

À l'instar de Bonington, Delacroix annotait soigneusement ses études, car il voulait les utiliser ensuite comme documents pour de petites peintures d'histoire. Pour sa première interprétation d'un sujet médiéval, la toile intitulée *Rebecca et Ivanhoé blessé*[2] qu'il vendit à Coutan en 1823, Delacroix avait réalisé des études à l'huile soignées d'après des armures conservées alors au musée de l'Artillerie, à Paris[3]. Mais à l'époque, il se montrait moins soucieux d'exactitude, car il faisait porter une armure du XVe siècle à un personnage du XIIe siècle.

L'adresse notée sur le nº 40 est celle de R. Davy, le marchand de couleurs à qui Bonington achetait les cartons préparés qu'il devait continuer à utiliser régulièrement après ce voyage à Londres.

1. Information publiée pour la première fois dans Lee Johnson *et al.*, *Delacroix*, Édimbourg, Royal Scottish Academy, et Londres, Royal Academy, 1964, nº 95.
2. Johnson, *Delacroix*, t. III, p. 316.
3. Johnson, *Delacroix*, t. I, nº 04.

EUGÈNE DELACROIX (1798–1863)
UN INTÉRIEUR ET WESTMINSTER VU DE ST.
JAMES'S PARK (folios 5 v. et 6 r. du *Carnet
anglais*), 1825
Aquarelle et gouache avec addition de gomme
arabique, 14,3 × 23,4 chaque feuille

Inscription au crayon sur la deuxième de
couverture : *Mr. Laporte | Winchester Row, New
Road, n° 21* ; et sur la troisième de couverture :
Martin Schon. | le beau Martin | Wenceslaus Hollar

Provenance : Paris, vente Delacroix, 17–29 février
1864, avec le n° 662 (trois carnets), acheté par
Roux et Piot ; vraisemblablement René Piot ;
Étienne Moreau-Nélaton ; legs de ce dernier au
musée du Louvre en 1927

Expositions : voir Sérullaz, *Delacroix*, n° 1751

Bibliographie : Robaut, *Delacroix*, n° 1503 ;
Sérullaz, *Delacroix*, n° 1751

Paris, musée du Louvre, département des Arts
graphiques (R.F. 9143)

Delacroix a exécuté ces esquisses dans un des trois carnets qui témoignent aujourd'hui de ses activités et de ses préoccupations lors de son voyage à Londres en 1825, encore qu'il n'en ait rempli que les six premières pages en Angleterre. Ces six pages contiennent des aquarelles (cinq paysages, deux intérieurs et une copie d'un portrait de femme, sans doute d'après Sir Thomas Lawrence) et des croquis au crayon (deux chevaux appartenant à l'éleveur Adam Elmore, chez qui il logeait). L'artiste a utilisé le reste du carnet à Paris, au cours de l'automne, pour des études d'après des peintures vénitiennes exposées au musée du Louvre, des bannières vénitiennes, des poignées d'épées médiévales et des détails d'architecture, toutes ces études étant destinées à l'*Exécution du doge Marino Faliero* (ill. 34)[1]. Des études de costumes souliotes et deux feuilles de nus féminins, apparemment impossibles à associer à une de ses peintures, complètent l'ensemble du carnet.

La prépondérance des paysages dans la partie anglaise reflète les préoccupations des frères Fielding, qui l'accompagnaient un peu partout, mais aussi son attrait personnel pour la campagne qui s'exprime à maintes reprises dans sa correspondance. Delacroix avait découvert les paysages anglais dès 1816 grâce aux aquarelles de son ami Soulier qui avait appris cette technique auprès de Copley Fielding à Londres. Le 6 juin, il écrivit à Soulier qu'il ne cessait de découvrir «ces ciels, ces rivages, tous les effets qui reviennent constamment sous ton pinceau[2]». Le 1er août, il remarquait dans une lettre à un autre ami, Pierret : «Il faut convenir que c'est un coup d'œil délicieux que ces belles campagnes verdoyantes et les bords de la Tamise qui sont un jardin anglais continuel[3].»

La vue de Westminster fut esquissée sur le trajet qui menait au domicile de Meyrick, mais achevée chez lui, le 8 ou le 9 juillet. Shirley a publié une aquarelle plus grande représentant l'abbaye observée de plus près en l'attribuant à tort à Bonington[4], de même que deux vues esquissées par Delacroix à Greenwich et dans St. James's Park[5]. Une deuxième étude à l'aquarelle exécutée dans ce parc est conservée au musée du Louvre[6], mais on a perdu la trace de plus de soixante aquarelles et dessins de paysages rapportés d'Angleterre et dispersés lors de la vente d'atelier de Delacroix (nos 513 et 514). Aucune des pages du carnet dont on a pu identifier le sujet ne trahit une quelconque influence de Bonington, pas même la vue de Westminster peinte en sa compagnie.

L'aquarelle représentant un intérieur porte une inscription partiellement effacée, mais que l'on peut reconstituer ainsi : «chez Mr. Laporte avec Mr. Elmore / le soir à Kensington Gardens». L'adresse notée par Delacroix sur la couverture de son carnet permet d'identifier ce «Mr. Laporte». Il s'agit de John Laporte (1761–1839) qui était à l'époque le doyen des aquarellistes de l'école anglaise, ou de son fils George Henry Laporte (1799–1873), habitant à la même adresse, spécialisé dans les peintures de chevaux et les scènes orientales. Cette aquarelle n'offre pas une démonstration probante de la technique consistant à augmenter la transparence des couleurs foncées en leur additionnant de la gomme arabique. Pourtant, elle annonce un procédé que Bonington comme Delacroix devaient employer de plus en plus souvent pour leurs portraits et compositions à personnages après 1826. C'était une méthode courante chez les aquarellistes britanniques de l'époque. Thales Fielding en a certainement révélé les avantages à Delacroix, et peut-être également à monsieur Auguste et à Bonington.

L'inscription portée sur la troisième de couverture présente également un certain intérêt, car elle atteste l'intimité qui allait unir Delacroix et Bonington dans leur travail, à la suite de ce voyage. En effet, à l'automne 1825, Bonington copia les personnages grotesques des gravures de Martin Schongauer pour préparer ses illustrations de *Quentin Durward* (nos 59–60, ill. 65).

1. Curieusement, Sérullaz situe ce carnet vers 1825–1827, en faisant observer que l'*Exécution du doge Marino Faliero* fut exposée au Salon de 1827, ce qui est exact. Toutefois, le tableau était achevé dès le 21 avril 1826 (voir Delacroix, *Correspondance*, t. I, p. 179).
2. Delacroix, *Correspondance*, t. I, p. 158.
3. *Ibid.*, t. I, p. 165.
4. Shirley, pl. 68.
5. *Ibid.*, pl. 66–67. Elles correspondent peut-être au no 512 de la vente d'atelier de Delacroix.
6. Sérullaz, *Delacroix*, no 1136.

42

LA VILLAGEOISE,   vers 1825
Lithographie, 15 × 16,4

Inscriptions sur la gravure, en bas à gauche :
R P Bonington del ; et en bas à droite : *Lith de
Berdalle*

Provenance : Atherton Curtis ; offert par ce
dernier à la Bibliothèque nationale

Bibliographie : Curtis, n° 61

Paris, Bibliothèque nationale, département des
Estampes (don Curtis 500)

Bonington a conçu cette lithographie pour
illustrer une ballade du comte Jules de
Resseguier mise en musique par Amédée de
Beauplan et publiée à Paris par Frère, 16,
passage des Panoramas. Cette épreuve, tirée sur
quatre pages de papier ministre, avec une
partition associant la typographie et la
lithographie, est le seul exemplaire de l'édition
originale qui soit parvenu jusqu'à nous. Une
épreuve de la lithographie sans le texte est
conservée au British Museum. Nous ne
reproduirons que le premier couplet de cette
ballade afin d'en donner une idée succinte :

«Oh! pourquoi donc vas-tu le soir,
Jeune fille, dans la campagne,
Quand nul ami ne t'accompagne,
Quand il fait froid, quand il fait noir,
Quand il fait froid, quand il fait noir ?
De fatigue toute épuisée,
Toute couverte de rosée,
Dans mon château viens vite, allons,
Viens essuyer tes cheveux blonds. »

Faisant valoir que la première anthologie de
poèmes de Resseguier, *Tableaux poétiques*, où se
trouvait «La villageoise», fut publiée en 1828,
Curtis situait l'exécution de la lithographie dans
la dernière année de la vie de Bonington. Or, ces
Tableaux poétiques, dont c'était en fait la
deuxième édition, étaient illustrés de deux
gravures d'Adrien Godefroy d'après des dessins
originaux du vicomte de Sennones. «La
villageoise» transformée en chanson semble
avoir été publiée séparément et, selon moi,
beaucoup plus tôt. Le grené moelleux de la
lithographie appelle la comparaison avec les
gravures des *Voyages pittoresques* de 1825,
notamment le *Tombeau de Marguerite de Bourbon*[1].
Une raison supplémentaire de ranger cette
estampe parmi les œuvres de 1825 réside dans
la conception gothicisante de la composition et
des personnages. En élaborant son illustration
sur le modèle d'un bas-relief médiéval,
Bonington pouvait y introduire une niche
comportant des décorations analogues à celles
qu'il venait de copier à Westminster (n° 36). La
jeune villageoise du XIIIᵉ siècle, pour laquelle on
connaît une étude au crayon (Londres, British
Museum), est empruntée à l'album de Joseph
Strutt *A Complete View of the Dress and Habits of
the People of England*, Londres, 1796, pl. LXII.

Bonington s'est également inspiré de Strutt
pour les personnages de sa peinture *Anne Page et
Slender* (ill. 38). En revanche, le chevalier n'a pas
de modèle identifiable, même si des personnages
comparables figurent dans le carnet que
Delacroix utilisait vers le milieu de l'année[2] et
dans les bordures fantastiques des dessins de
Colin pour une édition des *Poésies de Clotilde* de
Charles Nodier parue en 1824.

Jules de Resseguier (1788–1862) était l'un
des poètes romantiques les plus en vue.
Royaliste convaincu, catholique fervent et
adepte inconditionnel du style troubadour
d'Alexandre Guiraud, il fonda *La Muse française*
avec Charles Nodier, Victor Hugo et Émile
Deschamps en 1823. En août 1825, il collaborait
avec Louis Vatout, bibliothécaire du duc
d'Orléans, et d'autres, à la publication de petits
volumes comportant chacun une élégie illustrée
de lithographies[3]. Il exprima son enthousiasme
pour cette technique d'impression relativement
nouvelle dans un de ses articles pour *La Muse
française* paru en septembre 1823, à peu près au
moment où Bonington réalisait ses premières
lithographies : «La lithographie est le dessin lui-
même. On y trouve la main, le crayon, la pensée
de l'auteur ; ce n'est point une fidèle copie, c'est
pour nos regards l'écho du modèle, c'est un
miroir qui réfléchit et multiplie l'original.
La gravure a plus de force et de précision, la
lithographie plus d'idéalité et plus de charme ;
elle peint la vapeur du ciel, l'écume de l'eau, les
images fantastiques du soir. Ces objets ont du
mouvement, ils semblent fuir, et on se hâte de
les regarder de peur que le trait ne s'évapore[4]. »

1. Curtis, n° 24.
2. Sérullaz, *Delacroix*, n° 1749.
3. P. Lafond, *L'Aube romantique*, Paris, 1910.
4. «Un samedi au Louvre: Exposition des produits de
l'industrie», *La Muse française*, réédition présentée par
Jules Marsan, Paris, t. I, 1907, p. 215.

R.P. Bonington. Del.   Lith.e de Berdalle.

La Villageoise
Ballade.
Paroles de M.r le C.te Jules de Rességuier
Musique
de M.r Amédée de Beauplan.
à Paris,
Chez Frère Passage des Panoramas N.° 16.

43

BATEAUX DE PÊCHE PRÈS DE LA CÔTE
FRANÇAISE, 1825
Mine de plomb et aquarelle, 23,9 × 17,8

Signé et daté en bas à droite : *RPB 1825* [coupé
sur le bord]

Provenance : Charles Russell (Londres, Sotheby's,
vente du 30 novembre 1960, n° 64), acheté par
Agnew's ; W.B. Dalton ; offert par ce dernier à
l'Art Gallery of Ontario, en 1960

Toronto, Art Gallery of Ontario (60/12)

Le dernier chiffre de la date indiquée sur
l'aquarelle est à peine lisible, mais semble bien
être un 5. La partie du littoral représentée se
situe sans doute près de Dunkerque, et
Bonington a dû exécuter cette œuvre pendant
ou peu après son retour de Londres en juillet
1825. On pense qu'il a séjourné plusieurs
semaines avec Colin à Dunkerque et à Saint-
Omer, où Delacroix et Isabey sont venus les
rejoindre. Comme la chaleur était devenue
étouffante à Paris, atteignant 40° C, tous ces
artistes ne se sentaient guère incités à retourner
dans leurs ateliers.

S'il convient de ne pas surestimer l'influence
de J.M.W. Turner sur Bonington, les grandes
dimensions de cette aquarelle et l'image insolite
d'un bateau orienté directement vers le
spectateur rappellent tout de même certaines
œuvres du maître conservées alors dans la
collection de Walter Fawkes, que Bonington
avait sans doute vue à Londres : *Le Victory
rentrant de Trafalgar* (New Haven, Yale Center
for British Art), et *Le ravitaillement d'un vaisseau
de guerre* (Bedford, The Cecil Higgins Museum
and Art Gallery).

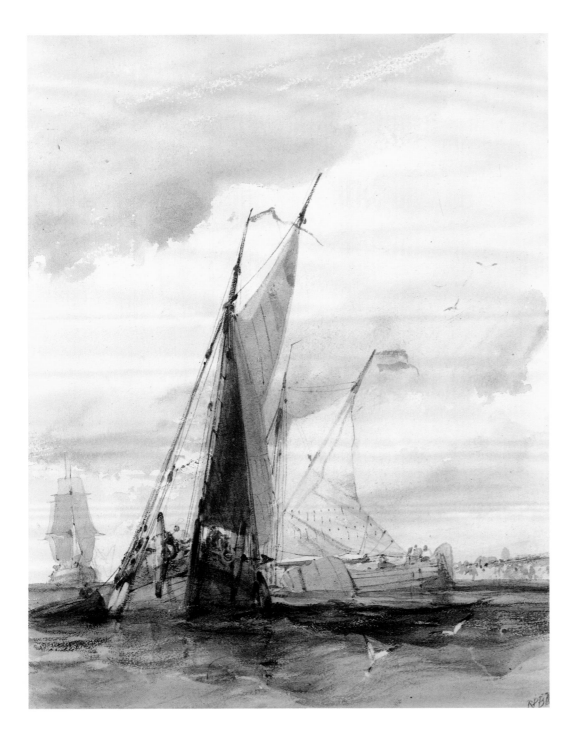

44

LA PLAGE DE TROUVILLE, vers 1825
Huile sur toile, 37,1 × 52,2

Provenance : comte de Pourtalès-Gorgier (Paris, vente du 27 mars 1865, n° 209) ; Charles E. Russell, avant 1937 et, par héritage, jusqu'en 1984 ; Michael Voggenauer, 1984 ; Agnew's, 1985 ; acheté chez ce dernier par Paul Mellon

Exposition : BFAC 1937, n° 14

Bibliographie : Dubuisson et Hughes, p. 195 ; Shirley, p. 93, pl. 40

New Haven, Yale Center for British Art, collection Paul Mellon (B1986.29.1)

Ce tableau pourrait être une commande du comte Louis de Pourtalès-Gorgier, protecteur de plusieurs artistes de l'entourage de d'Ostervald. Comme Bonington, il collabora aux *Vues de Sicile* publiées par d'Ostervald en 1822. Les Pourtalès, ardents royalistes bien introduits dans les milieux franco-prussiens, demeuraient au château de Gorgier, près de Neuchâtel, mais

possédaient de vastes propriétés dans divers pays d'Europe. D'Ostervald appartenait aussi à une grande famille de Neuchâtel et les relations de travail avec ce ressortissant suisse favorisèrent sûrement les premiers contacts de Bonington avec l'aristocratie française.

Bonington se rendit plusieurs fois à Trouville et y travailla peut-être quelque temps avec Eugène Isabey au cours de l'été 1825, quand tous deux voyagèrent sur les côtes normande et picarde après leur retour d'Angleterre. Marion Spencer suppose que l'importance accordée à la carriole dans cette composition indique une influence très nette de la *Charrette de foin* de Constable[1]. Sans mettre en doute l'admiration de Bonington pour Constable à cette date, on peut simplement remarquer qu'il avait déjà représenté bien souvent dans ses œuvres antérieures des véhicules identiques, extrêmement répandus dans cette région. S'il faut absolument trouver un précédent pictural, on devrait plutôt le chercher du côté des puissants chevaux de trait peints par Géricault dans sa dernière période. D'ailleurs, les images de chevaux comptaient parmi les œuvres graphiques de Géricault les plus appréciées dans l'entourage de Bonington[2].

1. Thomas Agnew & Sons, *Sir Geoffrey Agnew, 1980–1986*, Londres, 1988, n° 1.
2. Vers la même époque, Alexandre Colin exécuta pour Feillet, l'éditeur de Bonington, six lithographies de chevaux et autres animaux d'après Géricault.

45

BATEAUX AU MOUILLAGE, vers 1825
Mine de plomb et huile sur carton marouflé sur
toile, 35,8 × 30,7

Provenance : Joseph Gillot[1] (Londres, Christie's,
vente du 19 avril 1872, n° 176 [*Entrance to a
harbor with shipping at anchor*], acheté par
Agnew's) ; MM. Murrieta (Londres, Christie's,
30 avril 1892, n° 62), acheté par Agnew's pour
G. Holt ; legs d'Emma Holt à la Sudley Art
Gallery, 1944

Exposition : Nottingham 1965, n° 251

Bibliographie : Pointon, *Bonington*, fig. 55

Liverpool, National Museums and Galleries on
Merseyside (Sudley Art Gallery)

Les scènes de port de Jan Van de Cappelle ou
des Van de Velde sont les œuvres les plus
souvent évoquées à propos de cette peinture
exécutée par Bonington peu après son retour de
Londres. Le modelé ferme et précis l'apparente à
la *Plage de Trouville* (n° 44), mais ici, les touches
strictement verticales ou horizontales de part et
d'autre de la ligne d'horizon basse suggèrent
élégamment l'étendue infinie du ciel et de la
mer par-delà les limites étroites de son petit
tableau oblong.

John Mundy[2] a reconnu dans le bateau placé
le plus en avant un caboteur de fort tonnage, ce
qui signifie que le port, impossible à identifier,
devait avoir une importante activité marchande.

1. Gillot, architecte à Birmingham, constitua une
remarquable collection d'art britannique moderne. Ce
passionné de Turner possédait aussi huit peintures à
l'huile de Bonington. Les archives Gillot sont conservées
par le Getty Trust. Voir J. Chapel, « The Turner
Collector : Joseph Gillot, 1799–1872 », *Turner Studies*,
vol. VI, p. 43 *sq.* En 1866, Gillot offrit dix livres sterling
au peintre animalier Thomas Sydney Cooper pour
ajouter des personnages dans un paysage de Bonington.
2. Lettre conservée dans les dossiers de la Walker Art
Gallery, à Liverpool.

46

ANONYME (EUGÈNE ISABEY [1803–1886] ?)
UN PORT FRANÇAIS,   vers 1825
Huile sur carton, 28,8 × 34

Au verso, étiquette de R. Davy et, au crayon :
No 4

Provenance: baronne Nathaniel de Rothschild ;
baron Henri de Rothschild ; Jacques Guerlain ;
acheté à ce dernier par Paul Mellon

New Haven, Yale Center for British Art,
collection Paul Mellon (B1981.25.59)

Une comparaison superficielle du style de ce tableau, traditionnellement attribué à Bonington, avec celui de la marine de mêmes dimensions, mais verticale, conservée à la Sudley Art Gallery (n° 45) devrait suffire à convaincre que les deux peintures ne sont pas de la même main. Ici, nous avons affaire à une esquisse de plein air, alors que la vue des *Bateaux au mouillage* est plus travaillée. Quant à savoir si Bonington a peint cette dernière sur le motif, la question reste en suspens. À ce moment de sa carrière, il semble avoir exécuté ses tableaux en s'appuyant complètement sur des études préparatoires à l'aquarelle. Il était parfaitement capable de réaliser du premier coup une composition de ce format. Bonington a commencé à peindre à l'huile en plein air en 1825, mais on ne constate aucune différence de style notable entre les *Bateaux au mouillage* (n° 45), les vues des environs de Rouen (n° 55), ou de Fontainebleau (n° 52), *La plage de Trouville* exécutée en atelier (n° 44), et une étude ultérieure réalisée sur le motif près de Gênes (n° 104). Chaque fois, l'œuvre se caractérise par un déploiement dans l'espace obtenu grâce à la subtilité des demi-teintes et à la précision des formes, indépendamment de la rapidité avec laquelle Bonington a appliqué ses couleurs. À supposer que le mode d'exécution puisse servir de critère, l'esquisse se distingue en général du tableau par une différence minime dans la finition des détails.

Malgré toute sa verve, cette vue d'un port français ne témoigne pas d'une maîtrise ni d'une précision comparables. L'objet du premier plan est évoqué de manière si vague que l'on ne saurait dire s'il s'agit d'une bouée ou d'un tonneau, tandis que le ciel s'encombre d'empâtements inutiles et que les contours du bateau sont à peine discernables. C'est assurément l'œuvre d'un professionnel qui connaissait très bien le style adopté par Bonington vers 1825. Comme cette vue est peinte sur le type de carton pour reliures que Bonington découvrit à Londres et employa maintes fois par la suite, on serait tenté de l'attribuer à quelqu'un avec qui l'artiste a voyagé en Angleterre. On pense, entre autres, à Eugène Isabey qui semble l'avoir également accompagné dans des excursions sur la côte normande juste après leur retour de Londres et dans les années suivantes. Il se pourrait que la même personne ait peint trois esquisses de marines plus petites, sur carton, dont deux au moins furent attribuées à Bonington lors de la vente après décès de Lord Henry Seymour[1]. La collection Seymour est une provenance considérée normalement comme une garantie d'authenticité. Mais là, d'autres faits obligent à la mettre en doute : les prix ridiculement bas atteints par ces huiles lors de la vente, par comparaison aux autres Bonington (notamment les aquarelles déjà décolorées par la lumière à cette époque), leur style même et enfin le retrait récent du *corpus* de Bonington de deux œuvres ayant appartenu à Lord Seymour : *Bergues, jour de marché* (Londres, Wallace Collection, également dans la vente Seymour) et un *Navire échoué* (Palo Alto, Stanford University, Museum of Art)[2].

Une attribution de ces esquisses à Isabey soulève d'autant plus de difficultés que très peu de ses huiles exécutées vers le milieu des années 1820 ont pu être authentifiées. Deux témoignages rapportés *in extenso* par Pierre Miquel[3] semblent indiquer qu'Isabey, encouragé par Bonington et par Camille Roqueplan, se lança, avec le bonheur que l'on sait, dans la peinture de marines au cours de l'année 1821. Ainsi, dès 1822 il peignait une scène de port (Perpignan, musée Hyacinthe Rigaud) avec beaucoup de savoir-faire et dans un style anglo-hollandais apparenté à celui de Bonington, de Théodore Gudin, de Léopold Leprince et d'autres artistes de leur entourage. En 1824, il exposa au Salon des petites marines encadrées ensemble (perdues depuis lors) qu'Auguste Jal préférait aux peintures de Bonington. Il participa ensuite au Salon de 1827–1828 avec son premier envoi important : cinq peintures à l'huile (apparemment perdues), dont deux vues de Trouville. Pour la période 1824–1827, ses aquarelles signées sont plus nombreuses, et souvent exécutées exactement dans le même style que celles de Bonington, mais vers la fin de la décennie, il avait élaboré la manière plus vigoureuse et minutieuse habituellement associée à son nom (voir le n° 150).

1. Collection particulière ; Londres, Sotheby's, vente du 6 juillet 1983, n° 259 ; et Melbourne, National Gallery of Victoria (Nottingham 1965, n° 261, pl. 30).
2. Ingamells, *Catalogue*, t. I, p. 72. L'œuvre conservée à Palo Alto est reproduite par Peacock, pl. 3.
3. Miquel, *Isabey*, p. 34–35.

47

PAYSAGE DE RIVIÈRE, SOLEIL
COUCHANT, vers 1825
Huile sur carton, 27,3 × 32,5

Provenance : sans doute offert par l'artiste à
Joseph West en 1825 ; acheté à ce dernier par
George Cooke en 1830 ; John Sheepshanks ; legs
de ce dernier au Victoria and Albert Museum en
1857

Expositions : vraisemblablement Londres,
Cosmorama Rooms, 209 Regent Street, 1834,
n° 54 (*Views on the Seine*) ; Nottingham 1965,
n° 257

Bibliographie : Pointon, *Bonington*, n° 24

Londres, Victoria and Albert Museum (FA 1)

Une esquisse au crayon intitulée *Dunkerque vu de
loin* (Nottingham, Castle Museum and Art
Gallery), présentant des arbres et une tour
rectangulaire agencés de manière analogue, a
précédé cette huile. Bonington l'a exécutée en
compagnie de Francia soit en 1824, soit en août
1825[1]. La seconde date paraît plus plausible, car
Dunkerque vu de loin est dans le même style que
les études au crayon réalisées par Bonington
dans les environs de Saint-Omer (Bowood, coll.
du comte de Shelburne) juste après son retour
de Londres. Paul Huet a lithographié, en
l'inversant, une aquarelle peinte par Bonington
d'après l'esquisse au crayon[2]. Mais dans la
peinture à l'huile reproduite ici, la rivière est
beaucoup plus large que toutes celles de la
région de Dunkerque. Il s'agit manifestement
d'un élément ajouté à seule fin de refléter le
coucher de soleil. Bonington a quasi
certainement exécuté de mémoire, et non sur le
motif, cette esquisse inachevée. Il s'est rappelé
les paysages observés autour de Saint-Omer,
mais, plus encore, les bords de rivières peints
par Turner ou les vues topographiques
classicisantes de John Varley et d'autres
aquarellistes britanniques plus âgés qui
exposaient alors à Londres. Ce paysage composé
pourrait être le premier d'une série exécutée
entre la fin 1825 et le début 1826, où Bonington
utilisa dans des agencements et éclairages divers
un ensemble de motifs invariables qui ne
correspondent pas forcément à des sites
identifiables : quelques arbres aux contours
découpés, un canal ou une rivière, et une tour
lointaine.

Comme le suppose Marcia Pointon, ce
pourrait être la peinture que l'artiste Joseph
West céda au graveur George Cooke en 1830, et
que ce dernier vendit par la suite à John
Sheepshanks. On sait que Bonington donna
plusieurs dessins à Joseph West dans le courant
de l'automne 1825, et cette peinture fut peut-
être offerte à la même occasion. On peut
s'étonner que George Cooke n'ait pas possédé
un seul Bonington avant l'acquisition de cette
œuvre, car en 1840, son neveu W.J. Cooke
vendit chez Sotheby's dix-neuf dessins et
aquarelles, et une huile intitulée *Sur le Medway*
achetée par son beau-frère Thomas Shotter Boys
(voir le n° 164). Bonington avait rencontré les
Cooke à Londres en 1825, par l'entremise du
graveur Abraham Raimbach qui demanda à
W.B. Cooke d'obtenir pour Colin et Bonington
des entrées chez les collectionneurs Walter
Fawkes et Sir John Leicester, deux des
principaux mécènes de Turner. Les premières
gravures réalisées par les Cooke d'après des
aquarelles de Bonington parurent à l'automne
suivant, et un portrait de W.J. Cooke par
Bonington figurait dans l'exposition organisée
aux Cosmorama Rooms en 1834. Parmi les
nombreuses gravures d'après Turner exécutées
ou publiées par les Cooke, plusieurs furent
répertoriées dans l'inventaire de la vente
d'atelier de Bonington en 1824 : des épreuves à
l'encre de Chine des *Vues du Sussex* (Londres,
1816–1820), les *Fleuves d'Angleterre* (Londres,
1823–1827) complétés par des estampes d'après
Girtin, et *Marines* (Londres, 1825, voir le n° 48).

Il se pourrait que Bonington se soit procuré
toutes ces gravures lors de son séjour à Londres
en 1825, et qu'il ait examiné en même temps
bon nombre des aquarelles originales
correspondantes.

On ne sait pas exactement à quelle date
Joseph West a rencontré Bonington, mais il
faisait partie d'un cercle grandissant de jeunes
admirateurs comprenant Thomas Shotter Boys,
Willam Ensom, Frederick Tayler, Jules Joyant et
Charles Gleyre, avec qui Bonington entretenait
des rapports amicaux de maître à élèves. La
vente d'atelier de West en 1834 comportait 148
lots de dessins, aquarelles et huiles copiés sur
des gravures et peintures de maîtres qui ont
également séduit Bonington et Delacroix à
partir de 1825[3]. Ses aquarelles d'inspiration
originale, comme *Roméo et Juliette* (Édimbourg,
National Gallery of Scotland), pourraient
aisément passer pour des œuvres de Bonington,
et elles incorporent avec la même habileté des
personnages puisés à ces sources[4]. West a peint
une aquarelle représentant le logement de
Bonington, que l'on a faussement attribuée à ce
dernier[5].

1. Une étude exécutée par Francia sur un motif
analogue est reproduite dans Calais, *Francia*, n° 81.
2. Delteil, *Huet*, n° 80.
3. Un album de 465 copies de West, autrefois dans la
collection de son protecteur Lord Norwich, est passé en
vente à Londres, Sotheby's, le 9 mars 1989 (n° 3).
West vendit à Londres, Christie's les 6 et 7 juin
1834, plusieurs centaines de lots comportant des études
à l'huile et à l'aquarelle d'après des tableaux de maîtres
conservés dans les principaux musées européens.
4. Pour *Roméo et Juliette*, il s'agit d'une eau-forte de
Tiepolo.
5. Pointon, *Bonington*, fig. 18 (avec une attribution à
Bonington).

48

JOSEPH MALLORD WILLIAM TURNER
(1775-1851)

AU LARGE DE MARGATE, LA PÊCHE AU
MERLAN, 1822
Aquarelle, gouache et addition de gomme
arabique avec grattages et effaçages, 43 × 65,7

Signé et daté en bas à gauche : *J M W Turner
RA 1822*

Provenance : W.B. Cooke ; B.G. Windus ; Mme
Fordham ; Mme Henry Folland (Londres,
Christie's, vente du 5 octobre 1945, n° 5) ;
Robert Slack ; acheté à ce dernier par le Yale
Center for British Art en 1980

Bibliographie: Wilton, *Turner*, n° 507

New Haven, Yale Center for British Art,
collection Paul Mellon (B1980.31)

Paul Huet remarquait que les paysages de
Bonington devaient beaucoup à l'école anglaise,
mais surtout à Turner, «dont il parlait sans
cesse[1] ». On peut faire des rapprochements entre
les premières marines de Bonington et les
œuvres de Turner, mais toutes les
ressemblances stylistiques sont quasi
certainement fortuites en ce qui concerne les
peintures antérieures à son premier voyage à
Londres en 1825[2]. Ses premiers contacts avec
l'art de Turner eurent pour conséquence une
intensification du coloris, une diversification des
sujets et le recours à des méthodes de peinture à
l'aquarelle jamais expérimentées jusque-là.

En 1825, Bonington put voir les œuvres de
Turner conservées dans de prestigieuses
collections particulières, mais aussi des
aquarelles qui appartenaient alors aux Cooke.
Au large de Margate figurait parmi ces aquarelles
(elle faisait partie d'une série de marines
commandées par W.B. Cooke entre 1822 et
1824). Cooke ne put mener à bien son projet de
publier une suite de gravures d'après ces
aquarelles, mais deux mezzo-tinto de Thomas
Lupton, l'une d'après *Au large de Margate*,
l'autre d'après *Le phare d'Eddystone* (une aquarelle
dont on a perdu la trace), furent publiées en
1825 et Bonington s'en procura des exemplaires
qu'il conserva jusqu'à sa mort.

1. Huet, *Huet*, p. 96.
2. Par exemple la composition intitulée *Bateaux de pêche
encalminés au lever du soleil*, connue par une lithographie
(Curtis, n° 14) soumise à la censure en juin 1824, et par
une copie à l'aquarelle (Spink and Sons, 1989) sans
doute due à un membre de la famille Noël qui publia la
gravure.

49

VUE DE LA CÔTE PICARDE AVEC ENFANTS,
SOLEIL LEVANT,   vers 1825
Huile sur toile, 43 × 53,2

Provenance : acheté en 1826 à l'artiste, à la British
Institution, par Sir George Warrender (1782–
1849) ; Warrender (Londres, Christie's, vente
du 3 juin 1837, n° 15) ; marquis Maison, à Paris ;
acheté à ce dernier par Henry McConnel de
Cressbrook (Londres, Christie's, vente du 27
mars 1886, n° 46) ; acheté par Agnew's ; Sir
Charles Tennant au plus tard en 1891 ; transmis
par héritage à Sir Colin Tennant (Londres,
Sotheby's, vente du 14 mars 1984, n° 82),
acheté par Agnew's

Exposition : Londres, British Institution, 1826,
n° 256

Bibliographie : *Literary Gazette*, 4 et 18 février et
1er avril 1826 ; *La Belle Assemblée*, mars 1826 ;
Harding, *Works*, 1830 ; Dubuisson et Hughes,
p. 150 et 197 ; Shirley, p. 30–31 et 145

Collection particulière

En 1826, l'exposition annuelle d'artistes vivants organisée par la British Institution fut inaugurée le 2 février. Bonington, qui avait gardé un vif souvenir de la manifestation de l'année précédente et reçu les encouragements des artistes et collectionneurs rencontrés sur place, décida de faire son entrée sur la scène artistique londonienne avec deux marines : la *Vue de la côte picarde avec enfants* reproduite ici, et une *Vue de la côte française avec pêcheurs*, achetée par la comtesse de Grey, dont on a perdu la trace depuis. Parmi les mythes tenaces attachés à Bonington, il en est un qui voudrait que les critiques aient d'abord attribué ces tableaux à Williams Collins, auteur de marines comparables par leurs thèmes. Cette assertion ne repose sur aucun fait réel. Le premier compte rendu publié deux jours après l'inauguration, dans la *Literary Gazette*, ne contient pas d'erreur de ce genre : « 256. Côte française (également 242) R.P. Bonington -Qui est R.P. Bonington ? Nous n'avons jamais vu son nom dans aucun catalogue jusqu'à présent et pourtant ce sont là des tableaux qui feraient honneur aux plus grands noms dans l'art du paysage. Le soleil, la perspective, la vigueur ; un sentiment raffiné du beau dans la répartition des couleurs, appliquées en masse ou en petites parcelles ; voilà qui agrémente remarquablement les salles. »

Une deuxième critique élogieuse parut le 18 février : « Peu de peintures ont plus adroitement exprimé le caractère d'une journée de grand soleil que celle dont nous parlons ici. Et l'on a rarement vu un artiste tirer un meilleur parti des éléments tout simples fournis par le sujet. D'un trait ample, il a saisi la caractère de ses personnages et accessoires ; ajoutez un coloris splendide, éclatant et transparent. »

Lorsque l'exposition ferma ses portes le 20 mai, Bonington avait déjà attiré l'attention de plusieurs collectionneurs réputés, dont Sir George Warrender, qui acheta cette huile, le marquis de Lansdowne, qui en commanda une autre version (nº 76)[1], le comte Grosvenor et le duc de Bedford.

On n'a pu identifier la ville visible dans le lointain, mais la topographie des lieux semble désigner les environs de Calais ou de Dunkerque. Le coloris plus chatoyant dans le ciel et dans l'eau, avec ses stries ocre, terre de Sienne, bleues, roses et jaunes et ses empâtements blancs, ainsi que les minces formations nuageuses légèrement teintées par ce mélange rappellent fortement Turner.

1. L'huile sur bois présentée en 1937 (BFAC 1937, nº 8) comme une étude pour l'œuvre exposée à la British Institution est en fait une copie en réduction exécutée par un peintre anonyme, sans doute d'après la lithographie de Harding.

VUE DE LA CÔTE PICARDE AVEC PÊCHEURS,
SOLEIL COUCHANT, 1825
Huile sur toile, 55,9 × 83,8

Signé et daté en bas à droite : *R P Bonington
1825*

Provenance : acheté à l'artiste à Paris en 1826 par,
ou pour, le deuxième comte Grosvenor ;
transmis par héritage

Exposition : BFAC 1937, n° 43

Bibliographie : Waagen 1838, t. II, p. 318 ; Mrs.
Jameson, *Companion to the Most Celebrated Private
Galleries of Art*, Londres, 1844, p. 275 ; Thoré,
1867, p. 7, repr. sous la forme d'une xylographie
de Sargent ; Dubuisson et Hughes, p. 127 et
157 ; Shirley, p. 96

Reproduit avec l'aimable autorisation du duc de
Westminster

Cette peinture, avec ses personnages bien en
vue au premier plan qui évaluent
tranquillement la pêche du jour et semblent
miraculeusement épargnés par tous les
bouleversements de la modernité, correspond au
type de composition de Bonington appelé à
connaître le plus grand succès auprès des
collectionneurs britanniques. Malgré un semi-
effaçage, le dernier chiffre de la date semble bien
être un 5. La date de 1825 est également celle
qui figure sur une copie à l'huile du XIXe siècle
(collection particulière) et sur une reproduction
gravée par C.G. Lewis en 1836. Cette peinture
est donc le plus ambitieux et sans doute le plus
ancien exemple de ce type de composition. Le
traitement étonnamment spectaculaire du
paysage renvoie bien évidemment à Turner,
mais d'autres artistes anglais savaient également
obtenir des effets de cet ordre. Bonington et ses
confrères français avaient soigneusement calculé
la date de leur voyage à Londres afin de pouvoir
visiter les importantes expositions présentées
respectivement à la British Institution, à la
Royal Academy et à la *Society of Painters in
Watercolours*, qui offraient à elles trois un
panorama complet du naturalisme dans la
peinture de paysage anglaise.

Des études au crayon pour les oies sont
conservées à Bowood, tandis qu'un croquis de
trois femmes placées comme dans cette *Vue de la
côte picarde* se trouve à Nottingham.

Le comte Grosvenor acheta sans doute ce
tableau directement à l'artiste, en 1826. Chaque
année, il enrichissait sa célèbre galerie de
tableaux grâce à des acquisitions d'œuvres de
peintres vivants. Comme d'autres directeurs de
la British Institution, il fut prompt à réagir au
retentissement de la première présentation
d'œuvres de Bonington dans ses locaux.

51

SUR LA SEINE, vers 1825
Huile sur carton, 30,5 × 40

Au verso, cachet d'atelier en cire rouge et étiquette de R. Davy

Provenance : vraisemblablement vente Bonington, 1834, n° 147 ; prince Anatole Demidoff (Paris, vente San Donato, 21–22 février 1870) ; Joseph Gillot (?)[1] ; James Orrock, 1904 ; vicomte Leverhulme (Londres, Christie's, vente du 17 février 1926) ; Mme Lincoln Davis, Richmond ; offert par cette dernière au Virginia Museum of Fine Arts en 1962

Expositions : Londres, Cosmorama Rooms, 209 Regent Street, 1834, n° 25 ou 28 ; Nottingham 1965, n° 258

Richmond, Virginia Museum of Fine Arts, don de Mme Lincoln Davis en souvenir de son fils George Cole Scott au nom de sa famille (62.18)

Après son voyage à Londres, Bonington commença à se détourner des marines sereines qui constituaient la majeure partie de sa production, pour exécuter des vues de crépuscules tout aussi calmes sur la partie inférieure du cours de la Seine. Bonington a toujours aimé peindre des séries, réalisant d'innombrables variations sur un même thème jusqu'à en épuiser toutes les ressources. Il fit donc porter tous ses efforts sur son nouveau sujet de prédilection, avant de l'abandonner au profit de Venise. Ce changement de registre fut peut-être favorisé par son amitié grandissante avec Paul Huet et par son intérêt persistant pour le paysage hollandais. Cela dit, comme l'a fait observer Cormack[2], les effets de contre-jour, le feuillage poudré des arbres frêles, ainsi que les clairs-obscurs et les couleurs plus spectaculaires de ces vues de la Seine traduisent sa réaction à ses premiers contacts notables avec des huiles et aquarelles de Turner. On ne saurait surestimer l'influence de ces interprétations libres sur ses contemporains français, à commencer par Huet, dont l'admiration pour Turner se nourrissait presque exclusivement de reproductions gravées. Il faut en tenir compte pour ce qui concerne l'évolution ultérieure de la peinture de paysage française.

1. Marion Spencer cite Gillot parmi les anciens propriétaires de l'œuvre, mais cette huile ne figure pas parmi les huit Bonington passés dans la vente de sa collection à Londres, chez Christies, le 19 avril 1872.
2. Cormack, «Compte rendu», p. 287.

DANS LA FORÊT DE FONTAINEBLEAU, vers 1825
Huile sur carton, 32,4 × 24,1

Inscription à la plume sur une étiquette collée au verso : *Sketch in the Forest of Fontainebleau by R.P. Bonington from the collection of Mr. Carrier, painter to the Duke of Condé and a fellow student of Bonington from whom he received this sketch* [signature illisible]. Deux cachets d'atelier en cire rouge au verso

Provenance : vraisemblablement offert par l'artiste ou ses parents à Auguste-Joseph Carrier (1800–1875) ; Fenton (Londres, Christie's, vente du 17 avril 1846, n° 33, non adjugé) ; Roger Fenton (Londres, Christie's, vente du 7 mai 1900, n° 103), acheté par Colnaghi ; Sir Evan Charteris au plus tard en 1937 ; transmis par héritage à Mme George Dawney (Londres, Christie's, vente du 22 novembre 1968, n° 97), acheté par Paul Mellon

Expositions : BFAC 1937, n° 12 ; Agnew's 1962, n°33 ; Nottingham 1965, n°250

Bibliographie : Shirley, p. 102 ; Ingamells, *Bonington*, n° 10 ; Noon, « Compte rendu », repr.

New Haven, Yale Center for British Art, collection Paul Mellon (B1981.25.55)

Alors même que cette esquisse de plein air est peinte sur du carton Davy pour reliure, un support que Bonington semble avoir découvert et adopté lors de son séjour à Londres, Marion Spencer et Cormack ont situé son exécution avant le voyage en Angleterre. Aucun aspect stylistique de l'œuvre ne justifie cette datation, et il paraît logique de proposer une date comprise entre le milieu et la fin de 1825.

Avec son cadre pittoresque et la proximité du château construit pour François Ier, la forêt de Fontainebleau attira un nombre croissant de paysagistes dans les années 1820. Cette peinture est le seul témoin de l'intérêt de Bonington pour ce site hérissé de rochers[1]. Des artistes comme Camille Corot et Léopold Leprince, qu'il comptait parmi ses relations, ont laissé beaucoup plus d'esquisses à l'huile représentant la forêt.

A. J. Carrier, qui fut probablement le premier propriétaire de cette peinture, était un ami intime de Bonington depuis l'époque de leurs études. Il allait devenir un miniaturiste assez renommé. Son frère était le médecin qui devait soigner Bonington en 1828. Les précisions inscrites au dos de la peinture ne sont peut-être pas tout à fait exactes. Le cachet d'atelier, apposé deux fois, figure d'ordinaire sur les œuvres qui se trouvaient dans l'atelier de l'artiste à sa mort. Toutefois, aucune huile montrant une vue de Fontainebleau n'est passée dans les ventes d'atelier. En outre, ce cachet n'a pas été utilisé systématiquement pour toutes les œuvres restées chez Bonington, et il s'agissait peut-être tout simplement d'un sceau pour fermer les lettres employé par l'artiste puis par sa famille pour authentifier les peintures non signées. Reste que sa présence sur une esquisse offerte à un ami intime semblerait un peu déplacée, compte tenu des habitudes de Bonington. On peut donc présumer que Carrier, ou son frère, a reçu cette œuvre non pas de l'artiste, mais de ses parents, en signe de reconnaissance pour leur présence au chevet de Bonington dans ses derniers jours.

1. Un dessin au crayon apparenté à cette œuvre est conservé dans une collection particulière, mais ne peut être considéré comme une étude préparatoire. Voir Peacock, *Bonington*, p. 32, repr.

53

UN CHEMIN BORDÉ D'ARBRES, vers 1825
Huile sur carton, 28 × 22,8

Au verso, cachet d'atelier en cire noire et
étiquette de R. Davy

Provenance : vraisemblablement James Carpenter,
1829 ; collectionneur français anonyme jusqu'en
1962 ; acheté à cette date par Paul Mellon

Bibliographie : vraisemblablement Harding,
Works, 1829 ; Cormack, *Bonington*, p. 105

New Haven, Yale Center for British Art,
collection Paul Mellon (B1981.25.51)

Une version de cette composition, due à un
artiste du XIXe siècle qui s'était sans doute
librement inspiré de la lithographie de Harding,
figurait autrefois dans la collection Mellon[1].
Une deuxième réplique, dont le style peut
laisser penser qu'elle a quelque chance
d'être authentique, appartient à la Staatliche
Kunsthalle de Karlsruhe. Elle porte au dos le
croquis d'un morceau de gibier à la Teniers et
une étude du museau d'un chien d'arrêt.

L'attribution du *Chemin bordé d'arbres* a été
contestée, mais cette œuvre présente une
facture assez proche de celle d'autres huiles
exécutées par Bonington vers la fin 1825 pour
dissiper les doutes. Cormack croyait percevoir
l'empreinte de Constable dans le choix du motif
et dans la façon dont la lumière filtre à travers le
feuillage sur la gauche. Bonington a dû subir
plus directement l'influence de Paul Huet, qui
privilégiait cette mise en page et ce thème
rustique, et dont on retrouve ici la palette
résolument rococo.

1. Londres, Sotheby's, vente du 18 novembre 1981,
n° 141.

54

VUE DE ROUEN AVEC LA TOUR DE L'ÉGLISE
SAINT-OUEN, SOLEIL COUCHANT,   1825
Mine de plomb et aquarelle avec grattages,
17,4 × 23,5

Signé et daté en bas à gauche : *RPB 1825*

Provenance : Dreux, 1850 ; Jullien ; Henri
Marillier[1] ; Percy Moore Turner, au plus tard en
1940 ; (Fine Arts Society, 1942) ; Miss M.
Pilkington ; don de cette dernière à la
Whitworth Art Gallery en 1946

Expositions : BFAC 1937, n° 102 ; Nottingham
1965, n° 209, pl. 7 ; Jacquemart-André 1966,
n° 31

Manchester, Whitworth Art Gallery,
University of Manchester

Une reproduction de cette aquarelle,
improprement intitulée *Environs de Mantes*,
figurait dans la suite de six lithographies
exécutée par Jaime d'après Bonington, et
publiée par d'Ostervald en 1829. On reconnaît
sans hésitation les silhouettes des églises de
Saint-Maclou, à gauche, et de Saint-Ouen, au
centre, même si l'artiste a pris des libertés
considérables par rapport à l'aspect réel de ce
paysage situé près de l'île Lacroix. Il a peint à la
même date une *Vue de Rouen* (Londres, Wallace
Collection) à l'aquarelle en recréant une
ambiance de soir d'été tout à fait identique.

1. Des aquarelles sont inscrites sous le même titre dans
les catalogues des ventes David White (Londres,
Christie's, vente du 18 avril 1868, n° 502) et Thomas
Woolner (Londres, Christie's, vente du 21 mai 1895,
n° 73). Une copie à l'aquarelle due à un artiste anonyme
est conservée à Cardiff, National Museum of Wales.

55

PRÈS DE ROUEN,   vers 1825
Huile sur carton, 27,9 × 33

Provenance : vente Bonington, 1824, n° 139,
acheté par le deuxième comte de Normanton

Expositions : Londres, Cosmorama Rooms, 209
Regent Street, 1834, n° 33 ; Agnew's 1962,
n° 15 ; Nottingham 1965, n° 259, pl. 27

Bibliographie : Miquel, *Huet*, 1965, p. 11 (avec
une attribution à Paul Huet)

Collection particulière

Pierre Miquel a attribué cette peinture à Paul
Huet, mais elle est indiscutablement de
Bonington. Sa composition reprend une formule
privilégiée à l'époque par Paul Huet (voir le
n° 56), et sa facture semble un peu plus
fougueuse que la manière habituelle de
Bonington. Cependant, la touche méditée et le
sens aigu de l'observation qui se manifeste ici
sont étrangers aux préoccupations (ou aux
aptitudes) de Huet. En outre, cette huile était
répertoriée parmi les œuvres de Bonington lors
de la vente d'atelier de 1834. La comparaison
avec des huiles exécutées à l'automne 1825,
comme *Dans la forêt de Fontainebleau* (n° 52) ou
Un chemin bordé d'arbres (n° 53), autre
composition à la Huet, ne peut que confirmer
l'attribution traditionnelle à Bonington. Les
affinités avec le style de Huet pourraient
s'expliquer par le fait que ces deux jeunes
peintres travaillèrent côte à côte en 1825.
Comme ils ont travaillé tous deux sur les
mêmes sites à Rosny-sur-Seine et à La Roche-
Guyon (voir le n° 63), on peut supposer qu'ils
ont longé la Seine ensemble jusqu'à Rouen dans
le courant de l'automne[1].

1. L'aquarelle de Huet représentant le château de
Rosny est conservée au musée du Louvre (département
des Arts graphiques). Voir Pointon, *Circle*, fig. 3. La vue
du même monument peinte par Bonington, mais prise
sous un autre angle, est connue par une aquarelle
conservée au British Museum et par une version à
l'huile appartenant à une collection particulière. De ces
deux œuvres, l'aquarelle est celle qui soulève le plus de
questions, parce que sa facture désigne l'œuvre d'un
professionnel, mais son style n'est ni celui de Bonington,
ni celui de Huet.

PAUL HUET (1803–1869)
EN FORÊT DE COMPIÈGNE,   vers 1824
Huile sur toile, 21,5 × 26,5

Provenance : René-Paul Huet ; offert par ce
dernier au musée du Louvre en 1896

Paris, musée du Louvre, département des
Peintures (R.F. 1060)

Paul Huet est né à Paris la même année
qu'Eugène Isabey. Parmi les artistes français qui
participèrent au nouveau courant naturaliste
dans le paysage français vers le début des années
1820, il fut peut-être le plus influent, et
cependant le plus négligé ensuite par l'histoire
de l'art. Après une courte période
d'apprentissage chez Guérin, il commença à
étudier auprès du baron Gros en 1820, mais il
ne fréquentait l'atelier que par intermittence,
préférant se consacrer à ses esquisses de
paysage chez son ami Lelièvre dans l'île Seguin,
à Saint-Cloud et en Normandie. En novembre
1822, il suivit des classes de dessin à l'académie
Suisse, où il rencontra Delacroix qui allait rester
un fidèle et généreux allié.

Paul Huet fit la connaissance de Bonington en
1820, mais ne semble pas s'être lié avec lui
avant 1825. L'impression inoubliable éprouvée
par Huet devant les paysages anglais exposés au
Salon de 1824, un commun intérêt pour Walter
Scott et pour les peintures hollandaises,
flamandes et rococo ne manquèrent pas de
rapprocher ces deux sensibilités. Huet devait
déclarer plus tard que l'amitié avec Bonington
était son plus précieux souvenir de jeunesse.
Apparemment, les deux jeunes artistes
quittèrent Paris à l'automne 1825 et se
rendirent ensemble au moins jusqu'à Rouen, où
Huet avait de la famille. Ils ont probablement
effectué ensemble d'autres excursions pour aller
travailler sur motif, mais une seule est attestée :
un document nous apprend qu'ils durent
annuler un voyage à Trouville en 1828 en raison
de l'état de santé de Bonington. Sur les huit
peintures envoyées par Huet au Salon de 1827,
le jury n'en retint qu'une seule. Les
interventions de ses amis (Bonington, Delacroix,
Hugo, Camille Roqueplan, Auguste, Samuel
William Reynolds, Alexandre Dumas et Sainte-
Beuve[1]) permirent à Huet de surmonter les
difficultés financières et le découragement
provoqués par l'hostilité des milieux officiels.
Dans les années 1830, le soutien de Gustave
Planche, un critique très écouté, lui assura enfin
une certaine notoriété.

À sa mort, Huet laissa une quantité de lettres
et de réflexions lucides sur son art. Il donna une
description concise de ses ambitions de
paysagiste dans ses souvenirs confiés à
Théophile Silvestre : «Combien j'aurais voulu,
l'imagination frappée par l'immensité et la
puissance de la nature, rendre ces grands
spectacles qu'elle déroule constamment devant
nos yeux, exprimer les émotions que nous font
éprouver l'aspect de ses mystères, le charme et
la mélancolie de ses profondeurs. Si l'art est
l'expression d'une époque, peut-être plus qu'un
autre ai-je apporté le reflet de la poésie inquiète
et rêveuse et dramatique de mon temps[2].»

Dans ses notes sur l'art du paysage, il
dressait un bref inventaire des sources
d'inspiration historiques les plus hautement
estimées par ses amis dans les années 1820 :
Claude Lorrain pour sa poésie tendre et
touchante ; Cuyp pour la transparence et la
limpidité de ses couleurs ; Rubens pour sa façon
de déceler des particularités intéressantes jusque
dans la banalité ; Rembrandt, le poète magicien
plus intime, plus tourmenté, pour sa faculté
incomparable de traduire l'angoisse des temps
modernes ; Fragonard toujours séduisant, et
Hubert Robert, le plus authentique paysagiste
du XVIIIe siècle[3].

Avec son écran d'arbres impénétrable, sa
facture vigoureuse et ses tons pastel vibrants,
l'œuvre reproduite ici est caractéristique des
esquisses de plein air que Paul Huet peignit vers
le milieu des années 1820, tandis qu'il tentait
d'opérer la synthèse de ses diverses attirances.
À partir de 1822, il travailla régulièrement dans
la forêt de Compiègne, et il a dû exécuter cette
peinture en 1824, année où il passa tout l'été
dans la région. Comme beaucoup d'amis intimes
de Bonington, et comme tous ses détracteurs,
Huet vouait un très grand respect au talent du
jeune Anglais, mais lui reprochait une trop
grande facilité, sans doute parce que la
virtuosité constituait l'aspect le plus apprécié de
manière générale par les amateurs et les
collectionneurs de l'époque. De tempérament
passionné, Huet avouait ses difficultés à peindre
sur le motif, et il s'imposait toujours un certain
temps de réflexion avant d'entreprendre une
commande importante. C'est pourquoi ses
œuvres maîtresses, comme *La maison des gardes
dans la forêt de Compiègne* (1826 ; collection
particulière), ont souvent des dimensions
grandioses et un aspect très léché, qui font
regretter l'originalité d'études aussi pleines de
promesses que celle-ci.

Dans la biographie de son père, René-Paul
Huet prit bien soin de réfuter toute influence de
Bonington, de Constable ou de Turner sur l'art
de Paul Huet, qui reconnaissait toutefois avoir
découvert dans la peinture anglaise un moyen
d'allier ses conceptions naturalistes à la poésie
des maîtres du passé. Nulle part dans son œuvre,
Huet ne s'est approprié des procédés de style
propres à la peinture de Bonington, même s'il a
copié beaucoup plus d'aquarelles et d'huiles de
son ami que ne veulent bien le dire les auteurs
modernes.

1. Ainsi, Delacroix fit appel à Huet pour peindre le fond
de son *Portrait de Louis-Auguste Schwiter* (Londres,
National Gallery), tandis qu'Auguste lui acheta des
œuvres à cette époque.
2. Huet, *Huet*, p. 6.
3. Miquel, *Paysage*, p. 196 ; et Huet, *Huet*, p. 81 *sq.*

Eugène Lami (voir le n° 5) comme avec Bonington (n° 145), et ses goûts en matière d'illustration littéraire étaient les mêmes que ceux des amis de Bonington. En 1828, Monnier réalisa avec Achille Devéria des planches pour les *Chansons* de Béranger publiées par Bernaud, dessina des vignettes gravées sur bois par Charles Thompson pour une édition de La Fontaine.

À l'époque où Bonington peignit son portrait[2], Monnier noua une amitié durable avec Honoré de Balzac, qui affirmait avoir modelé le personnage du bureaucrate aigri Bixiou sur le jeune dessinateur : «Cassant, agressif et indiscret, il faisait le mal pour le mal ; il attaquait surtout les faibles, ne respectait rien, ne croyait ni à la France, ni à Dieu, ni à l'art, ni aux Grecs, ni aux Turcs. [...] De petite taille mais bien prise, une figure fine, remarquable par une vague resssemblance avec celle de Napoléon, lèvres minces, menton plat tombant droit, vingt-sept ans, voix mordante, regard étincelant [...] chasseur de grisettes, fumeur, amuseur de gens, dîneur et soupeur [...] mais sombre avec lui-même[3].»

Des portraits à l'huile et à l'aquarelle figuraient dans les diverses ventes d'atelier de Bonington, et l'on a tenté d'en identifier quelques-uns, mais il est évident que Bonington pratiquait le genre du portrait beaucoup plus souvent que ne le laisseraient supposer les rares exemples parvenus jusqu'à nous. Outre cette image d'Henry Monnier, où le visage est modelé avec toute la finesse d'une miniature de Carrier et le ciel traité avec la même vigueur que dans un Titien ou un Rubens, on connaît un buste de femme au crayon (Londres, British Museum, daté de 1823), des portraits à la pierre noire de Théodore Gudin (collection royale de Grande-Bretagne) et de Mlle Rose (collection particulière), des études du comte Palatiano (n°s 64–65) et une aquarelle représentant Gaudefroy (ill. 10)[4]. A. de la Fizelière raconte, sans indiquer de date précise et en faisant des allusions très vagues, qu'Eugène Isabey, Théodore Gudin, Auguste Raffet et Montfort allèrent un jour chez Bonington, rue Michel-le-Comte, et découvrent sur l'entrée une plaque au nom de «Bonington. Portraitiste[5]». S'il est peu probable que Bonington se soit spécialisé dans ce genre, il se pourrait en revanche que son père ait poursuivi cette activité parallèlement à ses affaires[6].

1. Roberts, B.N., dossier Bonington.
2. La date de 1824 assignée par le fils de Gaudefroy est trop précoce. On ne trouve aucun arrière-plan aussi résolument vénitien dans l'œuvre de Bonington avant son retour de Londres en 1825, et de toute façon ni l'artiste, ni le modèle n'étaient encore des élèves de Gros en 1824.
3. Marie, *Monnier*, p. 24.
4. Je n'ai pas tenu compte des nombreuses études de femmes et d'enfants inconnus conservées pour la plupart dans la collection Bacon et à l'Ashmolean Museum of Art d'Oxford.
5. A. de la Fizelière, *L'Artiste*, 1860, p. 99.
6. Sydney Race (*Notes*, p. 26–27) fournit la liste la plus complète des portraits peints par Bonington père avant son départ pour Calais en 1817. Des portraits expressément attribués au père de Bonington et à ses élèves figuraient dans plusieurs des ventes d'atelier.

57

PORTRAIT D'HENRY MONNIER,   vers 1825
Aquarelle, 19,5 × 14,9

Au verso, inscription au crayon : *Portrait d'Henri Monnier par R P Bonington | quand ils étaient ensemble à l'atelier du baron Gros | 1824. Monnier avait alors 19 ans | d'après les notes du fils du peintre Gaudefroy cette | aquarelle a été faite en | 1824*

Provenance : Pierre-Julien Gaudefroy (?) ; James Roberts ; héritiers de James Roberts juqu'en 1909 ; Gosselin ; Atherton Curtis ; offert par ce dernier à la Bibliothèque nationale

Exposition : Jacquemart-André 1966, n° 72, pl. X

Bibliographie : Dubuisson 1909, p. 197, repr. ; Shirley, p. 75 et 106, pl. 81

Paris, Bibliothèque nationale, département des Estampes (AC 8008)

Henry Monnier (1799–1877) avait occupé un emploi de fonctionnaire avant d'entrer dans l'atelier de Girodet, puis dans celui de Gros en 1821. L'intérêt manifesté par le baron Gros et par ses élèves pour la phrénologie et pour la caricature anglaise a sans nul doute déterminé Monnier à devenir l'un des dessinateurs humoristiques les plus féconds du XIXe siècle. Spécialiste des chahuts d'atelier, il ne tarda pas à se brouiller avec Gros, qu'il surnommait «Groseille». Leur mésentente s'explique peut-être dans une certaine mesure par les brimades que Gros infligeait à Bonington. Nos seules informations sur le comportement de l'élève Bonington nous viennent de Roberts : «On pouvait le voir parcourir lentement du regard l'atelier au beau milieu du bruit et du joyeux tapage [...] et seul son regard laissait deviner un esprit attentif à évaluer les autres. [...] S'il n'était jamais bruyant et turbulent comme ses camarades, il aimait s'amuser et participait volontiers à leurs farces[1].»

Entre 1823 et 1828, Monnier se rendit souvent à Londres. Il y était en 1825, à la date du voyage de Bonington, et y séjourna plus longuement en 1826 et 1827. Il collabora avec

AUTOPORTRAIT, vers 1825–1826
Lavis brun rehaussé de blanc sur papier
chamois, 12,5 × 10,4

Provenance : baron Charles Rivet ; héritiers de
Rivet jusqu'en 1984 ; Andrew Wyld ; acheté à
ce dernier par le British Museum en 1984

Exposition : BFAC 1937, n° 76

Bibliographie : Dubuisson et Hughes, p. 90 ;
Dubuisson, 1909, repr. en face de la p. 81 ;
Shirley, pl. 72

Londres, British Museum (1984–10–6–28)

James Roberts trouvait que Bonington avait un
visage « pas très remarquable pour son
expression », tandis que le critique Auguste Jal
remarquait dans sa notice nécrologique
qu'« aucune autre expression que celle de sa
mélancolie ne lui prêtait un caractère[1] ». Dans
cet autoportrait, l'artiste a manifestement
cultivé son personnage de rêveur taciturne, mais
en réalité, Bonington était plus sociable que ne
le laisse croire cette image ou celle que ses
panégyristes lui prêtaient. Plus tard, Delacroix
devait nuancer ce jugement : « Son sang-froid
britannique, qui était imperturbable, ne lui
ôtait aucune des qualités qui rendent la vie
aimable[2]. »

L'artiste s'est représenté dans son *Invitation
au thé* (n° 106), mais l'autoportrait reproduit ici
est le seul que l'on connaisse. Il date quasi
certainement de l'hiver 1825–1826, où
Bonington et Delacroix partagèrent un atelier,
et peut-être du soir même où Delacroix fit un
dessin à la pierre noire représentant son ami au
travail[3]. Thoré signale un autre autoportrait à
l'aquarelle, dont on a perdu la trace, exécuté
à peu près à l'époque du *Cahier de six sujets*
(fin 1826), et destiné à Carrier qui l'offrit
ensuite à Lewis Brown[4].

Parmi les nombreux portraits censés
représenter l'artiste, peu correspondent
effectivement à cette identification. Ce n'est pas
Bonington qui a peint l'huile ovale montrant un
jeune artiste à Nottingham, et il n'en est
certainement pas le modèle. Il en va de même
pour le *Portrait d'un artiste* (autrefois dans la
collection Renan) reproduit en frontispice de la
monographie de Shirley. À part cet autoportrait
et le dessin de Delacroix, les seules images où
l'on puisse vraiment reconnaître Bonington sont
l'étude de sa tête réalisée à la pierre noire par
Magaret Carpenter et la version à l'huile peinte
après la mort de l'artiste (toutes deux à la
National Portrait Gallery de Londres), jugée
très médiocre par Delacroix[5] ; une lithographie
exécutée par Colin en 1829, d'après des dessins
postérieurs à la mort de Bonington (Oxford,
Ashmolean Museum, et Paris, musée
Carnavalet), mais sans doute plus ressemblante
que l'œuvre de Margaret Carpenter ; une
esquisse au crayon dessinée par Colin,
reproduite en frontispice du catalogue des
gravures établi par Curtis, et perdue depuis ;

plusieurs petits croquis au crayon de sa tête
exécutés par Colin à Dunkerque en 1824 (Paris,
musée Carnavalet ; ill. 8) ; et enfin le buste
dessiné par Léopold Boilly sur une feuille
d'études où il avait représenté plusieurs élèves
de Gros en 1820 (ill. 9).

Une aquarelle montrant un artiste à son
chevalet (Londres, National Portrait Gallery)
passe pour une étude de Bonington depuis sa
première apparition lors de la vente Villot, mais
on ne voit que le dos du modèle. Cette œuvre
pourrait être due à Newton Fielding (voir le
n° 146), comme indiqué dans le catalogue de la
vente. Une aquarelle représentant un grand
jeune homme maigre (ill. 7), dont le modèle
reste mystérieux mais que l'on attribue
généralement à Bonington en se fondant sur une
annotation au crayon, pourrait être en fait un
portrait de Bonington peint par un condisciple à
l'École des beaux-arts. La période cadrerait
parfaitement avec l'âge apparent du modèle et
avec l'étude d'une « tête d'expression » à
l'aquarelle exécutée avec soin au dos de ce
portrait[6]. Marcia Pointon suppose que
Bonington a posé pour le *Portrait de jeune homme*
de Delacroix, où Lee Johnson identifie sous
toutes réserves l'un des frères Fielding. Mais les
portraits connus contredisent cette hypothèse[7].

Le dessin reproduit ici fut gravé par Frédéric
Villot en 1847. Ami de Bonington, de Lami,
d'Isabey et de Delacroix, Villot allait occuper les
fonctions de conservateur des peintures au
musée du Louvre, sous la direction de
Nieuwerkerke, et d'intendant général des
musées. Il s'était initié à l'eau-forte auprès du
Suisse Forster. D'après Philippe de

Chennevières, c'était « un connaisseur de l'école
coloriste, une curiosité distinguée et érudite, [et
il] entreprit, avec une audace qui faisait
trembler, la restauration des Rubens Médicis[8] ».
L'*Autoportrait* fut également gravé à l'aquatinte
par Charles Damour et publié en frontispice des
Œuvres inédites de Bonington (Paris, 1852), un
ensemble de dix aquatintes d'après des
peintures et dessins qui appartenaient alors au
baron Rivet.

1. Roberts, B.N., dossier Bonington.
2. Delacroix, *Correspondance*, t. IV, p. 286.
3. Collection particulière ; Ingamells, *Bonington*, fig. 4.
4. Thoré, 1867, p. 6, note 2. Une esquisse à l'huile
apparemment perdue était présentée comme un portrait
de l'artiste avec son carton à dessins lors de la vente
d'atelier de 1838 (n° 110).
5. Walker, *Regency Portraits*, p. 57–59 ; gravé par Quilley
pour James Carpenter en 1831.
6. Shirley, pl. 4.
7. Pointon, *Circle*, p. 73 ; Johnson, *Delacroix*, t. I, n° 69.
8. Philippe de Chennevières, *Souvenirs d'un directeur des
Beaux-Arts* [1883], Paris, Arthéna, 1979, III, p. 84 *sq.*

59

QUENTIN DURWARD À LIÈGE,   1825
Aquarelle, 14,9 × 11,5

Signé et daté en bas à droite : *1825 / R P Bonington*

Provenance : vraisemblablement vente Bonington, 1834, n° 287 ; Lewis Brown (Paris, vente des 16 et 17 avril 1834, n° 64, *Quentin Durward à Liège*) ; Berville, Paris ; de Coninck (Gand, vente de 1856, n° 96), acheté par Fodor ; Carl Joseph Fodor ; légué par ce dernier à la municipalité d'Amsterdam en 1860

Amsterdam, Amsterdams Historisch Museum, legs C.J. Fodor

Ivanhoé, le roman historique de Walter Scott, eut de profondes répercussions sur la littérature française, et inspira des œuvres aussi marquantes que l'*Histoire de la conquête des Normands* d'Augustin Thierry (Paris, 1825) ou l'*Histoire des ducs de Bourgogne* de Prosper de Barante (Paris, 1824). L'accueil réservé à la première traduction française de *Quentin Durward* (mai 1823) ne fut pas moins enthousiaste, car le roman décrivait de manière fort précise et imagée l'une des périodes les plus mouvementées de l'histoire de France. Victor Hugo publia presque aussitôt un compte rendu de l'ouvrage, véritable plaidoyer pour le nouveau genre littéraire appelé roman historique, dans le premier numéro de *La Muse française* (juin 1823). Il remarquait, à propos du climat et des personnages évoqués, « l'histoire dit bien quelque chose de tout cela ; mais ici, j'aime mieux croire au roman qu'à l'histoire, parce que je préfère la vérité morale à la vérité historique ».

Cette aquarelle illustre un épisode du chapitre XIX de *Quentin Durward*. Le héros, portant l'armure et le bonnet bleu des archers écossais, a été pris par les Liégeois pour un membre des troupes que Louis XI leur a envoyées en renfort contre l'ignoble duc de Bourgogne. Malgré ses dénégations, Durward, un homme courageux mais peu au fait des intrigues politiques, est conduit à l'hôtel de

ville entre les deux bourgmestres, Pavillon et le corpulent Rouslaer, sous les regards des citoyens en émoi, dont Blok, patron de la corporation des bouchers, et Hammerlein, le « président des arts et métiers du fer, grand, maigre et complètement ivre ».

C'est la première illustration de Bonington pour ce roman, antérieure de plusieurs mois au moins à son frontispice pour l'édition de Cadell (n° 60) et de près de deux ans à sa version à l'huile (n° 143). Une étude au crayon pour une illustration de *Quentin Durward* figurait sans autre précision dans la vente d'atelier de 1834, et une autre aquarelle intitulée *Louix XI, Isabelle de Croye et Quentin Durward*, sans doute un projet abandonné pour l'édition de Cadell, était répertoriée dans la vente d'atelier de 1836.

Dans le milieu qu'il fréquentait, Bonington ne fut pas le premier à illustrer le roman. Camille Roqueplan avait déjà exposé au Salon de 1824 une œuvre au titre soigneusement libellé de manière à échapper aux catégories académiques : *Paysage historique ; Isabelle de Croye et Quentin Durward près de Plessis-lez-Tours*. Si Bonington n'avait certes pas besoin des encouragements de Delacroix pour illustrer son écrivain préféré, on notera tout de même que Delacroix consigna quelques idées pour d'éventuels motifs tirés de *Quentin Durward* dans un des carnets qu'il utilisa à Londres en mai 1825.

Quentin Durward fut l'un des romans historiques de Scott qui séduisirent le plus de peintres français, dont Delacroix[1], A. Johannot (1831), Pajou (1831), Régnier (1835) et Laure Colin (1831), la fille de l'ami de Bonington Alexandre Colin. Pourtant, on ne connaît aucune autre image représentant *Quentin Durward et les Liégeois insurgés*. On ne sait pas très bien si les fameuses *Lettres sur l'histoire de France* d'Augustin Thierry (Paris, 1820–1827), qui présentaient les insurrections villageoises du Moyen Age comme des signes avant-coureurs d'un mouvement démocratique, ont infléchi l'attitude de Bonington à l'égard du roman de Walter Scott, mais il connaissait incontestablement ces écrits.

L'illustration reproduite ici provient d'une très riche collection d'aquarelles françaises du XIXᵉ siècle léguée à la municipalité d'Amsterdam par le magnat du charbon Carl Joseph Fodor (1801–1860). Cette collection restée intacte démontre la grande diversité de ce que les contemporains de Bonington englobaient sous la rubrique « romantique », et met en lumière la précieuse contribution de la bourgeoisie européenne prospère à la défense de l'aquarelle considérée comme un moyen d'expression respectable.

1. Parmi les huiles de Delacroix, on peut citer *L'assassinat de l'évêque de Liège* (Johnson, *Delacroix*, t. I, n° 134) commencé en 1827, et *Quentin Durward et le Balafré* (Johnson, *Delacroix*, t. I, n° 137) exécuté vers 1827–1828. Robaut cite une quarelle intitulée *Quentin Durward et la princesse de Croye* (Robaut, *Delacroix*, n° 271) et une lithographie (Robaut, *Delacroix*, n° 272). Une aquarelle perdue, *Louis XI à l'auberge des Fleurs-de-Lys près de Plessis-lez-Tours*, fut exposée à la galerie Lebrun en 1828. Son illustration intitulée *Louis XI*, destinée aux *Chansons de Béranger* publiées la même année, pourrait avoir un rapport avec cette composition.

QUENTIN DURWARD ET LOUIS XI
MASQUÉ, 1825–1826
Mine de plomb et aquarelle, 14,5 × 10,6

Signé et daté en bas à gauche : *RPB 1825* (ou *1826*)

Provenance : Lewis Brown (Londres, Christie's, vente du 28 mai 1835, n° 48), acheté par Allnutt ; Sir Thomas Allnutt ; transmis par héritage (Londres, Christie's, vente du 17 novembre 1987, n° 95), acheté par Feigen ; Richard L. Feigen

Bibliographie : Dubuisson et Hughes, p. 164 ; Douglas Cooper, « Bonington and Quentin Durward », *Burlington Magazine*, mai 1946, p. 116

New York, Richard L. Feigen

En 1831, Edward Goodall grava cette illustration du premier chapitre de *Quentin Durward* pour permettre à Robert Cadell de la reproduire en frontispice du volume XXXI de son édition complète des romans historiques de Walter Scott. On avait suggéré de réaliser une édition annotée et illustrée par des artistes britanniques en vue, après les déconvenues financières qui endettèrent lourdement l'écrivain en 1826. Bonington fut certainement sollicité à cette date, mais on ne sait pas s'il a peint cette aquarelle sur commande, ou s'il l'a tirée de ses réserves (il a également fourni le frontispice du volume XXVIII, *Peveril of the Peak*). La date inscrite sur l'œuvre pourrait être aussi bien 1825 que 1826. De toute façon, le style de cette aquarelle incite à la situer peu après *Quentin Durward à Liège* (n° 59) ou la *Leçon de luth* (n° 62).

Les costumes des trois personnages correspondent bien aux descriptions détaillées de Walter Scott. Pour la tête du roi, Bonington s'est inspiré d'un portrait en pied publié dans les *Monuments de la monarchie française* de Montfaucon (t. IV, pl. 62). Bonington a exécuté une copie au crayon et lavis du portrait dans son ensemble (collection particulière), et un croquis au crayon de la tête seule au verso d'une feuille d'études de casques du XIVe siècle dessinées chez Samuel Meyrick en juillet 1825 (Cambridge, Fitzwilliam Museum). Delacroix copia lui aussi ce portrait dans un carnet utilisé en 1825 et au début de 1826[1], et on peut sans doute en trouver un rappel dans le *Louis XI* qu'il dessina pour l'édition des *Chansons* de Béranger réalisée en 1828 par Perrotin (voir le n° 159).

Lewis Brown a vraisemblablement acheté directement cette aquarelle à Cadell en 1831. Ce Brown était un citoyen britannique, négociant en vins de Bordeaux, qui remplissait parfois des missions diplomatiques au consulat britannique de Calais. Il commença à collectionner les aquarelles de Bonington vers le milieu des années 1820. Il découvrit sûrement cet artiste grâce à Louis Francia ou à Claude Schroth qui fut l'expert de deux ventes de Brown. Pour plus de commodité, Brown collait toutes ses aquarelles de Bonington dans un album aisément maniable, que les peintres E. W. Cooke, Frederick Nash et William Wyld examinèrent à Londres en avril et juillet 1834. Cooke déclara à ce propos : « Jamais jusque-là aucune œuvre d'art ne m'avait ému de la sorte. » Brown était peut-être à Londres à ce moment-là, pour voir l'exposition *Bonington* aux Cosmorama Rooms et assister à la vente qui suivit. Comme cette aquarelle est restée protégée, jusqu'à une date très récente, dans le deuxième album où elle a été collée presque aussitôt après son acquisition en 1835 par Sir Thomas Allnutt, elle offre une occasion rare d'observer dans toute sa fraîcheur première la palette éclatante de Bonington.

1. Sérullaz, *Delacroix*, n° 1750, fol. 34 recto.

61

TREIZE ÉTUDES, vers 1825–1826
Aquarelle et lavis brun, avec ajouts importants
de gomme (les cinq plus grandes) ; aquarelle et
gouache (toutes les autres) ; dimensions
variables, maximum 9 × 6,4

Provenance : E. Wanters ; Fritz Lugt

Exposition : Jacquemart-André 1966, n° 5

Bibliographie : Pointon, *Bonington*, fig. 68

Paris, Institut néerlandais, fondation Custodia
(collection Fritz Lugt, 2501)

Pendant toute sa période de formation
artistique, Bonington passa une grande partie de
son temps libre au Louvre, où il exécuta des
copies à l'aquarelle. Il semble avoir plus ou
moins abandonné cette activité dès lors qu'il se
consacre à la peinture de marines, mais il l'a
reprise après avoir commencé à travailler aux
côtés de Delacroix. Il a exécuté les cinq plus
grandes études de la feuille reproduite ici
d'après des tableaux de maîtres, dont quatre
sont conservés au Louvre. La première (en haut
au milieu) reproduit la partie gauche de
l'*Adoration des bergers* de Palma le Vieux. La
deuxième (en haut à droite) est une copie de la
partie centrale d'une peinture de Jacob Jordaens,
Le roi boit. La troisième (au centre) reprend le
Portrait d'une dame de qualité et de sa fille de Van
Dyck. La quatrième (en bas au milieu)
représente une petite partie de la *Kermesse* de
Rubens. Le sujet de l'étude située en haut à
gauche n'a pu être identifié. La plupart de ces
esquisses se rapportent à des projets sur lesquels
Bonington travaillait en 1826.

Ainsi, l'aquarelle *Souvenir de Van Dyck*
(Londres, Wallace Collection) allie la
composition de l'étude d'après Van Dyck visible
sur cette feuille à des personnages empruntés à
une gravure d'une autre œuvre du Hollandais,
John, comte de Nassau, et sa famille. Bonington a
exécuté d'autres études à l'aquarelle (Bowood,
collection du comte de Shelburne) d'après des
portraits de Van Dyck aux Offices et à la Brera
en 1826. Le ciel du tableau de Palma le Vieux,
strié de couleurs éclatantes orange et bleu foncé,
trouve un écho dans le *Portrait d'Henry Monnier*
(n° 57) et dans *Le comte de Surrey et la blonde
Geraldine* (Londres, Wallace Collection ; ill. 40)[2].
Pour ses diverses versions de *Quentin Durward à
Liège* (n°s 59 et 143), Bonington a dessiné des
études d'expressions d'après la *Kermesse* de
Rubens.

Parmi les études de plus petites dimensions,
il en est une qui pourrait être un souvenir d'une
Adoration des mages baroque[3]. Une deuxième
semble représenter Falstaff, peut-être d'après
une gravure de Robert Smirke, tandis qu'une
troisième fait songer à l'œuvre de David Wilkie.
Les autres sont vraisemblablement des études
de personnages destinées aux lithographies
exécutées d'après des dessins de Pernot pour les
Vues pittoresques de l'Écosse, dont la publication
commença en décembre 1825. On sait en effet
que Bonington y rajouta des personnages de son
cru (voir le n° 113). Cela dit, la majorité de ces
études, aussi bien les grandes que les petites,
présentent un trait commun dans le choix des
thèmes, car elles représentent des femmes et des
enfants. Par là, elles s'apparentent aux esquisses
au crayon exécutées à peu près à la même date
d'après *Hendrickje Stoffels en Vénus* d'après
Rembrandt (Paris, musée du Louvre), aux
nombreuses études de mères et enfants
dessinées à Paris, et à la peinture à l'huile
intitulée *La prière* (Londres, Wallace Collection ;
ill. 67). Une esquisse à l'aquarelle d'après la
Procession des frères Le Nain (Paris, musée du
Louvre), conservée à Bowood, se caractérise par
la même facture nerveuse et date également de
cette période.

1. Ingamells, *Catalogue*, p. 52–53 (P 688).
2. Ingamells, *Catalogue*, p. 46 (P 675). Ingamells situe
cette aquarelle vers 1826, après le voyage en Italie. Je
propose une date plus proche du début de l'année.
3. Une étude à la sépia consacrée à ce thème par
Bonington figurait dans la vente John Brett (Londres,
Christie's, vente du 5–18 avril 1864, n° 565).

R. P. BONINGTON

62

LA LEÇON DE LUTH, 1826
Aquarelle et gouache, 8,3 × 12,8

Signé et daté en bas à gauche : *RPB 1826*

Provenance : baron de Beaunonville (Paris, vente
des 21–22 mai 1883, n° 148) ;
vraisemblablement Fairfax Murray (Londres,
Christie's, vente du 30 janvier 1920, n° 1a),
acheté par Bowden ; baron H. de Rothschild ;
baron James de Rothschild jusqu'en 1966 ; H.M.
Horsley (Londres, Christie's, vente du 5 mars
1974, n° 188 [*Queen Mary and Rizzio*]), acheté
par Bingham ; Pierre Granville ; donation de ce
dernier au musée des Beaux-Arts de Dijon, 1975

Dijon, musée des Beaux-Arts

Cette aquarelle, traditionnellement désignée par
le titre *Marie, reine d'Écosse, et David Rizzio*,
représente deux personnages dont les costumes
appartiennent effectivement à l'époque de la
reine Marie. Jean-Louis Ducis (1775–1847) a
précisément choisi ce motif pour un de ses
quatre tableaux de Fontainebleau illustrant «les
arts sous l'empire de l'amour»[1]. Heath l'a
également gravé en 1825 pour le *Literary
Souvenir*, et Bonington devait bien le connaître.
Toutefois le thème du joueur de luth,
omniprésent dans la peinture troubadour avait
acquis à l'époque un caractère trop général,
surtout dans l'interprétation qu'en donne ici
Bonington, pour permettre une identification
aussi précise que le suggère le titre traditionnel.
Le petit format et l'exécution rapide de cette
aquarelle la rattachent à des esquisses
préparatoires comme *La remontrance* (n° 107) et
aux études d'après les tableaux de maîtres
exécutées à la fin de 1825 ou au début de 1826
(voir le n° 61). La signature indique toutefois
que l'artiste était prêt à vendre cette aquarelle
comme une œuvre autonome destinée à l'album
de quelque collectionneur.

Ce sujet de scène de genre fascinait
Bonington, comme en témoignent une huile
représentant deux joueurs de luth dans un
intérieur (n° 121), les aquarelles intitulées *La
méditation* et *Le comte de Surrey et la blonde
Geraldine* (ill. 40), ainsi que les nombreuses
copies au crayon de luthistes empruntés à des
peintures de Gerard Terborch et Joost Van
Craesbeeck conservées au Louvre ou à des
gravures des *Monuments français inédits pour servir
à l'histoire des arts* de Nicolas-Xavier Willemin
(Paris, 1808). L'instrument qui a servi de
modèle pour l'aquarelle reproduite ici, comme
pour la plupart des autres variations de
Bonington sur ce thème, est visible dans le
dessin de Thomas Shotter Boys représentant
l'atelier de l'artiste en 1827 (ill. 61).
En octobre 1828, Rolls grava pour
l'*Anniversary* d'Allan Cunningham une
composition apparentée mais plus détaillée. La
version gravée, intitulée *Le luth*, comporte un
décor plus luxuriant, et montre des personnages
en costumes du milieu du XVIIe siècle.
À la suite de Mantz, Dubuisson attribuait à
cette version, aujourd'hui perdue, la date
extrêmement précise de mai 1828[2].

1. Ducis a peint pour la duchesse de Berry des versions
de ces tableaux très appréciés. Elles furent exposées au
Salon de 1822 (n° 398), en même temps qu'une
troisième variation sur le thème de Marie Stuart
(n° 399). Eugène Isabey esquissa des répliques à l'huile
de ces quatre compositions à une date difficile à préciser.
2. Mantz, *Bonington*, p. 303 (l'auteur signalait que
l'aquarelle se trouvait alors dans la collection Rothschild
à Boulogne) ; Dubuisson et Hughes, p. 80.

LA CHAMBRE D'HENRI IV AU CHÂTEAU DE LA
ROCHE-GUYON, vers 1825
Huile sur carton, 23 × 35,5

Provenance : vraisemblablement vente Bonington,
n° 56 ou 167, acheté par Colnaghi ; sans doute
Lord Dover, puis transmis par héritage au
vicomte Clifden (Londres, Christie's, vente du 6
mai 1893, n° 1 [*Interior of the Bedroom of Henry IV
-a sketch*]) ; Wallis, The French Gallery (Londres,
Christie's, vente des 18–19 novembre 1898,
n° 126), acheté par Sampson ; amateur anonyme
(Londres, Christie's, vente du 26 juillet 1902,
n° 53) ; amateur anonyme (Londres, Sotheby's,
vente du 9 décembre 1981, n° 203), acheté par
Feigen

New York, Richard L. Feigen

À l'occasion d'une visite du château de La
Roche-Guyon, sans doute à l'automne 1825,
Bonington peignit cette étude destinée à
préparer une peinture d'histoire. Le château fut
construit en 1621 à l'emplacement d'une
ancienne résidence de François Ier, à quinze
kilomètres à l'ouest de Mantes. Henri IV s'y
retira après la bataille d'Ivry, en 1590. Il était
alors tombé sous le charme d'Antoinette de
Pons, comtesse de La Roche-Guyon et future
marquise de Guercheville (morte en 1632), aussi
célèbre pour sa beauté que pour sa fidélité
conjugale. D'après la légende, elle aurait fui le
château avant l'arrivée du roi afin de protéger sa
réputation. L'abbé de Choisy donne dans ses
Mémoires une version plus piquante de cet
épisode : le roi organisa à plusieurs reprises des
parties de chasse dans le voisinage de La Roche-
Guyon afin d'avoir un prétexte pour passer la
nuit au château. Quittant fort opportunément
ses compagnons de chasse, il priait alors la
marquise de bien vouloir l'héberger. Celle-ci
l'accueillait toujours avec infiniment de
courtoisie et de respect avant d'aller passer la
nuit dans un château voisin, le laissant seul à ses
amusements[1].
    Après 1816, le château devint la propriété du
duc de Rohan-Chabot, membre du clergé, qui
donnait souvent des réceptions à la mode
«médiévale». Lorsque Victor Hugo se rendit à
La Roche-Guyon pour la première fois en août
1821, il fut particulièrement impressionné par le
lit du roi, «une des curiosités du château», selon
lui. Ce lit en chêne sculpté, mesurant trois
mètres de long, était tendu de bandes de velours
grenat qui alternaient avec des bandes de
tapisserie au petit point en fils de soie et d'or.
L'écrivain se vit offrir avec beaucoup d'à-propos
la chambre du duc de La Rochefoucauld, et
s'avoua un peu rebuté par la froideur guindée de
son hôte[2]. Lamartine, qui était venu en 1819,
avait mieux accepté l'attitude du duc de Rohan,
et avait particulièrement apprécié l'étonnante
chapelle souterraine où le propriétaire des lieux
disait des messes quotidiennes «avec une
pompe, un luxe et des enchantements sacrés qui
enivraient de jeunes imaginations[3]».

Une peinture à l'huile de format analogue, vraisemblablement exécutée pour le baron Rivet, présentait le même intérieur, où Henri IV assis regardait par la fenêtre[4]. Une esquisse à l'huile et une aquarelle, comportant toutes deux une représentation d'Henri IV, figuraient dans la vente d'atelier de 1829 (n°s 30 et 210) avec une deuxième aquarelle sans personnage (n° 49). Le British Museum possède des études au crayon du lit et du fauteuil, tandis qu'une esquisse au crayon montrant le décor dans son ensemble fut exposée en 1937[5]. Dans l'esquisse reproduite ici, des repentirs visibles du côté de la fenêtre révèlent que l'artiste avait d'abord pensé représenter le roi debout à cet endroit. L'esquisse à l'huile quasiment identique peinte par Paul Huet a été située trop tôt par Miquel[6], car tout porte à croire que Bonington et Huet sont allés ensemble au château en 1825, et non en 1821. L'œuvre de Bonington n'a peut-être aucun rapport avec la composition analogue lithographiée par Jean-Baptiste Isabey, représentant cette fois la chambre d'Henri IV au château des Mesnières, qui fut publiée quelques mois auparavant dans les *Voyages pittoresques, Normandie II* (pl. 232).

La peinture d'histoire dont on a perdu la trace avait un contenu narratif assez flou, comme le voulait peut-être Bonington. Ce portrait intimiste du souverain français le plus populaire, méditant sur les lourdes responsabilités gouvernementales ou sur les frustrations d'un amour déçu, correspondait assez bien à la façon dont Bonington envisageait les évocations historiques, et ressemblait notamment à la vision de Cromwell songeur dans le château de Windsor présentée par Delacroix (n° 142). Henri IV venait de remporter une victoire décisive dans ses efforts pour conquérir le trône de France. Il était dans une situation favorable pour s'emparer de Paris, et pourtant, des considérations restées inconnues de ses propres chroniqueurs le poussèrent à retarder sa marche sur la capitale, l'obligeant ainsi à placer longtemps la ville en état de siège[7]. Le spectateur est-il sensé observer le roi dans un moment d'indécision peu coutumière ? Delacroix permet au public de pénétrer les pensées de Cromwell en introduisant dans son tableau un portrait de Charles Ier, objet des réflexions du protagoniste. Bonington ne fournit aucun indice de ce genre et nous laisse deviner l'objet des songes du roi. Cependant, il est impossible d'oublier la présence monumentale du lit royal. Ce meuble extraordinaire, fort pittoresque et lourd de connotations galantes, suffit à lui seul à justifier le choix du sujet. Son symbolisme patriarcal devait aussi revêtir une signification toute particulière pour une génération bien décidée à démontrer la légitimité d'Henri IV.

1. On retrouve cette anecdote dans la *Biographie universelle*, Paris, 1817–1819, t. XIX, p. 18–19.
2. Hugo, *Œuvres complètes*, t. II.
3. Alphonse de Lamartine, *Premières et Nouvelles Méditations poétiques*, Paris, 1874, p. 137–138.
4. Une eau-forte de Charles Damour publiée dans *Œuvres inédites de Bonington* (Paris, 1852, n° 4) nous donne une idée de cette composition. Voir l'ill. 24.
5. BFAC 1937, n° 128.
6. Miquel, *Paysage*, t. II, p. 197; voir aussi Miquel, *Huet*, 1965, pl. 43.
7. D'après l'*Histoire du roy Henri le Grand* de Hardouin de Péréfixe (Toulouse, 1782), que Bonington avait lue, «la terreur fut si grande dans Paris après la perte de cette bataille, que si le roy y fust allé tout droit, on ne fait point de doute qu'il n'y eust esté receu sans beaucoup de difficulté. Quelques-uns disoient que c'estoit le mareschal de Biron qui l'en détournoit, parce qu'il craignoit qu'après cela, n'ayant plus tant besoin de luy, il ne le considerast moins. D'autres pensoient que c'estoient ses ministres et capitaines huguenots qui l'en dissuadoient, parce qu'ils avoient peur qu'il ne s'accommodast avec les Parisiens pour la religion et ainsi luy conseilloient d'avoir plutôt cette grande ville par famine» (p. 125–126).

64

PORTRAIT DU COMTE DEMETRIUS DE
PALATIANO,   vers 1825–1826
Huile sur toile, 35,5 × 24,7

Inscription au pochoir au dos de la toile : *Génie
des Arts / Haro Md de Couleurs / Rue du Colombier
n° 30*

Provenance : Damianos Kyriazis ; légué par ce
dernier au musée Benaki

Expositions : Paris, *Delacroix*, 1930, n° 176, avec
une attribution à Delacroix ; Nottingham 1965,
n° 290

Bibliographie : Johnson, «Compte rendu», fig. 55 ;
Johnson, *Delacroix*, t. I, avec le n° L80, et t. III,
avec le n° 81a

Athènes, musée Benaki (n° 11197)

Le comte Demetrius de Palatiano (1794–1849),
issu d'une grande famille de Corfou, voyagea
beaucoup dans sa jeunesse. Menant grand train
de vie et faisant preuve d'une certaine
instabilité (à en croire ses descendants), il
prétendait avoir été élevé au rang de comte par
son ami le roi Maximilien de Bavière. Vers la fin
de 1825, il traversa Paris pour se rendre à
Londres où il passa neuf ans avant de rentrer en
Grèce avec sa seconde épouse anglaise. À sa
mort à Naples en 1849, il laissa des dettes
considérables. Ce personnage à la Byron a servi
de modèle pour le *Portrait de M. le comte P. en
costume souliote* exposé par Delacroix au Salon de
1827, et connu aujourd'hui par deux copies à
l'huile et une gravure de Frédéric Villot[1]. Au
cours de l'hiver 1825–1826 où il partageait un
atelier avec Delacroix, Bonington peignit
plusieurs esquisses à l'huile du comte de
Palatiano costumé en soldat de l'armée de
libération grecque.

Jusqu'ici, toutes les analyses des esquisses
à l'huile de Bonington représentant le comte
reposaient sur le postulat que l'artiste avait
exécuté comme Delacroix un portrait
parfaitement abouti, perdu depuis mais
lithographié par J.D. Harding en 1830 (ill. 35).
Or, cette gravure porte une inscription
indiquant que le portrait en pied, vu de face et
très proche du tableau de Delacroix,
correspondait en fait à une «esquisse»
appartenant à Lord Townshend. À la vente
d'atelier de 1829, Townshend avait acheté onze
huiles, dont les *Études de costumes grecs ; deux
figures sur une même toile* (n° 129). Cette œuvre
figurait plus tard sous la forme de deux
esquisses différentes dans la vente Townshend
de 1835 (n°ˢ 13–14). Cela veut dire que, dans
l'intervalle, et sans doute avant l'exécution de la
lithographie de Harding, Townshend avait fait
partager en deux l'œuvre en question. Une
moitié fut reproduite par Harding et l'autre
(une étude de profil) se trouve actuellement
dans une collection particulière[2]. Dès 1843,
toutes deux appartenaient à Munro de Novar[3].

L'esquisse reproduite ici, donnée un certain
temps à Delacroix, fut réattribuée à Bonington
par Marion Spencer en 1965. Un examen
scientifique récent a révélé que son auteur
l'avait peinte sur une toile portant l'adresse de
Haro, le marchand de couleurs de Delacroix, et
qu'elle ne semble pas avoir été découpée dans
une œuvre plus grande. Aucune autre étude de
costume grec n'a été répertoriée dans les ventes
Bonington, mais Henry Webb en possédait
deux[4], et il se pourrait que l'artiste en ait vendu
ou donné avant sa mort. On peut imaginer aussi
que ces études furent mal identifiées lors des
dernières ventes d'atelier. Il y avait par exemple
deux études pour un portrait de « Vénitien»,
inscrites sous le n° 108, dans l'inventaire de la
vente de 1838. À plusieurs reprises, Bonington
a employé le costume du comte pour des figures
secondaires dans ses vues de Venise, et les
personnes chargées d'établir le catalogue de
vente n'ont peut-être pas su reconnaître
l'origine grecque de ces vêtements.
L'attribution de l'esquisse reproduite ici mérite
une recherche plus approfondie, mais son style
tendrait plutôt à confirmer la thèse de Marion
Spencer.

Une réplique de l'esquisse gravée par
Harding et perdue depuis a été attribuée à Paul
Huet[5]. Jules Robert Auguste en a exécuté une
autre à l'aquarelle[6]. Avant la fin de 1825, Huet
s'était lié d'amitié avec Bonington, et il pourrait
avoir assisté à des séances de pose du comte de
Palatiano dans l'atelier de Delacroix. Cependant,
sa réplique quasi exacte de l'esquisse de
Bonington ressemble plus à une copie ultérieure
qu'à une étude d'après nature.

1. Lee Johnson fut le premier à publier ces
renseignements biographiques sur le comte de Palatiano.
Voir son *Delacroix*, t. I, L80 et fig. 23.
2. Nottingham 1965, n° 289, pl. 45.
3. Des copies anonymes datant du milieu du XIXᵉ siècle
sont apparues sur le marché assez récemment (Londres,
Christie's, vente du 2 novembre 1984, n° 111).
4. Paris, vente Webb, 23–24 mai 1837, n°ˢ 27–28, *A
young greek girl standing, full face, and another Greek figure in
a rich costume seen in profile*.
5. Miquel, *Paul Huet*, Paris, 1962, repr. p. 53.
6. Rosenthal, *Auguste*, p. 193.

65

ÉTUDES DU COMTE DEMETRIUS DE PALATIANO
EN COSTUME SOULIOTE,   vers 1825–1826
Mine de plomb, 28 × 22,9

Provenance : George Cattermole ; Luc-Albert
Moreau, 1934 ; Arthur Tooth and Sons ; acheté
chez ces derniers par le Castle Museum en 1949

Exposition : Nottingham 1965, n° 107

Bibliographie : Shirley, p. 99, pl. 74 ; Johnson,
« Compte rendu », p. 319

Nottingham, Castle Museum and Art Gallery
(49–100)

C'est, à notre connaissance, la seule feuille
d'études au crayon représentant le comte de
Palatiano qui soit attribuée à Bonington. Les
dessins de Delacroix sur le même thème (ill. 36)
sont plus nombreux et comportent des études
détaillées du costume porté aussi bien par le
comte que par un modèle non identifié (voir le
n° 66). Lee Johnson a réattribué à Delacroix une
deuxième feuille d'études conservée à
Nottingham, dont l'historique est exactement le
même. Johnson se fondait sur la présence d'une
esquisse pour l'*Exécution du doge Marino Faliero*
tracée très légèrement au recto. Il contestait
également l'attribution à Bonington de la feuille
reproduite ici.

Malgré des similitudes de style souvent
troublantes dans leurs œuvres sur papier,
surtout les dessins à la plume, Delacroix maniait
généralement le crayon de manière plus fluide :
son trait était moins nerveux que celui de
Bonington et il indiquait plus succinctement les
ombres des intérieurs. Les personnages
représentés sur cette feuille témoignent d'une
exécution rapide, tout à fait normale pour des
études d'après nature, qui contraste avec le soin
méticuleux apporté par Bonington à ses dessins
d'armures réalisés chez Meyrick au cours de
l'été précédent. Cependant, le vocabulaire
graphique reste le même.

Alexandre-Marie Colin a fait des études au
crayon d'après un costume analogue : il a dû
assister lui aussi aux séances de pose du comte
dans l'atelier de Delacroix et Bonington[1]. Des
variantes du même costume figurent dans deux
des peintures d'histoire les plus notables de
Colin, *Le Giaour* et *Un incident de la guerre
d'indépendance grecque*, exposées ensemble à la
galerie Lebrun en mai 1826[2].

Les Souliotes étaient des chrétiens d'Albanie
qui avaient fui la répression d'Ali Pacha de
Tebelen, devenu gouverneur de Jannina, et se
battirent courageusement pendant la guerre
d'indépendance grecque. Byron, qui endossa
leur costume pour son célèbre portrait par
Thomas Phillips[3], et qui en employa comme
gardes du corps, les présente dans *Le Chevalier
Harold* comme des êtres primitifs totalement
indomptables.

1. Shepherd Gallery, *Non-Dissenters*, 1976, n° 40.
2. Voir Paul Joannides, « Colin, Delacroix, Byron and
the Greek War of Independence », *Burlington Magazine*,
août 1983, p. 495–500 ; et *Burlington Magazine*, juin
1984, fig. 49.
3. Un exemplaire de l'une des reproductions gravées de
ce portrait figurait dans la vente d'atelier de 1834 (n° 3).
Delacroix alla voir Phillips en 1825, peut-être avec
Bonington.

EUGÈNE DELACROIX (1798–1863)
ÉTUDES D'UN MODÈLE EN COSTUME GREC, vers
1825–1826
Huile sur toile, 35,2 × 46,4

Cachet d'atelier en cire au verso

Provenance : vente Delacroix, 17–29 février 1864,
n° 182, acheté par Paul Huet ; René-Paul Huet,
fils du précédent ; transmis par héritage à M.
Perret-Carnot ; attribué au musée du Louvre par
l'Office des biens privés, 1950

Bibliographie : Robaut, *Delacroix*, n° 1479 (daté
de 1822) ; Johnson, *Delacroix*, t. I, n° 30 (avec
une documentation complète) ;
N. Athanassoglou-Kallmyer, «Of Suliots,
Arnauts, Albanians and Eugène Delacroix»,
Burlington Magazine, août 1983, p. 487–191, fig.
38

Paris, musée du Louvre, département des
Peintures (MNR 143)

Alors que très peu d'études de costumes grecs
réalisées par Bonington sont parvenues jusqu'à
nous, celles que Delacroix a exécutées à l'huile
ou au crayon sont relativement nombreuses et
semblent s'échelonner sur une plus grande
période, sans se rattacher forcément à son
portrait «officiel» du comte Demetrius de
Palatiano. Les premières dans l'ordre
chronologique furent peut-être celles qui
figurent à la fin d'un carnet acheté, et
partiellement utilisé, en Angleterre dans le
courant de l'été 1825 (carnet 41, fol. 12 verso à
17 recto). Le costume grec représenté ici fut
vraisemblablement emprunté à Jules-Robert
Auguste, qui mit sa collection d'armes et de
vêtements grecs et orientaux à la disposition de
Delacroix dès l'été 1824[1]. Le musée du Louvre
conserve au moins onze études au crayon et
lavis d'après Palatiano dans son costume
personnel, très légèrement différent de celui que
Delacroix a étudié dans son carnet[2]. Les
vêtements de Palatiano sont apparemment ceux
qu'il porte aussi dans le portrait «officiel»
aujourd'hui perdu et dans une esquisse
préparatoire redécouverte depuis peu, ainsi que
dans quatre études à l'huile d'un modèle dans
des poses diverses, dont nous voyons ici une
vue de face et une autre de profil[3].

Robaut et Athanassoglou-Kallmyer situent
ces études à l'huile vers 1822–1823, en les
rattachant à des copies dessinées par Delacroix
d'après des planches des *Selections of the Costume of
Albania and Greece* publiées par Joseph
Cartwright (Londres, 1822), et à des œuvres
préparatoires pour les *Massacres de Scio* (Salon de
1824). Johnson, observant qu'elles n'ont aucun
rapport direct avec ce tableau, les situe plus
près du séjour du comte de Palatiano à Paris
vers la fin de 1825. Les études considérées dans
leur ensemble sont censées nous montrer tous
les aspects de l'habit souliote. Nous voyons ici
le modèle dans deux poses soigneusement
étudiées pour bien mettre en valeur ce
vêtement. Il ne danse pas, contrairement aux
apparences. Dans les autres études de la série,
le modèle adopte des poses tout aussi variées,
et porte un costume plus ou moins complet qui
laisse découvrir ses différentes composantes.

Dans les portraits exécutés par Bonington
comme par Delacroix, le comte de Palatiano
porte la tenue complète, avec les jambières, une
fustanelle blanche, une large ceinture drapée
garnie d'une épée et d'une paire de pistolets.
Une tunique rouge sans manches apparaît sous
le gilet brodé à manches longues évasées, que
recouvre une veste à manches courtes. Dans les

études reproduites ici, le modèle ne porte que la tunique et la veste, tandis que dans une autre (Göteborg), il est de dos, toujours bras tendus, mais vêtu du gilet brodé[4]. Comme la broderie y est la même que sur le costume représenté dans les portraits esquissés par Bonington et par Delacroix, on est en droit de supposer que l'étude reproduite ici est contemporaine des portraits en question. L'utilisation d'un fond rouge bordeaux très foncé derrière le modèle rappelle aussi certaines études d'armures exécutées précédemment chez Meyrick, tandis que la facture rapide, qui confère à ces études une vigueur pittoresque, s'explique peut-être en partie par la présence de Bonington dans l'atelier, car il n'y avait rien de semblable dans les esquisses à l'huile représentant un personnage en costume indien exécutées un peu plus tôt par Delacroix[5].

On connaît par une copie de Robaut une toile, perdue aujourd'hui, sur laquelle figurent une étude à l'huile de la manche de veste grecque et une esquisse d'après *Quien mas rendido* de Goya[6]. Une autre étude à l'huile d'un personnage en habit souliote, couramment attribuée à Delacroix, pourrait être due en fait à Achille Devéria, dont le Louvre conserve un croquis à la sépia montrant un modèle dans la même pose (daté de 1828)[7].

Alors que Bonington n'employa ensuite ce genre d'études que pour des personnages secondaires dans ses vues topographiques de Venise, Delacroix allait reprendre les siennes pour plusieurs œuvres majeures : *Le combat du Giaour et d'Hassan* (1826, Chicago, Art Institute), *Scène de guerre entre les Grecs et les Turcs* (1826–1827, Winterthur, Oskar Reinhart) et *Le Giaour contemplant Hassan mort* (vers 1829, coll. Rudolf Graber).

1. Delacroix, *Journal*, t. I, p. 116–117; voir également les études au pastel de monsieur Auguste, dans Rosenthal, *Auguste*, ill. 115–116.
2. Sérullaz, *Delacroix*, nos 115 à 125.
3. Johnson, *Delacroix*, t. I, L80, R33, R34; t. III, no 81a; et t. I, nos 27–30.
4. *Ibid.*, t. I, no 29; L38 pourrait être un pendant.
5. *Ibid.*, t. I, nos 23–25.
6. *Ibid.*, t. I, L34.
7. *Ibid.*, t. I, D10; t. III, p. 313; Paris, musée du Louvre, département des Arts graphiques (R.F. 7232).

JULES-ROBERT AUGUSTE (1789–1850)
UNE ILLUSTRATION LITTÉRAIRE, années 1830
Huile sur papier marouflé sur carton, 21,5 × 16

Provenance : Henri Rendu ; offert par ce dernier
au musée du Louvre en 1948

Bibliographie : Rosenthal, *Auguste*, p. 115 et 172,
cat. II–27, ill. 56

Paris, musée du Louvre, département des
Peintures (R.F. 1948–39)

Jules-Robert Auguste, dit monsieur Auguste,
appartenait à une famille d'artistes et artisans
parisiens réputés. Élève du médailleur François-
Frédéric Lemot (1772–1827), il remporta le
grand prix de Rome de sculpture en 1810. Après
un séjour de quatre ans à l'Académie de France
à Rome, il fit un voyage au Moyen-Orient, puis
travailla à Londres de 1821 à 1823. En
Angleterre, il se lia avec l'architecte Charles
Robert Cockerell, Géricault, Nicolas-Toussaint
Charlet, Léonor Mérimée et la communauté
d'artistes et collectionneurs français résidant à
Londres. L'un de ces artistes, le miniaturiste
Simon Rochard, présenta Auguste à Sir Thomas
Lawrence, à David Wilkie, à Benjamin Robert
Haydon, et aux frères Seguier qui allaient
devenir les plus ardents défenseurs de
Bonington. Grâce au marquis de Lansdowne,
Auguste obtint également ses entrées dans le
très élégant milieu *whig* qui gravitait autour de
Holland House. C'est sûrement lui qui a permis
à Delacroix, et peut-être à Bonington, de
rencontrer bon nombre de ces relations pendant
leur séjour à Londres en 1825. Dès 1824,
Auguste habitait de nouveau à Paris, mais ses
nombreux voyages et contacts étrangers avaient
déterminé les penchants personnels (l'art de
Watteau, la peinture équestre anglaise,
l'orientalisme et un certain élitisme
aristocratique) qui allaient gouverner non
seulement sa vie d'artiste mais aussi celle de
nombreux peintres et écrivains français plus
jeunes.

Dans sa carrière d'artiste, Auguste ne se
montra pas à la hauteur des espérances placées
en lui. Ayant abandonné la sculpture, il
privilégia le pastel, qu'il utilisait pour des
images au format précieux légèrement teintées
d'érotisme oriental, ou pour des scènes de
chasse à courre. Il possédait une importante
collection d'art flamand et hollandais du XVIIᵉ
siècle qui ne laissa guère de trace sur son style.
Selon toute apparence, Delacroix fit la
connaissance d'Auguste peu après le retour de
ce dernier à Paris. Il sut mettre à profit la
collection de costumes, armures et objets d'art
orientaux rassemblée par cette personnalité
singulière, à qui il présenta sans doute
Bonington dans le courant de l'année 1825. Dès
le printemps suivant, Bonington s'était installé
au 11, rue des Martyrs après avoir partagé un
temps l'atelier de Delacroix. Auguste possédait
depuis 1823 des appartements dans cet
immeuble situé dans la partie de Montmartre la
plus à la mode. Le nouvel atelier de Bonington
était auparavant celui d'Horace Vernet, un autre
ami intime d'Auguste. Comme la plupart des
gens de la bonne société de l'époque, Auguste
recevait une fois par semaine. Si les habitués se
recrutaient surtout parmi les peintres, on voyait
aussi dans son salon Prosper Mérimée et, après
1830, Théophile Gautier. Ernest Chesneau
devait se rappeler plus tard l'ambiance
éminemment intellectuelle de ces soirées[1], mais
elle devait être aussi passablement surchauffée si
l'on en croit la lettre du 31 janvier 1826 où
Delacroix se plaignait d'être gêné dans son
travail par le comportement de ce petit monde.
Dans la même lettre, il évoquait l'effet salutaire

de la présence de Bonington dans son atelier,
comme pour souligner que son ami se conduisait
différemment[2]. La majorité des œuvres
orientalistes de Bonington semblent dater de
cette très courte période de contacts étroits
avec Delacroix et Auguste.

On identifie traditionnellement les
personnages de la peinture reproduite ici avec
Othello et Desdémone. Comme le remarque
Rosenthal, il est difficile de reconnaître un
épisode précis de la pièce de Shakespeare, mais,
dans cette hypothèse, Auguste aurait sûrement
illustré avec beaucoup de liberté la scène 2 de
l'acte IV, où Othello accuse sa femme
d'infidélité. Ce passage, qui a séduit beaucoup
moins d'artistes que la scène ultérieure du
meurtre[3], inspira une gravure publiée dans la
petite *Shakespeare Gallery*, où puisèrent de
nombreux peintres de l'entourage de Bonington.
Mais la gravure, exécutée par Robert Ker
Porter, montre Desdémone à genoux comme
le veulent les indications scéniques. On peut
imaginer aussi que la petite huile de monsieur
Auguste représente en fait Selim et Zuleika à la
fin de la *La Fiancée d'Abydos*, autre sujet
extrêmement en vogue à l'époque[4]. La
disposition des personnages n'est pas sans
rappeler une illustration de Colin pour ce poème
(exécutée en 1833), où Zuleika étreint les
épaules de son amant dans un effort pour
empêcher l'affrontement tragique avec les
hommes de Giaffir : «Il se dressait inflexible —
l'heure est venue, bientôt passée ; un baiser,
Zuleika, ce sera le dernier» (chant II, strophe
23).

Comme les peintures à l'huile sont aussi rares
que les illustrations littéraires dans l'œuvre
d'Auguste, il est difficile de dater cette œuvre.
Le traitement subtil des costumes reflète
l'attirance d'Auguste pour la peinture rococo[5] et
trouve des parallèles dans ses premiers pastels,
mais aussi dans certaines huiles de Bonington.
Toutefois, la palette fait surtout songer au
Delacroix des années 1830 et 1840.

1. Chesneau, *Petits romantiques*, p. 2.
2. Delacroix, *Correspondance*, t. I, p. 173.
3. Comme en témoigne l'huile commandée à Colin par
Coutan (Paris, vente du 17 avril 1830, nº 17), pour ne
citer que cet exemple.
4. Voir Lee Johnson, «Delacroix and *The Bride of
Abydos*», *Burlington Magazine*, septembre 1972, p.
579–585, où sont évoquées les trois versions à l'huile
exécutées par Delacroix dans les années 1840 et 1850.
Mais selon un phénomène caractéristique chez
Delacroix, c'était un sujet auquel il avait pensé dès
1824.
5. Dix huiles attribuées à Watteau figuraient dans la
vente d'atelier d'Auguste. Un pendant de la peinture
reproduite ici, également conservé au musée du Louvre
(R.F. 1948–40), est une «fête galante» à la Nicolas
Lancret.

68

UN TURC ASSIS, 1826
Huile sur toile, 33,7 × 41,5

Provenance : acheté par Sir Thomas Lawrence à la British Institution en 1829 (Londres, Christie's, vente du 15 mai 1830, nº 87), acheté par Colnaghi ; C.B. Wall (ou Ward), au plus tard en 1832 ; Samuel Rogers, de 1834 (ou avant) à 1855 (Londres, Christie's, vente du 28 avril 1856, nº 703 [*A Turk Enjoying the Siesta*]), acheté par Agnew's ; Thomas Birchall, à partir de 1857 ou avant et jusqu'après 1862 ; vraisemblablement Boston, collection Henry Sayles ; Emmons jusqu'en 1920 (New York, American Art Association, vente du 14 janvier 1920, nº 127, repr.) ; Chicago, collection Francis Nielson ; Edward Norris ; New York, Scott and Fowles ; Patrick Henry jusqu'en 1988 (New York, Sotheby's, vente du 24 février 1988, nº 17), acheté par Paul Mellon ; Paul Mellon ; offert par ce dernier au Yale Center for British Art Expositions : Paris, galerie Lebrun, 4 rue du Gros-Chenet, «Exposition de tableaux au profit des Grecs», 1826, nº 17, *Un Turc assis* ; Londres,

British Institution, 1829, nº 58, *A Turk* ; Londres, British Institution, 1832, nº 109, *A Turk Reposing* ; Londres, Cosmorama Rooms, 209 Regent Street, 1834, nº 44, *A Turk Smoking* ; Manchester Art Treasures Exhibition, 1857, nº 283 (étiquette au dos du châssis ; Londres, Exposition universelle, 1862, nº 180

Bibliographie : Victor Hugo, «L'exposition de tableaux au profit des Grecs, la nouvelle école de peinture» (inédit), *Œuvres complètes*, t. II, 1984 ; Richard Lane, *Lithographic Imitations of Sketches of Modern Masters*, Londres, 1829, pl. 13 (repr. à l'envers) ; *Atheneum*, février 1829 ; anonyme, «On the Genius of Bonington and His Works, part II», *Arnold's Magazine of the Fine Arts*, juin 1833, p. 46 ; [Amédée Pichot?], «Bonington et ses émules», *Revue britannique*, juillet 1833, p. 166 ; Waagen, 1838, t. II, p. 136 ; G. Scharfe, *A Handbook of the Gallery of British Paintings in the Art Treasures Exhibition*, Londres,

1857, p. 82-83 ; Théophile Thoré, *Trésors d'art en Angleterre*, 3e édition, Paris, 1865, p. 428-429 ; Thoré, 1867, p. 10 ; Dubuisson et Hughes, p. 165 ; Ingamells, *Bonington*, p. 19, 27 et 75 ; Ingamells, *Catalogue*, p. 71-72 New Haven, Yale Center for British Art, collection Paul Mellon

Cette huile redécouverte depuis peu est une variante d'une aquarelle datée de 1826 et conservée à la Wallace Collection à Londres. Bonington exécuta ces deux œuvres vers la même époque, avant son départ pour Venise au début avril 1826. La version reproduite ici figurait dans une exposition organisée en mai pour assurer un soutien politique et financier aux Grecs assiégés par l'armée turque à Missolonghi.

Le splendide clair-obscur doit peut-être quelque chose à Rembrandt, qui était devenu une importance source d'inspiration pour Bonington à cette date. Le critique de l'*Arnold's Magazine* établissait intuitivement ce lien lorsqu'il écrivait en 1833 : «Bonington s'est rapproché magnifiquement de la profondeur et du velouté des maîtres anciens, mais il n'en a jamais été aussi près que dans le *Turc se reposant* exposé l'an dernier à la British Institution, au milieu d'une réunion des plus belles peintures de ce pays, et accroché non loin d'un Rembrandt d'un éclat puisssant et d'une profondeur extraordinaire. Si grandes étaient sa force et son harmonie que nulle confrontation n'en pouvait amoindrir la valeur[1].»

Thoré, pour sa part, souligna plus tard les affinités avec les peintures de Vélasquez et de Delacroix perceptibles dans le coloris : «Manchester n'a qu'un seul Bonington : un Turc faisant la sieste ; à M. Thomas Birchall. Le rêveur est assis sur des coussins, de face, les jambes croisées, dans la pénombre que produit un grand rideau rouge. Il a un turban blanc, une veste et des haut-de-chausses vert foncé ; des sandales rouges. De sa main droite il tient nonchalamment une longue pipe. Fond gris perle, dans les tons de Vélasquez. L'ensemble a quelque chose de la couleur de M. Eugène Delacroix, avec un dessin plus exquis, sinon plus expressif. Ce petit bijou n'a pas un pied de haut[2].»

Étant donné que Bonington a exécuté cette peinture dans l'atelier de Delacroix, il a pu facilement s'inspirer de la copie que son ami avait faite du *Portrait de Charles II* de Carreño de Miranda en pensant que c'était un authentique Vélasquez. Bonington en a d'ailleurs réalisé deux études au crayon[3]. Mais le style appelle surtout la comparaison avec la *Femme aux bas blancs* (vers 1826 ; Paris, musée du Louvre) et le *Turc fumant assis sur un divan* (n° 69) de Delacroix. Cette dernière toile était encore chez Delacroix en 1825. Il faut considérer l'huile de Bonington, non pas comme une imitation, mais comme une transposition de la composition de son ami dans son langage personnel alors en pleine évolution, caractérisé par un «dessin plus exquis», comme le notait Thoré, et peut-être par des glacis plus savamment élaborés. Il faut attendre l'*Odalisque couchée* (vers 1827–1828 ; Cambridge, Fitzwilliam Museum) pour trouver chez Delacroix une transparence des couleurs analogue, alors que les deux artistes (et Colin) utilisèrent à la même époque des procédés expérimentaux de peinture à l'huile tendant à reproduire les effets visuels de l'aquarelle.

Dans le catalogue de vente de la collection de Sir Thomas Lawrence, on lit que cette toile est une étude d'après nature. Si la tête, fort abîmée, fut abondamment restaurée en 1988, elle a tout de même conservé des aspects d'origine suffisants pour autoriser une identification avec le modèle qui posa pour un portrait au crayon actuellement à Bowood (ill. 37). Delacroix a exécuté des croquis de ce même modèle, en qui Sérullaz reconnaît Bergini qui posa pour le cavalier dans les *Massacres de Scio* (1824 ; Paris, musée du Louvre), mais ce n'étaient pas forcément des dessins préparatoires pour le célèbre tableau[4]. Si *Un Turc assis* représente bien Bergini, c'est que celui-ci a dû revenir poser pour Delacroix et Bonington au cours de l'hiver 1825–1826, bien après l'achèvement des *Massacres de Scio*. Le costume représenté par Bonington associe des éléments empruntés à plusieurs peintures de l'époque, dont le *Jeune Turc caressant son cheval*[5] et le *Turc fumant assis sur un divan* (n° 69) de Delacroix, ainsi que les études pour le *Portrait du comte Demetrius de Palatiano* (n° 64). Les lumières appliquées avec un pinceau presque sec sur les haut-de-chausses, rappellent plus particulièrement la technique de Delacroix.

Cette toile est restée chez l'artiste jusqu'à sa mort et c'est son père qui l'a envoyée en 1829 à l'exposition de la British Institution, où Sir Thomas Lawrence l'acheta «sans perdre un instant» de préférence au *Marino Faliero* de Delacroix, dont il avait déjà commencé à négocier le prix. Cette œuvre, qui reçut une large publicité, fut sans doute l'une des huiles de Bonington les plus célèbres au XIXe siècle. Quand elle fut à nouveau exposée en 1832 à la British Institution, son propriétaire du moment souhaitait apparemment la vendre, car Constable expliquait d'un ton peu amène, dans une lettre du 6 juillet adressée à C.R. Leslie : «Au musée [la National Gallery], Seguier se livre à un manège qui dépasse en impertinence toutes ses autres blagues. C'est à propos d'une peinture de Bonington. Elle ne vaut pas la moitié d'un sou, mais Seguier dit qu'on lui en a offert cinq cents livres, ce qui est exact. Ce pauvre Collins en a presque perdu la tête, et voulait que j'aille batailler pour obtenir le tableau. Mais je ne m'en suis point mêlé[6].»

Finalement, ce fut Samuel Rogers qui acheta la peinture, et non la National Gallery. Lorsqu'elle fut exposée en 1857 à Manchester, George Scharfe remarqua : «Il y a ici une seule œuvre de Boninton, un Turc faisant la sieste, au coloris si chatoyant, au clair-obscur si excellent, que beaucoup s'étonneront de découvrir un nom inconnu en consultant le catalogue. Les trois quarts des gens vont demander : Qui était Bonington ?» L'année précédente, Lord Hertford, qui avait envisagé d'ajouter cette œuvre à sa collection déjà considérable d'œuvres de Bonington, constatait lui aussi une baisse de notoriété de l'artiste en Angleterre dans ses lettres envoyées de Paris à son agent londonien : «Je souhaiterais aussi avoir le Turc de Bonington, n° 703. J'aime beaucoup ce maître, quoiqu'il ne soit guère admiré dans notre pays.» Ou encore : «Je regrette d'avoir laissé échapper le Bonington, car j'apprécie grandement ce maître et vous savez quels prix il atteint ici. [...] Vous me consoliez dans votre dernière lettre en me disant que c'était une œuvre «inférieure du maître, une peinture sombre, avec une seule figure et sans intérêt», mais dans votre précédent courrier vous me disiez que «le Bonington est une très bonne peinture, d'une grande liberté de touche et fort enviable». Il ne peut avoir changé en si peu de temps, et ces œuvres deviennent plus rares de jour en jour. Aussi, je regrette de n'avoir pas eu mon Turc, mais après tout je dois vous remercier si vous avez estimé qu'il était monté à un prix excessif, comme il semble l'avoir fait[7].»

Au tournant du siècle, cette œuvre passa dans des collections américaines où l'on perdit quasiment sa trace. Jusqu'à une date récente, on a confondu à maintes reprises le tableau exposé en 1826 avec une copie anonyme (Dublin, National Gallery of Ireland) exécutée d'après une lithographie de Lane datée de 1829[8].

1. *Arnold's Magazine*, juin 1833, p. 46.
2. Thoré, *Trésors d'art en Angleterre*, p. 82–83.
3. Sur la peinture de Delacroix, voir Johnson, *Delacroix*, t. I, n° 21. Les dessins de Bonington sont conservés à Nottingham et dans une collection particulière.
4. Sérullaz, *Delacroix*, n°s 81, 97 verso et 99. L'artiste a exécuté des études de diverses têtes, dont celle-ci, sur une feuille conservée aujourd'hui à Besançon. Voir René Huyghe *et al.*, *Delacroix*, Paris, 1963, p. 148.
5. Johnson, *Delacroix*, t. I, n° 38.
6. *John Constable's Correspondence IV*, présentée par R.B. Beckett, Suffolk, 1965, t. VIII, p. 73.
7. John Ingamells, *The Hertford-Mawson Letters*, Londres, 1981, p. 78–81.
8. BFAC 1937, n° 30, et Ingamells, *Catalogue*, t. I, p. 72.

EUGÈNE DELACROIX (1798–1863)
TURC FUMANT ASSIS SUR UN DIVAN *OU* TURC
AU MANTEAU ROUGE, vers 1824–1825
Huile sur toile, 24,7 × 30,1

Signé en bas à gauche : *Eug. Delacroix*

Provenance : baron de Mainnemaire, Paris, vente
du 21 février 1843, n° 6, acheté par Adolphe
Moreau ; Étienne Moreau-Nélaton ; donation ce
dernier au musée du Louvre en 1906

Bibliographie : Robaut, *Delacroix*, n° 977 ;
Johnson, *Delacroix*, t. I, n° 35 (avec une
documentation complète) ; *De Corot aux
impressionnistes, donations Moreau-Nélaton*, Paris,
1991, p. 50, n° 5

Paris, musée du Louvre, département des
Peintures (R.F. 1656)

D'après Johnson, Delacroix exposa
vraisemblablement cette toile à l'exposition de
la Société des amis des arts en 1825. Elle lui
appartenait peut-être encore à la date,
légèrement ultérieure, où Bonington peignit un
sujet analogue (n° 68) en employant un autre
modèle. Le yatagan dans son fourreau a fait
l'objet d'une étude à l'huile[1] et pourrait avoir
été offert ou prêté à Delacroix par son ami et
client le général Coëtlosquet[2]. On retrouve le
fourreau seul au premier plan de l'*Odalisque
couchée* (vers 1827–1828 ; Cambridge,
Fitzwilliam Museum).

Il existe une première pensée au crayon pour
cette composition[3], ainsi que plusieurs études à
l'aquarelle d'un modèle également assis sur un
divan mais pas vêtu de la même façon. Sérullaz
s'est trompé quand il a rattaché ces aquarelles
au tableau reproduit ici. Le costume et la
physionomie du modèle qui a posé pour les
aquarelles correspondent plus précisément à
ceux du *Turc debout* peint vers la fin de 1825[4].
C'est le même modèle qui a posé pour
Bonington (ill. 37).

Le *Turc fumant assis sur un divan* est l'un des
rares portraits de Turcs en costume que
Delacroix ait exposés dans les années 1820, alors
qu'il a peint beaucoup, tant à l'huile qu'à
l'aquarelle. Delacroix s'imprégnait à l'époque
des poésies de Byron et suivait avec attention le
déroulement de la guerre d'indépendance
grecque. Bonington n'a pas répondu aux mêmes
motivations lorsqu'il a fait quelques incursions
dans ce domaine, mais semble avoir été stimulé
par l'exemple de ses camarades d'atelier.

Si les peintures à l'huile de Delacroix sont
passées de la facture assez sèche et heurtée
visible ici au style plus subtil et au coloris plus
raffiné du *Jeune Turc caressant son cheval* de 1826[5],
cela tient pour une part à l'influence
modératrice de Bonington, que Delacroix
évoquait ainsi dans une lettre de janvier 1826 à
son ami Soulier : « Il y a terriblement à gagner
dans la société de ce luron-là, et je te jure que je
m'en suis bien trouvé[6]. » Cela dit, la simplicité
et la franchise de la peinture de Delacroix
confèrent à son personnage une force
d'expression dont l'effet dérangeant n'a guère
d'équivalents chez Bonington.

1. Johnson, *Delacroix*, t. I, n° 27.
2. Delacroix, *Journal*, t. I, p. 90, à la date du 1er mai
1824.
3. Sérullaz, *Delacroix*, n° 96.
4. Sérullaz, *Delacroix*, n°s 97–98 ; Johnson, *Delacroix*, t. I,
n° 36.
5. Johnson, *Delacroix*, t. I, n° 38.
6. Delacroix, *Correspondance*, t. I, p. 173.

DON QUICHOTTE DANS SON CABINET,
vers 1825–1826
Huile sur toile, 40,6 × 33

Provenance : vraisemblablement vente Bonington, 1829, n° 102, acheté par Triphook ; William Benoni White (Londres, Christie's, vente du 23 mai 1879, n° 187), acheté par Wigzell ; vraisemblablement S. Herman de Zoete (Londres, Christie's, vente du 8 mai 1885, n° 102), acheté par Carton ; Thomas Woolner, de 1886 ou avant à 1895 (Londres, Christie's, vente du 18 mai 1895, n° 111, avec la précision que l'œuvre «provient de la collection de W. Benoni White 1879»), acheté par Dowdeswell ; Paris, coll. Paul Citroën ; Amsterdam, coll. L. de Bœr, 1954 ; acheté par le Castle Museum en 1958

Exposition : Nottingham 1965, n° 291, pl. 48

Bibliographie : Honour, *Romanticism*, p. 269, ill. 181

Nottingham, Castle Museum and Art Gallery (58–56)

Cervantes était sans doute, après Shakespeare, l'écrivain le plus haut placé dans le panthéon des pré-romantiques. «Quelle grande chose d'avoir réalisé une œuvre qui s'attire l'affection de tous ceux qui l'ont lue, et que tout le monde a lue ! Prononcez seulement le nom de Don Quichotte, et qui dans l'assistance ne le tient pour un ami, un compatriote et un frère?» écrivait Hazlitt en 1824[1]. Pratiquement toutes les grandes figures de la littérature française partageaient son opinion, car Don Quichotte était l'archétype du romantique fougueux, dont la quête de vérités universelles, le mépris des agréments matériels et la suprême probité morale rachetaient largement les extravagances. Inversement, Don Quichotte poussait à la caricature les vertus chevaleresques exaltées par le style troubadour. Cela explique peut-être la rareté relative des tableaux inspirés du *Don Quichotte* dans les Salons des années 1820, où Dunant exposa toutefois un *Don Quichotte lisant* en 1827.

En revanche, le roman resta très en faveur auprès des illustrateurs de livres, et au moins quatre éditions françaises parurent au cours des années 1820. La traduction en six volumes établie par Saint-Martin, et publiée en 1825 avec des frontispices d'Eugène Devéria, ne comportait aucune image de Don Quichotte dans son cabinet. Bonington a peut-être consulté la traduction de Dubornial parue en 1822 avec des illustrations d'Eugène Lami (voir le n° 5) et d'Horace Vernet, s'il n'a pu se procurer le texte anglais de Tonson publié en 1742 avec des gravures de John Vanderbank. Ces deux éditions comportent des frontispices qui correspondent à l'épisode évoqué par la toile reproduite ici, mais ne donnent à voir aucun chien de chasse. Pour ce passage, Robert Smirke avait conçu une simple vignette placée dans la préface du tome I de l'édition publiée en 1818 par Cadell. Comme Vanderbank, il montrait le héros dans une attitude contemplative, la tête appuyée sur la main et le regard levé vers le ciel.

Don Quichotte, lisons-nous dans la traduction de Dubornial, était un campagnard «vivant noblement ; c'est-à-dire la lance au râtelier, l'antique rondache au grenier [...] et le chien courant toujours prêt à partir. [...] Il était maigre de figure, long de taille, d'un tempérament robuste, quoique d'une complexion sèche et décharnée». Quant à son état mental, «à force de toujours lire, de toujours méditer et de ne plus dormir, le pauvre gentilhomme perdit l'esprit ; son cerveau sans doute se fondit ou se dessécha. Son imagination alors se remplit pêle-mêle de tout ce qu'il avait lu d'enchantements [...] et d'autres semblables rêveries chevaleresques. [...] Finalement, le seigneur perdit si complètement la tête et la raison qu'il en vint à former le projet le plus étrange, le plus extravagant, le plus ridicule qui fût jamais entré dans l'imagination d'un fou. Il se persuada qu'il était destiné à rétablir la noble, l'utile profession de chevalier errant. »

Bonington a interprété ce passage sur un mode inhabituel pour l'époque, dans la mesure où il a représenté le héros dans une attitude calme, presque détendue. Comme Auguste Jal fut le premier à le souligner, l'agitation intérieure extrême et le caractère totalement obsessionnel se traduisent tout entier dans le regard halluciné de Don Quichotte. L'illustration d'Horace Vernet et la toile peinte par Delacroix en 1824, où ce passage du livre se mêle à un autre[2], nous présentent un personnage plus hagard et plus remuant, comme le font la plupart des illustrations ultérieures, notamment celles de Tony Johannot[3]. En évitant volontairement de théâtraliser ainsi la folie de Don Quichotte, Bonington se rapprochait de la démarche adoptée par Géricault au début des années 1820 pour ses portraits d'aliénés, de caractère plus clinique, peints à l'intention du docteur Georget. Faute de témoignages, on ne sait pas si Bonington souscrivait aux théories de Georget sur les monomanies. En tout cas, l'artiste était un intime de Géricault, et il devait connaître parfaitement ses étonnants portraits de fous[4]. L'un des points de comparaison les plus évidents que nous offre la littérature serait la façon dont Balzac décrit la transformation de Raphaël de Valentin dans le premier chapitre de *La Peau de chagrin* (Paris, 1832). Cet esthète hypersensible, immergé dans le bric-à-brac de vieilleries qui encombre la boutique obscure d'un prêteur sur gages faustien, se créa dans sa tête une «échappée de la vie réelle, monta par degrés vers un monde idéal, arriva dans les palais enchantés de l'extase où l'univers lui apparut par bribes et en traits de feu, comme l'avenir passa jadis flamboyant aux yeux de saint Jean dans Patmos». Les hallucinations suggérées par des moyens indirects, qui habitent pareillement le fou et le visionnaire, participent d'une riche tradition du portrait psychologique, depuis la *Tentation de saint Antoine* de Jacques Callot (dont le père de Bonington possédait un exemplaire) jusqu'aux effigies de Don Quichotte par Goya et Doré.

Comme d'innombrables images d'alchimistes (autre sujet romantique privilégié à cette époque, notamment chez Eugène Isabey dans les années 1830) ou de la première scène du *Faust* de Goethe[5], la composition de Bonington s'inscrit en dernière analyse dans la lignée des «philosophes» de Rembrandt. La mise en page, les détails du décor et la véracité de la physionomie rappellent aussi les portraits à l'eau-forte de *Jan Six* et du *Marchand de tableaux Abraham Francen* gravés par le maître hollandais. Par ailleurs, le visage de Don Quichotte semble emprunter aussi bien aux études de Delacroix pour la tête de Philippe II[6] qu'aux portraits de Cervantes souvent reproduits en frontispice du roman. Le casque espagnol visible par terre a fait l'objet d'une étude chez Samuel Meyrick[7]. Marion Spencer pense que le chien de chasse s'inspire de celui de *La Kermesse* de Rubens (Paris, musée du Louvre), dont Bonington exécutait des copies à ce moment-là. Cependant, il existe un précédent plus étroitement apparenté, dans les *Trois chiens dans un garde-manger* de Frans Snyders. L'animal sert à introduire un élément dynamique qui renforce par contraste l'attitude rêveuse de Don Quichotte. Son air menaçant fait aussi songer à Méphistophélès, qui apparaît pour la première fois à Faust sous la forme d'un chien méchant. Bonington a peut-être trouvé l'idée de cet élément narratif dans les illustrations de Moritz Retzsch pour *Faust*, que Delacroix copiait à la même époque.

Sangster a gravé une aquarelle appartenant alors à Lewis Brown, où l'on retrouve cette composition sans le chien vorace, pour la notice biographique consacrée à Bonington par Auguste Jal dans le *Keepsake français* (Paris, 1831)[8]. D'après le style, Jal situait cette aquarelle avant celle d'*Amy Robsart et Leicester* peinte à l'automne 1826 par Bonington. On peut attribuer également à la toile reproduite ici une date située entre la fin 1825 et le début 1826, soit à peu près la même que pour la *Chambre d'Henri IV au château de La Roche-Guyon* (n° 63). Une esquisse en grisaille pour cette composition a appartenu au baron Rivet[9]. Enfin, S.W. Reynolds l'a gravée à la manière noire en 1833, pour en faire un pendant à un autre intérieur *La grand-mère* (voir le n° 107).

1. Hazlitt, *Notes*, p. 186.
2. Johnson, *Delacroix*, t. I, n° 102. La toile fut achetée par Coutan l'année même de son exécution.
3. Voir U. Seibold, «Zur Figur des Don Quijote in der bildenden Kunst des 19. Jahrhunderts», *Wallraf-Richartz-Jahrbuch*, n° 45, 1984, p. 145–171.
4. Voir Eitner, *Géricault*, chapitre VI.
5. Ainsi, pour sa peinture de *Faust dans son cabinet*, Ary Scheffer allait emprunter à Vanderbank et Smirke le mode de l'attitude contemplative du *Don Quichotte dans son cabinet*, comme Delacroix dans sa lithographie *Faust et Wagner* (1827).
6. Sérullaz, *Delacroix*, n°ˢ 1432–1433.
7. Shirley, pl. 73.
8. Vente Brown, Paris, 17–18 avril 1837, n° 10.
9. Collection particulière. L'esquisse à l'huile présentant une variante de cette grisaille, et exposée par Gobin en 1936 (n° 34, repr.), n'est pas de Bonington.

MAISONNETTE ET ÉTANG, vers 1825–1826
Huile sur toile, 26 × 34,9

Signé en bas à droite : *R P B*

Provenance : Cullompton, coll. Mme Worthington, jusqu'en 1933[1] ; Gooden & Fox, 1933 ; Ernest Edward Cook, de 1933 à 1955 ; offert par le National Art-Collections Fund au Fitzwilliam Museum en 1955

Bibliographie : J.W. Goodison, *Catalogue of Paintings*, Cambridge, Fitzwilliam Museum, 1977, t. III, p. 21 et pl. 20

Cambridge, Fitzwilliam Museum (PD 11–1955)

Cette toile reprend une eau-forte de Rembrandt intitulée *Chaumière entourée de planches* [2]. Deux autres copies à l'huile d'eaux-fortes de Rembrandt figuraient dans les ventes d'atelier[3], mais l'artiste y avait pris moins de libertés avec la composition originale qu'il ne l'a fait ici. Pour d'autres œuvres reprenant des compositions du maître hollandais, dont *Tobie et l'ange* (Cambridge, Fogg Art Museum), l'attribution reste plus incertaine[4]. La vente après décès des estampes appartenant au père de Bonington, une formidable source d'informations inexplicablement négligée dans toutes les publications sur l'artiste, comportait trente-neuf eaux-fortes de Rembrandt, ajoutées à cent cinquante gravures de Karel Dujardin, Claude Lorrain, Nicolas Berghem, Willem Van de Velde, Wierotter et d'autres artistes flamands ou hollandais. Un autre lot, présenté comme un ensemble de copies d'après Rembrandt, comprenait deux «imitations lithographiques» de Bonington[5].

On sait quelle importance les artistes de l'entourage de Bonington attachaient à Rembrandt. Hippolyte Poterlet se rendit même en Hollande en 1827 afin d'examiner et de copier ses œuvres. Plusieurs esquisses à l'huile d'après Rembrandt figuraient dans les ventes d'atelier de Poterlet et de Colin. Bonington a commencé à copier des tableaux hollandais au Louvre dès 1819, mais il a pu s'intéresser de plus près à Rembrandt en 1825, époque où il s'est mis à travailler sur d'autres formes de paysage que les marines, et où il a renforcé ses liens d'amitié avec Delacroix et avec Huet. De fait, Paul Huet a peint une réplique de la toile reproduite ici. Dans d'autres œuvres analogues, dont sa première commande notable pour la duchesse de Berry, il a privilégié le motif de la maisonnette au milieu des arbres[6]. En 1826, Huet réalisa également une copie à l'eau-forte des *Trois arbres* de Rembrandt, d'après une planche du *Practical Treatise on Painting* de John Burnet (Londres, 1826).

Une version à l'aquarelle peinte par Bonington (Providence, Rhode Island School of Design) préfigurait cette toile, et il a dessiné au crayon une composition similaire bien que considérablement réduite (New Haven, Yale Center for British Art).

1. On ne connaît pas la liste des premiers propriétaires de cette toile, mais on pourrait peut-être l'identifier avec l'une des œuvres suivantes : *Maisonnette et arbres*, coll. Sir Henry Webb (Paris, vente des 23–24 mai 1837, n° 36) ; *Maisonnette et arbres au bord d'une rivière*, coll. Lewis Brown (Paris, vente de 1839) ; *Paysage avec de l'eau au premier plan et une maisonnette sous les arbres*, coll. Mme Murriata (Londres, Christie's, vente des 27–30 juin 1893, n° 189) ; *La mare aux canards*, coll. d'un amateur anonyme (Londres, Christie's, vente du 27 juin 1864, n° 48) ; *Maisonnette près de l'orée d'un bois, petite étude*, coll. Lord Henry Seymour (Paris, vente de 1860).
2. Goodison fut le premier à identifier cette source d'inspiration.
3. Vente Bonington, 1836, n° 56, *Le Christ prêchant*, plus tard à la Fine Art Society (1947) ; et vente Bonington, 1838, n° 117, *La résurrection de Lazare*.

4. Gobin, pl. 18. Delacroix possédait une copie à l'huile de *Tobie et l'ange* exécutée par Roqueplan, tandis qu'une autre figurait dans la vente d'atelier de Colin (Paris, 10 mars 1860, nº 126).

5. Londres, Sotheby's, vente du 24 février 1838.

6. Voir par exemple : Londres, Sotheby's, vente du 19 mars 1980, nºˢ 15 et 16 ; Delteil, *Huet*, nºˢ 10, 18, 40, 43, 44 ; et l'huile intitulée *Maison des gardes en forêt de Compiègne* (1826) reproduite dans *De David à Delacroix*, Paris, Grand Palais, 1974, p. 292.

72

PÉNICHES SUR L'EAU,   vers 1825–1826
Huile sur carton, 25,1 × 35,3

Signé en bas à gauche : *R P B*. Au verso, une étiquette de R. Davy

Provenance : John Hinxman (mort en 1848) en 1829 au plus tard (vraisemblablement Londres, Christie's, vente du 25 avril 1846, nº 9 ; Lord Taunton (mais l'œuvre n'était pas inscrite au catalogue de la vente de la succession Taunton, Londres, Sotheby's, vente du 15 juillet 1920) ; Mᵐᵉ E. W. Tilling, en 1931 ou avant ; Mᵐᵉ Emily Potter, au plus tard en 1934 ; acheté à cette dernière par Paul Mellon en 1962

Expositions : BFAC 1937, nº 41 ; Agnew's 1962, nº 12

Bibliographie : Harding, *Works*, 1829 ; Shirley, p. 96

New Haven, Yale Center for British Art, collection Paul Mellon (B1981.25.54)

Bonington travailla dans les environs de Mantes en 1825, où il dessina au crayon des moulins à vent[1], mais cette huile a un «air de composition», comme on disait à l'époque. De même que *Maisonnette et étang* (nº 71), elle pourrait s'inspirer assez librement de quelques modèles du XVIIᵉ siècle pour certains détails comme pour son agencement. On connaît une copie à l'eau-forte exécutée par l'artiste de Norwich Henry Ninham (1793–1874) et une réplique à l'aquarelle peinte d'après la lithographie de Harding[2].

1. Londres, Christie's, vente du 16 novembre 1982, nº 51.
2. Londres, Sotheby's, vente du 13 mars 1980, nº 90.

73

UNE CARRIOLE DANS LA TEMPÊTE,   vers
1825–1826
Aquarelle, 21,4 × 27,3

Signé en bas à droite : *R. P. Bon*[tronqué]

Provenance : vraisemblablement vente Bonington,
1834, nº 28, acheté par Colnaghi ; probablement
Lewis Brown (Paris, vente des 16–17 avril 1834,
nº 65) ; Humphrey Roberts en 1906 ou avant
(Londres, Christie's, vente du 21 mai 1908, nº
211), acheté par Agnew's pour Paterson ; W. B.
Paterson ; acheté à ce dernier par la National
Gallery of Victoria pour le legs Felton, en 1910

Expositions : vraisemblablement Londres,
Cosmorama Rooms, 209 Regent Street, 1834,
nº 123 ; Nottingham 1965, nº 212, pl. 8

Bibliographie : Dubuisson, 1909, repr. p. 379 ;
Dubuisson et Hughes, repr. en face de la p. 109

Melbourne, National Gallery of Victoria

Les artistes de l'entourage de Bonington avaient
une prédilection pour le thème de la carriole et
ses occupants bravant les intempéries. On le
rencontre fréquemment dans les œuvres de
Théodore Géricault, Louis Francia, Paul Huet et
Camille Roqueplan. Le thème, dépouillé des
anciennes connotations héroïques
grandiloquentes, se situe dans le prolongement
d'une tradition antérieure, florissante sur les
deux rives de la Manche, consistant à
représenter les fourgons militaires soumis à la
fois aux intempéries et au feu de l'ennemi.
Roqueplan semble aussi avoir aimé à montrer
des diligences trempées par le mascaret[1].

S'il n'est pas possible d'identifier
catégoriquement le site, on notera qu'il
ressemble beaucoup aux salines des abords de
Trouville peintes par Bonington dans une
esquisse à l'aquarelle de 1826 et dans une huile
de 1827–1828 (nº 156).

1. Londres, Sotheby's, vente du 23 novembre 1978,
nº 20 : aquarelle signée et datée de 1829 qui préfigurait
une version à l'huile exposée au Salon de 1831.

CAMILLE ROQUEPLAN (1800–1855)
CARRIOLE SUR UN CHEMIN FORESTIER, vers
1827–1830
Aquarelle, 34,7 × 25,2

Signé en bas à gauche : *Camille Roqueplan*

Provenance : James Mackinnon, 1983 ; acheté à ce
dernier par le propriétaire actuel

Collection particulière

Parmi les confrères français de Bonington,
Roqueplan fut celui qui imita le plus son style
et son répertoire de sujets. Pratiquement tous
les critiques ont relevé cette attitude, en la
réduisant trop souvent à une simple inféodation.
Roqueplan entra dans l'atelier de Gros en 1818,
avec Paul Delaroche, Carrier, Nicolas-Toussaint
Charlet et Eugène Lami. Il s'orienta tout
d'abord vers le paysage, et franchit les étapes de
sélection pour le prix de Rome dans cette
discipline en 1821. Il exposa deux paysages à
l'huile au Salon de 1822, et en 1824 il étendit
son répertoire au domaine du paysage
historique, en illustrant un épisode de *Quentin
Durward*. Sur les conseils de Bonington, il
voyagea en Angleterre et en Écosse avec Lami
en 1826. Il présenta au Salon de 1827 sa plus
importante transposition d'un thème de Walter
Scott, *Marée d'équinoxe* (*L'antiquaire*), une
commande du duc de Fitz-William connue
aujourd'hui par une étude (collection
particulière) et par une gravure. Il continua
à traiter des sujets empruntés à Walter Scott,
en accordant une prépondérance au paysage,
jusque dans les années 1830.

   La technique employée par Roqueplan pour
ses aquarelles des années 1820 ne présentait
guère de différence perceptible avec celle de
Bonington. Elle visait aux mêmes effets visuels
et faisait intervenir les mêmes procédés. Ses
sujets de prédilection (sentiers forestiers, vastes
panoramas, plages avec enfants) reflètent une
même pudeur des sentiments. Une composition
analogue à la *Carriole sur un chemin forestier* est
conservée à la Wallace Collection[1]. Gustave
Planche, qui appréciait beaucoup la «poésie
étudiée et intense» de Paul Huet, l'ami de
Roqueplan, se fit le porte-parole de la majorité
des critiques quand il écrivit dans son compte
rendu du Salon de 1831 : « Camille Roqueplan
est un artiste ingénieux et habile, formé aux
leçons de Bonington, moins vrai, moins
consciencieux, moins poétique que le maître qui
lui sert de modèle ; mais, à tout prendre,
tellement varié dans ses compositions, tellement
heureux dans le choix de ses sujets, si adroit à
dissimuler les difficultés qu'il élude, à déguiser
les problèmes d'exécution qu'il escamote [. . .]

Ses défauts [. . .] consistent généralement à
sacrifier la vérité à l'effet, à se contenter trop
souvent d'un à-peu-près improvisé, facilement
trouvé, rendu plus facilement encore, au lieu de
chercher par des études courageuses et
incessamment renouvelées à lutter avec la
nature. [. . .] Roqueplan voit la nature
rapidement, ne s'arrête pas longtemps à la
regarder, et d'ailleurs ne se soucie pas de
l'idéaliser[2]. »

1. Ingamells, *Catalogue*, t. II, P652, signé et daté de
1832.
2. Planche, *Salon de 1831*, p. 91.

UN PÊCHEUR SUR LA BERGE, AVEC UNE TOUR
D'ÉGLISE AU LOIN,   vers 1825–1826
Mine de plomb et aquarelle, 17,5 × 23,7

Signé en bas à gauche : *R P Bonington*

Provenance : Sir Ernest Debenham ; H.A.C.
Gregory ; C.R.N. Routh ; William Brockbank ;
amateur anonyme (Londres, Sotheby's, vente
du 11 novembre 1982), acheté par Léger ;

Expositions : Agnew's 1962, n° 42 ; Nottingham
1965, n° 210

Bibliographie : Cormack, «Compte rendu», pl. 37

New York, collection particulière

Malcolm Cormack décela pour la première fois
l'influence de Turner dans l'ensemble de
paysages de rivière que Bonington peignit après
son retour d'Angleterre. L'aquarelle reproduite
ici est certainement postérieure au voyage à
Londres, et même au *Paysage de rivière avec
pêcheur* daté de 1825 (Paris, Bibliothèque
nationale)[1]. Le ciel, dont les stries bleues et
orange se fondent peu à peu dans une vaste
tache jaune au centre, et dans le bleu clair de
la partie supérieure, est identique à celui que
l'on trouve dans des huiles de la même époque
(voir le n° 77).

La tour normande massive, dans les lointains,
a induit en erreur plusieurs spécialistes, les
incitant à supposer que le site représenté était
anglais. Mais les architectures de ce genre sont
légion autour de Dunkerque et de Saint-Omer.
On en voit dans plusieurs dessins que
Bonington exécuta dans ces deux régions en
1825.

1. Pointon, *Circle*, fig. 17. Une autre composition du
même ordre, également datée de 1825, est une *Vue de
Reims* (Paris, hôtel Drouot, vente du 18 mars 1990),
dont une copie anonyme est passée en vente à Londres
(Sotheby's, vente du 10 juillet 1986, n° 114).

76

VUE DE LA CÔTE PICARDE AVEC ENFANTS ;
SOLEIL LEVANT, 1826
Huile sur toile, 46,2 × 55,2

Signé et daté en brun, en bas à droite :
R P Bonington 1826

Provenance : troisième marquis de Lansdowne ;
transmis par héritage au sixième marquis,
jusqu'en 1965 ; Patrick Plunkett ; offert par ce
dernier à Sa Majesté la reine Elisabeth II

Expositions : BFAC 1937, nº 49 ; Agnew's 1962,
nº 7 ; Nottingham 1965, nº 264

Bibliographie : Shirley, pl. 56

Collection de Sa Majesté la reine Elisabeth II
d'Angleterre

Cette version sensiblement modifiée de la
peinture exposée en février 1826 à la British
Institution (nº 49) fut sans doute commandée
peu après cette manifestation par le troisième
marquis de Lansdowne[1]. Comme les autres
commandes importantes de cette année-là,
l'huile est dûment datée et signée, ce que
Bonington faisait rarement auparavant.

Henry Petty-Fitz-Maurice, troisième marquis
de Lansdowne (1780–1863), fut directeur de la
British Institution, administrateur de la
National Gallery et du British Museum, et
protecteur éclairé de l'art britannique de son
temps. Il fut aussi l'un des enchérisseurs les plus
remarqués lors de la première vente d'atelier de
Bonington en 1829. Son incomparable collection
d'études à la pierre noire ou à la mine de plomb,
où sont représentées toutes les étapes de la
carrière de Bonington, a été magnifiquement
préservée à Bowood House.

1. Une copie d'époque, due à un artiste anonyme,
se trouve dans une collection particulière.

PRÈS DE MANTES, 1826
Huile sur toile, 55,6 × 84,7

Signé et daté en bas à droite :
R P Bonington 1826

Provenance : vraisemblablement Gérard (Paris, vente du 10 décembre 1827, n° 76 [*Vue prise près de Mantes, sur la Seine, au soleil couchant. Ce tableau, d'un bel effet, rappelle les ouvrages de Cuyp*]), acheté par Sommerard ; vraisemblablement Alexandre Du Sommerard ; probablement Lord Northwick (Londres, Christie's, vente du 12 mai 1828, n° 62 [*Evening River scene on the Loire, splendid setting sun; towers of the cathedral of Nantes* (sic) *in the distance*]), acheté par Lord Lansdowne ; troisième marquis de Lansdowne ; Ringwood, coll. comte de Normanton, de 1854 à 1908 ; H. Darell Brown au plus tard en 1910 (Londres, Christie's, vente du 23 mai 1924, n° 2), acheté par Arthur Ruck ; Scott & Fowles, 1924

Exposition : Londres, Paterson Gallery, *Bonington and Cotman*, 1913

Bibliographie : Waagen 1854–1857, t. IV, p. 369 (*River Scene*, avec la précision «Rouen» dans l'exemplaire annoté du comte de Normanton conservé à Yale) ; Dubuisson et Hughes, p. 204 et repr. en face ; Fry, 1927, p. 268–274 ; Edwards, 1937, p. 35

Cincinnati, The Taft Museum (1931.443)

On a cru au XIXᵉ siècle que cette toile représentait Nantes ou Rouen, mais Dubuisson et Hughes[1] y ont fort justement reconnu une vue de Mantes prise du sud-est de la ville, avec la collégiale Notre-Dame, construite sur plusieurs siècles à partir de 1170, et la tour Saint-Maclou du XIVᵉ siècle bien visibles à l'horizon. Des repentirs révèlent que l'artiste a légèrement rectifié la hauteur des tours de Notre-Dame.

La facture et la perspective révèlent un peu plus d'assurance que dans l'œuvre de conception analogue intitulée *Sur la Seine près de Mantes* (Londres, Wallace Collection). Cette vue prise plus près de la ville est d'ailleurs antérieure : son style comme son sujet incitent à la situer vers 1825[2]. L'influence des œuvres de jeunesse de Turner, notamment *L'abbaye de Newark sur la Wey* (vers 1807)[3] que Bonington a pu voir dans la collection de Sir John Leicester en 1825, se limite à une commune affinité avec Albert Cuyp, comme on le remarqua pour la première fois à l'occasion de la vente Gérard en 1827.

Une peinture à l'huile de Mantes vu du nord se trouvait autrefois dans la collection des héritiers du baron Rivet, mais sa trace s'est perdue depuis[4]. Bonington éprouvait une attirance indéniable pour cette ville riche en souvenirs historiques, et il allait avoir de nombreuses occasions de représenter ses environs au cours de ses fréquents séjours dans le château que Rivet possédait non loin de là.

1. Dubuisson et Hughes ont reproduit une copie, avec quelques variantes. Une réplique plus fidèle, également exécutée par un artiste anonyme, était à l'époque chez Agnew's. Une autre peinture sur le même sujet, mais plus petite, figurait dans la vente Nieuwenhuys (Londres, Christie's, 10 mai 1833, n° 94, acheté par Barchard).
2. Ingamells, *Catalogue*, t. I, p. 30.
3. New Haven, Yale Center for British Art ; Butlin et Joll, *Turner*, n° 65.
4. Dubuisson et Hughes, repr. en face de la p. 117.

78

LE REPOS AU BORD DE LA ROUTE, 1826
Huile sur toile, 47 × 37,8

Signé et daté en bas à droite : *R P B 1826*

Provenance : vraisemblablement L.-J.-A. Coutan (Paris, vente du 17 avril 1830, nº 5) ; propriété d'un monsieur résidant à Paris (Londres, Sotheby's, vente prévue pour le 18 mai 1838, nº 84, repoussée au 15 juin) ; même collection (Londres, Sotheby's, vente du 15 juin 1838, nº 117), acheté par LD ; vraisemblablement John Archbutt (Londres, Christie's, vente du 13 avril 1839, nº 109, non adjugé) ; Joseph Gillot (Londres, Christie's, vente du 19 avril 1872, nº 178), acheté par Agnew's ; vraisemblablement Charles Cope (Londres, Christie's, vente du 8 juin 1872, nº 178), acheté par Agnew's ; Jean-Louis Mieville (Londres, Christie's, vente du 29 avril 1899, nº 13), acheté par Boussod ; Francis Nielson ; offert par lui au Metropolitan Museum en 1945

Bibliographie : Shirley, pl. 12 (avec la date erronée de 1819)

New York, The Metropolitan Museum of Art, don de Francis Nielson, 1945

Bonington a hardiment adopté ici une double construction perspective, très appréciée des paysagistes au XVIIᵉ siècle. Les peupliers isolés, situés pratiquement sur l'axe médian, gouvernent les deux systèmes de fuyantes. À droite, ils amorcent un enfoncement rapide, en biais, dans les ombres les plus sombres. À gauche, ils servent de repoussoir à un vaste ciel. Comme presque toujours quand il utilisait des couleurs à l'huile, Bonington a peint sur un fond blanc afin d'accroître la transparence des jus légers, notamment dans les ombres et dans le cours d'eau. Il est regrettable que cette œuvre ait fait l'objet d'un nettoyage excessif vers le début du siècle, justement dans ces parties-là. Les ajustements subtils sont tout aussi caractéristiques de l'artiste : il a légèrement réduit les dimensions de la cavalière, et a remplacé le rouge de sa veste par du bleu.

Pour décrire l'atmosphère évoquée par ce tableau, on pourrait citer les propos (critiques) de Pierre-Henri de Valenciennes (1750–1819), chantre de la tradition académique du paysage, au sujet de la merveilleuse sérénité des peintures de Claude Lorrain et de Gaspard Dughet : « Leurs ouvrages offrent tout simplement des paysages où l'on désireroit posséder une habitation, parce qu'elle seroit située en belle vue, qu'on y respireroit la fraîcheur au moment du midi, qu'on pourroit s'y promener sur les bords ombragés d'une rivière, ou s'enfoncer dans l'épaisseur des bois pour se livrer aux rêveries du sentiment ; enfin, toutes les sensations que produisent leurs ouvrages ne sont relatives qu'à nous-mêmes, et ne se propagent pas au-delà de nous[1]. »

Ce genre de peinture, attentive uniquement à la nature et dénuée de toutes les allusions bucoliques du paysage composé, préfigurait la nostalgie d'une vie rurale paisible disparue à jamais qui allait motiver les paysagistes français dans les décennies suivantes.

1. *Éléments de perspective pratique à l'usage des artistes*, Paris, 1800, p. 376–377.

PAUL HUET   (1803–1869)
PAYSAGE DE NORMANDIE, 1826
Huile sur toile, 42 × 29,6

Signé et daté en bas à droite : *P. Huet 1826*

Provenance : James Mackinnon, 1986 ; acheté à ce
dernier par le propriétaire actuel

Collection particulière

Cette huile, peinte à la même date que *Le repos
au bord de la route* de Bonington (n° 78), occupe
une place singulière à tous égards dans l'œuvre
de Huet à l'époque. L'artiste a en effet renoncé
au mystère, à la couleur, à la vigueur de ses
habituelles voûtes de feuillage en forêt de Saint-
Cloud ou de Compiègne, pour affronter un de
ces panoramas quasi dénudés que Bonington
excellait à représenter. Il fut apparemment
satisfait du résultat car il choisit une
composition analogue comme sujet de sa
première eau-forte et pour une vignette de la
suite de lithographies intitulée *Macédoine*
(1829)[1].
  L'arbre isolé qui se plie vers une déchirure
passagère dans la couverture nuageuse aurait pu
produire un effet plus saisissant, ou suggérer
plus habilement l'attirance de Huet pour
l'immensité et la puissance capricieuse de la
nature s'il avait introduit un éclair dans la
composition. Interrogé à ce sujet, Huet aurait
sans nul doute répondu que si Bonington
incarnait la vision du paysage romantique, lui-
même en incarnait l'âme, car les majestueux
spectacles de la nature qui le captivaient
n'intéressaient nullement son plus intime ami
de jeunesse. Le lyrisme tranquille de Bonington
(« sain », au dire de Thoré) n'a pas grand-chose à
voir avec le mode d'expression intensément
affectif de Paul Huet, et pourtant, malgré ces
grandes différences de tempérament, celui-ci
pouvait reconnaître avec admiration que son
ami possédait « le génie de l'aperçu et de
l'indication : il a des Flamands un aperçu fin et
juste de la nature, de tous les maîtres coloristes
une recherche de tons et de l'harmonie[2] ».

1. Delteil, *Huet*, n°ˢ 1 et 40.
2. Huet, *Huet*, p. 96.

SCÈNE DE NAVIGATION DANS UN ESTUAIRE
(PRÈS DE QUILLEBEUF ?), 1825–1826
Mine de plomb et aquarelle, 14,5 × 22

Signé et daté en bas à droite : *R P B 1826* (ou
1825)

Provenance : Mme Henry Leroux (Londres,
Sotheby's, vente du 21 mars 1974, n° 114),
acheté par Paul Mellon ; Paul Mellon ; offert par
ce dernier au Yale Center for British Art

Bibliographie : Pointon, *Bonington*, fig. 23

New Haven, Yale Center for British Art,
collection Paul Mellon (B1981.25.2398)

On ne sait pas exactement où se situe cette
scène, encore que la largeur du fleuve permette
de supposer que Bonington ait pris cette vue,
comme le n° 34 du catalogue, sur les bords de la
Seine près de Quillebeuf.

LE CHAMP DE BLÉ,   1826
Aquarelle et gouache, avec grattages,
10,2 × 17,1

Provenance : vraisemblablement L.-J.-A. Coutan
(Paris, vente du 19 avril 1830, n° 117 [*The
Wheatfield*]) ; amateur anonyme (Londres,
Christie's, 15 juin 1971, n° 46), acheté par le
musée de Nottingham

Bibliographie : Peacock, repr. p. 92

Nottingham, Castle Museum and Art Gallery
(71-83)

Le motif de cette aquarelle revient dans un
dessin au crayon représentant un paysan dans
son champ, avec une vue de Genève au loin[1].
Les reliefs du papier énergiquement gratté
restituent l'effet des épis agités par le vent.
Cette manipulation agressive du support,
destinée à évoquer un phénomène naturel trop
intangible pour être représenté par la peinture,
est caractéristique des méthodes de Turner.

1. Londres, Christie's, vente du 9 novembre 1976,
n° 36.

PAYSAGE AUX MOISSONNEURS,   1826
Aquarelle et rehauts de gouache, 14,5 × 19

Signé et daté en bas à gauche : *R P B 1826*

Provenance : collection d'une dame (Londres,
Christie's, vente du 4 juin 1974, n° 135);
Londres, Greenman, jusqu'en 1988

Bibliographie : Peacock, pl. IV

Collection particulière

L'éclat vaporeux du ciel en fin de journée,
surmonté d'un arc bleu clair, est une constante
des huiles et des aquarelles exécutées par
Bonington entre ses voyages en Angleterre et à
Venise. Une copie de l'aquarelle reproduite ici se
trouvait naguère dans la collection Nettlefold[1].

1. Londres, Sotheby's, vente du 23 novembre 1966,
n° 226.

UNE MAISON DE LA RUE SAINTE-VÉRONIQUE,
À BEAUVAIS,   1826
Mine de plomb, aquarelle et gouache, 18,4 × 12

Signé et daté en bas à gauche :
R P Bonington 1826

Provenance : vraisemblablement Van Puten (Paris,
vente du 14 décembre 1829, n° 85 [*Vue de maison
gothique*]), acheté par Charles[1]; Frédéric Villot
(Paris, vente du 25 janvier 1864, n° 74 [*Ancienne
maison de la rue Sainte-Véronique, à Beauvais*]) ;
baronne Salomon de Rothschild ; donation de
cette dernière au musée du Louvre en 1922

Exposition : Nottingham 1965, n° 228 (avec la
date erronée de 1828)

Paris, musée du Louvre, département des Arts
graphiques (R.F. 5614)

C'est une version ultérieure d'une composition
précédemment élaborée au crayon (vers 1822,
Bowood), et reprise sous forme de lithographie
pour *Restes et fragmens* (voir le n° 19). Ici,
l'artiste a remplacé une façade contiguë à la tour
centrale par un boqueteau. Jusqu'ici, tous les
spécialistes se sont trompés sur la date inscrite
par Bonington, croyant lire « 1828 » au lieu de
« 1826 ».

1. Deux aquarelles représentant des architectures
gothiques de Beauvais figuraient dans la vente d'atelier
de 1829 (n°ˢ 38 et 42). Elles sont apparemment perdues.

ÉTUDE DE TROIS JEUNES FILLES SUISSES À
MEYRINGEN, 1826
Mine de plomb et aquarelle, 16,3 × 16,6

Inscription autographe au crayon, en haut à
droite : *100*

Provenance : vente Bonington, 1829, avec le n° 98
(*Coloured sketches, Swiss costume [2]*), acheté par
Roberts pour Northwick ; Lord Northwick et
ses héritiers (Londres, Sotheby's, vente du 5
juillet 1921, n° 120), acheté par Colnaghi ;
acheté à ce dernier par le British Museum

Exposition : Nottingham 1965, n° 236

Bibliographie : Harding, *Works* (frontispice, repr.
à l'envers) ; Shirley, p. 85

Londres, British Museum (1921-7-14-13)

Le 4 avril 1826, Bonington et Charles Rivet
partirent pour l'Italie et atteignirent la Suisse en
moins de trois jours. Meyringen, un faubourg de
Genève, fut l'un des divers sites qu'ils visitèrent
au cours d'une excursion autour du lac Léman.

L'étude reproduite ici servit peut-être pour
l'exécution d'une aquarelle, aujourd'hui perdue,
signalée dans la collection de Lewis Brown (*Vue
du lac Brienz avec trois jeunes filles sous un bosquet*).
On retrouve des personnages tout à fait
semblables dans *Le pont et l'abbaye de Saint-
Maurice* (n° 85). Des croquis au crayon
montrant les mêmes jeunes filles de Meyringen
(Bowood et Atlanta, High Museum), des
habitantes de Berne (Ottawa, National Gallery
of Canada, et Londres, Royal Academy) ou
encore un jeune Suisse (collection particulière)
attestent l'intérêt suscité alors par les costumes
régionaux. David Wilkie, séjournant dans la
ville voisine de Vevey, écrivait en septembre
1825 : « Quant au costume suisse, nous en avons
vu au marché hebdomadaire de Vevey plusieurs
spécimens de la campagne avoisinante. Il
ressemble à ceux que l'on voit dans les livres,
mais en plus vrai, et adapté à l'usage quotidien.
Il est très pittoresque et très commode ; c'est
surtout chez les femmes qu'il se distingue du
nôtre[1]. »

1. Cunningham, *Wilkie*, t. II, p. 161.

LE PONT ET L'ABBAYE DE SAINT-
MAURICE, vers 1826-1827
Aquarelle avec ajouts de gomme et grattages sur
papier vélin, 18,5 × 23,7

Filigrane : *J. Whatman 1823*

Provenance : vente Bonington, 1829, n° 497,
acheté par Monro ; Thomas Monro (Londres,
Christie's, vente du 26 juin 1833, n° 162),
acheté par Colnaghi ; Burney ; sa fille, Mme
Rosetta Wood ; sa fille, Lady Powell ; legs de
cette dernière au Victoria and Albert Museum
en 1934

Exposition : Pointon, *Bonington*, n° 20, repr.

Bibliographie : Shirley, p. 104

Londres, Victoria and Albert Museum (P27-
1934)

Dans une lettre du 21 octobre 1827 (Londres,
British Library), Bonington annonçait que le
graveur W.J. Cooke était en train de « faire mon
pont ». Cooke présenta une épreuve de l'eau-
forte à la Bibliothèque royale en janvier 1828,
et la version définitive fut publiée le 20 mars
1828 à Paris et à Londres. Bonington avait sans
doute apporté son aquarelle en Angleterre pour
permettre la préparation de la gravure au
printemps 1827[1].

Presque tous les guides illustrés décrivant
l'itinéraire qui mène de Genève en Italie en
passant par le Simplon comportaient une image
de ce pont célèbre pour sa travée de cinquante
mètres remontant à l'Antiquité romaine.
L'abbaye du XIVe siècle, édifiée sur le site où
elle avait été fondée — en l'an 360, était
la plus ancienne de toutes les Alpes, et abritait
des objets d'art et manuscrits médiévaux de
grand prix. William Hazlitt notait à ce propos,
lors de son voyage de 1824 :

« La plus belle vue sur la route est celle
qu'offre le pont quand on approche de Saint-
Maurice. Là, les pentes des montagnes
convergent quasiment vers un même point,
dans une descente abrupte ; le fleuve coule très
vite sous la haute arche du pont, flanqué d'un
côté par une vieille tourelle bizarre, et derrière
laquelle on aperçoit le sommet appelé pain de
sucre, qui se dresse au milieu d'immenses
chaînes de montagnes. [...] Il suffit au peintre
de paysage de se rendre sur place et d'en faire
un tableau : la nature l'a déjà encadré pour lui !
J'en parle d'autant plus volontiers que cette
sorte de rassemblement d'objets, sur quoi
repose le pittoresque, ne se trouve pas toujours
dans les contrées les plus sublimes ni même les
plus belles. La nature, pour ainsi dire, emploie
une plus grande toile que l'homme, et là où elle
se montre la plus prodigue de richesses, elle
néglige souvent le principe de concentration et
de contraste qui est un préalable nécessaire si
l'on veut pouvoir la transposer avec bonheur
dans le langage limité de l'art[2]. »

Un peu plus tôt, il avait écrit : « Les seules choses pittoresques entre Vevey et Bex sont une cascade d'environ soixante mètres de haut, jaillissant des cavités de la montagne en provenance de l'immense glacier dans la vallée de Trie, et le pont romantique de Saint-Maurice, à la frontière entre la Savoie et le pays de Vaud. Sur le rebord d'un précipice rocheux, aux abords de Saint-Maurice, un ermitage se révèle aux regards ; et son occupant, dans sa retraite volontaire se console peut-être en guettant les voitures[3]. »

Antoine Valéry, directeur de la Bibliothèque royale, passa à cet endroit quelques semaines seulement après Bonington et Rivet. Il découvrit que l'ermitage appartenait à un aveugle âgé de soixante-dix ans, qui ne pouvait donc pas guetter les voitures, mais qui savait « tout seul retrouver son chemin » quand il descendait se ravitailler chaque jour à Saint-Maurice, où il habitait d'ailleurs en hiver. Le site n'était donc pas « aussi poétique que [le lui] avaient annoncé quelques voyageurs de Paris enthousiastes ». Valéry remarqua aussi que les témoignages historiques conservés par Saint-Maurice « paraissent faibles à côté de cette force, de cette majesté de la nature qui vous environne et les écrase[4] ». Aucune impression analogue n'émane de la représentation bucolique offerte par Bonington, et l'on se demande si Valéry, cet esprit cultivé, ami de Nodier et de Chateaubriand, ne songeait pas en consignant ses souvenirs aux images de Saint-Maurice beaucoup plus denses réalisées par Turner pour l'*Italy* de Samuel Rogers. Le même motif peint par Samuel Prout fut gravé pour le *Landscape Annual* dans les années 1830.

1. Une étude à la mine de plomb portant le même titre figurait dans la vente d'atelier de 1829 (n° 127). Dans la vente de 1838, le n° 126 (*Vue prise en Suisse, avec un pont, des fabriques et des personnages*) était peut-être une esquisse à l'huile pour cette composition. Cooke présenta un exemplaire de sa gravure à l'exposition de la Society of British Artists en 1829.
2. Hazlitt, *Notes*, p. 290.
3. Hazlitt, *Notes*, p. 284.
4. Valéry, *Voyages*, p. 48–49.

LUGANO, 1826
Huile sur carton, 26,3 × 34

Inscription au verso : *Von Rathnoner*

Provenance : vraisemblablement vente Bonington, 1829, n° 158 (*On the coast near Genoa*), acheté par Lord Townshend (mais ne figurait pas dans la vente de ce dernier en 1825) ; vraisemblablement amateur anonyme [Dawson Thomas] (Londres, Christie's, vente du 13 avril 1878, n° 66 [*Lake Lugano*]) ; Londres, coll. Wallace (?), 1878 ; Melbourne, coll. Mme Fisher en 1888 ou avant ; acheté à cette dernière par l'Art Gallery of Western Australia en 1896

Bibliographie : Peacock, pl. XIII

Perth, Art Gallery of Western Australia

Cette peinture, dont la composition ressemble à celle de *Près de Gênes* (n° 103), et qui fut probablement confondue avec une vue de la côte ligure lors de la vente d'atelier de 1829, semble plutôt représenter Lugano, que Bonington et Rivet traversèrent en allant de Genève à Milan, entre le 7 et le 11 avril 1826. Ici, la vue est prise du sud de la ville, avec Santa Maria degli Angioli au premier plan et la vallée de la Cassarate qui s'étend vers le nord-est.

Dans les *Mémoires d'outre-tombe*, Chateaubriand évoque chaleureusement ce paysage : «Les montagnes qui entourent le lac de Lugano, ne réunissant guère leurs bases qu'au niveau du lac, ressemblent à des îles séparées par d'étroits canaux ; elles m'ont rappelé la grâce, la forme et la verdure de l'archipel des Açores : cette lumière suave, brillante de couleur, fine, et pourtant vaporeuse[1].»

Pour Bonington, le trajet de Suisse en Italie fut bien désagréable. Son compagnon de voyage écrivit à sa famille, une fois arrivé à Milan : «Bonington ne pense qu'à Venise : il prend des croquis, travaille un peu partout, mais sans satisfaction, sans s'intéresser au pays. Il ne veut pas essayer de comprendre l'italien, tient surtout à son thé, et pour toutes choses le secours d'un intermédiaire lui est nécesaire[2].»

1. Chateaubriand, *Mémoires d'outre-tombe*, présentation par M. Levaillant, Paris, 1982, t. IV, p. 124.
2. Dubuisson 1909, p. 202.

LE CORSO SANT'ANASTASIA À VÉRONE,   1826
Mine de plomb, aquarelle et gouache,
23,5 × 15,8

Signé et daté en bas à gauche :
R P B 1826

Provenance : vraisemblablement offert par
l'artiste à Thomas Shotter Boys (Londres,
Sotheby's, vente du 9 mai 1850, n° 7), acheté
par Smith ; W. Smith ; légué par ce dernier au
Victoria and Albert Museum en 1876

Expositions : Manchester, *Art Treasures*, 1865 ;
Nottingham 1965, n° 219, pl. 11 ; Jacquemart-
André 1966, n° 54

Bibliographie : *The Gem*, Londres, 1830, gravure
de W.J. Cooke, republiée dans *The Token*,
Londres, 1833, et dans *The Bouquet*, Londres,
1835 ; Shirley, p. 114, pl. 132 ; Pointon,
Bonington, n° 21 ; Noon 1981, p. 294 *sq.*

Londres, Victoria and Albert Museum
(3047–1876)

Le 18 avril 1826, Bonington et son compagnon
de voyage arrivèrent à Vérone où ils passèrent
plusieurs jours. La vue reproduite ici montre la
rue principale en direction du palais du comte
Scipio Maffei (un historien et fin lettré mort en
1755), qui fait face à la piazza dell'Erbe (voir le
n° 88). Les architectures de la ville constituaient
l'une de ses principales richesses touristiques.
Théophile Gautier devait noter que «comme
dans une ville espagnole, il n'y a pas une maison
sans balcon, et l'échelle de soie n'a qu'à choisir.
Peu de villes ont mieux conservé le cachet du
Moyen Age[1] ». Indépendamment de ses
antiquités, ses souvenirs littéraires et ses trésors
artistiques, Vérone présentait un intérêt tout
particulier pour les hommes de la génération de
Bonington. C'était là, en effet, que des
souverains et des diplomates s'étaient réunis
pour décider du partage de l'Europe et du sort
de l'Espagne.

Bonington a peint cette aquarelle sur le
motif, ou de mémoire en s'aidant d'une étude au
crayon[2]. Dans les années qui suivirent sa mort,
cette œuvre fut l'une de ses vues topographiques les plus appréciées, incitant des
aquarellistes anglais de tout premier plan à en
proposer maintes copies et variantes[3]. Le Corso,
version italienne de ces vastes avenues
pittoresques que l'artiste avait trouvées si
agréables dans les villes françaises, semble avoir
séduit son imagination, car il reprit ce sujet
pour des commandes importantes en 1827 et en
1828 (n° 155).

Thomas Shotter Boys (voir le n° 164), qui fut
le premier propriétaire de cette aquarelle, en
exécuta une copie à l'eau-forte en 1833, et c'est
sans doute l'une des œuvres dont il parlait dans
une lettre de 1829 à Domenic Colnaghi : «J'ai
apporté un ou deux dessins de Bonington pour
vous les montrer, et je dis bien les montrer, car
je n'aurais vraiment pas le cœur de m'en
séparer[4]. » Boys, qui ne cessa d'acheter et de

vendre des œuvres de Bonington par la suite,
attendit de se trouver dans la pire situation
financière pour accepter de céder l'aquarelle
reproduite ici.

1. Gautier, *Italia*, p. 68.
2. Dubuisson et Hughes, repr. en face de la p. 203 ; une
copie anonyme à la pierre noire est également
reproduite dans Dubuisson 1909, p. 206.
3. Sur le rôle joué par Thomas Shotter Boys dans la
diffusion de cette image, voir Noon, 1981. Une copie à
l'aquarelle peinte par David Cox est conservée à
Birmingham. Une version à l'aquarelle due à William
Callow est passée en vente à Londres (Christie's, 28
mars 1984, n° 162). On connaît deux autres copies
anonymes à l'aquarelle.
4. Lettre manuscrite conservée à San Marino,
Huntington Library (HM 16679).

88

LA PIAZZA DELL'ERBE À VÉRONE,   1826
Mine de plomb et gouache blanche sur papier
chamois, 20,9 × 25,4

Inscription autographe à l'encre brune, en haut
à gauche : *14*

Provenance : vente Bonington, 1829, n° 150,
acheté par le troisième marquis de Lansdowne ;
transmis par héritage au propriétaire actuel

Expositions : Agnew's 1962, n° 53 ; Nottingham
1965, n° 70

Bibliographie : Dubuisson et Hughes, repr. en
face de la p. 170 ; Shirley, p. 106 ; Miller,
Bowood, p. 44, n° 162

Bowood, collection du comte de Shelburne

Vérone fut, après Venise, la ville italienne qui
fournit à Bonington le plus grand nombre de
sujets réutilisables dans ses huiles et aquarelles.
Le dessin reproduit ici est une étude sur le
motif qui lui servit en 1827 pour une aquarelle
inachevée (n° 126). Le palais Maffei, dont les
contours ne sont que partiellement délimités,
domine l'autre côté de la place centrale de
Vérone.

Si Bonington a sans doute découvert tout
seul cette place pittoresque, il devait tout de
même la connaître déjà par les dessins exécutés
en 1824 par Samuel Prout (voir le n° 89). A ce
que l'on croit savoir, c'est Prout qui a rapporté
une déclaration que Bonington aimait à réitérer,
selon laquelle il dévorait la vie «comme un
enfant le fait d'une orange[1]». Ce bel
enthousiasme transparaît quelque peu dans les
esquisses italiennes de Bonington.

1. C.R. Grundy, *A Catalogue of the Pictures an Drawings
in the Collection of Frederick John Nettlefold*, Londres, 1933,
t. I, p. 15.

SAMUEL PROUT (1783–1852)
LA PIAZZA DELL'ERBE À VÉRONE, vers 1824
Mine de plomb estompée et gouache blanche,
35,5 × 25,5

Inscription au crayon en bas à gauche : *Verona*

Provenance : H.A. Powell ; offert par ce dernier au
Victoria and Albert Museum par l'intermédiaire
du National Art Collections Fund en 1936

Exposition : Lockett, *Prout*, n° 44

Londres, Victoria and Albert Museum
(E956.1936)

Samuel Prout consacra une grande partie de sa
carrière à reproduire les monuments d'Europe,
activité à laquelle son style d'aquarelliste
semblait idéalement adapté, avec son dosage
parfait de dessin au trait descriptif et de
modulations colorées. Tout comme Bonington,
il nourrissait une passion pour l'isolement
tranquille de la vie maritime, pour le charme
pittoresque et nostalgique des architectures
gothiques et pour l'Italie du Nord. Malgré une
différence d'âge d'une vingtaine d'années, les
deux artistes nouèrent une amitié sincère, sinon
véritablement intime.
   Prout, qui était l'incarnation même du
touriste topographe professionnel, effectua son
premier voyage dans le nord de la France en
1819. Les deux artistes firent peut-être
connaissance à cette époque, par l'entremise de
Louis Francia. En tout cas, ils travaillèrent
ensemble sous l'égide de Francia à Saint-Omer
en 1823. Prout pourrait avoir favorisé les
rencontres entre Bonington et divers artistes et
collectionneurs londoniens importants, dont
Samuel Meyrick et Walter Fawkes. Bon nombre
de ses clients de l'époque furent parmi les
premiers à soutenir Bonington : la comtesse de
Grey, Lord Northwick, le marquis de
Lansdowne et John Allnutt pour ne citer
qu'eux. En revanche, Bonington a peut-être
permis à Prout d'obtenir sa seule et unique
commande du baron Taylor pour trois
lithographies destinées au deuxième volume des
Voyages pittoresques consacré à la Franche-Comté.
Dès 1830, Prout était en France le plus célèbre
dessinateur de monuments anciens parce que
les marchands Schroth, d'Ostervald et
Arrowsmith vendaient ses aquarelles.
   Prout se rendit pour la première fois en Italie
entre août 1824 et janvier 1825, effectuant de
longs séjours à Vérone et Venise. Comme il
passa par Paris au retour, on peut supposer que
Bonington eut l'occasion d'examiner la masse de
documents rapportés de cette excursion. Prout
avait dessiné au cours de ce voyage cette vue de
la piazza dell'Erbe prise du côté opposé à celle
de Bonington (n° 88). Les deux artistes ont
travaillé sur le motif, mais Prout a employé un
style plus succinct, en prêtant moins
d'attention à la composition et aux gammes de
valeur. D'où une apparence de plus grande
spontanéité. Les aquarelles que les deux artistes

allaient réaliser d'après ce genre d'études
préparatoires devaient devenir, tant à Londres
qu'à Paris, la principale source d'informations
visuelles sur l'Italie du Nord dans les années
1820. Quant à l'influence de leurs styles
graphiques respectifs, celle de Bonington
s'exerça tout de suite après sa mort sur David
Roberts, Thomas Shotter Boys, Adrien
Dauzats et James Duffield Harding (le premier
maître de Ruskin), tandis que les dessins au
crayon de Prout ne furent connus que beaucoup
plus tard, lorsque Ruskin en assura la
promotion.

SANTA MARIA DELLA SALUTE VUE DE LA
PIAZETTA,   1826
Mine de plomb sur papier gris-vert, 40,6 × 30,4

Provenance : vente Bonington, 1829, n° 92, acheté
par Cawdor

Ottawa, Galerie nationale du Canada (6128)

C'est l'étude sur le motif dont Bonington s'est
servi ensuite pour une peinture à l'huile de 1827
(n° 131). Comme dans tous ses dessins italiens,
il a commencé par esquisser légèrement les
grandes lignes de la composition avant de placer
les ombres et les détails en employant un crayon
à la mine plus grasse. Il a fait preuve d'une
exactitude remarquable dans les dimensions
relatives et dans la construction perspective de
cette vue prise d'un angle du palais des Doges.

   C'était là un site souvent représenté par les
topographes, mais l'importance accordée au lion
de Saint-Marc produit ici un effet saisissant.
La sculpture, confisquée et endommagée par
les soldats de Napoléon, n'était retournée que
depuis peu sur sa colonne d'origine. Les
protestations élevées par Valéry contre cet acte
de vandalisme ne furent certes pas les seules,
mais peut-être les plus virulentes : «Insignifiant
sous le rapport de l'art, il [le lion] était à Venise
un emblème national et public de son ancienne
puissance. Sacré sur la place Saint-Marc, à
l'esplanade des Invalides il n'était qu'une
marque superflue du courage de nos guerriers
[…]. C'était d'ailleurs une chose singulièrement
maladroite et odieuse à une république naissante
que d'humilier et de dépouiller des souvenirs de
leur gloire passée de vieilles républiques comme
Gênes et Venise[1].»

1. Valéry, *Voyages*, p. 366.

LA PLACE SAINT-MARC À VENISE,   vers 1826
Mine de plomb et aquarelle, 25,9 × 20,8

Filigrane : *J. Whatman | 182[tronqué]*

Provenance : vraisemblablement vente Bonington
1829, n° 195, acheté par Colnaghi ;
probablement Francis Broderip (Londres,
Christie's, vente du 9 février 1872, n° 414, avec
la précision que l'œuvre fut acquise à la vente de
l'artiste), acheté par McClean pour le marquis
de Santurce ; marquis de Santurce (Londres,
Chritie's, vente du 16 juin 1883, n° 64), acheté
par Ellis ; Charles E. Russell, en 1937 ou avant ;
Agnew's ; acheté à ce dernier par le Fitzwilliam
Museum en 1961

Exposition : BFAC 1937, n° 133

Bibliographie : Shirley, p. 104–105, pl. 94 ;
Cormack, *Bonington*, pl. 95 (avec une description
inexacte)

Cambridge, Fitzwilliam Museum (PD2–1961)

Comme la plupart des Parisiens de sa
génération, Bonington connaissait déjà Venise
avant d'y aller grâce aux quelques tableaux de
Canaletto et de Guardi visibles dans des
collections publiques ou privées, aux eaux-fortes
limpides de Canaletto, dont son père possédait
une belle série, et sans doute aux gravures
banales exécutées d'après le grand Vénitien par
Antonio Visentini pour le *Prospectus Magni
Canalis Venetiarum* (Venise, 1735 et 1742). Il avait
également pu voir des images plus récentes, tels
les dessins rapportés par Samuel Prout de son
premier séjour dans la cité des doges et
l'ouvrage *Un mois à Venise* du comte de Forbin,
publié avec des lithographies exécutées d'après
les esquisses de l'auteur par bon nombre des
artistes qui collaboraient avec Bonington aux
Voyages pittoresques du baron Taylor[1].

La vue de la basilique et du campanile prise
dans la lumière gaie de la mi-journée était
sûrement à l'époque la première image qui
devait venir à l'esprit lorsque quelqu'un
prononçait le nom magique de Venise. Antoine
Valéry, dont le célèbre guide d'Italie parut en
1832, mais qui visita Venise en août 1826,
remarquait sombrement : « Venise palpite encore
à la place Saint-Marc ; ses quartiers éloignés,
quelques-uns même de ses plus magnifiques
palais sont abandonnés et s'écroulent : ce
cadavre de ville, comme dirait l'ami de Cicéron,
est déjà froid aux extrémités, il n'a plus de
chaleur et de vie qu'au cœur[2]. »

Comme Byron et le comte de Forbin avant
lui, et comme presque tous les visiteurs célèbres
jusqu'à l'époque actuelle, Valéry était persuadé
qu'il assisterait à la destruction de la ville et que
la splendeur fascinante de la place Saint-Marc,
bien conservée, n'était qu'une illusion. On
ignore si Bonington partageait cette opinion
désabusée, mais Valéry perçut dans ses
représentations de Venise l'expression de
sentiments analogues (voir le n° 97).

Contrairement aux nombreuses vues de ce
site réalisées par Canaletto, celle de Bonington
exclut la façade Renaissance des Procuratie
Vecchie et ne montre qu'une portion des
Procuratie Nuove, qui déterminent
respectivement les limites nord et sud de la
place. Tandis que Canaletto cherchait à
souligner le caractère élégant de cet espace
entouré d'un bel ensemble architectural,
Bonington a porté son attention sur la disparité
des styles des deux principaux édifices et sur
leur disproportion. Les nuances, la perspective
et les détails sont rendus avec une fidélité digne
d'un topographe, même si Bonington a agrandi
les fanions à rayures rouges pour les besoins de
l'harmonie colorée.

Cette aquarelle n'est pas signée et datée de
1826 comme on l'a parfois prétendu, mais sa
facture permet de la situer dans le groupe des
œuvres peintes en Italie ou peu après le retour
à Paris. Une étude au crayon très fouillée, qui a
également appartenu à Domenic Colnaghi[3], et
une huile inachevée (Londres, Wallace
Collection) où la perspective est légèrement
élargie, figuraient dans la vente d'atelier de
1829.

1. Une notice dans la *Revue encyclopédique* (novembre
1824, p. 494) cite notamment Fragonard et Villeneuve.
2. Valéry, *Voyages*, p. 360.
3. Vente d'atelier de 1829, n° 153, acheté par Colnaghi,
et passé ensuite à la vente de Domenic Colnaghi
(Londres, Christie's, 1er avril 1879, n° 115, non adjugé).

VENISE VUE DU LIDO, 1826
Mine de plomb et rehauts de craie blanche sur papier gris, 16,5 × 41,2

Inscriptions autographes au crayon, en haut à droite : *Venise vue prise du Lido*, en bas à droite : *151 / 3*, et en haut à gauche : *n° 9*

Provenance : vente Bonington, 1829, n° 151, acheté par le troisième marquis de Lansdowne ; transmis par héritage au propriétaire actuel

Expositions : Agnew's 1962, n° 63 ; Nottingham 1965, n° 74

Bibliographie : Shirley, p. 108 ; Miller, *Bowood*, p. 44, n° 152 ; Peacock, repr. p. 58–59

Bowood, collection du comte de Shelburne

On n'en finirait pas d'énumérer les métaphores et les envolées lyriques inspirées par la découverte de Venise « surgie de la mer » aux Européens du nord des Alpes au cours des années 1820. Mais bien peu correspondent mieux à l'aspect immatériel de ce dessin que les propos de William Hazlitt, déclarant avoir contemplé Venise avec « un mélange d'émerveillement et d'incrédulité. Une ville construite dans les airs serait chose plus prodigieuse encore. [...] L'impression produite est assurément envoûtante, éblouissante, déconcertante[1] ».

Quand Bonington et Rivet parvinrent à Venise dans la troisième semaine d'avril, ils étaient d'« humeur maussade » en raison des pluies incessantes. Le ciel finit par se dégager, et ils purent profiter de leur séjour pour visiter les îles environnantes. La silhouette de la ville qui se découpe au loin a fait l'objet d'autres études au crayon conservées à Bowood, et on la retrouve dans l'une des plus remarquables esquisses à l'huile de Bonington (ill. 50).

1. Hazlitt, *Notes*, p. 267.

93

VENISE VUE DE LA GIUDECCA, 1826
Huile sur carton, 31,7 × 24,8

Au verso, une étiquette de Davy portant une inscription à la plume : *141*. Traces de cachets d'atelier en cire rouge et noire

Provenance : vraisemblablement Thomas Woolner (Londres, Christie's, vente du 12 juin 1875, n° 107 [*Venice from the Giudecca*], annotation manuscrite du marchand McLean dans son exemplaire du catalogue conservé à Yale : « très peu fini »), acheté par Agnew's ; vraisemblablement Robert Rankin (Londres, Christie's, vente du 14 mai 1898, n° 23 [*Venice from the Giudecca, on panel*]), acheté par Colnaghi ; vraisemblablement Francis Baring (Londres, Christie's, vente du 4 mai 1907), acheté par Paterson ; W.A. Coats (mais ne figurait pas dans sa vente à Londres, Christie's, 10 juin 1927) ; Fritz Lugt en 1962 ou avant

Exposition : Agnew's 1962, n° 32

Bibliographie : Dubuisson et Hughes, repr. en face de la p. 75

Paris, Institut néerlandais, fondation Custodia (collection Fritz Lugt)

Ce paisible panorama, peint sur une gondole ou une petite embarcation, se situe sur le canal de la Giudecca, avec le portique de l'église des jésuites, construite au XVIIIe siècle par Massari, qui s'avance sur la droite. Maurice Gobin a reproduit une aquarelle tout aussi détaillée où Bonington a représenté le quai delle Zattere vu d'un endroit plus proche de l'église[1], et une collection particulière conserve une vue à l'aquarelle prise dans l'autre sens, en direction de San Giorgio Maggiore (ill. 48). L'île de la Giudecca, à peine visible ici sur la gauche, était rarement signalée dans les guides de l'époque, ce qui ne l'avait pas empêchée de devenir un lieu de promenade à la mode.

Si cette vue n'était pas conçue pour séduire les touristes, elle correspond parfaitement aux types de composition que privilégiait Bonington, mais s'inscrit aussi dans la tradition védutiste, qui multiplie les échappées sur des aspects méconnus de Venise. Elle ne pouvait manquer de plaire aux écrivains parisiens en vue, qui aimaient à souligner le lien extraordinaire entre Venise et ses lagunes. Ainsi, Chateaubriand note au début de ses souvenirs de Venise, que l'« on peut à Venise se croire sur le tillac d'une superbe galère à l'ancre [...] où l'on vous donne une fête, et du bord duquel on perçoit à l'entour des choses admirables[2] ». Charles Nodier, plus mélancolique, voyait dans le contraste entre le tumulte de la vie citadine et la surface paisible de la mer environnante une métaphore du mode d'existence romantique : une agitation vaine au sein d'une monotonie éternelle[3].

1. Gobin, *Bonington*, ill. 47.
2. Chateaubriand, *Mémoires d'outre-tombe*, présentation par M. Levaillant, Paris, 1982, t. IV, p. 334.
3. Nodier, *Jean Szborga*, édition revue, Bruxelles, 1832, t. I, p. 141.

94

LE PALAIS DES DOGES À VENISE, AVEC DES
CHALANDS AU MOUILLAGE,   1826
Huile sur carton, 35,5 × 42,5

Au verso, traces d'une étiquette de Davy et
cachet en cire non identifié

Provenance : vraisemblablement vente Bonington,
1829, n° 215 (*Ducal Palace, Venice*), acheté par
Glynn ; J. Wood ; William Benoni White
(Londres, Christie's, vente du 23 mai 1879,
probablement le n° 186 [*Grand Canal Venice*]),
acheté par Permain ; vraisemblablement W.A.
Turner (Londres, Christie's, vente du 28 avril
1888, n° 106 [*St. Mark's Quay a sketch*]) ; Londres,
Harari & Johns ; acheté chez ces derniers par le
Cleveland Museum of Art en 1985

Cleveland, The Cleveland Museum of Art, John
L. Severance Fund (85.56)

Bonington a peint la partie inférieure de cette
esquisse d'après nature, installé sur un petit
bateau ancré dans le bassin de Saint-Marc. Des
études au crayon très travaillées, montrant des
chalands analogues à ceux du premier plan, sont
conservées à Bowood. Les empâtements du ciel,
qui encadrent la façade du palais, servent à en
modérer la hauteur. Un examen à l'infrarouge a
fait apparaître d'importants tracés au crayon
sous l'architecture et un schéma inversé des
contours des bateaux et du palais sous le ciel.
Bonington l'a probablement dessiné après avoir
mis en place les principaux éléments de la
composition afin de déterminer leur échelle.
La moitié supérieure du ciel, avec sa formation
nuageuse bien dans le style du XVIIIᵉ siècle, a
été ajoutée après coup. L'artiste a décidé de ne
pas introduire dans sa composition le sommet
du campanile, qui aurait surplombé la façade
ombrée du palais.

95

L'ENTRÉE DU GRAND CANAL, AVEC SANTA
MARIA DELLA SALUTE,   1826
Huile sur carton, 35,5 × 42,5

Au verso, une étiquette de Davy, deux cachets
d'atelier en cire rouge et un blanc

Provenance : vente Bonington, 1829, n° 218
(*Grand Canal*), acheté par Townshend ; Lord
Charles Townshend (Londres, Christie's, vente
du 11 avril 1835, n° 16 [*A View on the Grand
Canal at Venice, looking towards the sea, with the
church of Santa Maria della Salute and the Dogana.
A Clear and beautiful sketch*]) ; Isaac Harrup
(Londres, Christie's, vente du 28 mai 1926,
n° 21) ; Evan James ; transmis par héritage au
propriétaire actuel

Oxford, en dépôt à l'Ashmolean Museum

Aucun paysagiste du XIXᵉ siècle de passage à Venise n'aurait pu laisser de côté cette vue essentiellement pittoresque, avec son mélange éminemment vénitien de styles architecturaux hétéroclites se découpant ou se reflétant sur de vastes étendues de ciel et d'eau. Cette huile fut sans nul doute la plus célèbre des compositions italiennes de Bonington, en raison de son motif même, mais aussi parce qu'elle fut largement diffusée sous forme de gravures exécutées par J.D. Harding[1] et par Charles Lewis d'après la version peinte pour Carpenter (ill. 61). Constable, fort contrarié par l'accueil peu enthousiaste réservé à ses mezzo-tinto de la série *Landscape Scenery*, déclara d'un ton railleur à Domenic Colnaghi, en 1833 : « Le fils Lewis vient de me faire cadeau de deux estampes, Venise et une chèvre, « admirables ». Les vues de Bonington sont donc offertes et propagées avec une magnificence redoublée[2]. »

L'esquisse reproduite ici doit être l'étude sur le motif qui a servi à réaliser le grand tableau commandé par James Carpenter en 1827 et exposée au Salon en février 1828, puis à la Royal Academy en mai 1828[3]. Le premier plan du tableau comporte une portion de l'embarcadère du Campiello della Carita devant l'Accademia, d'où Bonington a pris la vue reproduite ici. Carpenter vendit le tableau à H.A.J. Munro de Novar, et celui-ci aurait affirmé, dit-on, que Turner admirait assez cette œuvre pour souhaiter la voir accrochée auprès de ses propres peintures[4].

Une réplique très fidèle de cette esquisse, exécutée par un peintre difficile à identifier, est conservée à Nottingham. Quant à la copie moins habile peinte sur une toile portant l'adresse du marchand de couleurs londonien de Bonington imprimée au pochoir, elle est due indéniablement à un élève ou à un peintre d'une génération ultérieure[5]. Une esquisse à l'huile sur papier (Édimbourg, National Galleries of Scotland), très simplifiée et habituellement présentée comme une étude préparatoire pour le tableau de Carpenter, est sans doute une paraphrase tardive inspirée des gravures[6].

Une ébauche au crayon visible sous la peinture du ciel semble représenter un tracé perspectif sommaire composé de fuyantes délimitant des rectangles. Comme pour presque tous les paysages italiens de Bonington, le traitement des détails secondaires, la perspective linéaire et aérienne ainsi que les dimensions relatives sont beaucoup plus précis dans les esquisses à l'huile et études au crayon exécutées sur le motif que dans les compositions correspondantes peintes ensuite pour des expositions à Londres ou à Paris.

1. Harding, *Works*, 1829. La grande aquarelle de Harding représentant le même site (conservée à Yale) est probablement inspirée de la peinture de Bonington.
2. *John Constable's Correspondence IV*, présentée par R.B. Beckett, Suffolk, 1965, t. VIII, p. 164.
3. Nottingham 1965, n° 280. Le tableau fut très gravement endommagé dans un incendie à Warnham Court, vers 1901. Une étude préparatoire au crayon figurait dans la vente d'atelier de 1829 (n° 91).
4. « Novar Sale », *The Times of London*, 4 avril 1878.
5. Autrefois dans la collection Renan (Paris, hôtel Drouot, vente du 15 mars 1988, n° 4, repr. à l'envers).
6. Reproduite en couleur dans L. Stainton, *Turner's Venice*, Londres, 1985, pl. 108.

SUR LE GRAND CANAL, 1826
Huile sur carton, 23,5 × 34,8

Au verso, des traces de deux cachets d'atelier en
cire rouge

Provenance : Manchester, Agnew & Zanetti,
1828–1835 ; Percy Moore Turner en 1936 ou
avant ; R.A. Peto ; Mme Rosemary Peto
(Londres, Christie's, vente du 18 juin 1971,
n° 108) acheté par Paul Mellon

Bibliographie : Shirley, p. 103, pl. 93 (avec un
titre et des dimensions inexacts)

New Haven, Yale Center for British Art,
collection Paul Mellon (B1981.25.56)

Théophile Gautier touchait du doigt un aspect
de l'engouement suscité par Venise au XIXe
siècle, lorsqu'il comparait le Grand Canal à un
immense musée en plein air, où l'on pouvait
examiner d'une gondole les progrès de l'art sur
sept ou huit siècles[1]. Chateaubriand avait déjà
fait la même remarque au sujet de la place Saint-
Marc et formulé à partir des observations
effectuées là sa théorie personnelle sur
l'évolution de l'architecture gothique. Pour les
romantiques, il n'existait pas de meilleur recueil
de documents sur l'histoire de la culture
occidentale moderne que Venise, ni de tâche
plus urgente que de retracer cette histoire grâce
au témoignage de ses monuments que l'on
croyait (en France tout au moins) menacés
d'une inondation totale dans les vingt années à
venir. Bonington traduisit indéniablement ces
préoccupations dans certaines de ses huiles,
mais il se souciait avant tout des effets
picturaux, et non de la fidélité au réel que
Ruskin prônerait plus tard.

Cette esquisse subtile, exécutée sur une
embarcation avec une sûreté époustouflante,
nous montre l'entrée du Grand Canal avec
l'église Santa Maria della Pietà et le quai des
Esclavons au loin. Le palais des Doges et le
campanile de Saint-Marc ne sont pas visibles de
l'endroit où s'est placé l'artiste. On reconnaît,
de gauche à droite, le palais Barbarigo du XVIIe
siècle, deux façades du XVe siècle, l'imposant
palais Flangini-Fini du XVIIe siècle, et les trois
édifices gothiques représentés dans le n° 97.
Bonington a délibérément exclu le palais Pisani-
Gritti, contigu au palais Flangini-Fini du côté
du passage Santa Maria del Giglio.

1. Gautier, *Italie*, p. 153.

97

LES PALAIS MANOLESSO-FERRO, CONTARINI-
FASAN ET CONTARINI À VENISE, 1826
Huile sur carton, 36,8 × 47,6

Provenance : Sir James W. Gordon ; Lord Burgh
(Londres, Christie's, vente du 9 juillet 1926,
n° 21), acheté par Martin ; amateur anonyme
(Londres, Christie's, vente du 24 avril 1987,
n° 53), acheté par Feigen

New York, Richard L. Feigen

Ces trois palais du XVᵉ siècle, construits dans un style gothique tardif, font face à Santa Maria della Salute près de l'entrée du Grand Canal. Le centre d'intérêt de la composition est un balcon délicatement sculpté qui orne la façade du milieu, celle du palais traditionnellement, et arbitrairement, assimilé à la « maison de Desdémone ». La peinture reproduite ici, superbement conservée, démontre à quel point Bonington se laisse guider par ses instincts d'aquarelliste quand il emploie l'huile en glacis sépia, saumon et bleu pour structurer l'espace et souligner les principaux détails dans ses esquisses vénitiennes. Cette étude semble un échantillon prélevé au hasard dans la diversité du décor somptueux qui borde le canal. Comme plusieurs autres esquisses de façades et de palais isolés[1], elle n'était pas destinée à préparer un tableau. Pourtant, elle fait sentir, avec plus de force que n'importe quelle vue d'une place vénitienne ou de la succession de ponts, l'un des aspects les plus souvent commentés de cette ville : sa splendeur décadente, sa prédilection pour « l'ostentatoire, l'insolite et l'extravagant ».

Devant une image aussi solennelle, privée de toute vie humaine, on songe instantanément à certains écrits célèbres de l'époque, notamment le monologue de Lioni, dans le *Marino Faliero* de Byron (IV, 1) : « Ces hauts pilotis et ces palais ceints par la mer, dont les colonnes de porphyre et les façades fastueuses, lourdes de marbres pillés en Orient, tels des autels alignés le long du large canal, semblent autant de trophées de quelques exploits glorieux, érigés sur l'eau, guère moins étrangement que ces gigantesques architectures plus massives et mystérieuses, ces constructions titanesques, qui désignent dans les plaines d'Egypte une époque sans autre témoin. »

Antoine Valéry songeait certainement à des œuvres comme celle qui est reproduite ici quand il écrivait : « Une peintre anglais, M. Bonington, a fait de nouvelles vues de Venise, dans lesquelles sont parfaitement empreintes les traces de sa désolation actuelle ; comparées à celles du peintre vénitien [Canaletto], elles semblent comme un portrait de femme belle encore, mais flétrie par l'âge et le malheur[2]. »

1. Par exemple une étude au crayon du palais Cavallini, repr. dans Dubuisson et Hughes, en face de la p. 70.
2. Valéry, *Voyages*, p. 355.

VUE DU GRAND CANAL AVEC LE PONT DU
RIALTO, 1826
Huile sur carton, 35,2 × 45,4

Provenance : vente Bonington, 1834, n° 145 (*View
of the Rialto at Venice, with vessels, gondolas, and
figures beautifully clear picture*), acheté par Webb ;
Sir Henry Webb (Paris, vente des 23–24 mai
1837, n° 22) ; Lady MacKintosh, à partir de
1950 (Londres, Christie's, vente du 20
novembre 1987, n° 61), acheté par Feigen

Exposition : Nottingham 1965, n° 277

Bibliographie : Dubuisson et Hughes, p. 189,
n° 20 ; Shirley, p. 136 ; Johnson, «Compte
rendu», p. 319 ; Cormack, *Bonington*, fig. 101
(l'auteur reproduit par erreur une autre version)

New York, M. et Mme John Pomerantz

Cette vue du pont prise du quai del Carbone
fut probablement celle qui inspira le plus de
peintres au XIXe siècle. Ici, elle évoque bien
l'ampleur de la principale voie de circulation
vénitienne aux abords du Rialto, tout en
montrant la flotille de petits chalands qui
approvisionnent chaque jour les marchés de
la ville.

L'attribution de cette peinture a été
contestée[1], peut-être en raison de son mauvais
état de conservation. Pourtant, on reconnaît
bien le style de Bonington dans la facture de
cette esquisse. Elle a d'ailleurs servi de point de
départ pour un tableau de format légèrement
plus petit, exécuté plus tard dans l'atelier, où
l'artiste a rajouté des baigneurs sur la plate-
forme flottante visible à droite et plusieurs
embarcations supplémentaires au premier plan[2].

1. Johnson, «Compte rendu», p. 319.
2. Collection particulière ; Agnew's 1962, fig. 16.

99

LE RIALTO À VENISE, 1826
Mine de plomb et gouache blanche sur papier
gris, 20,6 × 28,9

Provenance : vente Bonington, 1834, nº 71 ou 74

Londres, Tate Gallery

Pour ses dessins italiens, Bonington a élaboré
un mode de transcription graphique moins
minutieusement descriptif que son style
antérieur, mais bien mieux adapté à la
réalisation d'esquisses rapides sur le motif.
Le pressentiment qu'il ne reviendrait peut-être
jamais à Venise a sûrement augmenté sa hâte.
Il n'a pourtant oublié aucun des monuments
les plus notables, et il semble avoir examiné le
pont du Rialto sous tous les angles et à toutes
les distances possibles. Deux versions peintes,
l'une à l'huile et l'autre à l'aquarelle, prises des
abords du palais Bembo, sont conservées dans
des collections particulières[1].

1. L'aquarelle est reproduite dans David et Langdale,
English Watercolors, New York, 1986. L'huile est passée
en vente à Londres, chez Sotheby (16 novembre 1988,
nº 102). Ces deux peintures furent exécutées en Italie.

LA STATUE DE COLLEONI À VENISE, vers 1826
Mine de plomb, aquarelle et gouache,
22,7 × 17,5

Signé en bas à gauche : *R P B*

Provenance : vraisemblablement Lewis Brown
(Paris, vente du 12 mars 1839 [*Equestrian Statue
of Fra Bartolomeo, Venice*]) ; François Villot (Paris,
vente du 25 janvier 1864, n° 76), acheté par le
musée du Louvre

Expositions : Nottingham 1965, n° 221, pl. 12 ;
Jacquemart-André 1966, n° 59

Bibliographie : Mantz, *Bonington*, p. 299 ;
Dubuisson et Hughes, p. 127, repr. en face de la
p. 72 ; Shirley, p. 67, 69, 114 et pl. 129 ;
Cormack, *Bonington*, pl. 94

Paris, musée du Louvre, département des Arts
graphiques (MI 889)

Bartolomeo Colleoni (1400–1475), célèbre
condottiere italien, affecta par testament une
somme assez considérable à la réalisation d'une
statue équestre qui devait être érigée à sa
mémoire sur la place Saint-Marc. Un décret
interdisant d'installer des monuments à cet
endroit, la statue fut finalement placée près de
l'église Santi Giovanni e Paolo. Ruskin devait
saluer dans cette œuvre conçue par Verrocchio
(non sans difficultés, nous dit Vasari) l'une des
plus belles sculptures connues. Elle intervient
dans l'intrigue du *Marino Faliero* de Byron (III,
1), où le modèle est désigné dans la préface
comme « quelque guerrier aujourd'hui suranné »
par une méprise impardonnable aux yeux de
l'historien Antoine Valéry.
   Plusieurs études au crayon de cette statue
sont conservées à Bowood (ill. 45), de même
que des esquisses représentant d'autres
monuments abrités dans l'église. Une copie
à l'aquarelle, dont l'auteur anonyme a
stupidement imité avec de la gouache grise les
rehauts blancs oxydés de l'esquisse reproduite
ici, se trouvait autrefois dans la collection
Chéramy[1].

1. *Magazine of Art*, 1902, repr. p. 111.

IOI

LA PIAZZA DEL NETTUNO À BOLOGNE,   1826

Mine de plomb, aquarelle et gouache,
12,5 × 17,6

Provenance : vraisemblablement Lewis Brown
(Paris, vente des 12–13 mars 1839, sans
numéro) ; Horace His de La Salle ; donation de
ce dernier au musée du Louvre, 1878

Exposition : Jacquemart-André 1966, n° 53, pl.
VIII

Bibliographie : Dubuisson et Hughes, repr. en
face de la p. 132 ; Shirley, p. 105

Paris, musée du Louvre, département des Arts
graphiques (R.F. 808)

Après avoir quitté Venise le 19 mai, Bonington
et Rivet se rendirent à Padoue, à Ferrare et à
Bologne avant de rejoindre Florence, où ils
arrivèrent le 24 mai. Hazlitt et Valéry
estimaient tous deux que les curiosités les plus
remarquables de Bologne étaient les fameuses
tours penchées des familles Asinelli et
Garisenda, dont Bonington a fait le sujet d'une
aquarelle (Londres, Wallace Collection) et de
son unique eau-forte (vers 1828), et la piazza del
Nettuno, avec sa fontaine sculptée par Jean de
Bologne. La facture vivement enlevée de ce
petit aide-mémoire peint sur le motif restitue
habilement l'animation des places italiennes.
   Parmi ses nombreuses copies d'études
italiennes de Bonington, Thomas Shotter Boys a
réalisé une réplique à l'aquarelle (Cambridge,
Fitzwilliam Museum) de l'œuvre reproduite ici.
William Callow a exécuté une esquisse à l'huile
montrant la même vue (ill. 49) que l'on a
attribuée à Bonington jusqu'à une date récente.

LERICI, 1826
Huile sur carton, 25,4 × 38

Au verso, traces d'un cachet d'atelier en cire, et étiquette portant cette mention de la main de Samuel Rogers (?) : *The monastery at Spezia where Dante left his ms for the Inferno*

Provenance : vente Bonington, 1829, n° 3 (*A sketch of the castle of Lerici on the Mediterranean very fine*), acheté par Heath ; Charles Heath jusqu'en 1832 (Londres, Sotheby's, vente du 27 janvier 1832, n° 65), acheté par Rogers ; Samuel Rogers ; transmis par héritage au propriétaire actuel

Expositions : Londres, Cosmorama Rooms, 209 Regent Street, 1834, n° 38 (*View in the Mediterranean*) ; Nottingham 1965, n° 276

Bibliographie : Johnson, « Compte rendu », fig. 53

Collection particulière

Cette vue englobe le château et le port médiévaux de Lerici, avec le promontoire fortifié de l'île de Palmaria qui garde l'entrée du golfe de La Spezia. Bonington et Rivet s'arrêtèrent plusieurs jours à Lerici avant de poursuivre leur route vers La Spezia et Portovenere le 7 juin[1].

Napoléon avait pensé que La Spezia pourrait devenir l'« Anvers de la Méditerranée », mais comme le projet devait coûter des sommes faramineuses, il fut abandonné. Les alentours de Lerici évoquaient le souvenir de Byron. Mais un fait devait compter davantage encore aux yeux de Bonington, s'il cherchait pour d'éventuels clients britanniques des sites à la fois riches en connotations nostalgiques et conformes au goût pittoresque : c'était là que Percy B. Shelley avait passé les derniers mois de sa vie, l'été 1822. Cette donnée ne fut certes pas étrangère au succès rencontré ensuite par les gravures exécutées d'après la vue de Lerici de Bonington.

Mary Shelley a laissé ce témoignage sur la période qui s'est achevée par la noyade tragique : « La chaleur s'installe au milieu de juin ; les journées deviennent terriblement chaudes. [...] L'étendue bleue des flots, la baie presque fermée par la terre, le château tout proche de Lerici qui la clôt à l'est et Portovenere qui apparaît au loin, à l'ouest ; les formes diverses des rochers escarpés qui délimitent la plage [...] la mer toujours étale qui ne dépose ni sable ni galet, tout cela composait un panorama comme on en voit seulement dans les paysages de Salvator Rosa [...] la lumière et le calme envahissaient le ciel et la mer, et les teintes chatoyantes du firmament italien baignaient le site de tons vifs et changeants[2]. » Ils étaient loin de la civilisation et de ses agréments matériels, et leurs voisins à San Terenzo, ajoute Mary Shelley, « ressemblaient plus à des sauvages que toutes les autres personnes que j'ai pu fréquenter jusqu'ici ».

Il existe deux versions à l'huile de cette composition. Celle-ci est l'esquisse exécutée d'après nature. L'autre, plus grande et plus élaborée (n° 153) couvre un panorama moins vaste mais comporte un rideau d'arbres au premier plan et la silhouette d'un artiste au travail, que l'on identifie traditionnellement à Rivet. Ici, les contours sont plus nets, l'atmosphère moins humide et la couleur plus caractéristique des esquisses italiennes.

Il existe une étude au crayon montrant le château vu de la limite nord de la ville, juste en dessous de la colline où Bonington s'est placé pour prendre la vue reproduite ici[3]. Une esquisse à l'huile sur un carton de Davy, représentant le château vu de plus près et aujourd'hui perdue, pourrait être l'une des « trois études » exécutées à Lerici d'après les renseignements tirés de la correspondance de Rivet par Dubuisson[4]. Plusieurs œuvres perdues, intitulées *La Spezia* et attribuées à Bonington dans des ventes du XIXe siècle, se rapportent peut-être à cette vue de Lerici[5].

1. On connaît une étude au crayon de Portovenere.
2. Mary Shelley, *John Keats and Percy Bysshe Shelley, Complete Poetical Works*, New York, 1932, p. 715–716.
3. Londres, Christie's, vente du 3 mars 1970, n° 34, repr.
4. Dubuisson et Hughes, p. 75 ; Shirley, pl. 87 ; Jacquemart-André 1965, n° 62 ; Gobin, *Bonington*, pl. 54.
5. Londres, Christie's, vente du 3 juin 1880, n° 455, aquarelle provenant de la collection Knowles ; Londres, Christie's, vente du 1er décembre 1888, n° 110, huile. Une autre aquarelle répertoriée dans la vente Lewis Brown de 1837 sous le titre *Vue du château et de la baie de Gênes* (n° 9) pourrait être une autre version, mal identifiée.

103

PRÈS DE GÊNES, 1826
Huile sur carton, 25,1 × 33,1

Inscription à l'encre, au verso : *Moon | d | Jan 1836*. Étiquette de Davy. Sur une autre étiquette, au verso : *Bought of | E & E Silva White | Fine Art Dealer | 104 West George Street Glasgow*. Lettre autrefois fixée au dos et détachée depuis : *209 Regent Street : May 8th 1834 | Sir, | By the bearer of this I take the opportunity of returning your picture, painted by my ever lamented son, which you were so kind as to lend me during my exhibition, this being no fully closed. I present my most grateful thanks for the loan, and remain, Sir, your most obliged and devoted servant. | Rd. Bonington | to Moon, esq.*

Provenance : vente Bonington, 1829, n° 160 (*Environs of Genoa*), acheté par Lawrence ; Sir Thomas Lawrence (Londres, Christie's, vente du 17 juin 1830, n° 28 [*Italian View with distant mountains*]), acheté par Moon ; Sir Francis Graham Moon, jusqu'à une date postérieure à 1836 ; vraisemblablement George Vaugham (Londres, Christie's, vente du 21 février 1885, n° 68 [*Landscape. With an autograph letter of the artist's father on the back*]) ; Glasgow, coll. James Keyden, en 1888 ou avant ; Glasgow, coll. Alexander Reid ; acheté à ce dernier par la National Gallery en 1910
Expositions : Londres, Cosmorama Rooms, 209 Regent Street, 1834, n° 32 (*View in Switzerland*) ; Nottingham 1965, n° 270, pl. 37

Bibliographie : Dubuisson et Hughes, repr. en face de la p. 68 ; Shirley, p. 103, pl. 89

Édimbourg, National Galleries of Scotland

Rien ne permet de mettre en doute l'exactitude du titre donné lors de la vente d'atelier de 1829, même si la majestueuse villa visible au loin, dont on connaît plusieurs équivalents dans les environs immédiats de Gênes, n'a pu être identifiée catégoriquement. Le 8 juin 1826, Bonington et Rivet quittèrent La Spezia et longèrent la côte jusqu'à Gênes, où ils passèrent deux jours. Une autre esquisse à l'huile (n° 104), plusieurs dessins au crayon et une aquarelle représentant le port vu de la mer sont les seuls témoignages qu'il nous reste de cette traversée rapide de l'une des régions les plus superbes d'Italie.

Le relief formé par les parties travaillées en haute pâte dans cette esquisse et dans la suivante (n° 104) a été légèrement aplati, comme cela arrive fatalement quand on transporte en les serrant les unes sur les autres des peintures exécutées en plein air et pas encore tout à fait sèches.

104

BOCCADASSE, AVEC LE MONT FASCIA AU
LOIN, 1826
Huile sur carton, 25,4 × 32,8

Provenance : vente Bonington, 1829, nº 159 (*Part
of Genoa and the Bay*), acheté par Rogers ; Samuel
Rogers ; légué en 1855 par ce dernier à son
neveu William Sharpe ; transmis par héritage à
E.S. Pearson ; offert par ce dernier au collège de
Cranborne Chase en 1962 ; acheté par le
Fitzwilliam Museum en 1983

Expositions : Londres, Cosmorama Rooms, 209
Regent Street, 1834, nº 48 (*Lake View*) ;
Nottingham 1965, nº 272, pl. 36

Bibliographie : Dubuisson et Hughes, p. 171

Cambridge, Fitzwilliam Museum (PD2−1983)

Le titre traditionnel de *Lac de Garde* est inexact.
C'est peut-être Samuel Rogers qui l'a donné à
cette esquisse, après avoir visité la région des
lacs. Dans une édition de son *Italy*, Samuel
Rogers publia une représentation de l'«Etna»
attribuée à Bonington, et il collectionna
assidûment les peintures de l'artiste dans les
années 1830. L'identification plus récente de
cette vue avec Boccadasse, un faubourg de
Gênes, correspond à la fois à la topographie des
lieux et au titre utilisé lors de la vente d'atelier
de 1829[1].

Cette étude de l'ambiance des Apennins,
exécutée sur le trajet de Gênes, allie le sens de
l'observation à l'économie des moyens. C'est là
une caractéristique commune à toutes les huiles
italiennes de Bonington, mais son effet est
rarement plus heureux qu'ici. Quant à l'intérêt
proprement pictural du sujet traité, c'est encore
Hazlitt qui le précise pour nous : «Les Apennins
ne possèdent pas l'ampleur ni l'homogénéité des
Alpes ; mais morcelés en une quantité de
sommets abrupts qui se rencontrent et
présentent des agencements toujours différents à
mesure que le voyageur se déplace, ils
produisent une impression plus variée et
pittoresque, quoique moins sublime et
imposante[2]. »

1. Information aimablement communiquée par David
Scrase.
2. Hazlitt, *Notes*, p. 208.

105

VENISE, LA PROMENADE, 1826
Aquarelle et gouache, avec ajouts de gomme
dans les ombres, 10,4 × 10,6

Signé et daté en bas à gauche : *RPB 1826*

Provenance : Lewis Brown (Paris, vente du 17
avril 1837, n° 14) ; San Donato, coll. comte
Anatole Demidoff ; baronne Nathaniel de
Rothschild ; Camille Groult ; acheté aux
héritiers Groult par Pierre Granville en 1960 ;
offert par ce dernier au musée des Beaux-Arts

Expositions : Nottingham 1965, n° 241 ; *Delacroix,
ses amis, ses élèves*, Bordeaux, 1963, n° 215

Dijon, musée des Beaux-Arts (D.G. 493)

Le sujet de cette aquarelle est une simple
promenade sans connotations littéraires. Chaque
fois qu'un auteur commente ce type de
composition de Bonington, il invoque l'art de
Véronèse. Or, si l'on trouve assurément un
rappel des balustrades et des costumes éclatants
des tableaux de Veronese dans des aquarelles
comme le *Balcon à Venise* de 1828 (Londres,
Wallace Collection), il serait plus juste de parler
ici d'un hommage à Titien. Les deux
personnages sur la droite, qui ont fait l'objet
d'une étude au crayon[1], sont empruntés au *Saint
Antoine guérissant un jeune homme* de Titien,
tandis que le costume de l'homme sur la gauche
a son modèle dans le *Miracle de l'avare* peint par
Domenico Campagnola. Ces deux sources
d'inspiration sont des fresques de la Scuola del
Santo, à Padoue, où Bonington et Rivet firent
une halte studieuse après avoir quitté Venise.
Delacroix a exécuté une copie à l'aquarelle de la
fresque de Titien, ce qui semble révéler
l'existence, à une certaine époque, d'une étude
analogue due soit à Bonington, soit à Rivet[2]. La
femme de profil est empruntée sans modification
au *Miracle du nouveau-né* de Titien, également à
Padoue. Bonington peignit peut-être l'aquarelle
reproduite ici dans la Scuola del Santo, en
improvisant la composition.

Cette image semble avoir connu un certain
succès dans les années 1860, époque où Félix
Bracquemond en réalisa une petite reproduction
à l'eau-forte. Un exemplaire de la gravure,
conservé lui aussi au musée des Beaux-Arts de
Dijon, a appartenu à son premier conservateur,
le peintre et lithographe Célestin Nanteuil.

1. Nottingham 1965, n° 145.
2. New York, Christie's, vente du 27 mai 1983, n° 230.

106

L'INVITATION AU THÉ,   vers 1826
Aquarelle et gouache avec ajouts de gomme
arabique, 11,7 × 16,3

Provenance : baron Charles Rivet ; transmis par
héritage au propriétaire actuel

Expositions : Nottingham 1965, n° 233 ;
Jacquemart-André 1966, n° 77, pl. XII

Collection particulière

D'après une tradition familiale, cette aquarelle
représente l'artiste offrant le thé à Charles Rivet
et à la mère de ce dernier. La femme plus âgée
placée derrière, sur la droite, est la gouvernante
de Bonington, qui posait pour lui de temps à
autre (voir le n° 140). Marion Spencer situe
cette peinture vers 1824–1825, mais la gouache
et la gomme arabique employées avec
prodigalité plaident pour une date ultérieure.

Après l'interlude italien, Bonington renoua
avec le rythme trépidant de la vie mondaine et
artistique dans la capitale française. Carrier
raconta à Thoré que, vers cette époque, il allait
souvent prendre le thé chez Bonington à la fin
de l'après-midi. A cette occasion, l'artiste
divertissait ses invités en se livrant à des
démonstrations de virtuosité graphique.

Des images de réunions intimes comme celle-
ci allaient devenir la grande spécialité de toute
une génération d'aquarellistes français, depuis
Eugène Lami et Célestin Nanteuil jusqu'à Paul
Gavarni et Constantin Guys[1].

Comme aucun Salon n'était programmé dans
un avenir proche, Bonington n'a pas utilisé tout
de suite ses esquisses italiennes pour des
tableaux composés. Il semble avoir manifesté un
regain d'intérêt pour la figure. Et même s'il ne
partageait plus l'atelier de Delacroix, tous deux
restaient très proches dans leur travail.

1. Miquel (*Art et Argent*, p. 213) reproduit une autre
scène domestique, une petite huile sur carton (16 × 19)
où l'on voit deux personnages traditionnellement
identifiés avec M. et Mme Paul Périer, des clients de
Bonington.

107

LA REMONTRANCE, vers 1826
Mine de plomb, aquarelle et gouache, 7,2 × 12,8

Provenance : Paul Périer (Paris, vente de 1846,
sans numéro); Londres, Patterson Gallery,
1913 ; acheté à cette dernière par W.C.
Alexander ; transmis par héritage au propriétaire
actuel

Bibliographie : Dubuisson et Hughes, repr. en
face de la p. 165 (avec un historique inexact)

Collection particulière

Si cette œuvre a une source d'inspiration
historique ou littéraire, elle n'a pu être
identifiée. Quant à la composition, on l'a
diversement intitulée *La remontrance ; une vieille
femme réprimande deux enfants*, ou *La grand-mère*.

Cette esquisse lumineuse, où Bonington a
déterminé des formes avec une extraordinaire
économie de moyens et créé des surfaces qui
miroitent dans la pénombre chaude, est une
étude préparatoire pour une aquarelle de format
plus vertical ayant appartenu à Lewis Brown et
à Paul Périer[1]. Dans un mezzo-tinto exécuté par
S.W. Reynolds (1833) d'après cette version
perdue, on voit plus distinctement le geste
réprobateur de la vieille femme qui vient juste
d'interrompre sa lecture et les visages contrits
des enfants. La gravure fut intitulée *La grand-
mère* à sa publication, mais dans la vente
d'atelier de 1834, l'aquarelle était désignée par
le titre *The Remonstrance ; an old woman admonishing
two children*, qui devait s'appuyer sur des
renseignements précis. Marion Spencer suppose
que la vieille femme était peut-être Francesca
Bridges, modèle d'un célèbre portrait de Van
Dyck que Bonington a copié au crayon[2].
Cependant, cette « grand-mère » ressemble
davantage, par sa physionomie et ses vêtements,
à celle que l'on voit dans *L'usage des larmes*
(version à l'aquarelle conservée au Louvre, voir
les n°s 139 et 140) et que l'on n'a pu assimiler à
aucune personne vivant à l'époque de Bonington
ni à aucun portrait du XVIIe siècle. Les deux
enfants reviennent, vêtus de la même façon mais
avec des attitudes différentes, dans la
lithographie *Les plaisirs paternels* destinée au
Cahier de six sujets (voir le n° 114), datée
également de la fin 1826.

Cette composition, qui se présente comme
une scène de genre historique renvoyant à la
peinture flamande du XVIIe siècle, doit être
replacée dans le contexte de la vogue que
connurent dans les années 1820 les hommages
sentimentaux aux vieillards, sous forme de
poèmes ou de peintures. Témoin *La bonne vieille*
de Pierre-Jean Béranger, dont Ary Scheffer
s'inspira pour une toile exposée au Salon de
1824, et pour une réplique à l'aquarelle destinée
à L.-J.-A. Coutan (Dordrecht, Dordrechts
Museum). Enfin, la confrontation de la vieillesse
et de la jeunesse revêtait une signification toute
particulière pour une génération de jeunes
hommes élevés en l'absence du père et des frères
aînés dans les remous de l'Empire.

1. Vente Bonington, 1834, n° 122, acheté par Colnaghi ;
Lewis Brown (Paris, vente des 16–17 avril 1837, n° 16).
Une version à la sépia fut exposée sous le n° 75 aux
Cosmorama Rooms en 1834.
2. Nottingham 1965, n° 121.

108

TROIS PERSONNAGES DU XVIIe SIÈCLE DANS UN
INTÉRIEUR,   vers 1826
Aquarelle et gouache, 15,2 × 13,7

Provenance : vraisemblablement Lewis Brown
(Paris, vente dé 1843, n° 15), acheté par
Duchesne

Nottingham, Castle Museum and Art Gallery
(67–194)

Bonington a simplement représenté ici une
famille du XVIIe siècle dans un intérieur.
L'attitude et l'habit du père sont modelés sur
ceux d'un gentilhomme peint par David II
Teniers dans sa *Fête villageoise aux deux
aristocrates* (Paris, musée du Louvre), dont la
Galerie nationale du Canada à Ottawa conserve
une copie au crayon qui figure sur la même
feuille que d'autres études d'après le *Concert* de
Gérard Ter Borch et le *Portrait d'inconnu* de Peter
Franchoys[1]. Un domino semble pendre à sa
main droite, et cet accessoire, joint au luth posé
tout près, constitue peut-être une allusion
indirecte à ce qui retient l'attention des
personnages et que nous ne voyons pas : une
fête ou un carnaval. Les traits de cet homme
rappellent ceux du *Cavalier et sa dame à Gênes*
(n° 116), et l'on peut également situer
l'aquarelle reproduite ici entre le milieu et la fin
de 1826.

1. Celui de Franchoys était alors attribué à Van Dyck.
Les deux tableaux étaient déjà au Louvre à l'époque, et
Delacroix les copia (Sérullaz, *Delacroix*, n° 1329).

109

PORTIA ET BASSANIO,   vers 1826
Mine de plomb, aquarelle et gouache,
16,5 × 12,7

Signé en bas à gauche : *R P Bonington*

Provenance : J.-B. Gassies (1829–1882), au plus
tard en 1867 ; comte de Bouille ; William
Drummond, 1978 ; acheté à ce dernier par le
Yale Center for British Art

Exposition : Londres, Covent Garden Gallery,
1978

Bibliographie : Thoré, 1867, repr. p. 11 (à
l'envers) avec une légende indiquant qu'il s'agit
d'un bois gravé par Carbonneau intitulé *Le
cadeau*

New Haven, Yale Center for British Art, fonds
Paul Mellon (B1978.43.165)

On ne saurait trouver meilleur exemple de la difficulté à démêler l'ambiguïté du contenu narratif de bon nombre des compositions à personnages de Bonington. Son plus ancien titre connu, *Le Cadeau*, est indéniablement une invention de Théophile Thoré, qui fut le premier à la publier, ou de l'artiste Jean-Baptiste Gassies à qui elle appartenait à l'époque. Il ne nous aide guère à interpréter l'image. Plus récemment, on y a vu un aristocrate et une dame enceinte empruntés à l'histoire d'Angleterre, ou une illustration pour *Henri VIII* de Shakespeare (IV, 1)[1]. Selon cette dernière hypothèse, l'aquarelle représenterait le roi faisant connaissance avec Anne Boleyn à l'occasion du bal masqué. Deux illustrations de Bonington pour cette pièce sont répertoriées, mais perdues aujourd'hui : *Henri VIII et le cardinal Wolsey recevant l'ambassadeur d'Espagne*[2] et *La Reine Catherine*[3]. Les trois sujets étaient déjà traités dans la suite de gravures publiées par Boydell sous le titre *Shakespeare Gallery*, dont le père de Bonington possédait un exemplaire[4]. Mais dans l'aquarelle reproduite ici, les personnages portent des costumes nettement antérieurs au milieu du XVIᵉ siècle, anachronisme que Bonington n'était guère homme à commettre en illustrant une scène aussi précisément datée dans l'histoire. Le gentilhomme ne ressemble ni par son habit ni par sa physionomie aux deux portraits d'Henri VIII par Bonington parvenus jusqu'à nous : le personnage robuste placé en haut de l'escalier dans *Le Comte de Surrey et la blonde Geraldine* (ill. 40) et le meneur d'un cortège dans une esquisse à la plume de 1826 environ (Londres, British Museum), qui pourrait bien être une première pensée pour une illustration de la pièce de Shakespeare.

Une deuxième source littéraire envisageable serait l'*Histoire des ducs de Bourgogne* publiée à cette époque par Prosper de Barante, qui intéressa beaucoup Bonington et Delacroix parce qu'elle résumait la nouvelle approche romantique de l'histoire et parce qu'elle complétait le *Quentin Durward* de Walter Scott. Plus précisément, l'aquarelle pourrait représenter la rencontre du duc Maximilien (devenu par la suite Maximilien Iᵉʳ) et de sa future épouse Marie de Bourgogne en août 1477, neuf mois après la mort du père de cette dernière, Charles le Téméraire, à la bataille de Nancy. Ce rapprochement semble étayé par les costumes et les attitudes de la femme placée au premier plan et du jeune page, empruntés directement à la planche 9 (*Les Noces*) de la suite de xylographies de Hans Burgkmair publiée sous le titre *Der Weisskunig*, et célébrant la vie de Maximilien[5]. Le père de Bonington possédait également une édition partielle du *Weisskunig*, sans doute celle qui fut imprimée en Angleterre par J. Edwards en 1799[6], et Delacroix copia à cette époque des planches traitant plus particulièrement des épisodes qui concernaient Marie de Bourgogne[7]. La splendeur des vêtements portés par les protagonistes et la décoration arborée par le gentilhomme, si elle correspond bien à l'insigne de la Toison d'or créée par le père de Charles le Téméraire,

confèrent une certaine crédibilité à cette interprétation[8]. Cela dit, Barante ne donne guère de détails sur cette union des deux plus puissantes familles d'Europe, se bornant à remarquer qu'aucun des deux fiancés ne maîtrisait la langue de l'autre. La composition de Bonington serait donc une recréation imaginaire des fiançailles de la princesse «qui voyait en Maximilien le protecteur venu mettre un terme à son malheur et dissiper ses cruelles souffrances». On remarquera toutefois que tous les portraits notables de Maximilien réalisés à cette époque montrent l'empereur rasé selon la coutume du temps. En témoignent les effigies du monarque dans la série des xylographies monumentales de Dürer consacrées au *Triomphe de Maximilien*, dont le père de Bonington possédait aussi un exemplaire, et le profil gravé dans l'album de Montfaucon, autre source d'inspiration privilégiée de l'artiste.

La dernière, et peut-être la plus convaincante, des hypothèses associe l'aquarelle à un passage du *Marchand de Venise* souvent illustré (III, 2). La scène se situe dans le palais de Portia à Belmonte. Bassanio est venu conquérir sa main et son immense fortune en se soumettant à l'épreuve des coffrets mise au point par le père de Portia. Chaque prétendant doit choisir parmi trois écrins, l'un d'or, l'autre d'argent et le dernier de plomb. Seul celui en plomb, dépouillé de toute décoration, renferme le portrait miniature de Portia, qui équivaut à une promesse de mariage. Portia a demandé à sa suivante Nérissa et à Gratiano, le compagnon de Bassanio épris de Nérissa, de rester à l'écart pendant que Bassanio choisit. Bonington semble avoir illustré l'instant suivant : comprenant que la chance l'a favorisé, Bassanio exécute l'ordre noté sur un papier placé à côté du portrait, et scelle les fiançailles par un baiser.

Dans une lettre à son ami Pierret en date du 1ᵉʳ août 1825, Delacroix signale qu'il vient de voir une représentation du *Marchand de Venise* à Londres. Bonington a fort bien pu assister à cette séance ou à une autre, antérieure, annoncée dans le *Times* pour le 2 juillet. Une esquisse à l'huile simplement intitulée *Le Marchand de Venise*, et perdue depuis lors, était répertoriée sous le n° 107 lors de la vente d'atelier de 1829. En tout cas, Bonington a assisté à une représentation de cette pièce donnée par une troupe anglaise à Paris en 1828 (voir le n° 158). Il partageait sans nul doute l'enthousiasme de Delacroix pour cette œuvre et pour l'admirable interprétation d'Edmund Kean dans le rôle de Shylock. Qu'il ait conçu ou non l'aquarelle reproduite ici comme une illustration de la pièce, il s'est inspiré d'une gravure exécutée par George Noble d'après une image de Richard Westall (ill. 42) pour la série de Boydell, qui correspond justement à l'acte II, scène 2. On retrouve dans les deux œuvres des personnages en même nombre et disposés de la même façon, la loggia vaguement italianisante soutenue par des colonnes ioniques, et la table couverte d'une tapisserie où sont posés les trois coffrets. Bonington s'est peut-être montré plus fidèle au texte en montrant Gratiano et Nérissa dans une attitude complice à l'arrière-plan, alors

que Westall avait introduit deux suivantes[9]. En outre, il a radicalement transformé les costumes, même s'il a conservé la barbe et le pendentif de Bassanio, ainsi que le voile de Portia, plus approprié que la couronne qui pare ce personnage dans la xylographie de Burgkmair. En choisissant des vêtements élisabéthains, Westall avait souscrit à la conception traditionnelle, selon laquelle la pièce se situe à la fin du XVIᵉ siècle, alors même que Shakespeare ne donne aucune indication, sinon une vague allusion à un naufrage. Bonington était donc libre d'improviser à sa guise pour ce qui concernait les costumes, comme il l'avait déjà fait dans sa peinture inspirée des *Joyeuses Commères de Windsor* (ill. 38).

Le traitement du ciel et de l'architecture ainsi que l'emploi modéré de la gouache rappellent ses œuvres de 1825, mais les applications de lavis et le recours à des couleurs plus foncées additionnées de gomme arabique attestent une plus grande maîtrise. L'absence de tout monument vénitien à l'arrière-plan pourrait indiquer que Bonington n'était pas encore allé en Italie quand il a peint cette aquarelle. Pourtant, le costume et la physionomie de Bassanio présentent des ressemblances notables avec ceux du personnage du père dans *Le Miracle du nouveau-né* de Titien, dont Bonington a exécuté une copie à Padoue.

1. Marion Spencer, *Covent Garden Gallery*, 1978.
2. Vente Bonington, 1834, n° 121, et plus tard collection Lewis Brown (Paris, vente des 17–18 avril 1837, n° 76).
3. Vente Bonington, 1838, n° 20.
4. Vente Bonington père, 1838, n° 128.
5. *The Illustrated Bartsch : Sixteenth Century German Masters*, présenté par W. Strauss *et al.*, New York, 1980, p. 11, n° 80.
6. Vente Bonington père, 1838, n° 33.
7. Sérullaz, *Delacroix*, n°ˢ 1284–1286 et 1296. Delacroix a également dessiné des copies d'après le *Theuerdank* et le *Triomphe de Maximilien* de Burgkmair (Sérullaz, *Delacroix*, n° 1753), dont le père de Bonington possédait des exemplaires. Delacroix n'a pas forcément utilisé les gravures appartenant à Bonington père, car les copies d'après Burgkmair qu'il a exécutées dans un carnet (Sérullaz, *Delacroix*, n° 1752) s'inspirent d'estampes éparses dans une collection constituée par l'abbé de Marolles, puis entrée à la Bibliothèque royale sous la rubrique «Vieux maîtres en bois» (Estampes, 25d réserve). Sur une autre feuille (Sérullaz, *Delacroix*, n° 1356), il cite un *Triomphe de Maximilien* dans la collection de M. Gateaux.
8. La gravure de Carbonneau montre clairement l'insigne de la Toison d'or. Delacroix a exécuté plusieurs dessins de cet insigne (Sérullaz, *Delacroix*, n° 1748 folio 19 recto), en relation avec sa copie à l'huile d'un portrait de Charles II d'Espagne (Johnson, *Delacroix*, t. I, n° 21), ou avec ses projets de costumes pour l'*Amy Robsart* de Victor Hugo (voir le n° 141).
9. La peinture à l'huile de Gilbert Stewart Newton illustrant la même scène (1831) est, à maints égards, plus proche de la version de Bonington, et l'on y retrouve des éléments des deux compositions de Westall et de Bonington.

227

Eug. Delacroix

110

EUGÈNE DELACROIX

ILLUSTRATION POUR GÖTZ VON
BERLICHINGEN, vers 1826–1827
Aquarelle et gouache avec ajouts de gomme
arabique et emploi de caches, 21,3 × 14,4

Signé en bas à gauche : *Eug. Delacroix*

Provenance : Chicago, famille Pullman ; Chicago,
Hanzell Gallery ; Chicago, Robert Glade,
jusqu'en 1989 ; Jill Newhouse, 1989 ; acheté à
cette dernière par le propriétaire actuel

Collection particulière

Le *Götz von Berlichingen* de Goethe, œuvre
marquante du préromantisme allemand du
Sturm und Drang, relate les épisodes de la vie
d'un seigneur allemand qui s'efforce de
préserver ses privilèges féodaux menacés par les
décisions de Maximilien centralisant l'appareil
social et politique de son royaume. Ce capitaine
d'aventure soucieux de défendre ses
prérogatives et son indépendance contre le
mouvement de modernisation a séduit les âmes
romantiques aux prises avec des manifestations
analogues de nationalisme et avec des structures
socio-politiques assez floues. Pour les écrivains
qui faisaient partie de l'entourage immédiat de
Delacroix, la tragédie de Goethe constituait
l'exemple même de ce qu'un art dramatique
français rénové devait incorporer : la couleur
locale et la vérité historique des romans de

Walter Scott, tel *Quentin Durward*, et la force
d'émotion du théâtre de Shakespeare. Comme le
notait Alfred de Rémusat à propos de *La
Jacquerie, scènes féodales*, une œuvre de Prosper
Mérimée sans grande originalité, «la pièce de
Goethe est le premier essai, le premier exemple
de ce retour au Moyen Age par l'imagination,
de ce goût pour les peintures gothiques et
nationales qui envahit maintenant tous les
arts[1] ».

C'est Jill Newhouse qui, la première, a eu
l'idée d'établir un rapprochement entre cette
aquarelle et l'intérêt de Delacroix pour la
tragédie de Goethe. La composition n'illustre
pas un passage précis du texte, mais *La mort de
Sardanapale* du même Delacroix n'est pas non
plus une transposition servile du dernier acte de
la pièce de Byron qui l'a inspirée. Certaines
données, que nous allons exposer, incitent à
souscrire à l'interprétation proposée par Jill
Newhouse, sachant qu'elle reste sujette à
caution et que Delacroix, tout comme
Bonington, pouvait parfois prendre de grandes
libertés en interprétant un texte.

Entre 1836 et 1843, Delacroix a créé une série
de sept lithographies illustrant *Götz von
Berlichingen*. Mais il en caressait le
projet dès le 28 février 1824, date à laquelle il
notait dans son journal que Pierret lui avait
suggéré cette source d'inspiration. En outre, une
liste manuscrite de sept sujets possibles figure
dans un carnet utilisé entre temps, et conservé
au Louvre[2]. Cette liste est associée à sept études
d'après des personnages empruntés aux
illustrations xylographiques de Hans Burgkmair
pour le *Theuerdank*. Ces études furent
manifestement exécutées à titre documentaire,
pour les costumes des différentes scènes
énumérées dans la liste. Leur date, incertaine,
pourrait se situer vers la fin de 1826, à une
époque où Bonington consulta lui aussi les
gravures de Burgkmair pour les personnages de
plusieurs de ses compositions (n° 109)[3].

Pour ce qui concerne la date et la destination
de l'aquarelle reproduite ici, il faut prendre en
compte l'esquisse à l'huile de Delacroix
représentant un barbu vêtu d'une armure
analogue, que Lee Johnson a identifié de manière
probante avec Bastiano Vicentini, l'homme à
tout faire de l'artiste[4]. Ce modèle est cité au
verso d'une feuille d'études dessinées à l'abbaye
de Westminster en juillet 1825, puis à nouveau
dans une lettre de Delacroix portant le cachet
de la poste du 18 juin 1826[5]. Une aquarelle
perdue, représentant Franz Lerse, le fidèle
lieutenant de Götz, dans une pose et une
armure comparables à celles de Vicentini,
a été publiée par Robaut[6]. Elle appartenait à
l'origine à Pierret. On peut imaginer que
Delacroix a exécuté les trois œuvres en relation
avec le projet d'illustrer *Götz von Berlichingen*,
envisagé dans les années 1820 et finalement
abandonné. Le Louvre possède deux autres
aquarelles exécutées avec soin, à peu près à la
même époque si on en juge par leur style, qui
pourraient refléter les mêmes préoccupations
si elles ne constituent pas vraiment des
illustrations de la tragédie : *Un cavalier blessé*,
diversement identifié avec Bayard ou avec

Selbitz, le personnage de *Götz von Berlichingen*, et *Page assis avec un luth*[7]. Détail intéressant, une étude de Vicentini en armure, à mi-corps, figure en «notation» dans la marge de la seule copie lithographique d'une composition de Bonington que Delacroix ait jamais faite à notre connaissance, *Le message*[8]. Cette gravure reprend le *Faust et Méphistophélès* dessiné à la sépia par Bonington vers 1826 (collection particulière)[9].

L'un des deux personnages représentés dans l'aquarelle reproduite ici pourrait être Georg, le page de Götz. L'autre doit être Götz lui-même, ou Franz Lerse. Delacroix avait dessiné pour l'acte I, scène 2 (voir le n° 111) une esquisse à la sépia, non datée et apparemment perdue[10], qui montrait sans doute Georg armant Götz, mais en présence du frère Martin. Ou alors, elle illustrait le moment de l'acte III, scène 6, où Georg annonce l'arrivée du mystérieux chevalier Lerse, encore que, dans la pièce de Goethe, Georg se retire aussitôt après et les trois hommes se séparent.

Delacroix a largement contribué à inciter Bonington à élargir son répertoire pour y inclure des œuvres destinées aux albums de collectionneurs, sur des thèmes historiques et littéraires. Inversement, l'exemple et la réussite de son ami anglais, notamment dans le domaine de l'aquarelle, ont indéniablement poussé Delacroix à maîtriser un moyen d'expression qui était, jusque vers 1826, réservé aux études préparatoires et aux œuvrettes anodines.

1. *Le Globe*, 28 juin 1828, p. 508.
2. Sérullaz, *Delacroix*, n° 1753, folio 25 verso.
3. Sérullaz a catalogué le carnet à l'envers. Son «dos» est en fait la première de couverture qui porte l'étiquette du marchand de couleurs collée dans un coin. En outre, Sérullaz a situé l'intégralité du carnet vers juillet 1827 ou un peu plus tard, en alléguant que la girafe représentée çà et là parmi les dix-sept premiers folios n'est pas arrivée au Jardin des plantes avant cette date. Pourtant, l'artiste a utilisé le carnet dans l'autre sens à partir du folio 20, ce qui indique que la dernière partie, où se trouvent les copies du *Theuerdank* et la liste de sujets relatifs à *Götz von Berlichingen*, n'a aucun rapport avec la première. Delacroix a pu l'utiliser à une autre occasion, avant ou après juillet 1827.
4. Johnson, *Delacroix*, t. I, n° 32.
5. Delacroix, *Correspondance*, t. I, p. 184 ; Sérullaz, *Delacroix*, n° 1306.
6. Robaut, *Delacroix*, n° 637.
7. Sérullaz, *Delacroix*, n°s 552 et 557. Toutes les aquarelles citées sont très proches par leur style de l'aquarelle signée intitulée *Palikare de dos* (Monaco, Sotheby's, 8 décembre 1990, n° 318), qui se rattache directement aux études et croquis de Palatiano et date incontestablement du printemps 1826. Le *Palikare de dos* était conservé à l'origine dans un album appartenant à Mme Delessert (voir les n°s 8 et 18).
8. Delteil, *Delacroix*, n° 52, et Robaut, *Delacroix*, n° 193 situent tous deux la gravure vers 1826.
9. Une deuxième notation dans la marge de l'estampe de Delacroix, qui ne porte pas de date, est un croquis de nu de dos apparenté au personnage représenté dans son esquisse à l'huile pour *La Mort de Sardanapale* (Johnson, *Delacroix*, t. I, n°s 124–125).
10. Robaut, *Delacroix*, n° 634.

111

GÖTZ VON BERLICHINGEN DEVANT LE MAGISTRAT, vers 1826
Mine de plomb et sépia, 12 × 10,1

Cachet de collectionneur en bas à gauche : Coutan-Hauguet-Milliet (Lugt 464)

Provenance : L.-J.-A. Coutan, et transmis par héritage (Paris, hôtel Drouot, vente des 16–17 décembre 1889, n° 42 [*Douglas and the Duke of Albany*]), acheté par Michel-Levy ; Michel-Levy (Paris, vente du 17 juin 1925, n° 24 [*Scène tirée de Shakespeare*]), acheté par Rofe ; William Turner (Londres, Sotheby's, vente du 15 juillet 1959, n° 28 [*François Ier et Marguerite de Navarre*]), achete par Christopher Norris ; Christopher Norris jusqu'en 1987 (Londres, Christie's, vente du 28 mars 1988, n° 111), acheté par John Morton Morris ; don de ce dernier au Yale Center for British Art

Expositions : Agnew's 1962, n° 50 ; Nottingham 1965, n° 192 (présenté comme une illustration de *La Jolie Fille de Perth*)

New Haven, Yale Center for British Art, don de John Morton Morris

Cette esquisse en camaïeu, d'un style alerte, fut sans doute achetée directement à l'artiste par son mécène L.-J.-A. Coutan. Les héritiers de Coutan, puis Marion Spencer, ont cru reconnaître une scène de *La Jolie Fille de Perth* de Walter Scott. Cette hypothèse cadre mal avec la date de publication du roman, et avec le fait que son action se situe dans l'Écosse du

XIVe siècle. Lady Holland écrivait le 28 avril 1828, dans une lettre à son fils, que l'ouvrage était «non seulement écrit, mais imprimé, et cependant pas encore publié[1]». Rien dans la facture du dessin n'exclut catégoriquement la possibilité que Bonington l'ait exécuté dans les deux derniers mois de sa vie, d'autres aspects de cette œuvre plaident nettement en faveur d'une date antérieure. Des considérations analogues ont peut-être incité Michel-Levy à modifier le titre du dessin pour lui attribuer un sujet tiré de Shakespeare.

Le personnage assis en costume «vénitien» figure dans l'huile *Soirée vénitienne* (vers 1826–1827, ill. 66). Le chevalier du premier plan est emprunté à la planche 70 du *Weisskunig* de Burgkmair illustrant la vie de Maximilien[2], dont Bonington s'est également inspiré pour des aquarelles de la fin 1826. C'est quasi certainement le même personnage que dans *Chevalier et page* (n° 112) et dans l'étude à l'encre brune pour ce dernier tableau (Melbourne, National Gallery of Victoria). L'esquisse reproduite ici, avec son contenu narratif manifeste, et l'étude conservée à Melbourne (de mêmes dimensions) doivent être considérées comme des illustrations complémentaires pour une œuvre littéraire dont l'action se situe à la fin du XVe siècle, et non pas comme des projets abandonnés pour le *Cahier de six sujets*, avec lequel elles ont toutefois des affinités thématiques. À notre avis, elles illustrent la tragédie de Goethe *Götz von Berlichingen*. Le dessin de Melbourne correspond sans doute à l'acte I, scène 2, tandis que celui qui est reproduit ici nous montre Götz plaidant sa cause devant le redoutable magistrat de Maximilien dans l'acte IV, scène 2.

Ni Delacroix ni Bonington ne parlaient couramment l'allemand, mais la pièce était disponible en anglais depuis 1799, grâce à une traduction établie par Walter Scott. Jusqu'à présent, notre seul témoignage de l'intérêt de Bonington pour Goethe était une illustration de *Faust* exécutée au lavis brun vers 1826[3].

1. *Elizabeth Lady Holland to her Son 1821–1845*, édition établie par le comte d'Ilchester, Londres, 1946, p. 83.
2. Bartsch 80 (224) –70, *Le Weisskunig apprenant la langue lombarde*.
3. Ancienne collection Lewis Brown (Paris, vente des 16–17 avril 1837, sans numéro); chez Cailleux en 1966 et reproduit dans Cherbourg, 1966, n° 13.

112

CHEVALIER ET PAGE,   vers 1826
Huile sur toile, 46,5 × 38

Provenance : offert par l'artiste à Eugène Delacroix ; légué par ce dernier au baron Charles Rivet ; transmis par héritage à Mlle F. de Catheu, 1936 ; Eliot Hodgkin ; acheté à ce dernier par Paul Mellon en 1962

Expositions : BFAC 1937, n° 23 ; Agnew's 1962, n° 21

Bibliographie : Philippe Burty, *Lettres d'Eugène Delacroix*, Paris, 1878, p. V ; Shirley, p. 113 (avec des dimensions inexactes) ; Ingamells, *Bonington*, p. 70, note 31

New Haven, Yale Center for British Art, collection Paul Mellon (B1981.25.52)

Dans son testament, Delacroix léguait au baron Rivet «un tableau inachevé de Bonington (*Page et chevalier*) et une petite toile portant deux sujets en grisaille[1]». La statue de Bartolomeo Colleoni (1400–1475) par Verrochio, que Bonington a examinée de près à Venise (n° 100 et ill. 45), a fourni la physionomie de l'austère chevalier. Son armure s'inspire d'une cuirasse qui se trouvait dans la collection de Meyrick, et dont le British Museum conserve une étude au crayon. Delacroix a dessiné cette même armure[2]. Pour la pose et le costume du chevalier, Bonington a pris modèle sur la série du *Weisskunig* xylographiée par Hans Burgkmair. Cependant, le thème du seigneur accompagné de son page est également répandu dans les portraits de la Renaissance tardive, tel le portrait d'*Alof de Wignacourt* peint par Caravage (1608, Paris, musée du Louvre)[3].

Cette toile, exécutée dans la même période que *La prière* (Londres, Wallace Collection ; ill. 67) et que la *Soirée vénitienne* (Cambridge, Fogg Art Museum ; ill. 66) datées de l'hiver 1826–1827, se rapproche aussi par sa composition de la lithographie *Le retour*, publiée en décembre 1826. Une étude au lavis brun (Melbourne, National Gallery of Victoria), qui fait pendant au n° 111 du présent catalogue, a sans doute servi à préparer cette huile. Cette image pourrait aussi avoir un rapport avec une aquarelle perdue représentant un chevalier armé par deux pages, que S.W. Reynolds a gravée en mezzo-tinto en l'intitulant *Un Templier*[4].

Quand il reprenait une de ses compositions pour la peindre à l'huile, Bonington empruntait volontiers des portraits et autres éléments à des œuvres d'art qui lui semblaient convenir par leur thème ou par leur contexte historique. Il agissait ainsi pour rendre sa représentation plus éloquente et convaincante, mais aussi pour flatter ou amuser les fins connaisseurs. Si, en suivant notre commentaire de l'esquisse à la sépia conservée à Yale (n° 111), ce chevalier était censé incarner Götz von Berlichingen, le choix de Colleoni comme modèle pour le capitaine d'aventure anachronique de Goethe serait des plus opportuns.

Delacroix avait peut-être ce tableau sous les yeux lorsqu'il écrivait dans son journal, le 31 décembre 1856 : «Il y a des talents qui viennent au monde tout prêts et armés de toutes pièces. Il a dû avoir dès le commencement cette espèce de plaisir que les hommes plus expérimentés trouvent dans le travail, à savoir une sorte de maîtrise, d'assurance de la main, concordant avec la netteté de la conception. Bonington a eu cela aussi, mais surtout dans la main : cette main était si habile qu'elle devançait ses pensées : ses remaniements ne venaient que de cette faculté si grande, que tout ce qu'il posait sur la toile était charmant : seulement chacun de ces détails ne se coordonnant pas souvent, des tâtonnements pour retrouver l'ensemble lui faisaient quelquefois abandonner son ouvrage commencé. Il faut remarquer aussi que, dans cette espèce d'improvisation, il entrait un terme de plus [...] à savoir la couleur[5].»

1. Cette dernière était sans doute la double marine perdue également évoquée par Thoré (1867, p. 16).
2. Sérullaz, *Delacroix*, n° 1468.
3. Delacroix a exécuté une étude au crayon du page peint par Caravage sur la même feuille de carnet (Sérullaz, *Delacroix*, n° 1751, folio 7 recto) que ses études d'après le portrait de *Jacopo et Gentile Bellini* de Cariani, dont on trouve des rappels dans la *Soirée vénitienne* (ill. 66) de Bonington et sans doute dans le personnage assis de la composition reproduite ici sous le n° 111. Delacroix allait utiliser cette figure du page dans une illustration à la sépia pour *Les Deux Gentilshommes de Vérone*, représentant *Protée et Julia déguisée en page*, que Robaut (*Delacroix*, n° 191) date de 1826.
4. Une étude à la sépia pour cette aquarelle figurait dans la vente W.J. Cooke (Londres, Christie's, 16 mars 1840, n° 138 [*A Knight Arming*]), dont le catalogue précisait que l'aquarelle en question avait été peinte en présence de Thomas Shotter Boys. Or, Bonington ne s'est pas lié avec Boys avant l'automne 1826.
5. Delacroix, *Journal*, t. III, p. 187–188. À un moment quelconque entre 1829 et 1835, alors que Delacroix habitait au 15, quai Voltaire, monsieur Auguste lui demanda de lui prêter la toile reproduite ici. Voir sa lettre manuscrite reproduite dans *Voyage de Delacroix au Maroc et exposition rétrospective du peintre orientaliste M. Auguste*, Paris, musée de l'Orangerie, 1933, n° 291.

LE DUEL ENTRE FRANK ET RASHLEIGH, 1826
Lithographie sur papier vélin blanc, 9,9 × 13

Inscriptions sur la pierre, en bas à gauche :
Peint et Lith par Bonington : et en bas à droite :
Lith de Villain, rue de Sèvres, n° 23.

DUGALD DALGETTY ET RANDAL MACEAGH
S'ÉVADENT DU CHÂTEAU D'ARGYLE, 1826

Lithographie à la pierre teintée, 14 × 16,3

Inscriptions sur la pierre, en bas à gauche :
Peint et Lith par Bonington ; et en bas à droite :
Lith de Villain, rue de Sèvres, n° 23

Provenance : baron Henri de Triqueti
(1802–1874) (Lugt 1304)[1]

Bibliographie : Curtis 43 (I/II) ; Curtis 42 (I/III)

Collection particulière

La plus grande de ces deux vignettes, exécutée
d'après une étude à l'aquarelle ou à la sépia
aujourd'hui perdue, illustre un épisode du
chapitre XIII de *La Légende de Montrose* de
Walter Scott, parue en Angleterre en 1819.
C'est l'un des douze culs-de-lampe qu'Amédée
Pichot commanda à Bonington, Paul Delaroche
et Eugène Lami pour ses *Vues pittoresques de
l'Écosse* (Paris, 1826). Cette publication
réunissait des extraits de romans de Walter
Scott annotés par Pichot et des lithographies
reproduisant soixante vues topographiques
dessinées par F.A. Pernot sur les sites évoqués
dans le texte. Parmi les douze lithographes
sollicités pour ce projet, dont Francia, Enfantin
et plusieurs collaborateurs habituels du baron
Taylor (David, Joly et Deroys, entre autres),
Bonington fut celui qui réalisa le plus grand
nombre de planches : onze vues topographiques
et deux vignettes. La deuxième vignette illustre
le chapitre XXV de *Rob Roy*. J.D. Harding figure
par erreur parmi les collaborateurs nommés sur
la page de titre. En revanche, les vignettes de
Bonington n'y sont pas mentionnées, ce qui
laisse supposer que cette commande est
intervenue plus tard, entre la première livraison
annoncée dans le *Journal des débats* du 22
décembre 1825, et la dernière, datée de janvier
1828.

    La publication, dédiée à la duchesse de Berry,
se composait de douze volumes comprenant
chacun cinq vues topographiques et une
vignette. Le prix d'une livraison était de 13
francs pour les exemplaires sur papier vélin
blanc, 18 francs pour les tirages sur papier de
Chine collé, et 25 francs pour l'édition de luxe
imprimée sur de grandes feuilles de vélin. En
septembre 1828, l'un de ces tirages de luxe joint
aux dessins originaux de Pernot furent
proposés ensemble au prix de 6 000 francs.
Comme la parution s'est échelonnée sur trente-
deux mois, il est impossible de dater
précisément les planches de Bonington, qui sont
réparties entre toutes les livraisons sauf la

première et la neuvième. Selon toute
vraisemblance, il les a exécutées en deux ou
trois fois, entre la fin 1825 et la fin 1826.
Le style des vignettes est très proche de celui
des lithographies du *Cahier* (n° 114). Comme
elles figurent à la fin des huitième et dixième
livraisons, elles pourraient dater de la même
période.

    Si Bonington a réalisé les paysages d'après les
dessins de Pernot, la comparaison avec les
estampes des autres artistes associés à ce projet
n'en révèle pas moins qu'il a pris des libertés
considérables pour les éléments de composition
rajoutés. Ainsi, il n'hésitait pas à introduire
dans le premier plan des groupes de personnages
assez importants, depuis les paysannes occupées
à des travaux quotidiens comme l'étendage du
linge jusqu'aux protagonistes en costume
historique de la vue de *Glenfinlas* (ill. 33), qui
évoque, sans l'illustrer servilement, l'histoire
des deux chasseurs de fantôme[2] racontée par
Walter Scott. Il se pourrait que Delacroix ait
songé à cette image et à la vignette représentant
Dugald Dalgetty et Randal MacEagh quand il a
composé sa lithographie *Faust et Méphistophélès
galopant dans la nuit du sabbat*. La vue de *Glenfinlas*
fut achevée avant le 2 octobre 1826, date à
laquelle elle suscita un compte rendu favorable
dans le *Journal des débats*. Les éléments de
composition rajoutés par les autres participants
au projet semblent infimes à côté de ceux de
Bonington. Ce sont en général des personnages
banals, en kilt, uniquement destinés à indiquer
l'échelle. Pour Bonington, les architectures
anciennes ne revêtaient de l'importance que
dans la mesure où elles étaient indissociables
de l'existence des gens qui habitaient dans les
environs ou à l'intérieur.

    D'après Atherton Curtis, Pernot fut gêné par
les audaces de Bonington, et affirma que ses
interprétations étaient « trop romantiques ».
Pourtant le critique du *Journal des débats*
qualifiait ses contributions de « chefs-d'œuvre de
la lithographie ». Par la suite, Pernot autorisa la
publication d'une deuxième édition à Bruxelles,
en 1827–1828. Les pierres furent redessinées par
P. Lauters, qui copia fidèlement, mais sans
talent, toutes les planches originales sauf celles
de Bonington : soit il supprima les personnages,
soit il en réduisit fortement les dimensions.
Finalement, Colnaghi publia à Londres, en
décembre 1828, une édition anglaise des seules
planches de Bonington, sans le texte.
L'impression en était si pâle qu'il a fallu
appliquer des lavis à l'aquarelle dans la plupart
des exemplaires pour donner plus de vigueur
aux compositions.

    C'est le succès remporté par son *Voyage
pittoresque en Angleterre et en Écosse* non illustré
(Londres et Paris, 1825) qui a incité Amédée
Pichot à publier ces *Vues pittoresques de l'Écosse*.
Il s'agissait manifestement de proposer aux
amateurs français de Walter Scott, sans doute
fort nombreux à l'époque, un guide facilitant
la lecture de cet auteur étranger. Quant à la
réaction provoquée par son initiative, elle est
résumée dans un article paru dans le *Journal des
débats* le 28 septembre 1828 : « Les poésies, mais
surtout les romans de cet écrivain célèbre ont

totalement changé le goût et le genre d'études
vers lesquels les lecteurs, les écrivains et les
artistes étaient encore entraînés il y a dix ans.
Aujourd'hui, on s'inquiète bien moins en France
de la mythologie grecque et romaine que l'on
est occupé des ballades, des histoires de
revenants qui ont pu être racontées par les
nourrices d'Angleterre et d'Écosse au XVe
siècle. Aussi prend-on bien plus de peine pour
connaître la source de la Clyde et de la Tweed
que pour déterminer la localisation de Troie et
le cours du Méandre. [...] Walter Scott a la
satisfaction de se voir traité de son vivant
comme on a traité Homère longtemps après sa
mort. Le barde écossais, outre ses imitateurs,
a des commentateurs, des géographes et des
artistes. »

1. Le baron de Triqueti, premier propriétaire de
l'exemplaire de la lithographie reproduit ici, était
sculpteur. On le connaît surtout pour sa collaboration
avec Ary Scheffer au monument funéraire de Ferdinand-
Philippe, duc d'Orléans (1810–1842). Il connaissait
personnellement Bonington et, vers la fin de sa vie,
commença à établir un catalogue des gravures de
Bonington. Ce travail est conservé sous forme de
manuscrit aux archives de l'École nationale supérieure
des beaux-arts, Paris.
2. Les personnages des chasseurs à pied semblent
s'inspirer des xylographies de Hans Burgkmair
rassemblées dans la série du *Triomphe de Maximilien*, dont
le père de Bonington possédait un exemplaire.

Bonnington del   Lith. de Lemercier.

LA PRIÈRE.

114

LA PRIÈRE, 1828
Lithographie sur papier de Chine collé,
13,8 × 10,3

Inscription sur la pierre, dans la partie inférieure
des marges : *Bonnington del. | lith. de Lemercier | à
Paris, chez Mme Brossier, au Dépôt gal de lith., quai
Voltaire, n° 7 | LA PRIERE*

Bibliographie : Curtis 45 (II/II)

Palo Alto, Museum of Art, Stanford University
(75.163.29)

Cette lithographie appartient à une suite
d'estampes de Bonington publiée à l'origine par
Sazerac sous le titre *Cahier de six sujets*.
L'imprimeur Langlumé soumit quatre des
gravures aux services de la censure
gouvernementale le 30 décembre 1826, ce qui
semble indiquer que la publication était
destinée à être vendue pour la période des
étrennes, tout comme les *Contes du gai sçavoir* de
l'année suivante (n° 145). On connaît des
versions à l'aquarelle ou à l'huile de chacun des
six sujets, ainsi que plusieurs études pour des
personnages isolés. La qualité médiocre des
tirages réalisés par Langlumé obligea l'artiste
à trouver un autre éditeur en la personne de
Mme Brossier, et à s'adresser à un imprimeur
beaucoup plus compétent, Lemercier, pour une
seconde édition.

Le chevalier représenté dans *La prière* est
identique à l'un des pleurants sculptés sur le
monument funéraire de Lord Norris (mort en
1601) en l'abbaye de Westminster. La pose et le
costume de l'enfant s'inspirent d'une figure
sculptée sur le monument de Lord Shrewsbury
(mort en 1617) qui se trouve également à
Westminster. Plusieurs collections conservent
des études à la plume exécutées par Bonington
pour ce personnage. Delacroix a lui aussi réalisé
des études d'après les mêmes sculptures[1].
Indépendamment de la source d'inspiration du
chevalier, il est à noter que lui et son épouse
présentent des ressemblances frappantes, et sans
doute volontaires, avec Henri IV et Marie de
Médicis.

En 1828, Alexandre Colin publia *Les Cinq Sens*,
une suite d'estampes représentant des
personnages en costume historique[2]. Il intitula
La Vue, *L'Ouïe*, *Le Goût* et *L'Odorat* des scènes
composées comparables par leurs procédés
narratifs au *Cavalier et sa dame à Gênes* (n° 116), à
la *Leçon de luth* (n° 121) et à deux autres
planches du *Cahier de six sujets* : *Le repos* et *Doux
reproche*. Cependant, rien, dans la suite
d'estampes de Bonington, ne semble indiquer
l'existence d'une semblable ligne directrice
thématique.

Du point de vue de la technique, les
lithographies de 1826 diffèrent des gravures
antérieures de Bonington par le recours
croissant à l'encre fluide, appliquée à la plume
ou au pinceau pour affiner les détails et les
contours. Les personnages ont des volumes plus
sculpturaux, et la luminosité qui baignait les
compositions des *Restes et fragmens* (voir le n° 19)
a cédé la place à un effet non moins saisissant
produit par des reflets éclatants qui contrastent
avec l'obscurité ambiante des intérieurs.

1. Sérullaz, *Delacroix*, n°s 1303–1305 (le n° 1304 porte
l'inscription «du temps de Henri IV»), et Londres,
Sotheby's, vente du 16 juin 1982, n° 569.
2. *Les cinq sens | dessinés et lithographiés par A. Colin |
publiés par Noël aîné et fils* (Paris, Bibliothèque
nationale).

115

L'ENTREVUE, 1826
Aquarelle et gouache, 6,3 × 14,8

Signé et daté en bas à gauche : *R P B 1826*

Provenance : Thomas McLean (Londres, Christie's, vente du 18 janvier 1908) ; M. Beurdeley (Paris, galerie Georges Petit, vente du 30 février 1920, n° 32) ; un amateur anonyme (Paris, hôtel Drouot, vente du 10 mars 1978, n° 55) ; un amateur anonyme (Londres, Sotheby's, vente du 13 mars 1980, n° 63), acheté par le Victoria and Albert Museum

Bibliographie : Dubuisson et Hughes, p. 200 ; Shirley, p. 147 ; Pointon, *Bonington*, n° 22, repr. en face de la p. 96

Londres, Victoria and Albert Museum (P2 1980)

Cette aquarelle, pourtant datée et signée, est très certainement une esquisse préparatoire[1]. Marcia Pointon a effectué un rapprochement avec les études à l'aquarelle réalisées d'après des maîtres anciens vers 1825–1826 (n° 61), mais le style de cette œuvre inciterait plutôt à la situer vers la fin de 1826. La composition ressemble moins à la *Famille de l'artiste* de Rubens (Paris, musée du Louvre), avec lequel on l'a souvent comparée, qu'aux eaux-fortes exécutées au XVIIe siècle par Abraham Bosse et représentant des Parisiennes et Parisiens élégants, dont Bonington a dessiné de nombreuses copies au crayon[2]. La prédilection de l'artiste pour les représentations de promeneurs qui permettent de créer une atmosphère historique bien marquée sans recourir à des allusions anecdotiques trop précises n'est pas sans rappeler les illustrations de Thomas Stothard pour l'édition de Bowyer de l'*History of England* de Thomas Hume (Londres, 1793–1806), souvent utilisée comme source d'inspiration dans l'entourage de Bonington.

1. Le sujet de l'aquarelle a été identifié autrefois avec « l'entrevue de Louis XIV et Charles II », hypothèse qui ne semble pas plausible. Une autre aquarelle, plus minutieusement exécutée, s'apparente à celle-ci par sa conception, mais n'est pas une esquisse préparatoire. Elle provient des collections Michel-Levy et Casimir-Périer (Paris, vente du 17 juin 1925, n° 21 avec le titre erroné de *Charles Ier et sa famille*).
2. La plupart sont conservées à Nottingham. Delacroix avait des gravures d'Abraham Bosse dans sa collection dès 1824.

116

UN CAVALIER ET SA DAME À GÊNES,   1826
Aquarelle et gouache, 16,7 × 12

Signé et daté en bas à droite : *RPB 1826*

Provenance : Lewis Brown (Paris, vente du 17
avril 1837, n° 3) ; P.M. Turner, au plus tard en
1937 ; N.D. Newall (Londres, Christie's, vente
des 13–14 décembre 1979, n° 4)

Exposition : BFAC 1937, n° 80

Bibliographie : Shirley, p. 17 et 117, pl. 139

Collection M. et Mme Deane F. Johnson

C'est l'une des diverses scènes de balcon peintes
par Bonington, apparemment détachées de tout
contexte littéraire ou historique précis, où des
personnages s'interrompant dans leur
conversation ou dans quelque activité
quotidienne, tournent leurs regards vers le
lointain. La présence du phare de Gênes au
fond, indique que cette aquarelle doit dater de
l'automne 1826. Une étude au crayon
représentant le phare et le port de Gênes est
conservée à Bowood.

Sir Henry Webb semble avoir manifesté une
préférence pour les peintures à l'huile de
Bonington, tandis que Lewis Brown se réservait
ses aquarelles, comme si ces deux
collectionneurs les plus acharnés avaient passé
un accord tacite. Pendant les dix années qui
précédèrent sa mort en 1836, Brown fit tout
pour améliorer la qualité de sa collection,
constituant ainsi un album admirable, dans
l'intention de consacrer un espace d'exposition
public à l'artiste qu'il adulait. Ce projet ne put
être concrétisé, et après la mort de Brown, on
dispersa aux enchères, à Paris, cent-dix lots
composés des plus beaux dessins et aquarelles de
Bonington. Delacroix devait faire observer plus
tard à Thoré qu'il ne serait sans doute plus
jamais possible de rassembler un tel témoignage
du génie de Bonington.

Par son petit format et son sujet neutre,
l'aquarelle reproduite ici est exemplaire des
œuvres que Brown commanda à l'artiste, ou
acheta au cours des années trente. Dans une
notice nécrologique de ce grand amateur d'art,
un journaliste cite ses propos : «Je ne renonce
pas aux dessins, qui m'ont donné toutes les
jouissances d'une galerie portative et commode
pour un voyageur ; je garde toute ma
reconnaissance aux artistes qui ont bien voulu
soumettre leurs compositions à des dimensions
commodes pour moi, au risque de les rendre
moins durables pour eux[1].»

Les reproches le plus souvent avancés par les
Français à l'encontre de l'aquarelle concernaient
sa fragilité, ses dimensions trop réduites pour
une présentation publique, et son caractère trop
éloigné du sublime. Mais ces réticences furent
bientôt dissipées (comme elles l'avaient été en
Angleterre près de trente ans auparavant) par la
quête inlassable de la qualité, indépendamment
du moyen d'expression, que menèrent des
collectionneurs comme Lewis Brown,
totalement indifférents au comportement frileux
des doctes gardiens de la tradition.

1. *L'Artiste*, vol. 11, 1836, p. 312.

117

CAMILLE ROQUEPLAN (1800–1855)

LE RETOUR DE DON QUICHOTTE APRÈS SA
DEUXIÈME ESCAPADE, vers 1825–1830
Aquarelle, 14,6 × 11,1

Signé en bas à droite : *Clle Roqueplan*

Collection M. et Mme Deane F. Johnson

L'épisode illustré par cette aquarelle se situe à la
fin de la deuxième partie du roman de
Cervantès. Don Quichotte, épuisé par ses
aventures, est rentré chez lui pour le plus grand
soulagement de sa nièce qui, inquiète, l'entoure
de ses soins. L'image s'éloigne du texte, mais
reprend l'interprétation du même passage
proposée par Robert Smirke pour l'édition de
1818 de la traduction anglaise établie par Cadell.
Eugène Lami (voir le n° 5) avait déjà puisé des
idées de composition à la même source, mais il
n'avait pas illustré cet épisode. Ici, la facture est
beaucoup moins fluide et le maniement de
l'aquarelle pure beaucoup moins hardi que dans
les peintures que Roqueplan devait exécuter
dans cette technique au cours des années trente.
L'influence des intérieurs de Bonington inspirés
de Teniers se manifeste dans la couleur et dans
les costumes, ce qui incite à dater cette feuille
de la seconde moitié des années 1820.

Comme tous les autres artistes de l'entourage
de Bonington, Roqueplan appréciait beaucoup
les scènes de genre hollandaises et le style
rococo, pour lesquels il éprouva une attirance
grandissante au fil de sa carrière. Les critiques
Auguste Jal et Gustave Planche estimaient que
ses compositions à personnages étaient des
hybrides de Bonington et de Watteau. Delécluze
avait prédit que le retour des romantiques à des
modèles pré-davidiens les conduirait fatalement
à l'inanité de la forme et du contenu. Des
artistes comme Roqueplan, Lami et Isabey en
pâtirent effectivement auprès des critiques les
plus respectés, même si leur succès auprès du
public ne s'en trouva guère amoindri. Théophile
Gautier se montrait plus indulgent que la
plupart des autres auteurs dans son évaluation
de l'apport de Roqueplan, sans doute en raison
de son amitié avec l'artiste et son frère Nestor.
Dans un passage qui pourrait fort bien
s'appliquer à Bonington, il défendait le principe
du juste milieu : « Alors que tout romantique
voulait être formidable, colossal, prodigieux, il
se contentait d'être charmant. Là résidait son
originalité. [...] Il était par-dessus tout un
peintre au sens strict du terme : son intérêt ne
consistait pas en telle ou telle anecdote, plus ou
moins adroitement illustrée, mais plutôt dans la
grâce de la composition, l'harmonie des
couleurs, la force de l'exécution. Il faisait de l'art
pour l'art[1]. »

1. Théophile Gautier, *Histoire du romantisme*, 2ᵉ édition,
Paris, 1874, p. 192 *sq.*

118

ANNE D'AUTRICHE ET MAZARIN, 1826
Huile sur toile, 35 × 26,7

Signé et daté en bas à droite: *R P Bonington 1825*

Provenance : L.-J.-A. Coutan ; transmis par héritage à Mme Milliet ; donation Milliet, Schubert, Hauguet, 1883

Exposition : Nottingham 1965, n° 297, pl. 50

Bibliographie : Shirley, p. 116, pl. 148

Paris, musée du Louvre, département des Peintures (R.F. 369)

Cette toile fut sans doute commandée par son premier propriétaire connu, le mécène de Bonington L.-J.-A. Coutan. Elle pourrait évoquer un épisode emprunté aux *Mémoires pour servir à l'histoire d'Anne d'Autriche* de Mme de Motteville (Paris, 1723) ou à *L'Histoire et les portraits des impératrices, des illustres princesses de l'auguste maison d'Autriche* de Jean Ruget de la Serre (Paris, 1648), mais son interprétation reste assez aléatoire. Bonington a surtout voulu illustrer de manière frappante les interpénétrations entre les vies publiques et privées d'Anne d'Autriche (1601–1666) et du cardinal Mazarin (1602–1661). L'emprise absolue exercée par ce dernier sur le trône français à partir de la Régence est désignée sans équivoque par la place qu'il occupe dans la composition, par l'attitude nerveuse de sa reine et par l'obscurité où est relégué le roi Louis XIV dans le fond[1].

Pour se documenter sur les vêtements d'Anne, et sans doute sur sa physionomie, Bonington a réalisé plusieurs études au crayon d'après des gravures de Jean Ruget de la Serre[2]. Mais il semble s'être inspiré en fin de compte d'un portrait à mi-corps peint par Rubens (Paris, musée du Louvre), dont on croyait pourtant à l'époque qu'il représentait Isabelle de Bourbon, la belle-sœur de la reine. Le visage du cardinal prend modèle sur une gravure, mais sa pose et son costume, généralement associés à tort au *Portrait du cardinal Richelieu* de Philippe de Champaigne (Paris, musée du Louvre), reproduisent fidèlement ceux du cardinal de la Valette dans le vingtième tableau du cycle de Marie de Médicis peint par Rubens (*La Réconciliation de la reine et de son fils*).

Jusqu'à présent, tous les auteurs ont cru lire la date « 1828 », alors que le dernier chiffre est un « 6 » écrit à la manière anglaise. Au reste, la date de 1826 cadre beaucoup mieux avec les affinités stylistiques et thématiques entre cette huile et des œuvres comme *Chevalier et page* (n° 112), ou *La prière* (ill. 67) qui a les mêmes dimensions et doit être considérée comme un pendant, illustrant lui aussi la vie de la reine. Les accessoires religieux et royaux dans *La prière* étayent l'identification des personnages avec le jeune Louis XIV et sa mère, célèbre pour son magnifique teint de porcelaine, pour ses mains très fines et pour son attachement sans faille à ses devoirs de mère et de chrétienne[3]. Sans présenter de ressemblances vraiment frappantes avec le visage de la jeune reine dans *L'échange des princesses à Hendaye*, quatorzième panneau du cycle de Marie de Médicis, celui de cette noble dame n'en est tout de même pas très différent. Enfin, étant donné qu'Anne était la sœur de Philippe IV d'Espagne, ce n'est peut-être pas un hasard si Bonington a dessiné, sur la feuille d'études à la plume pour *La prière* conservée à Édimbourg[4], un croquis de la seule huile de Vélasquez alors visible au Louvre, le *Portrait de l'infante Marguerite* provenant de la collection de Louis XIV.

L'intérêt de Bonington pour l'histoire de la fin du XVIIe siècle français prolonge fort logiquement le souci qu'il partage avec ses mécènes de glorifier la Restauration. Il devait être d'autant plus incité à se pencher sur les vies des membres de la famille de Louis XIII que *Cinq-Mars*, le roman d'Alfred de Vigny paru en mars 1826, avait remporté aussitôt un succès considérable, et suscité des éloges de Victor Hugo dans *Le Quotidien* du 30 juillet. De l'aveu même de Vigny, ce roman historique devait beaucoup à Walter Scott, même si son héros avait plus de points communs avec le comte d'Egmont qu'avec Quentin Durward, par son idéalisme fougueux et son opposition farouche au dangereux cardinal Richelieu. Les descriptions très circonstanciées et les personnages excessifs faisaient de *Cinq-Mars* le type même d'épopée moderne dont Bonington était extrêmement friand[5].

1. Personne n'a encore tenté d'identifier les deux personnages masculins dans le fond. Cependant, celui qui se présente de face porte en travers de la poitrine une écharpe bleue, emblème de la monarchie.
2. Voir Nottingham 1965, n°s 118 et 119.
3. Comme le remarquait Ingamells, *Catalogue*, t. I, p. 20–21.
4. National Gallery of Scotland. Reproduit dans Cormack, « Compte rendu », pl. 40.
5. Joseph-Nicolas-Robert Fleury, dit Robert-Fleury, son condisciple dans l'atelier de Gros, peignit deux illustrations à l'aquarelle pour *Cinq-Mars* en 1830 (Londres, Wallace Collection). Paul Delaroche illustra également le roman avec une aquarelle (1826, Paris, musée du Louvre) et une huile (1829, Londres, Wallace Collection). L'huile était une commande du comte de Pourtalès-Gorgier, un protecteur de Bonington.

119

LA CÔTE PICARDE, PRÈS DE SAINT-VALÉRY-
SUR-SOMME, vers 1826
Huile sur toile, 66,2 × 99

Signé en bas à droite : *R P Bonington*

Provenance : vraisemblablement Sir Henry Webb
(Paris, vente des 23 et 24 mai 1837, n° 3 [*Le port
de Saint-Valéry-sur-Somme, bateaux pêcheurs sur le
rivage*]) ; probablement Thomas Woolner, 1872 ;
T. Horrocks Miller, au plus tard en 1889 ;
transmis par héritage à Thomas Pitt Miller
(Londres, Christie's, vente du 26 avril 1946,
n° 8), acheté par Tooth pour la Ferens Art
Gallery

Exposition : Nottingham 1965, n° 267, pl. 31

Bibliographie : Dubuisson et Hughes, repr. en
face de la p. 56

Hull City Museums and Art Galleries, Ferens
Art Gallery

Cette toile, de mêmes dimensions que *Sur la côte
d'Opale* (n° 120), est postérieure au retour
d'Italie. Dubuisson et Hughes ont reproduit
deux esquisses à l'huile qu'ils considéraient
comme des études préparatoires à cette œuvre.
Des esquisses à l'aquarelle (collection du comte
de Swinton) et au crayon (collection Bacon)
assez proches ont été classées sous la même
rubrique, tandis qu'une deuxième version à
l'aquarelle était attribuée à Eugène Isabey[1].
Celle-ci semble une réplique d'une des esquisses
à l'huile dont on a perdu la trace et dont la
paternité reste donc impossible à déterminer.
Selon toute vraisemblance, Bonington et Isabey
ont peint tous les deux le même motif (dont
nous reproduisons ici une version d'atelier plus
travaillée) à la faveur d'une excursion sur le
littoral, juste après leur retour de Londres à
l'automne 1825[2].

Les architectures minutieusement
représentées dans la toile reproduite ici sont
identiques à celles que Huet et Isabey ont
introduites dans leurs souvenirs lithographiques
de *Saint-Valéry-sur-Somme*[3], et à celles que
Bonington a dessinées dans sa vue de l'arrière-
port de Saint-Valéry publiée dans les *Excursions*

sur les côtes et dans les ports de Normandie de
d'Ostervald (ill. 14). Une aquarelle de Thomas
Shotter Boys portant l'inscription *Saint-Valéry*
(Cambridge, Fitzwilliam Museum) montre le
même village vu de plus près, comme dans une
esquisse au crayon de Bonington légendée *Ferté*
(Ottawa, National Gallery of Canada). Dans les
années 1820, La Ferté était un petit village de
pêcheurs situé à quelques kilomètres au sud-est
de Saint-Valéry-sur-Somme. Grâce à ces œuvres
portant des inscriptions, on peut affirmer que la
vue reproduite ici correspond à l'estuaire de la
Somme. Cette vaste étendue de côte dégagée
par la marée, qui correspond si bien aux
schémas de composition préférés de Bonington,
devait être un de ses buts d'excursion favoris.

1. D. Messum 1980, pl. 10.
2. Les esquisses à l'huile reproduites par Dubuisson et
Hughes appartenaient alors aux héritiers du baron
Rivet. On notera aussi que lors de la vente d'atelier de
1829, les n°s 1 et 118 étaient des esquisses à l'huile
intitulées respectivement *Coast scene St Valerie* (achetée
par Roberts) et *Coast scene, view of la Ferté*, with figure
(acheté par Knapp).
3. Delteil, *Huet*, n° 67, et Miquel, *Isabey*, n° 879.

120

SUR LA CÔTE D'OPALE,   vers 1826–1827
Huile sur toile, 66,2 × 99

Signé en bas à droite : *R P Bonington*

Provenance : commandé par le sixième duc de
Bedford ; transmis par héritage au marquis de
Tavistock

Expositions : vraisemblablement Londres, Royal
Academy, mai 1827, n° 373 (*Scene on the French
Coast*) ; vraisemblablement Londres, Cosmorama
Rooms, 209 Regent Street, 1834, n° 47 ;
Nottingham 1965, n° 266, pl. 32 ; Washington,
National Gallery of Art, *The Treasure Houses of
Great Britain*, 1985, n° 548

Bibliographie : Waagen, 1854–1857, t. IV, p. 332

M. le marquis de Tavistock et succession
Bedford

Sur la côte d'Opale est l'une des plus magnifiques
vues du littoral datant de la dernière période de
Bonington. Dans ses première marines peintes
à l'huile, il organisait généralement l'espace
du tableau à l'aide d'applications de quelques
teintes vives et peu contrastées destinées
à indiquer le ciel, la mer et la plage.
Les effets d'atmosphère étaient renforcés par la
juxtaposition d'objets ou de personnages au
premier plan, qui se dégageaient du paysage
environnant soit par leurs volumes et leurs
ombres bien nettes, soit, plus audacieusement,
par des taches de couleurs primaires où le
rouge prédominait. Ce système correspondait à
une adaptation intuitive de la technique de
l'aquarelle pure (par opposition au dessin
aquarellé), où c'est la blancheur du support
de papier qui détermine la luminosité de
l'ensemble. Après les premiers contacts de
Bonington avec l'art de Turner, des teintes
chaudes et froides contrastées commencèrent
à rompre les applications uniformes de couleur,
même si ces «inversions de tons» restèrent
plus discrètes que chez Turner jusqu'aux
tout derniers mois de sa vie. La construction
perspective de *Sur la côte d'Opale* est encore
plus calculée, et fait intervenir la méthode
traditionnelle de la peinture à l'huile consistant
à faire alterner des bandes horizontales d'ombres
et de lumières bien délimitées. On retrouve
l'éclat diffus du soleil qui envahit l'espace, mais
ici, cet espace est plus spectaculairement agencé
en dessous de la ligne d'horizon. L'assurance
acquise grâce aux études de personnages

exécutées en 1826 s'affirme dans la répartition des enfants au premier plan. Leurs ombres moins transparentes produisent un effet général plus plat, mais, à l'instar d'Albert Cuyp et de Claude Lorrain, qu'il interprétait désormais avec un enthousiasme grandissant, Bonington a joué sur la vivacité des tons voisins et sur la vigueur de la touche dans le modelé des formes pour garantir l'impression d'immensité du paysage.

L'aquarelliste William Wyld, qui étudia auprès de Francia alors qu'il était attaché au consulat britannique de Calais vers le milieu des années 1820, et qui se lia d'amitié avec Lewis Brown, le plus important mécène anglo-français de Bonington, devait relater beaucoup plus tard son premier face à face avec une huile de Bonington à la Royal Academy au printemps 1827 : « Ce fut pour moi la révélation d'une magnifique vérité à côté des Callcott, Turner et autres splendeurs convenues [. . .]. Le tableau avait été peint pour un aristocrate anglais, et fut lithographié par J.D. Harding[1]. » Si les souvenirs de Wyld étaient exacts, le tableau exposé à Londres en 1827 sous le titre *Scene on the French Coast* ne pouvait être que l'une des deux toiles commandées ou achetées directement à l'artiste par le sixième duc de Bedford lors de son séjour à Paris en 1825–1826 : l'œuvre reproduite ici et *Sur la côte picarde* (Londres, Wallace Collection).

Dans une lettre du 28 février 1826, Allen, bibliothécaire de Lord Holland transmettait à son employeur la recommandation d'Augustus Wall Callcott, d'aller avec le duc de Bedford « dans l'atelier d'un artiste anglais à Paris, un certain Bonington, dans la rue Mauvais à ce qu'il croit, qui gagne beaucoup d'argent là-bas avec de petits paysages, apparemment très recherchés par les Parisiens et dont Callcott a vu quelques exemples qui lui ont semblé de très grande qualité[2]. » Étant donné que Bonington quitta Paris pour l'Italie dans la première semaine d'avril et ne rentra qu'après le départ du duc en juin, on a du mal à croire qu'il ait exécuté les deux peintures dans les quelques semaines précédant son voyage. Selon une hypothèse beaucoup plus plausible, Bedford aurait choisi dans les réserves de l'artiste le tableau actuellement conservé à la Wallace Collection, qui porte sur le châssis la mention « Bonington Paris 1826 », et commandé *Sur la côte d'Opale*, que l'artiste aurait exécuté après son retour d'Italie, mais avant son deuxième voyage à Londres au printemps 1827. Plusieurs considérations portent à identifier le tableau exposé à la Royal Academy avec *Sur la côte d'Opale*, et non avec *Sur la côte picarde* : ses plus grandes dimensions, la présence d'une signature complète, et l'existence de plusieurs copies d'époque[3]. Bonington prit l'habitude de signer de manière bien visible ses principales commandes anglaises et ses tableaux destinés à être exposés Outre-Manche. C'était une manière de se faire de la publicité dans son réseau grandissant de clients riches, mais cela permettait aussi d'éviter des confusions entre ses œuvres et celles d'autres peintres de marines comme William Collins ou Callcott, qui privilégiaient le même type de compositions.

Bon nombre des copies anonymes de ce tableau sont couramment intitulées *Près de Dieppe*, ce qui ne correspond nullement à la réalité topographique. Les deux peintures qui ont appartenu au duc de Bedford représentent très certainement des petits villages situés sur des estuaires entre Calais et Boulogne.

1. Cité dans P.G. Hamerton, « A Sketchbook by Bonington in the British Museum », *Portfolio*, 1881.
2. Cité dans *The Treasure Houses of Great Britain*, Washington, National Gallery of Art, 1985, n° 548. L'original de la lettre est conservé à la British Library (Holland House Manuscripts 52173, 856). Callcott avait sans nul doute admiré les deux tableaux exposés alors à la British Institution (voir le n° 49).
3. Outre la lithographie de Harding (*Works*, 1830), une gravure de C.G. Lewis fut publiée le 1er mai 1835. Une copie à l'huile exécutée d'après cette gravure est souvent passée pour une étude préparatoire (BFAC 1937, n° 47 ; Agnew's 1962, n° 23). Deux autres copies à l'huile, de même format, ont été signalées dans une collection particulière et à Londres, chez Sotheby's, vente du 22 juillet 1981, n° 128. Enfin, la Tate Gallery possède une version à l'aquarelle qui n'est sans doute pas de la main de Bonington, malgré sa qualité remarquable.

LA LEÇON DE LUTH,   vers 1826–1827
Huile sur carton, 35,7 × 26,1

Étiquette en papier collée au verso :
René Beaubœuf. Doreur

Provenance : baron Charles Rivet ; transmis par
héritage au propriétaire actuel

Exposition : BFAC 1937, n° 28

Bibliographie : Charles Damour, *Œuvres inédites de
Bonington*, Paris, 1852, repr. sous forme
d'aquatinte ; Dubuisson et Hughes, repr. en face
de la p. 77 ; Shirley, p. 118, pl. 141

Collection particulière

Bonington exécuta cette peinture d'inspiration
troubadour pour Charles Rivet, soit sur
commande, soit en témoignage de leur amitié et
de leurs goûts communs. Comme Bonington,
Rivet admirait hautement les maîtres vénitiens,
surtout depuis son voyage en Italie. À Ferrare,
Rivet notait une réflexion qui n'est pas sans
rappeler la remarque de Hazlitt au sujet de la
«poussière de brique» évoquée par le coloris de
Raphaël : «Raphaël, je n'ose l'avouer, m'a paru
couleur brique ; j'avais été gâté par l'école
vénitienne[1].» À en juger par sa palette et par ses
détails, *La leçon de luth* se situe vers la même
date que *Soirée vénitienne* (ill. 66) et que le *Faust
et Méphistophélès* de Delacroix (vers 1826–1827,
Londres, Wallace Collection), deux œuvres qui
auraient flatté le goût de Rivet.

Les artistes de l'époque empruntaient
volontiers des personnages à d'autres peintres,
notamment aux maîtres anciens qu'ils
admiraient le plus. Ici, le jeune homme s'inspire
du *Concert champêtre* de Titien (Paris, musée du
Louvre). C'était là une pratique coutumière
chez Bonington, qui devait inspirer à Delacroix
cette réflexion, confiée bien plus tard à Thoré :
«On y voit [dans l'œuvre de Bonington] des
figures presque entièrement prises dans des
tableaux que tout le monde avait sous les yeux,
et il ne s'en inquiétait nullement. Cette
habitude n'ôte rien au mérite de ces ouvrages ;
ces détails pris sur le vif, pour ainsi dire, et qu'il
s'appropriait (il s'agit surtout de costumes),
augmentaient l'air de vérité de ses personnages
et ne sentaient jamais le pastiche[2].» Thoré
justifiait ce procédé en remarquant qu'une scène
de Molière n'est pas moins parfaite pour avoir
été tirée de Rabelais[3].

Si la peinture reproduite ici était conçue
comme une illustration, sa source d'inspiration
littéraire ou historique ne se laisse pas aisément
repérer. En fait, connaissant l'attirance de
Bonington pour le répertoire troubadour, on
peut présumer qu'il n'a songé à aucun texte
précis. On ne connaît aucune autre version de
cette composition, mais plusieurs dessins,
aujourd'hui perdus, qui figuraient dans les
ventes d'atelier étaient probablement des études
préparatoires[4]. Monsieur Auguste en peignit
une copie à l'aquarelle en 1829[5].

1. Dubuisson et Hugues, 1909, p. 208.
2. Delacroix, *Correspondance*, t. IV, p. 287.
3. Thoré, 1867, p. 3 et p. 6 note 1. De même Baudelaire
défendit Manet, quand ce dernier fut accusé de pasticher
Vélasquez.
4. Vente Bonington, 1834, n° 47, étude à la pierre noire
pour «une figure dans le tableau *Le luth*» ; et vente
Bonington, 1838, n° 35, étude à la sépia pour la
composition.
5. Rosenthal, *Auguste*, n° I–30.

ÉTUDES DE PERSONNAGES,   vers 1826–1827
Mine de plomb et encre brune sur deux feuilles
distinctes ; au verso du n° 1857–2–28–138 :
études à la mine de plomb de deux têtes,
19,4 × 12,5 et 18,5 × 21,7

Provenance des deux feuilles : vraisemblablement
vente Bonington, 1834, n° 24 (*Seven sketches of
figures in pen and ink*) ou 1838, n° 9 (*Studies of
figures, pen and ink, spirited*), acheté par Colnaghi ;
E.V. Utterson (Londres, Christie's, vente du
24 février 1857, n° 381), acheté par le British
Museum

Exposition : Nottingham 1965, n°ˢ 178 et 170
Londres, British Museum (1857–2–28–166 et
1857–2–28–138)

Marion Spencer suppose que la feuille de droite porte des croquis de couples de danseurs dessinés au brou de noix, matériau que Bonington expérimenta en 1826. Sans procéder à la moindre analyse chimique, il est possible de situer cette étude vers 1826–1827. Les deux positions différentes du couple correspondent aux poses des promeneurs les plus en évidence dans la peinture à l'huile *Soirée vénitienne* (ill. 66) et sa version à l'aquarelle (nº 123). Les deux croquis d'une femme penchée en avant constituent certainement des études supplémentaires pour la pose du personnage dans l'aquarelle. Ils représentent aussi l'image en miroir de la pose utilisée en 1827 pour la version aujourd'hui perdue de *François Ier et Marguerite de Navarre*[1]. La deuxième feuille porte des études d'un danseur (Eugène Dalton ?), qui préfigurent les personnages d'une grâce aérienne introduits dans l'illustration de Bonington pour *La Sylphide* de Béranger en 1828 (nº 159).

Les études au crayon exécutées au verso de la feuille de droite reproduisent les torses de personnages extraits de la fresque de Lippo Memmi représentant *La conversion de saint Rainier* sur un mur du cimetière de Pise, où Bonington et Rivet sont peut-être allés en juillet 1826. Rien ne prouve que Bonington les ait vraiment dessinées en Italie, puisque Delacroix a copié ces personnages et d'autres dans le recueil de gravures *Peintres à fresque du Campo Santo de Pise, dessinées par Joseph Rossi et gravées par Prof. J.P. Lasinio fils* (Paris, 1822)[2]. Delacroix a exécuté ces copies dans un carnet qui contient d'autres études pour *La Grèce sur les ruines de Missolonghi*, et qu'il a utilisé entre mai et juin 1826.

1. Reproduite dans Thoré, 1867, p. 3. L'étude de la pose qui a directement servi pour le personnage de Marguerite est un dessin à la mine de plomb représentant une femme en costume du XIXe siècle (collection particulière).
2. Sérullaz, *Delacroix*, n°s 1749 et 1750.

123

SOIRÉE VÉNITIENNE, vers 1827
Aquarelle et gouache, 17 × 13

Fausse signature en bas à gauche : *R P Bonington*

Provenance : sans doute acheté à l'artiste par
Valedau ; donation de ce dernier au musée Fabre
en 1836

Montpellier, Musée Fabre (836.4.182)

Cette composition est une variante d'une
peinture à l'huile portant le même titre (ill. 66).
Les principales différences résident dans
l'attitude de la femme du premier plan et dans
quelques détails des costumes et de
l'architecture. Des études à la plume pour les
groupes de personnages de ces deux œuvres se
côtoient sur une même feuille (n° 122). Le
somptueux coloris vénitien, que Bonington
exploitait avec plus d'assurance après son
voyage en Italie et que l'on apprécie mieux
aujourd'hui dans la version à l'huile que dans
cette aquarelle malheureusement décolorée,
incite à situer les deux œuvres dans les premiers
mois de 1827. La prédilection manifestée par
l'artiste en 1826–1827 pour l'introduction de
couples distingués dans ses compositions ne
facilite pas une interprétation précise, mais on
ne peut exclure la possibilité que l'aquarelle et
sa réplique à l'huile soient des variantes, sur un
mode plus italianisant, de son illustration
antérieure pour *Le Marchand de Venise* (n° 109).

En élaborant la version à l'huile, Bonington
a puisé les détails pittoresques, selon son
habitude, à diverses sources aisément
accessibles. La robe de brocart et le serre-tête
portés par la dame du premier plan sont italo-
flamands, et probablement empruntés à la
servante des *Noces de Cana* de Gérard David
(vers 1508, Paris, musée du Louvre). Le
pourpoint du jeune page est identique, quoique
légèrement plus ample, à celui du page dans le
tableau de Gérard David, tandis que son étrange
pose constitue une adaptation délibérément
inélégante d'un personnage de la célèbre *Mort
de Léonard de Vinci* peinte par Ingres (Salon de
1824, Paris, musée du Petit Palais). La tête
de la deuxième femme, cernée d'un bandeau de
diamants bien visible, s'inspire de *La Belle
Ferronnière* de Léonard de Vinci (Paris, musée du
Louvre). L'habit du courtisan réunit des détails
empruntés à plusieurs modèles, y compris un
costume de guisarmier italien appartenant à
Meyrick que Bonington (n° 38) et Delacroix[1]
copièrent à Londres, et le *Portrait de l'artiste avec
un ami* de Raphaël (Paris, musée du Louvre),
dont Bonington dessina une étude (conservée
à Nottingham). Le geste de l'inconnu qui
accompagne l'artiste dans le tableau de Raphaël
est exactement le même, peut-être par une pure
coïncidence, que celui du jeune homme dans la
version à l'aquarelle de *Soirée vénitienne*. Pour le
visage du courtisan, Bonington s'est inspiré très
librement du *Portrait de Jacopo et Gentile Bellini*
de Cariani (Paris, musée du Louvre), ou de la
copie à l'huile grandeur nature que Delacroix
avait peinte d'après la même tête empruntée à
ce tableau[2].

Le premier propriétaire connu de l'aquarelle
reproduite ici, Antoine Valedau, était un agent
de change parisien qui avait rassemblé plus de
cinq cents huiles et aquarelles peintes par des
artistes français et britanniques de cette
période. Il offrit la majeure partie de cette
collection au musée Fabre.

1. Sérullaz, *Delacroix*, n° 1468.
2. D'après Lee Johnson (*Delacroix*, t. I, n° 13), Delacroix
a peint cette copie pour préparer l'*Exécution du doge
Marino Faliero* (achevé en avril 1826). De son côté,
Delacroix a peut-être utilisé le travail de Bonington
pour les costumes de deux personnages vénitiens dans
les aquarelles *Page assis au luth* (vers 1826–1827) et *Page
dans un paysage* (vers 1827) (Sérullaz, *Delacroix*, n°s 557 et
559), ainsi que pour les costumes de certaines
lithographies sur le thème de *Faust*. Il est à noter que le
Seigneur vénitien répertorié dans la vente d'atelier de
Delacroix et qualifié par Robaut (n° 273) de très
semblable à un Bonington, présente beaucoup de
similitudes dans la pose et le costume avec l'aquarelle
reproduite ici, si l'on en croit le décalque pris par
Robaut lui-même. Une aquarelle de Bonington
représentant un «costume d'après Bellini» figurait dans
la vente d'atelier de 1829 (n° 98), mais sa trace est
perdue.

124

BALCON À VENISE,   vers 1826–1827
Aquarelle et gouache, 16,5 × 11,4

Filigrane : *J. Whatman*

Provenance : vraisemblablement Lewis Brown
(Paris, vente du 17 avril 1837, n° 72), acheté par
M. de Saint-Rémi ; A. Stevens, au plus tard en
1853 ; Jammes Orrock ; offert par ce dernier aux
musées de Glasgow en 1892

Expositions : Paris, Société des arts, 1860 ; BFAC
1937, n° 84 ; Nottingham 1965, n° 243, pl. 21

Bibliographie : *Les artistes anciens et modernes*, t. II,
1853, repr. à l'envers, lithographie de
Mouilleron ; Théophile Gautier, « Exposition de
1860 », *Gazette des beaux-arts*, 1860, p. 321–322,
repr., gravure sur bois ; Philippe Burty, « La
gravure au Salon de 1870 », *Gazette des beaux-arts*,
août 1870, p. 135, repr. gravure sur bois ;
Mantz, *Bonington*, p. 288, repr., gravure sur
bois ; Shirley, p. 117, pl. 117

Glasgow, Glasgow Museums and Art Galleries

Les personnages portent des costumes du XVIe
siècle comparables à ceux que l'on peut voir
dans l'aquarelle *Soirée vénitienne* (n° 123) et dans
l'huile *François Ier, Charles Quint et la duchesse
d'Étampes* (n° 138). Le dessin préalable à la mine
de plomb témoigne de transformations radicales
apportées à la basilique Saint-Marc et à la jambe
gauche du jeune homme.

Un mezzotinte exécuté par Quilley d'après
une version à l'huile perdue[1] et les trois
reproductions gravées de cette aquarelle (voir la
bibliographie ci-dessus) attestent la popularité
dont jouissait cette image jusqu'à la fin du XIXe
siècle. Deux copies à l'aquarelle anonymes,
parfois attribuées à Bonington, sont conservées
à la Lady Lever Art Gallery de Port Sunlight, et
au Fogg Art Museum de Cambridge. Il se
pourrait bien que Lewis Brown en ait peint au
moins une, car on sait qu'il était passé maître
dans la copie des aquarelles de Bonington.

1. Vente Bonington, 1829, n° 108.

LE TOMBEAU DE CASTELBARCO À
VÉRONE, 1827
Mine de plomb, aquarelle et gouache,
19,1 × 13,3

Signé et daté en bas à gauche : *R P B 1827*

Provenance : W.A. Coats, au plus tard en 1926 ;
transmis par héritage à J. Coats (Londres,
Christie's, vente du 12 avril 1935, nº 3), acheté
par P.M. Turner ; Percy Moore Turner jusqu'en
1953 ; Fine Arts Society ; acheté à cette dernière
par le musée de Nottingham en 1953

Expositions : BFAC 1937, nº 110 ; Nottingham
1965, nº 223

Bibliographie : Dubuisson et Hughes, repr. en
face de la p. 75 ; Shirley, p. 67, 114, pl. 131

Nottingham, Castle Museum and Art Gallery
(53-22)

Lors de son bref séjour à Vérone en avril 1826,
Bonington passa une bonne partie de son temps
à étudier sur le motif les tombeaux gothiques de
Cangrade Scaliger et de ses successeurs
dynastiques, notamment celui de Cansignorio
(mort en 1375). Selon Antoine Valéry, «les
tombeaux des magnifiques seigneurs de Vérone,
espèces de longues pyramides gothiques
surmontées de la statue équestre de chaque
prince, sont un des monuments les plus anciens
de la ville ; mais ces vieux tombeaux, en plein
air, sont dans une place trop étroite[1]». À
quelque distance de là, le sarcophage en marbre,
moins grandiose, du comte Gugliemo da
Castelbarco ornait la piazza dei Signori toujours
très animée, qu'il dominait du haut de l'arche
accolée à l'église Sant'Anastasia. Castelbarco,
qui s'était prudemment concilié les bonnes
grâces des redoutables Scaliger, finança presque
entièrement la construction de cette église
commencée en 1261.
    Une étude au crayon pour cette aquarelle et
le plus spectaculaire des autres dessins de
tombeaux (ill. 44) sont conservés à Bowood.

1. Valéry, *Voyages*, p. 277.

126

LA PIAZZA DELL'ERBE À VÉRONE,   vers 1827
Mine de plomb et aquarelle, 21,5 × 26,5

Provenance : vraisemblablement Lewis Brown
(Paris, vente du 17 avril 1837, n° 95 [*Vue d'un
marché à Vérone ; dessin garni d'un grand nombre de
petites figures spirituellement touchées*], et Paris,
vente des 12–13 mars 1838) ; un amateur
anonyme (Londres, Hodgsons, vente du 20 juin
1952, n° 575), acheté par Paul Oppé

Exposition : Nottingham 1965, n° 218

Collection particulière

Pour les amateurs de pittoresque, la Vérone
médiévale regorge de sites séduisants et de
souvenirs historiques à forte connotation
littéraire. Comme le remarquait un visiteur
méditatif, « Dante et Shakespeare semblent
ainsi, l'un par son ouvrage, l'autre par ses
malheurs, se rencontrer à Vérone, et
l'imagination se plaît à rapprocher deux génies
si grands, si terribles, si créateurs, les plus
étonnants peut-être de toutes les littératures
modernes[1] ».

Quant à la piazza dell'Erbe, où se tenait le
marché principal de Vérone, elle devait inspirer
ces lignes à Théophile Gautier : « Les maisons,
coloriées de fresques par Paolo Abasini, avec
leur mirador saillant, leurs ornements sculptés,
leurs piliers robustes, ont la physionomie la plus
romantique ; des colonnes à chapiteau
compliqué achèvent de faire de cette place un
merveilleux motif pour les aquarellistes et les
décorateurs. C'est l'endroit le plus animé de la
ville. On ne voit que femmes aux fenêtres et sur
les portes, et la foule fourmille entre les
éventaires des marchands[2]. »

Bonington a gratté et repeint la tour située
sur la gauche de la Casa Maffei et,
manifestement peu satisfait par ses corrections,
il a laissé l'aquarelle largement inachevée. Une
étude de Bonington sur le même sujet et une
vue de la piazza prise de l'autre côté par Samuel
Prout sont reproduites dans le présent catalogue
(n°s 88 et 89).

1. Valéry, *Voyages*, p. 279.
2. Gautier, *Italie*, p. 68.

VENISE, L'ÉGLISE DES JÉSUITES,   vers 1827
Mine de plomb et aquarelle, 28 × 19,7

Signé en bas à droite : RPB

Provenance : W.B. Paterson ; acheté à ce dernier par le Castle Museum en 1929

Exposition : Nottingham 1965, n° 222, pl. 27

Bibliographie : Shirley, p. 114, pl. 131

Nottingham, Castle Museum and Art Gallery (29–40)

Ce superbe dessin d'architecture à l'effet monumental rend parfaitement la géométrie baroque tardive de l'église des Jésuites construite par Giorgio Massari, vue de la calle da Ponte. Pour les visiteurs du XIXe siècle férus d'art gothique, c'était là une église sans intérêt. Mais Bonington semble s'être attaché à représenter la continuité historique et la diversité du patrimoine artistique de Venise, sans rien éliminer *a priori*. Sous ce rapport, il se comportait autant en touriste qu'en artiste historicisant, et se montrait beaucoup moins pédant que la plupart de ses successeurs victoriens.

127

LE QUAI DES ESCLAVONS,   vers 1827
Mine de plomb, aquarelle et gouache, 17,7 × 17

Provenance : vraisemblablement vente Bonington, 1838, n° 56 ; Horatio G. Curtis ; offert au Museum of Fine Arts par Mme Horatio G. Curtis en 1927

Boston, Museum of Fine Arts, don de Mme Horatio Greenough Curtis en souvenir de Horatio Greenough Curtis (27.1331)

Les aquarelles autonomes représentant des sujets italiens portent souvent la date de 1826 ou de 1827. Les plus anciennes furent sans doute peintes en Italie. Celles de 1827, plus nombreuses, furent sans doute exécutées sur commande pour des clients invités à choisir les compositions qui leur plaisaient le plus parmi les études au crayon. Les différences de style discernables entre les deux groupes d'aquarelles peuvent faciliter le classement chronologique des œuvres non datées. Ainsi, les applications de lavis sont généralement plus spontanées dans les vues italiennes les plus tardives, parfois au détriment de l'exactitude topographique. Leurs couleurs sont plus soutenues et, dans les compositions à personnages, Bonington a employé plus abondamment la gouache et les additions de gomme arabique. C'est pourquoi il paraît préférable de retenir une date relativement tardive pour cette vue du quai des Esclavons, du côté de Saint-Marc, prise du passage de l'Arsenal, à l'autre extrémité.

129

LE PALAIS DES DOGES ET LA PIAZZETTA, 1827
Mine de plomb et aquarelle, 19 × 24

Signé en bas à droite : *RPB 1827* [tronqué]

Provenance : Richard Seymour-Conway,
quatrième marquis de Hertford, jusqu'en 1870 ;
son fils, Sir Richard Wallace, jusqu'en 1890 ; la
veuve de celui-ci, Lady Wallace (morte en
1897) ; légué par cette dernière à Sir John
Murray Scott (Londres, Christie's, vente du 27
juin 1913, n° 1), acheté par Agnew's ; J.T. Blair,
à partir de 1913 ; légué par ce dernier à la
Manchester City Art Gallery en 1917

Expositions : BFAC 1937, n° 111 ; Nottigham
1965, n° 220, pl. 15

Bibliographie : Dubuisson et Hughes, p. 202 ;
Shirley, p. 66 et 111, pl. 128 ; Cormack,
« Compte rendu »

Manchester City Art Gallery

Le palais des Doges, à la fois résidence luxueuse,
prison et tribunal, construit dans le style
gothique le plus raffiné et abritant bon nombre
des chefs-d'œuvre vénitiens à la gloire de la
république locale, était, pour les gens de la
génération de Bonington, un monument
tragique dédié au patriotisme et à la puissance
aristocratique d'une époque révolue. L'artiste,
sensible aux résonances éveillées par cet édifice,
prit soin de l'étudier sous toutes ses faces.
L'aquarelle reproduite ici se fonde sur une
grande étude détaillée, à la mine de plomb,
conservée à Bowood. Elle nous montre l'angle
du Trésor de Saint-Marc, la porta della Carta,
la façade sur la Piazzetta, et les deux colonnes
surmontées du lion de Saint-Marc et de la statue
de saint Théodore.

Malcolm Cormack a mis en doute
l'attribution de cette aquarelle, dont le style
correspond pourtant à celui des autres
aquarelles à sujets italiens que Bonington
peignit à Paris vers la fin de 1827. Une variante
conservée à la Wallace Collection de Londres,
sans doute antérieure, reste plus fidèle à l'étude
à la mine de plomb par sa composition, sa
perspective, et la forme des détails. Dans la

version reproduite ici, le dessin sous-jacent au
crayon détermine une construction perspective
extrêmement systématique, inhabituelle chez
Bonington mais dont on connaît d'autres
exemples dans ses dernières œuvres. Elle a pour
conséquence de réduire la hauteur spectaculaire
de l'angle nord-ouest du palais par rapport à
l'autre version. De même, les pilastres de Saint-
Jean-d'Acre au premier plan semblent moins
fortement agrandis.

130

VENISE, LE RIALTO,   vers 1827
Mine de plomb, aquarelle et gouache avec ajouts
importants de gomme, 17 × 26,4

Provenance : vraisemblablement Lewis Brown
(Paris, vente du 17 avril 1837, n° 69) ;
probablement J. Heugh (Londres, Christie's,
vente du 24 avril 1874, n° 44, non adjugé, et
Londres, Christie's, vente du 10 mai 1878),
acheté par Agnew's ; Hollingworth (Londres,
Christie's, vente du 11 mars 1882, n° 53),
acheté par McLean ; H. de Zoete (Londres,
Christie's, 8 mai 1885, n° 7), acheté par
McLean : E.V. Sturdy ; Leggatt, 1960 ; acheté
chez ce dernier par le propriétaire actuel

Collection particulière

Le pont du Rialto est observé ici de la ruga
degli Orefici, près du campo San Giacomo di
Rialto, la plus grande place de marché. Cet
angle de vue sur le Rialto, qui montre bien
l'animation marchande à l'origine de la célébrité
du pont, n'a pas été souvent utilisé par les
védutistes ultérieurs. Une composition
analogue, gravée par Samuel Prout, pourrait
avoir eu cette aquarelle pour point de départ.
Une collection particulière conserve une version
peinte de cette œuvre où Bonington a supprimé
la partie gauche.

VENISE, LA PIAZZETTA, 1827
Huile sur toile, 44,2 × 36,7

Provenance : acheté en 1828 à la British
Institution par Robert Vernon ; offert par ce
dernier à la National Gallery en 1847 ; transféré
à la Tate Gallery

Expositions : Londres, British Institution, 1828,
n° 198 ; Londres, Cosmorama Rooms, 209
Regent Street, 1834, n° 34

Bibliographie : *The London Weekly Review*, 23
février 1828, p. 124 ; *The Literary Gazette*, 22
mars 1828, p. 186 ; *Book of Gems*, Londres, 1838,
gravé par E. Finden ; « The Vernon Gallery »,
The Art Journal, vol. III, 1851, p. 192, gravé par
J.B. Allen ; John Ruskin, *Pre-Raphaelitism*,
Londres, 1851, p. 19

Londres, The Tate Gallery

Le 5 novembre 1827, Bonington écrivit de Paris
au graveur W.B. Cooke pour lui demander de
présenter cette toile à la British Institution.
Il l'avait sans doute peinte dès le début de
l'automne. Les bandes horizontales dans le ciel,
le traitement très graphique de l'architecture et
le coloris conjuguent leurs effets pour donner
une froideur presque métallique. Cependant,
l'impression d'ensemble fait penser à certains
Canaletto, ce qui n'est peut-être pas fortuit, car
ce genre d'évocation était bien fait pour plaire
aux responsables de la British Institution. Allen
Cunningham s'est montré plus perspicace qu'à
son habitude en percevant fort bien ces
affinités : « On ne peut nier que la plupart des
peintures italiennes soient teintées par son
affection pour quelques grands maîtres du
crayon. Au lieu de se contenter de regarder ce
qu'il avait sous les yeux, il désirait emprunter
le regard de Canaletto ou de quelque autre
célébrité du temps jadis. Tout cela flattait
l'amateur, mais pas ceux qui jugeaient d'après
nature. [...] Il y a une précision laborieuse chez
Canaletto, une fidélité fâcheusement servile.
[...] Bonington n'avait pas la moitié de cette
précision minutieuse, et pourtant il en avait
trop ; mais son coloris brillant et poétique
mettait du vernis sur ces excès d'exactitude
mécanique[1]. »
L'exposition de la British Institution ouvrit
le 4 février 1828. Le commentaire le plus
critique sur l'envoi de Bonington parut dans la
London Weekly Review du 23 février : « *Vue de la
Piazzetta près de la place Saint-Marc à Venise*, de
R.P. Bonington. Il y a dans cette salle deux
peintures de cet artiste talentueux. L'autre,
Le palais des Doges à Venise, est de loin le dessin le
mieux enlevé de toute l'exposition. La *Piazzetta*
est une petite toile, d'une facture pitoyablement
froide et chiche. Mais le palais est vraiment
beau : le ciel bleu foncé, l'architecture
palladienne et les groupes pittoresques de
personnages typiques au premier plan sont tous
purement, incomparablement vénitiens. »

Dans la masse de ses écrits critiques, John
Ruskin ne fait qu'une allusion à Bonington,
pour critiquer l'artiste dans son plaidoyer pour
les Préraphaélites accusés de méconnaître la
perspective. Ruskin renvoie ses lecteurs à la
gravure d'Allen d'après la toile reproduite ici :
« Il était tout de même curieux que, dans le
numéro même de l'*Art Union* qui propageait ce
mensonge à propos du refus de la perspective
linéaire par les préraphaélites [...], la
deuxième planche publiée correspondît
précisément à un tableau de Bonington (un
peintre de paysages professionnel, notez bien)
où l'absence de perspective aérienne a obligé
l'*Art Union* elle-même à présenter des excuses,
et où l'artiste a commis presque autant de
maladresses dans la perspective linéaire qu'il
y a de lignes dans le tableau. »
Paradoxalement, c'est la parfaite maîtrise
de la perspective aérienne manifestée par
Bonington, dont ni cette toile ni la gravure
insipide d'Allen ne sauraient donner une bonne
idée, qui lui permettait généralement de pallier
ses négligences quant aux règles de la
perspective linéaire.
L'étude au crayon exécutée sur le motif
(n° 90) pour cette composition est beaucoup
plus exacte dans le rendu perspectif. Un petit
croquis à la plume des deux colonnes, avec des
soldats autrichiens, est conservé à la National
Gallery of Victoria de Melbourne. On connaît
plusieurs copies d'époque, de qualité inégale,
ainsi que des versions peintes par Edward
Pritchett[2]. Enfin, une aquarelle de Bonington
représentant le même sujet, aujourd'hui perdue,
a appartenu à Lewis Brown[3].

1. Cuningham, *Lives*, p. 305–306.
2. Par exemple les peintures à l'huile conservées à la
National Gallery of Ireland et à la Manchester City Art
Gallery.
3. Vente Brown, Paris, 1843, sans numéro, acheté par
Véron

VENISE, LE PALAIS DES DOGES VU DU QUAI DES
ESCLAVONS, vers 1827
Huile sur toile, 40,9 × 53,8

Provenance : vraisemblablement commmandé à
l'artiste par L.-J.-A. Coutan ; transmis par
héritage à Mme Milliet ; donation Milliet,
Schubert, Hauguet, 1883

Exposition : Nottingham 1965, n° 286, repr.
numéroté par erreur 283

Paris, musée du Louvre, département des
Peintures (R.F. 368)

Ce tableau est une réplique fidèle d'une étude
au crayon conservée à Bowood (ill. 47), dont il
existe également une version à l'aquarelle
(Londres, Wallace Collection). Bonington a
exécuté à la plume une esquisse rapide de la
composition (Paris, musée du Louvre), sans
doute pour obtenir l'accord de Coutan.
Un tableau beaucoup plus grand, conservé à la
Tate Gallery de Londres, représente une vue
analogue, prise d'un peu plus à l'est, où la
façade de la prison se prolonge davantage sur
la droite et où l'on aperçoit Santa Maria della
Salute sur la gauche (ill. 46). On a quelquefois
identifié la version reproduite ici avec la toile
exposée par Bonington dans la première session
du Salon de 1827–1828, qui commença le
4 novembre, puis à la British Institution en
février 1828. Toutefois, le registre des œuvres
reçues par le jury du Salon indique que l'envoi
de Bonington, intitulé *Vue du palais ducal à
Venise*, mesurait 150 × 200 cm, soit à peu près les
dimensions de la version de la Tate Gallery.
Auguste Jal écrivit à propos du tableau exposé
au Salon: «Bonington [...], c'est un habile. [...]

Sa *Vue du palais ducal à Venise* est un chef-
d'œuvre. J'aime mieux cela que les Canaletti,
si justement vantés. Vivacité, fermeté, effet,
couleur, largeur de touche, il y a tout dans ce
tableau où les eaux sont admirables. Les figures
ne sont qu'indiquées, mais si grandement !
Je préfère cette manière de faire un homme à
celle de Granet[1].»

Des repentirs dans la partie droite du tableau
reproduit ici indiquent que la façade de la prison
a subi une réduction notable de ses dimensions.
La présence d'une large bande de toile, sur le
bord supérieur, aujourd'hui cachée par le cadre,
confirme que Bonington avait prévu au départ
de peindre une composition plus proche de celle
qui fut exposée au Salon. Fait caractéristique de
toutes les vues du palais des Doges réalisées par
Bonington, la flèche du campanile a disparu,
alors qu'elle devrait être visible sous l'angle
adopté ici. De toute évidence, l'artiste estimait
qu'elle aurait encombré inutilement sa
composition.

1. Jal, *Salon de 1827*, p. 237–238.

VENISE, LE PALAIS DES DOGES VU DU QUAI DES
ESCLAVONS,

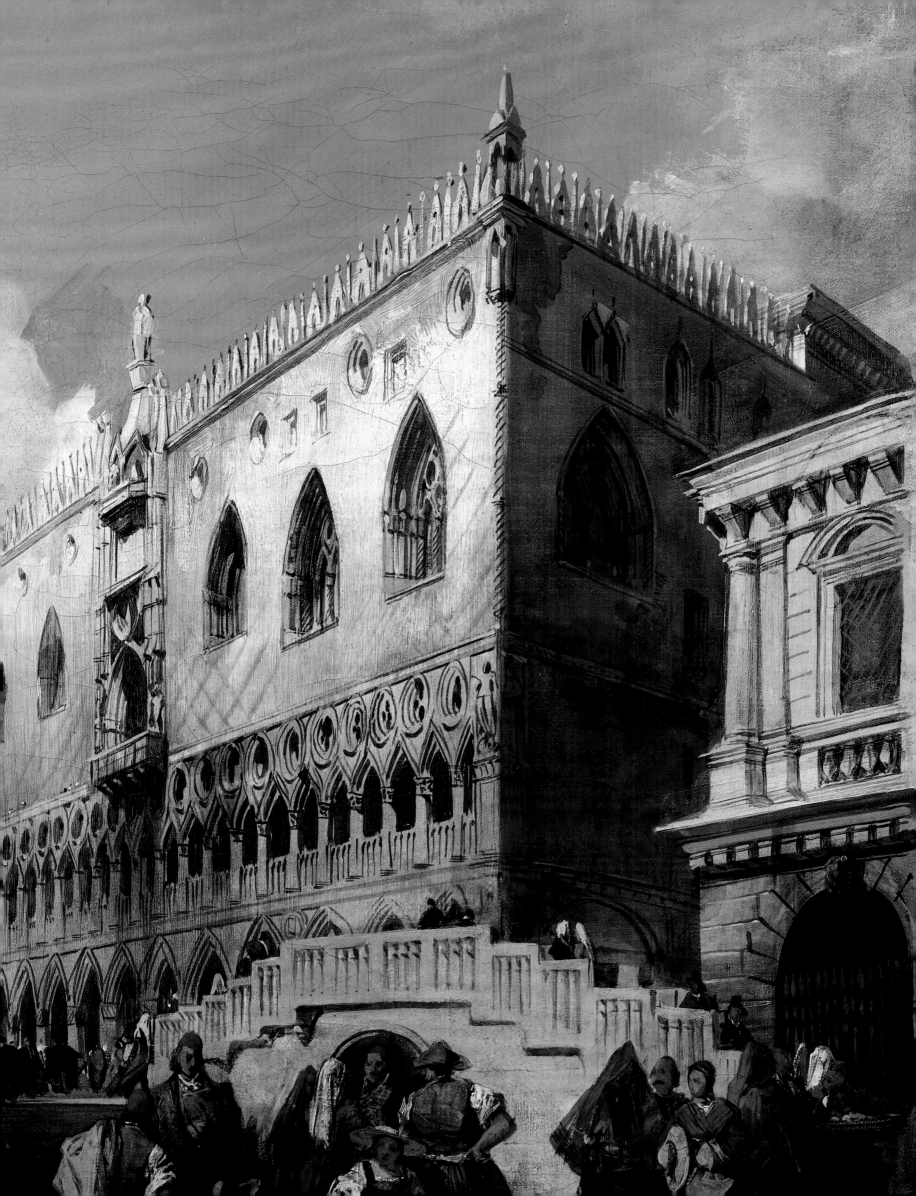

I33

VIEILLARD ET ENFANT, vers 1827
Aquarelle et gouache, 19 × 14

Signé en bas à droite : RPB

Provenance : commandé par George Fennel
Robson pour Mme George Haldimand
(Londres, Christie's, vente du 21 juin 1861),
acheté par Agnew's ; Robert Clarke, 1883 ;
transmis par héritage (Londres, Christie's,
vente du 18 mars 1980, n° 206), acheté par
Reed pour le propriétaire actuel

Bibliographie : Ingamells, *Catalogue*, t. I, p. 55

Collection M. et Mme Deane F. Johnson

Comme l'a fait observer John Ingamells,
le costume de la fillette, que l'on retrouve
dans l'huile de la même époque *Henri IV et
l'ambassadeur d'Espagne* (ill. 57), s'inspire sans
doute d'une gravure de mode d'Abraham Bosse
(1602–1676). Le manteau doublé d'hermine et
le bonnet du vieillard, repris dans l'aquarelle de
L'antiquaire (ill. 53), évoquent le XVIᵉ siècle
vénitien. À la suite de Marion Spencer, la
plupart des auteurs ont désigné comme source
d'inspiration pour la tête du vieillard une
gravure de Vosterman d'après le *Portrait du doge
Niccoló da Ponte* de Tintoret, dont Bonington a
exécuté une copie au crayon[1]. Il convient
également de noter que la pose présente aussi
des similitudes avec l'*Autoportrait* de Titien
(Berlin-Dahlem, Gemäldegalerie), car ce portrait
a servi de modèle à Bonington pour le vieillard
dans son aquarelle *Le message*, aujourd'hui
perdue mais lithographiée par Delacroix vers
1826[2], et pour le Faust de son étude à la sépia
Faust et Méphistophélès de la même année. Quant
à la copie à l'aquarelle peinte par Delacroix
d'après l'*Autoportrait* de Titien, elle se trouve
sur la même feuille d'études que d'autres études
de têtes d'après le *Portrait de Philippe II* du
maître italien[3].

Une version presque identique du *Vieillard et
enfant*, datée de 1827, est conservée à la Wallace
Collection. Une troisième version, peinte la
même année, figurait dans la vente
Montgermont[4]. Si Bonington a exécuté trois
fois une composition donnée dans la même
technique, c'est la preuve que l'on appréciait
à l'époque les images de vieilles personnes
attendrissantes, et que l'artiste devait répondre
à une masse de commandes sans cesse
grandissante. Bonington a démontré l'étendue
de son talent et sa conscience professionnelle en
conservant le même niveau de spontanéité et de
qualité dans ses trois versions de ce délicieux
commentaire sur les étapes de la vie.

En 1826, Mme George Haldimand, femme
d'un financier londonien, confia à George Fennel
le soin de lui constituer une collection de
dessins. Cette aquarelle fut livrée à Robson à
Londres le 2 juin 1827, et facturée 15 livres et
15 shillings[5]. Dès 1828, Robson avait rassemblé
une centaine d'aquarelles fournies par quasiment
tous les peintres britanniques utilisant cette
technique. Cette année-là, il fut le représentant
officiel de la *Society of Painters in Watercolours* à
l'enterrement de Bonington.

1. Conservée à Bowood ; Nottingham 1965, n° 141.
2. Delteil, *Delacroix*, n° 52.
3. Sérullaz, *Delacroix*, n° 1432. Johnson (*Delacroix*, t. I,
n° 112), établit un rapprochement entre ces études et
la préparation de l'*Exécution du doge Marino Faliero*.
4. Paris, vente du 16 juin 1919 (photo Witt Library).
5. Le reçu était présenté à l'exposition BFAC 1937,
n° 116.

EUGÈNE DELACROIX
FRANÇOIS Ier ET LA DUCHESSE D'ÉTAMPES,
vers 1827
Mine de plomb, aquarelle, gouache et ajouts de
gomme arabique, 22,5 × 16,2

Signé en bas à droite : *Eug Delacroix*

Provenance : Robert Caze (Paris, vente du
30 avril 1886) ; Meta et Paul J. Sachs ;
légué par ces derniers au Fogg Art Museum

Exposition : Toronto, *Delacroix*, n° 30

Bibliographie : Ingamells, *Catalogue*, t. I, p. 24 ;
Johnson, *Delacroix*, t. III, avec le n° 116a

Cambridge, Fogg Art Museum, Harvard
University, legs de Meta et Paul J. Sachs

Lee Johnson a identifié de manière convaincante
la femme représentée dans cette aquarelle avec
la maîtresse de François Ier, Anne de Pisseleu,
duchesse d'Étampes, en faisant valoir que le
geste d'ôter le collier du roi était une allusion
voilée à son élévation au rang de duchesse après
son mariage en 1536 avec Jean de Brosse.
Auparavant, Robaut avait situé l'œuvre vers
1827. Mais Johnson, relevant la ressemblance
entre la position des jambes de la duchesse et
celle de la figure allégorique dans *La Grèce sur les
ruines de Missolonghi* (1826, Bordeaux, musée des
Beaux-Arts), proposait la date de 1826–1827.
Plusieurs considérations incitent à retenir la
date plus tardive suggérée par Robaut.

Par ses dimensions et sa technique raffinée,
l'aquarelle de Delacroix se rapproche beaucoup
de celles que Bonington a peintes en 1827,
tandis que la composition rappelle la toile
François Ier et Marguerite de Navarre (ill. 55), où
le monarque manipule son collier, transmettant
par là un message analogue. Une source
d'inspiration possible pour le geste de la
duchesse serait l'illustration gravée par Henri
Joseph Pradelle pour *Kenilworth* (voir le n° 141)
publié à Paris en 1827. L'attitude du roi n'est
pas sans rappeler celle du Balafré dans la
peinture de Delacroix *Quentin Durward et le
Balafré*, commandée par la duchesse de Berry
vers 1827–1828. Bonington a peint à cette date
une huile représentant le roi et sa maîtresse
(n° 138). Enfin, les costumes, et même la pose
délibérément déformée de la duchesse, évoquent
beaucoup trop les illustrations de *Faust* (ill. 64)
réalisées dans la deuxième moitié de 1827 pour
que ce soit une pure coïncidence[1]. Il en va de
même pour l'aquarelle de Delacroix *Paolo et
Francesca* (collection particulière), souvent située
à tort vers 1825[2].

Delacroix a exécuté une quantité étonnante
de tableaux troubadour à partir de 1824, mais
c'est seulement après être devenu l'ami intime
de Bonington qu'il s'est essayé à peindre des
œuvres comparables à l'aquarelle. Étant donné
l'emploi abondant et très pictural de la gouache,
François Ier et la duchesse d'Étampes témoigne d'une
plus grande hardiesse que l'aquarelle de *Götz*

von Berlichingen (n° 110). Encouragé par
l'assurance tranquille que démontrait
Bonington, Delacroix atteignit un équilibre
parfait entre la transparence des lavis et la
vigueur des touches de gouache opaque, aussi
bien dans cette œuvre que dans *Paolo et
Francesca*. Théophile Gautier remarquait fort
justement, à propos de la technique employée
par Delacroix pour ses huiles de cette année-là,
notamment *La mort de Sardanapale*, qu'il y a
«certaines transparences rehaussées
d'empâtements brusques comme des vigueurs
d'huile appliquées sur de l'aquarelle[3]».
Il attribuait ce phénomène à l'exemple de
Sir Thomas Lawrence, mais on en trouve
des équivalents tout aussi notables dans
les aquarelles peintes vers cette époque
par Bonington et par Delacroix.

1. Johnson faisait à peu près la même réflexion
(*Delacroix*, t. III, n° 116a) lorsqu'il redatait de 1826
environ la *Valentine blessée*.
2. E. Goldschmidt, *Ingres et Delacroix*, Bruxelles, palais
des Beaux-Arts, 1986, n°s 101 et 102. On connaît une
étude de Delacroix pour la tête de Francesca, datée du
6 août 1828, trop travaillée pour être destinée à une
aquarelle, qui pourrait avoir servi à préparer une
peinture à l'huile projetée mais pas exécutée.
3. Gautier, *Histoire du romantisme*, 2e édition, Paris, 1874,
p. 212.

135

UNE JEUNE INDIENNE, 1827
Mine de plomb, aquarelle et gouache, ajouts
importants de gomme dans les ombres et
grattages, 19 × 13

Signé et daté en bas à gauche : *RPB 1827*

Provenance : vraisemblablement E.V. Utterson,
au plus tard en 1831 ; Lewis Brown (Paris, vente
des 17–18 avril 1837, n° 68) ; Paul Périer (Paris,
vente du 19 décembre 1846) ; Mosselman (Paris,
vente de 1849), acheté par le musée du Louvre

Expositions : Nottingham 1965, n° 242 ;
Jacquemart-André 1966, n° 86, pl. XI

Bibliographie : Théophile Gautier, *Tableaux à la
plume*, p. 199 ; Mantz, *Bonington*, p. 299 ; Shirley,
p. 114, pl. 138

Paris, musée du Louvre, département des Arts
graphiques (inv. 35281)

Hormis quelques académies ou études d'après le plâtre, les corps féminins nus ou presque dévêtus ont rarement figuré dans l'œuvre de Bonington, et seulement vers la fin de sa carrière, époque où il était très lié avec Delacroix et monsieur Auguste, tous deux attirés par les sujets érotiques dans la seconde moitié des années 1820. Bonington n'a pas eu l'occasion, ni l'envie réelle, de se perfectionner dans ce genre éminemment académique. Son manque de compétence, joint peut-être à une certaine pudeur ou un souci des bienséances, l'a dissuadé de chercher des anecdotes croustillantes chez ses auteurs préférés du Moyen Age ou de la Renaissance. Alors que Delacroix était tout disposé à exploiter le filon érotique de la tradition troubadour, Bonington se cantonnait dans le domaine plus sage de l'exotisme «oriental», privilégié par monsieur Auguste et par Ingres, et aseptisé par les jeunes poètes de son entourage qui popularisaient ce répertoire.

Une jeune indienne, peinte avec une superbe maîtrise technique est l'une des plus merveilleuses aquarelles de Bonington qui soient parvenues jusqu'à nous. Par son thème, elle se rattache à deux de ses aquarelles conservées à la Wallace Collection, *Odalisque en rouge* et *Odalisque en jaune* (ill. 43)[1], et à une troisième odalisque qui a appartenu à Coutan et à Michel-Levy[2]. Cette dernière œuvre représente une jeune femme étendue, à demi vêtue, la tête appuyée sur un bras. Bonington a peut-être emprunté l'attitude du modèle à *La dame et son valet* de Delacroix[3], qui affecte cependant une pose nettement plus lascive.

L'aquarelle reproduite ici fut intitulée *La fille africaine* lorsque Sangster en fit une gravure pour *Bijou* (publiée le 4 octobre 1829). Or, le personnage a la peau blanche, sauf là où l'ombre des palmiers crée des taches foncées, et l'environnement n'est pas celui d'une esclave nubienne. Depuis la vente Périer, on a interprété cette aquarelle comme une *Odalisque au palmier*, appellation tout aussi fausse puisque l'on ne trouve ici aucun des attributs normaux de la concubine orientale. Ce détail n'a certainement pas échappé à Lewis Brown, qui posséda cette aquarelle en même temps que l'*Odalisque en jaune*. Dans le catalogue de sa vente de 1837, il présentait simplement l'œuvre reproduite ici comme une image d'une jeune femme à moitié nue. Une lithographie exécutée à l'époque par Cuisinier pour *L'Artiste* porte un titre qui pourrait bien être le meilleur : *Jeune Indienne*.

Cette aquarelle fait exception parmi les compositions de Bonington sur des thèmes analogues par son décor entièrement naturel et par l'étrange collier que porte la jeune femme. Son costume ne suffit pas à donner des indications probantes, mais l'artiste pourrait avoir voulu évoquer les Incas. Le lis rouge que le personnage tient dans sa main tendue, sans être un véritable symbole inca, pourrait servir à renforcer cette évocation, mais aussi à suggérer l'innocence de la jeune femme. La lutte pour l'indépendance menée par les Péruviens, qui se termina par la victoire de Simon Bolivar sur l'armée coloniale espagnole en décembre 1824, suscita un vif sentiment de solidarité à Paris et contribua indéniablement au net regain d'intérêt pour l'ouvrage de Jean-François Marmontel *Les Incas ou la Destruction de l'empire du Pérou*, dont la première édition remontait à 1777. Ce livre inspira plusieurs opéras dans les années 1820, et le public apprécia énormément les papiers peints panoramiques imprimés par Dufour et Leroy d'après des cartons d'Alexandre-Évariste Fragonard correspondant aux passages les plus importants du livre[4]. Firmin-Didot prépara une nouvelle édition illustrée par Alexandre-Marie Colin (voir le n° 136), qui ne put voir le jour en fin de compte. Nous savons que Bonington se passionnait alors pour les Amériques et leur histoire, par suite de sa commande d'illustrations pour le *Voyage pittoresque dans le Brésil* de Maurice Rugendas, dont la première livraison parut en mai 1827[5].

Dans *Les Incas ou la Destruction de l'empire du Pérou*, Marmontel relate l'extermination tragique de toute une race de «bons sauvages». La dernière illustration conçue par Colin représentait l'héroïne Caro mourant sur le tertre où venait d'être inhumé son mari Alonzo, après avoir accouché de leur enfant mort-né. Un thème analogue, relatif à l'extermination des Natchez, fut traité par Chateaubriand dans un poème en prose, puis dans *Atala et René*. Bonington connaissait certainement la toile consacrée à ce sujet que Delacroix avait commencé à peindre en 1823. Il est impossible de savoir exactement si la jeune femme de l'aquarelle reproduite ici a sombré dans le sommeil ou dans la mort. En tout cas, sans prétendre assimiler l'image à l'illustration d'un épisode précis, on peut établir un rapprochement entre l'intérêt manifesté à l'époque pour les cultures indigènes du Nouveau Monde et la profonde mélancolie qui émane de cette aquarelle.

1. Ingamells, *Catalogue*, p. 69–70. Bonington a peut-être peint une version à l'huile de l'*Odalisque en rouge* (P734), dont on connaît au moins deux copies : Paris, collection particulière (Shirley, pl. 126), et Londres, Christie's, vente du 14 décembre 1971, n° 9.
2. Dubuisson, 1909, p. 375, repr.
3. Johnson, *Delacroix*, t. I, n° 8 ; t. II, pl. 6.
4. Ce papier peint est exposé dans son intégralité au musée des Arts décoratifs de Paris. Voir aussi *L'Amérique vue par l'Europe*, Paris, Éditions des musées nationaux, 1976, n° 249, p. 237–238.
5. La publication fut annoncée dans la *Literary Gazette* du 19 mai 1827, et commentée dans celle du 14 juillet.

136

ALEXANDRE-MARIE COLIN (1798–1873)

AMAZALI TUANT UN ESPAGNOL, 1825
Mine de plomb, encre brune et rehauts de gouache blanche, avec grattages importants, 20,3 × 27,9

Signé au milieu en bas : *A Colin*

Provenance : Maurice Pereire (Paris, hôtel Drouot, vente du 28 avril 1980, n° 255), acheté par Boerner ; C.G. Boerner ; acheté à ce dernier par le propriétaire actuel

Bibliographie : C.G. Boerner, *Catalogue 72*, Düsseldorf, 1980, n° 59

Collection particulière

Alexandre-Marie Colin, Parisien de naissance, étudia auprès de Girodet et à l'École des beaux-arts, où il se lia avec Géricault et Delacroix, puis avec Bonington et Corot. Il resta l'ami le plus fidèle de Bonington, même s'il exerça moins d'influence sur lui que Delacroix après leur voyage à Londres en 1825 et l'accession de son ami à la notoriété.

Artiste peu apprécié de nos jours, Colin était pourtant à l'avant-garde dans les années 1820, à la fois par ses innovations techniques dans la peinture à l'huile et par sa recherche de sujets inédits. Au Salon de 1824, il exposa cinq marines, notamment un *Pêcheur noyé* dont on a perdu la trace, qui s'inspirait sans doute d'un spectacle vu en compagnie de Bonington, car celui-ci représenta le même sujet dans un croquis rapide exécuté à Dunkerque et dans une aquarelle plus théâtrale[1]. Outre des scènes de genre italiennes dans le style popularisé par Léopold Robert, Colin exposa au Salon de 1827–1828 *Les Sorcières de Macbeth* qui inspira à un commentateur au vitriol généralement réservées à Delacroix : «Je ne puis croire que le but de la peinture soit de nous faire reculer de dégoût [...] et que m'importe qu'il y ait du talent d'exécution dans cet ouvrage, puisqu'il m'est impossible de le considérer[2].» Au Salon précédent, une aquarelle sur le même sujet, peinte par Thales Fielding, avait causé un scandale envenimé par l'intervention de Stendhal en faveur de l'artiste. Colin connut sans doute sa plus belle heure de gloire en avril 1826, lorsqu'il participa à l'exposition de la galerie Lebrun au profit des combattants pour l'indépendance grecque, avec deux peintures inspirées par Byron et une troisième par Shakespeare. Le correspondant du *Journal des débats* avait remarqué à leur propos : «M. Colin perfectionne chaque jour son talent franc et naturel ; il est destiné à peindre des scènes fortes et pathétiques[3].»

Dans ses activités d'illustrateur et de graveur, Colin adoptait un répertoire très varié, allant des textes célèbres de La Fontaine, Byron et Goethe jusqu'à des scènes en costume dénuées de tout contenu narratif, comparables au *Cahier de six sujets* de Bonington, en passant par les portraits d'acteurs et les satires de tous ces thèmes[4]. *Amazali tuant un Espagnol* est l'une des quatre grandes illustrations pour une édition de luxe du livre de Marmontel *Les Incas ou la Destruction de l'empire du Pérou* (voir le n° 135). En 1825, Firmin-Didot lui demanda de redessiner les planches de Desenne qu'il avait publiées dans son édition de 1819 au format in-octavo. Le format plus grand des nouvelles planches autorisait des effets plus spectaculaires dans la disposition des personnages et l'introduction de paysages plus ressemblants en toile de fond des scènes narratives. Pour d'obscures raisons, ce projet ne semble pas avoir abouti.

Le style graphique de Colin restait plus ou moins académique malgré les relations étroites de l'artiste avec Delacroix et Bonington[5]. On discerne un rappel du brio technique des aquarelles de Bonington dans le traitement du paysage, mais la silhouette d'Amazali est dessinée avec une sobriété toute néo-classique et modelée par des hachures denses empruntées aux graveurs de l'époque. L'intérêt de son ami monsieur Auguste pour la frise du Parthénon et pour les bas-reliefs découverts à Bassae par C.R. Cockerell (surtout la sculpture du combat des Amazones gravée par Thomas Landseer en 1820 et exposée à Londres en 1825) pourrait avoir eu une influence sur la représentation héroïque et sculpturale des Indiens de Marmontel proposée par Colin.

1. Le croquis est conservé à la Bibliothèque nationale, à Paris. L'aquarelle de 1824 est connue par une gravure de W.J. Cooke parue dans *The Amulet*, Londres, 1836.
2. *Revue encyclopédique*, vol. 38, avril 1828, p. 278.
3. *Journal des débats*, 29 mai 1826, p. 3.
4. Par exemple, l'*Album comique de pathologie pittoresque*, (Paris vers 1825-1828) avec des satires d'œuvres de Füssli, de Byron et du *Racine et Shakespeare* de Stendhal.
5. Alors que Bonington s'était vite désintéressé de ce genre de choses, Colin continua longtemps à concourir pour les places offertes dans l'atelier de dessin d'après les plâtres à l'École des beaux-arts.
6. Le musée de Pontoise conserve l'une des plus importantes collections d'œuvres sur papier de Colin, qui comporte notamment de nombreuses études d'après des sculptures antiques.

137

EUGÈNE DELACROIX

FEMME CARESSANT UN PERROQUET, 1827
Huile sur toile, 24,5 × 32,5

Signé et daté en haut à gauche : *Eug. Delacroix.
1827*

Provenance : L.-J.-A. Coutan (Paris, vente du 9
mars 1829, n° 50) ; Frédéric Leblond, au plus
tard en 1832 ; Couturier de Royas ; offert par ce
dernier au musée des Beaux-Arts de Lyon, en
1897

Expositions : voir Johnson, *Delacroix*, t. I, n° 9

Bibliographie : Robaut, *Delacroix*, n° 238 ;
Johnson, *Delacroix*, t. I, n° 9 , t. II, pl. 7 , t. III,
p. 311

Lyon, musée des Beaux-Arts (B566)

Ce tableau, célèbre à juste titre, a quasiment les
mêmes dimensions que deux autres toiles
peintes à cette époque par Delacroix, où un nu
féminin domine également la composition, mais
qui illustre des épisodes bien précis relatés dans
Les Vies des dames galantes de Brantôme : *La dame
et son valet* et *Le duc de Bourgogne montre sa
maîtresse au duc d'Orléans*[1]. Or, pour le tableau
reproduit ici, on n'est parvenu à repérer aucune
allusion à une anecdote quelconque. Les
accessoires limités à un divan et un perroquet
ainsi que les bijoux portés par la femme donnent
à penser qu'il s'agit encore d'une concubine
orientale comparable à l'*Odalisque couchée*[2],
provenant elle aussi de la collection Coutan.
Ce pourrait être, dans l'œuvre de Delacroix,
le premier exemple d'un sujet sur lequel il
allait revenir maintes fois au fil de sa carrière.

Comme le fait observer Lee Johnson, la pose
langoureuse s'inspire peut-être du *Vénus et
l'Amour* de Lambert Sustris (Paris, musée du
Louvre). Les auteurs n'ont cessé de qualifier le
coloris de «vénitien» et «chatoyant», et il
rappelle plusieurs œuvres peintes par Delacroix
et par Bonington en 1826 et 1827. Cependant,
on n'a guère remarqué que Delacroix a tenté
d'imiter l'extrême délicatesse des carnations
de la peinture de Titien. Curieusement, Léon
Rosenthal jugeait ce tableau médiocre, tout en
lui concédant un certain intérêt pour l'évocation
de l'éclairage intérieur qui préfigurait, selon lui,
Les femmes d'Alger (1832, Paris, musée du
Louvre)[3]. Delacroix a tenté de traduire la pureté
sculpturale des formes dans un espace sombre.
Sur ce point, il s'est nettement écarté des
solutions adoptées par Bonington. Sa formule a
pu sembler trop timide ou trop conventionnelle
à Rosenthal, et pourtant elle apporte une
réponse aux problèmes soulevés par *La mort de
Sardanapale* (Paris, musée du Louvre), tableau
auquel Delacroix travaillait à ce moment-là.

1. Johnson, *Delacroix*, t. I, n°s 8 et 111.
2. *Ibid.*, n° 10.
3. Rosenthal, *Peinture romantique*, p. 219.

265

138

FRANÇOIS, Ier, CHARLES QUINT ET LA
DUCHESSE D'ÉTAMPES,   vers 1827
Huile sur toile, 34,2 × 26,7

Signé en bas à gauche : *R P Bonington* ;
inscription sur le châssis : *sale Jardin*

Provenance : vicomte Both de Tauzia ; Mosselman
(Paris, vente de 1849), acheté par le musée du
Louvre

Exposition : Nottingham 1965, n° 295

Bibliographie : *L'Artiste*, vol. 8, 1836,
lithographie de C. Hue ; Thoré, 1867, repr. p. 5,
gravure sur bois de Carbonneau ; Mantz,
Bonington, p. 304 ; Dubuisson et Hughes, repr.
en face de la p. 161 ; Shirley, p. 116, pl. 148

Paris, musée du Louvre, département des
Peintures (inv. 10045)

Dix ans après avoir fait signer à François Ier
l'humiliant traité de Madrid en échange de sa
libération, son beau-frère Charles Quint lui
demanda l'autorisation de traverser la France
pour réprimer un soulèvement à Gand[1].
Le roi accepta et offrit à l'empereur des
divertissements plus fastueux les uns que les
autres sur son trajet vers Paris, où il arriva
le 1er janvier 1540. Lors d'un bal à Amboise,
François Ier présenta à Charles Quint sa maîtresse
Anne de Pisseleu, duchesse d'Étampes. Il lui
déclara que, selon cette belle courtisane, il ne
devrait pas le laisser sortir de Paris sans avoir
révoqué le traité de Madrid[2]. L'intrigante
duchesse pensait certainement qu'il fallait
retenir l'empereur dans la capitale, mais ce
genre de traquenard ne ressemblait guère à
François Ier, célèbre pour ses vertus
chevaleresques. Anne de Pisseleu avait tout à
gagner d'un révocation du traité, car il aurait
peut-être permis d'annuler le mariage du roi
avec la sœur de l'empereur, mais elle se rangea
bientôt du côté de Charles Quint quand elle
reçut en cadeau un gros diamant. Cet épisode
fut immortalisé dans une célèbre peinture de
Pierre Revoil exposée au musée du Luxembourg
de 1818 à 1843[3]. Bonington a choisi d'illustrer le
moment où le roi révèle nonchalamment à
l'empereur, méfiant depuis la minute où il a
pénétré sur le territoire français, le conseil que
lui a donné sa maîtresse.

Brantôme jugeait la duchesse étrangement
déloyale pour une femme exerçant le métier
de l'amour et du plaisir. En décrivant Charles
Quint, il soulignait la modestie de ses goûts
vestimentaires, notant sa prédilection pour
l'austère coiffure de velours noir, alors que les
panaches connaissaient une grande vogue[4].
Dans la peinture de Bonington, le physique de
l'empereur correspond à d'autres témoignages
d'époque, tel celui de l'émissaire vénitien
Gaspare Contarini, qui évoquait en 1525 la
carrure moyenne de l'empereur, son teint pâle,
ses jambes très fines, ses bras robustes, son nez
aquilin mais petit, sa démarche grave et sans
rudesse[5].

Pour le visage de Charles Quint, Bonington
s'est peut-être inspiré du portrait peint par
Revoil, qui avait lui-même pris modèle sur un
profil exposé au musée des Monuments français,
qui pourrait être l'effigie en buste gravée par
Hans Reichart, et également copiée par
Delacroix[6]. La tête de François Ier est
directement empruntée au portrait à l'huile
peint par Titien (Paris, musée du Louvre) ou
à la réplique de ce tableau exécutée par Colin.
Les vêtements des deux hommes rappellent
ceux que l'on voit dans la monumentale *Entrevue
de François Ier et de Charles Quint à Saint-Denis*
du baron Gros (ill. 22), dont un esquisse
préparatoire fut exposée à la galerie Lebrun en
août 1826. Bonington ne semble pas avoir utilisé
de source d'inspiration bien précise pour son
portrait de la duchesse, représentée dans de
nombreux ouvrages illustrés souvent consultés
par l'artiste. Sa robe s'inspire de celle de la
Jeanne d'Aragon peinte par Raphaël pour
François Ier (Paris, musée du Louvre)[7].

La facture, surtout dans la robe de la
duchesse, situe cette peinture à une date proche
de celle d'*Amy Robsart et Leicester* (n° 141),
tandis que le sujet se rattache à d'autres œuvres
de 1827 relatives à des épisodes de la vie de
François Ier : l'aquarelle représentant la *Visite de
Charles Quint à François Ier* (Londres, Wallace
Collection), et les deux versions à l'huile de
François Ier et Marguerite de Navarre (ill. 55 ;
l'autre toile, exposée au Salon en février 1828,
est apparemment perdue). L'aquarelle de
Delacroix *François Ier et la duchesse d'Étampes*
(n° 134) date sans doute de la même année, alors
que l'artiste avait commencé à évoquer la vie de
Charles Quint dès 1831[8]. Mais Colin a attendu
1843 pour peindre *Charles Quint reçu par François
Ier au Louvre* (Paris, musée du Louvre).

La tonalité dorée de cette toile renvoie
sciemment à Titien. La dominante est indiquée
ici par la robe de la duchesse, beaucoup moins
imposante que le vêtement de Mazarin qui joue
le même rôle dans l'œuvre antérieure *Anne
d'Autriche et Mazarin* (n° 118). Bonington a
appliqué sur le fond blanc un jus brun, si
transparent qu'il laisse entrevoir au niveau de la
manche droite le tracé sous-jacent au crayon ou
à la pierre noire, et le modelé se limite à des
touches de couleur plus vive habilement
réparties sur la surface. L'artiste a délimité les
formes dans un style plus nerveux et plus
suggestif. Là encore, il a transposé dans la
peinture à l'huile des procédés parfaitement mis
au point dans ses aquarelles. On retrouve une
démarche assez analogue dans la façon dont
Delacroix a exécuté le vêtement de Wildrake
dans *Cromwell au château de Windsor* (n° 142).

François Ier et Charles Quint, ces deux
puissants souverains de la Renaissance,
enflammèrent l'imagination des romantiques
français, tandis que leur rival Henri VIII
n'intéressait guère que les artistes anglais.
Les manifestations initiales de cet enthousiasme
insistaient sur l'attachement des deux
monarques au renouveau des valeurs
chevaleresques et des arts ; une vision historique
moins subjective favorisa peu à peu l'idée que
Charles Quint, malgré son intolérance
religieuse, était supérieur à François Ier du point
de vue intellectuel et moral. Amédée Pichot,
l'un des premiers alliés de Bonington,
se fit l'avocat de cette thèse, et publia sa
biographie de l'empereur cinq ans après
l'acquisition par le Louvre du tableau reproduit
ici. Dans l'image des deux hommes qu'il nous
donne ici, Bonington semble en avance sur
l'opinion générale.

Cette œuvre fut la première huile de
Bonington à entrer dans les collections du
Louvre. Étant largement accessible au public,
elle suscita de nombreuses copies au XIXe siècle,
dont une peinture à l'huile de l'Américain
William Brigham (1830-1862) et une eau-forte
de Léopold Fleming. Des répliques de moins
bonne qualité sont conservées au Muzeul de
arta al R.S. Romania de Bucarest, au Snite
Museum de Notre-Dame (Indiana), et dans une
collection particulière française.

Le premier propriétaire connu de ce tableau,
Both de Tauzia, était un grand collectionneur
d'art des époques gothique et première
Renaissance. À partir de 1858, il occupa des
fonctions relativement importantes au Louvre.
Devenu conservateur des peintures, il choisit
dans la donation Milliet-Schubert-Hauguet
pratiquement toutes les œuvres notables de
Bonington actuellement au Louvre. On sait
aussi qu'il légua à Frédéric Buon, inspecteur des
Beaux-Arts de 1872 à 1879, une petite peinture
de Bonington d'après Jean-Honoré Fragonard.

1. Eléonore de Habsbourg, sœur de Charles Quint, était
la seconde épouse de François Ier. La copie au crayon
(Nottingham, Castle Museum) exécutée par Bonington
d'après un portrait gravé d'Eléonore lui a servi pour la
peinture *François Ier et Marguerite de Navarre* (ill. 55).
2. Anecdote relatée dans l'ouvrage dont Bonington
s'inspira probablement, *Louis XII et François Ier ou
Mémoires pour servir à une nouvelle histoire de leurs règnes* de
P. L. Roederer (Paris, 1825, t. II, p. 87) ; et aussi dans la
Biographie universelle, vol. XIII, 1815.
3. M.-C. Chaudonneret, *La peinture troubadour*, Paris,
1984, p. 131, ill. 182.
4. *Œuvres complètes du seigneur de Brantôme*, édition
établie par L.-J.-A. Monmerqué, Paris, 1822, t. I,
p. 22-23.
5. A. Pichot, *Charles Quint*, Paris, 1854, p. 73.
6. Besançon, musée des Beaux-Arts ; repr. dans
H. Lassalle *et al.*, *Ingres et Delacroix*, Bruxelles, 1986,
n° 82.
7. Une étude à la sépia de Bonington, intitulée *Raphaël
peignant Jeanne d'Aragon*, figurait dans la vente Coutan
en 1889.
8. Johnson, *Delacroix*, t. I, n° 149, *Charles Quint au
monastère de Tuste*.

139

L'USAGE DES LARMES, 1827
Mine de plomb, aquarelle et gouache, avec de
forts ajouts de gomme, 24,7 × 17

Signé et daté (sur le tabouret) : *R P Bonington
1827*

Provenance : L.-J.-A. Coutan ; transmis par
héritage (Paris, hôtel Drouot, vente des 16–17
décembre 1889, n° 38), acheté par Milliet ;
Arthur Tooth ; Norton Simon (Londres,
Sotheby's, vente du 10 juillet 1980, n° 145)

Bibliographie : Shirley, p. 71

Collection particulière

Trois versions de cette composition sont
parvenues jusqu'à nous. La plus ancienne est
une petite aquarelle assez fruste (peut-être en
partie repeinte par quelqu'un d'autre) datée de
1826[1], dont le décor et la disposition des
personnage préfigurent la version à l'huile
conservée à Boston. La deuxième aquarelle
(n° 139) comporte un troisième personnage
féminin en costume de la seconde moitié du
XVIIe siècle, et sa facture atteste une magnifique
assurance. Le visage et les vêtements de la
vieille femme dans les deux versions de 1827
sont peut-être empruntés à une gravure d'après
le *Portrait de Francesca Bridges* par Van Dyck,
dont Bonington a fait une copie au crayon qui
lui a servi pour son aquarelle *La méditation*
(Londres, Wallace Collection)[2]. Mais ce visage
appelle surtout la comparaison avec la *Tête
d'étude d'une vieille dame* peinte à l'huile par
Delacroix et refusée par le jury du Salon en
octobre 1827[3]. Les similitudes entre ces deux
têtes sont trop frappantes pour être purement
fortuites, et laissent supposer que Bonington et
Delacroix ont employé le même modèle.
Moreau-Nélaton identifiait cette femme avec la

tante de Delacroix, Mme Bornot[4], tandis que
Philippe Burty pensait que c'était la
gouvernante de Bonington, dont nous savons
seulement qu'elle était âgée et que l'artiste lui
offrit son étude à l'huile d'après l'eau-forte de
Rembrandt *La prédication du Christ*[5]. En tout cas,
c'est bien la même femme, traditionnellement
identifiée avec la gouvernante de Bonington, qui
figure à l'arrière-plan de l'aquarelle *L'invitation
au thé* (n° 106).

Quand Delacroix exposa sa *Tête d'étude d'une
vieille femme* à l'Exposition universelle de 1855,
Théophile Gautier y décela l'influence de
Bonington, mais on ne sait pas exactement si
c'est le traitement hardiment naturaliste du
sujet qui lui a inspiré cette réflexion[6]. Il songeait
peut-être au *Portrait de vieille femme* (Paris, musée
du Louvre) attribué à l'époque à Bonington[7].
On a également signalé à plusieurs reprises
l'influence de Rembrandt sur cette étude de
Delacroix. Johnson attire l'attention sur les
copies d'après Rembrandt que Poterlet envoya
de Hollande au cours de l'été 1827, mais il ne
faut pas oublier que l'attirance de Bonington
pour l'artiste hollandais, superbement exprimée
dans ces deux œuvres, s'était déjà manifestée
beaucoup plus tôt, et qu'il pouvait aisément
examiner de près plusieurs portraits de vieilles
femmes par Rembrandt, tel celui qui est censé
représenter sa mère en train de lire (Paris,
musée du Louvre).

Pour la jeune femme, Bonington s'est inspiré
de la représentation de la Vierge dans *La
Visitation* de Sebastiano del Piombo (Paris,
musée du Louvre), dont il a exécuté une étude
au crayon[8]. Apparemment, Delacroix s'est
servi de cette étude pour peindre *Henri III au lit
de mort de Marie de Clèves*[9]. L'idée d'une visite à
une mourante, commune aux deux peintures
malgré une dissemblance totale des sujets,
pourrait indiquer que ces œuvres furent
exécutées dans la même période.

L'huile conservée à Boston fut gravée par
C. Rolls pour le *Keepsake* (1831) et republiée
dans la *Heath's Gallery* (1836) pour illustrer un
poème sentimental de Lord Morpeth sur le
thème de la langueur amoureuse. L'aquarelle
(n° 139) fut gravée en mezzo-tinto par S. W.
Reynolds en 1829, et publiée avec le titre *Use of
Tears ; jeune fille malade*[10]. Les malades ou les
mourants dans leurs lits sont très rares dans
l'œuvre de Bonington. On n'en connaît que trois
autres exemples : deux petites esquisses à la
plume représentant une femme pleurant au
chevet d'un homme (Londres, British Museum),
et l'aquarelle *La visite de Charles Quint à François
Ier* (Londres, Wallace Collection). Selon toute
vraisemblance, Bonington a conçu cette
composition sans s'inspirer d'un texte bien
précis. Elle participe d'une vogue générale des
sujets élégiaques. Ainsi, les premiers numéros de
La Muse française présentèrent au public «La
Jeune Malade» de Saint-Valéry, «La Jeune Mère
mourante» de Tastu et «Gilbert mourant» de
Belmontet. Émile Deschamps, inquiet d'un tel
déluge de complaintes poétiques, remarquait
ironiquement dans son compte rendu d'un
recueil de Guttenguer comportant entre autres
titres «L'Enfant malade» : «André Chénier a fait

Le Jeune Malade, qui est un chef-d'œuvre ;
depuis, nous avons vu paraître successivement
La Jeune Malade, *La Sœur malade*, *La Jeune Fille
malade*, *Le Poète mourant*, *La Mère mourante*, etc.,
et ces diverses élégies, malgré l'uniformité
apparente du sujet, n'ont eu entre elles que celle
du talent, mais je ne croyais pas qu'il fût
possible d'étendre plus loin cette galerie
d'infirmes sans risquer d'indisposer les gens qui
se portent bien ; M. Guttinguer, avec son *Enfant
malade*, vient de prouver que j'étais dans
l'erreur. Je ne pense pas toutefois en commettre
une en affirmant qu'à partir de ce jour
l'exploitation des agonies et des maladies est
interdite pour longtemps au commerce
poétique ; et, afin de décourager toutes les
spéculations futures en ce genre, il faudrait
qu'un jeune auteur de ma connaissance me
permît de publier une élégie qu'il intitule
L'Oncle à la mode de Bretagne en pleine convalescence.
Ce serait bien certainement la clôture définitive
de toutes les poésies pharmaceutiques[11]. »

Bien entendu, les peintres trouvèrent un
marché tout aussi réceptif pour leurs images
mélancoliques. Bonington pourrait avoir pris
modèle sur le tableau exposé au Salon de 1822
par Saint-Evre, représentant une femme âgée
qui prenait le pouls d'une jeune malade, ou sur
Le Convalescent de Franquelin (Salon de 1827,
n° 414), qui appartenait à son ami Alexandre Du
Sommerard.

1. Paris, musée du Louvre : Cormack, *Bonington*, fig. 65.
2. Nottingham 1965, n° 1.
3. Johnson, *Delacroix*, t. I, n° 87.
4. *Ibid*. Johnson conteste l'identification sans la refuser
complètement.
5. Cette peinture à l'huile était à la Fine Art Society en
1947. Une inscription ajoutée au verso par Thomas
Shotter Boys retrace son historique. Au sujet de Burty,
voir Johnson, *Delacroix*, t. I, n° 87.
6. Gautier, « Exposition universelle », *Le Moniteur
universel*, 25 juillet 1855.
7. Race (*Notes*, p. 18) mit en doute cette attribution et,
s'appuyant sur des critères de style, montra que c'était
une œuvre du père de Bonington.
8. Nottingham 1965, n° 136.
9. Voir Johnson, *Delacroix*, t. I, n° 87 et n° 126, où la
peinture est située vers 1826–1827.
10. Une copie à l'huile d'excellente qualité, d'après la
version de Boston (n° 140), est conservée à Wimploe
Hall, mais on n'a pu identifier son auteur.
11. *La Muse française*, vol. 2, juin 1824, p. 317.

140

L'USAGE DES LARMES,   vers 1827
Huile sur toile, 38,6 × 31,7

Provenance : Bruxelles, Van Praet, jusqu'en 1894 ;
Paris, Boussod Valadon, 1895 ; Jospeh Bradlee,
de 1895 à 1903 ; légué par ce dernier au Museum
of Fine Arts

Exposition : Nottingham 1965, n° 294, pl. 49

Bibliographie : Shirley, p. 70 et 113, pl. 127 ; Lee
Johnson, « A New Delacroix : *Henri III at the
Deathbed of Marie de Clèves* », *Burlington
Magazine*, septembre 1976, p. 620–622, fig. 6 ;
Johnson, *Delacroix*, t. I, p. 60

Boston, Museum of Fine Arts

I4I

AMY ROBSART ET LEICESTER,   vers 1827
Huile sur toile, 35,2 × 27
Au dos du châssis, cachet d'atelier en cire

Provenance : Alexander Hamilton Douglas,
dixième duc de Hamilton, après 1833 ; transmis
par héritage à la collection Beckford (Londres,
Christie's, vente du 6 novembre 1919, n° 109
The Declaration]), acheté par Colnaghi ; Mme
W.F.R. Weldon (Londres, Christie's, vente du
31 juillet 1925, n° 113), acheté par Gooden &
Fox ; acheté par l'Ashmolean Museum en 1933

Expositions : Londres, Cosmorama Rooms, 209
Regent Street, 1834, n° 53 (*The Favorable
Silence*) ; BFAC 1937, n° 37 (*Amy Robsart and the
Earl of Leicester*) ; Nottingham 1965, n° 296,
pl. 46

Bibliographie : Shirley, p. 66, 71 et 113, pl. 124 ;
Martin Kemp, « Scott and Delacroix with some
Assistance from Hugo and Bonington », dans
Scott Bicentenary Essays, sous la direction d'A.
Bell, Édimbourg, 1973, p. 217, fig. 6

Oxford, Ashmolean Museum

Cette toile porte son titre actuel, qui l'associe à une scène du *Kenilworth* de Walter Scott, depuis son exposition en 1937. Dans le roman, l'héroïne Amy Robsart reste séquestrée dans la propriété du duc de Leicester afin d'empêcher Élisabeth Ire de découvrir leur mariage clandestin. Au chapitre V, elle interroge son mari sur ses titres de noblesse et le supplie de laisser connaître à tous leur union. Leicester, dont les ambitions n'ont pas encore étouffé les sentiments, lui reproche avec douceur son impatience.

Une version lithographiée de cette composition, inversée et agrémentée d'un décor architectural plus élaboré, figurait sous le titre *Le silence favorable* dans le *Cahier de six sujets* de Bonington (1826). C'était une copie d'une aquarelle aujourd'hui perdue, commandée pour un album d'une certaine « madame N », qu'Auguste Jal identifiait à *Amy Robsart et Leicester*[1]. Le titre d'une gravure exécutée très tôt par Jazet d'après l'huile, *Le doux reproche* (1829), étaye également notre hypothèse quant au sujet de cette peinture. Étant donné l'intérêt marqué de Bonington pour *Kenilworth* (on sait qu'il exécuta au moins trois autres illustrations de ce texte[2]) et le travail accompli à la même époque par Delacroix sur les costumes de l'adaptation théâtrale de Victor Hugo, nous avons gardé le titre *Amy Robsart et Leicester* même si la peinture de Bonington s'éloigne autant du texte de Scott que ce dernier s'écarte de la réalité historique. L'absence de précision narrative forme un contraste notable avec la fidélité des illustrations de Bonington pour *Quentin Durward* (n°s 59–60), mais l'attention accordée aux relations affectives entre les personnages rattache plus directement cette toile à la théorie littéraire du moment et au souci de « la vérité sur la nature humaine[3] ».

La même scène était plus fidèlement illustrée dans une peinture à l'huile d'Henri Joseph Fradelle exposée à la British Institution en 1825 et gravée à Paris en 1827. Là, comme dans la plupart des images de la visite de Leicester à Amy[4], nous voyons le couple somptueusement vêtu, dans un intérieur, et Amy examinant l'insigne de la Toison d'or que Leicester porte autour du cou. Toutefois, en établissant une différence bien nette entre les habits élégants de Leicester et la modeste robe de sa femme, Bonington reste plus proche de la description de Walter Scott. On retrouve la même simplicité dans les études à l'aquarelle de Delacroix pour le costume d'Amy[5], et dans les instructions scéniques de Victor Hugo concernant ce même costume[6].

Le personnage de Leicester associe des détails puisés à plusieurs sources, dont le *Portrait de Charles IX* de l'école de Clouet (Paris, musée du Louvre)[7], des images de costumes dans le *Recueil de Gaignières* également copiées par Delacroix[8], et peut-être des gravures d'après l'un ou l'autre des nombreux portraits à l'huile de Leicester. Une esquisse d'après un *Portrait du duc de Guise* de l'école de Clouet (Paris, musée du Louvre), qui figure sur une feuille d'études à l'encre datant de 1826 (Édimbourg, National Gallery of Scotland), pourrait être une première pensée pour la version à l'aquarelle.

Les drapés sont traités dans un esprit totalement vénitien, tandis que le modelé de la manche et du visage d'Amy rappelle Watteau. Pourtant, le ciel et l'arrière-plan font surtout songer aux paysages de Paul Huet et, sûrement pas par hasard, au décor du *Portrait de Louis Auguste Schwiter* (Londres, National Gallery) peint par Delacroix avec le concours de Huet[9]. Les pattes de devant du chien, qui contribuent à camoufler les jambes assez maladroitement croisées de Leicester dans les deux versions à l'huile et à l'aquarelle, sont restées inachevées. L'aquarelle ayant dû précéder l'huile, on est amené à dater cette toile du milieu de 1827 au vu de ses caractéristiques de style.

Si le roman de Walter Scott constitue probablement la source d'inspiration littéraire, c'est la collaboration entre Hugo et Delacroix qui a dû inciter Bonington à traiter à nouveau ce thème dans une peinture à l'huile. La pièce de Hugo n'a pas été jouée avant février 1828, mais les quatre premiers actes étaient déjà écrits en octobre 1826 et les autres en septembre 1827. Il semblerait que Delacroix ait commencé à dessiner les costumes dès le mois suivant[10].

1. Vente duc de Rivoli, Paris, 18 avril 1834, n° 6. Les détails de la commande sont donnés par Auguste Jal dans « Richard Parkes Bonington », *Le keepsake français*, 1831, p. 283. Habituellement bien informé, Jal signale également que cette aquarelle était postérieure à la version à l'aquarelle de *Don Quichotte dans son cabinet*.
2. *L'Entrevue d'Élisabeth Ire avec les comtes de Leicester et de Suffolk* (n° 4), le dessin de l'*Entrée d'Élisabeth dans Kenilworth* (vente de 1836, n° 38), et une aquarelle intitulée *Élisabeth interroge Leicester* (Paris, vente Schroth, 1833).
3. Alfred de Vigny, *Cinq-Mars*, p. IX.
4. Par exemple, le frontispice de C.R. Leslie pour l'édition des *Waverley Novels* publiée par Cadell, t. XII, 1831. Le père de Bonington possédait peut-être un exemplaire de l'estampe de Fradelle (voir la vente Bonington père, 1838, n°s 102, 138 et 140).
5. Martin Kemp, « Scott and Delacroix with some Assistance from Hugo and Bonington », dans *Scott Bicentenary Essays*, sous la direction d'A. Bell, Édimbourg, 1973, p. 217, fig. 2.
6. Hugo, *Œuvres complètes*, t. II, p. 798.
7. Une étude au crayon d'après ce tableau est conservée au Castle Museum de Nottingham.
8. Voir Lee Johnson, « Some Historical Sketches by Delacroix », *Burlington Magazine*, octobre 1973, p. 672 *sq.*, et fig. 54.
9. Johnson, *Delacroix*, t. I, n° 82. Le portrait fut exécuté et retouché dans un intervalle de plusieurs années à partir de la fin 1826. Il fut refusé par le jury du Salon en octobre 1827.
10. En 1824, Delacroix avait peint une huile aujourd'hui perdue, simplement intitulée *Leicester*. Delacroix et Bonington devaient bien connaître l'adaptation scénique d'Aubert, présentée à l'Opéra-Comique en janvier 1823.

EUGÈNE DELACROIX (1798–1863)
CROMWELL AU CHÂTEAU DE WINDSOR,
vers 1828
Huile sur toile, 34,8 × 27,2

Signé en bas à gauche : *Eug Delacroix*

Provenance : Edward, sixième duc de Fitz-James
(1776–1833), au plus tard en 1831 ; Bernheim
aîné (Bruxelles, vente du 18 mars 1884, n° 55),
acheté par Rothschild ; amateur anonyme (Paris,
vente du 1er avril 1889, n° 24), non adjugé ;
Alfred Robaut ; P.A. Chéramy (Paris, vente du
5 mai 1908, n° 166), acheté par Oppenheimer ;
Berlin, collection O. Gertenberg, jusqu'en 1966 ;
Zurich, collection Peter Nathan ; New York,
collection Robert Benjamin (Londres,
Christie's, vente du 3 juillet 1973, n° 3)

Expositions : Paris, Société des amis des arts, avril
1828 ; Paris, Salon de 1831, n° 514

Bibliographie : Robaut, *Delacroix*, p. 483 et
n° 320 ; Johnson, *Delacroix*, t. I, n° 129, avec une
documentation complète, t. II, p. 315, et t. VI,
p. 195

Collection particulière

Dans le livret du Salon de 1831, cette toile était
présentée comme une illustration du chapitre
VIII du roman *Woodstock* de Walter Scott, dont
la première édition française parut en janvier
1826. La scène représentée est celle où
Cromwell découvre par hasard, dans le château
de Windsor, un portrait du défunt Charles Ier.
Wildrake, un espion royaliste tapi dans l'ombre,
l'observe. « Cromwell, affectant une ferme
sévérité dans le regard et dans le maintien,
comme quelqu'un qui s'oblige à regarder un
spectacle rendu pénible par quelque violent
sentiment intime, se mit alors à commenter le
portrait. [...] "Ce peintre flamand, dit-il, cet
Antoine Van Dyck... Quelle puissance il a !
L'acier peut mutiler, les soldats peuvent
saccager et détruire [...] le roi est épargné par
les injures du temps." »
   Au même Salon, Paul Delaroche fit sensation
avec son macabre *Cromwell ouvrant le cercueil de
Charles Ier* (Nîmes, musée des Beaux-Arts).
Delacroix reprocha à Delaroche la « sécheresse »
de sa facture, mais aussi l'invraisemblance du
motif. Il écrivit à Paul Huet : « Le tableau de
Delaroche est un non-sens. Il est évident que
Cromwell ne serait jamais venu de propos
délibéré, et poussé par je ne sais quelle curiosité
malsaine, cynique, soulever le couvercle du
cercueil de sa victime, comme celui d'une
tabatière. Il est permis de supposer que, sachant
bien le corps de Charles Ier déposé dans le
palais, mais ignorant dans quelle partie des
appartements, Cromwell soulève une portière
qui retombe derrière lui et se trouve subitement
en face du cadavre. Il hésite, se trouble, se
découvre involontairement et, fasciné par le
spectacle de ce dénouement du drame qu'il a
vécu, ne sait ni avancer, ni reculer[1]. »

L'intrigue imaginée par Walter Scott se situe
plusieurs années après l'exécution de Charles Ier,
mais la scène illustrée par Delacroix nous
montre son interprétation personnelle de
l'incident légendaire évoqué par Delaroche.
Il se pourrait que Delacroix ait vu le tableau de
Delaroche avant le Salon, et qu'il ait persuadé
le propriétaire de son *Cromwell au château de
Windsor* de l'exposer en 1831 pour permettre
une confrontation. Cette peinture avait déjà
figuré à l'exposition de la Société des amis des
arts en avril 1828. Lee Johnson l'a datée du
printemps 1828, en faisant valoir que si
Delacroix l'avait terminée avant les
délibérations du jury du Salon en janvier, il
l'aurait proposée pour la deuxième partie du
Salon, programmée en février. Quoi qu'il en
soit, Delacroix avait déjà traité le sujet près
d'un an auparavant dans une aquarelle très
travaillée où la composition était inversée[2].
Si la décision de peindre une version à l'huile
lui a peut-être été suggérée, comme le suppose
Johnson, par des adaptations scéniques de
Woodstock présentées à Paris en mars 1828, c'est
la pièce de Victor Hugo *Cromwell*, jointe à sa
préface-manifeste de décembre 1827, qui éclaire
avec le plus de pertinence le projet de Delacroix.
   En avril 1827, Delacroix s'excusait auprès de
Hugo parce qu'il n'avait pu assister à sa
conférence sur *Cromwell*, mais étant donné
l'amitié des deux hommes et leur collaboration
sur *Amy Robsart* à cette époque, on est fondé à
croire que l'artiste connaissait par avance la
thèse développée par l'écrivain. Cromwell,
sorte de prototype historique de Napoléon,
suscita beaucoup d'intérêt en France après la
publication de l'*Histoire de la révolution
d'Angleterre* de François Guizot (1826–1827).
Victor Hugo estimait que « c'était un être
complexe, hétérogène, multiple, composé de
tous les contraires, mêlé de beaucoup de mal et
de beaucoup de bien, plein de génie et de
petitesse[3] ». En réalité, il incarnait le parfait
mélange de grotesque et de sublime qui
caractérisait l'esprit mélancolique de la
modernité aux yeux de Victor Hugo et de ses
amis : « Car les hommes de génie, si grands
qu'ils soient, ont toujours en eux leur bête qui
parodie leur intelligence. C'est par là qu'ils
touchent à l'humanité, c'est par là qu'ils sont
dramatiques[4]. »
   Dans cette peinture, Delacroix a représenté
un Cromwell installé au pouvoir et tourmenté
par ses ambitions contradictoires, un visionnaire
soucieux d'améliorer la société et un usurpateur
potentiel du trône qu'il a fait disparaître.
Comme pour souligner la dimension
psychologique de son « portrait » historique,
Delacroix ne s'est pas inspiré de vrais portraits
pour peindre son modèle, contrairement à son
habitude du moment. Il a attribué à Cromwell
un visage simiesque et une attitude gauche afin
de mieux faire sentir la rage qui bout en lui
devant l'immortalité octroyée à son ennemi par
l'art d'un grand portraitiste. Le comportement
de Wildrake, en revanche, a toute l'élégance
recherchée d'un personnage peint par Van Dyck.
Delacroix a pu s'inspirer de toutes sortes de
portraits de cour flamands, sa source la plus

probable étant le *Portrait de gentilhomme* (Paris,
musée du Louvre) dont Bonington et lui avaient
fait des croquis à la mine de plomb[5]. Le
contraste entre les deux types physiques
rappelle les illustrations de *Faust* qui se
dérobent, de même que cette œuvre, à la fidélité
conventionnelle de la plupart des illustrations
littéraires de l'époque. D'un point de vue
plastique, la couleur est ici un double hommage
à Rubens et à Van Dyck, de même que dans
Anne d'Autriche et Mazarin de Bonington
(n° 118), justifié là aussi par un souci de
véracité.
   Alexandre Colin, en 1833, et Charles-
Claudius Desmoulins, en 1838, allaient exposer
au Salon des tableaux sur le même thème[6].

1. Huet, *Huet*, p. 382.
2. Société des amis des arts, 1827, n° 23 ; Londres,
Sotheby's, vente du 23 novembre 1989, n° 469.
3. Victor Hugo, *Cromwell*, p. 97–98.
4. *Ibid.*, p. 64.
5. Sérullaz, *Delacroix*, n° 1329. À présent, le tableau est
attribué à Lucas Franchoys.
6. Wright et Joannides, t. II, p. 111, reprennent une
affirmation de Joubin (Delacroix, *Correspondance*, t. I,
p. 266, note 3) selon laquelle cette huile fut exposée à la
Royal Academy en 1830. La seule peinture à l'huile de
Delacroix répertoriée dans le catalogue de la Royal
Academy cette année-là était *L'assassinat de l'évêque de
Liège*. Une deuxième peinture à l'huile — peut-être
Cromwell au château de Windsor — se trouvait chez
Colnaghi à l'époque.

QUENTIN DURWARD À LIÈGE, vers 1827–
1828
Huile sur toile, 62,9 × 51,4

Provenance : vraisemblablement commandé par la
duchesse de Berry, à qui il n'a pas été livré ;
vente Bonington, 1829, n° 222, acheté par Bone
pour Joseph Neeld ; Joseph Neeld ; transmis par
héritage (Londres, Christie's, vente du 13 juillet
1945), acheté par Tooth ; Mme Dudley Tooth ;
offert par cette dernière au Castle Museum and
Art Gallery en 1974

Expositions : Londres, Cosmorama Rooms, 209
Regent Street, 1834, n° 56 ; Nottingham 1965,
n° 293, pl. 44

Bibliographie : Douglas Cooper, « Bonington and
Quentin Durward », *Burlington Magazine*, mai
1946, p. 112–117 ; Pointon, *Circle*, p. 97

Nottingham, Castle Museum and Art Gallery
(74–76)

Cette toile est la peinture d'histoire de
Bonington la plus ambitieuse par ses dimensions
et par le nombre de ses personnages. Elle
reprend, en l'étoffant, l'aquarelle de 1825 qui
illustre le chapitre XIX de *Quentin Durward*
(n° 59). Parmi les nombreux illustrateurs
français et anglais de ce roman de Walter Scott,
seul Bonington semble avoir retenu cet épisode.
Douglas Cooper reprochait au peintre d'avoir
créé une composition anodine dans un esprit
très prosaïque en comparaison de *L'exécution du
doge Marino Faliero* de Delacroix (ill. 34). Plus
récemment, Marcia Pointon a vu dans *Les
pensionnaires de Chelsea lisant la dépêche de Waterloo*
de David Wilkie un modèle possible pour
l'agencement de cette scène de foule et, dans les
œuvres de William Hogarth, l'influence qui s'est
exercée, par l'intermédiaire de Wilkie, sur le
traitement presque caricatural des personnages.
Mais de manière générale, les historiens d'art se
sont peu intéressés à ce tableau.
Même si l'on peut contester le choix d'un tel
épisode pour un tableau de grand format,
Bonington a proposé une interprétation
beaucoup plus originale que n'a bien voulu
l'admettre Cooper, et il a magistralement
traduit le propos narratif de l'auteur. L'artiste
s'est appliqué à restituer l'atmosphère
historique, à individualiser les personnages
identifiables et à suggérer les réactions de la
foule, en s'inspirant d'exemples flamands
largement diffusés. La tête du gros Rouslaer et
celle de l'homme qui crie en levant la main,
ainsi que la pose du ferronnier Hammerlein
écroulé, ivre, sur le pavé, s'inspirent de croquis
au crayon d'après les fêtards représentés par
Rubens dans sa *Kermesse* (Paris, musée du
Louvre)[1], un tableau dont Bonington a
également réalisé des copies à l'aquarelle
(n° 61). Une esquisse à la mine de plomb
d'après trois têtes de personnages du *Roi buvant*
de Jacob Jordaens (Paris, musée du Louvre) a
servi de modèle pour l'expression de l'homme

qui brandit son fouet[2]. L'armure de Durward
pourrait reproduire l'une de celles qui figuraient
dans la collection de Samuel Meyrick ou un
haubert appartenant à l'artiste, dont on connaît
une esquisse à l'huile[3]. On retrouve la pose et le
vêtement de Rouslaer, inversés, dans une étude
au crayon des quatrième et cinquième bas-reliefs
de la clôture du chœur de la cathédrale
d'Amiens, qui relate la vie de saint Firmin et
date des dernières années du règne de Louis XI[4].
La dernière scène du cycle, saint Firmin exhibé
dans les rues d'Amiens avant son martyre, a
inspiré la disposition décentrée du groupe
principal composé de Durward et de ses deux
compagnons. En fait, la composition tout
entière, avec son espace exigu, ses raccourcis
accusés et ses alignements de têtes grimaçantes,
presque grotesques, est un tour de force
gothique apparenté aux représentations
religieuses de la fin du XVe siècle, notamment le
cycle de saint Firmin et, plus généralement, les
multiples gravures montrant le Christ
prisonnier ou bafoué, invariablement stoïque
parmi une foule bagarreuse ou moqueuse[5].
Par une paraphrase subtile et des emprunts
plus ostensibles à des œuvres d'art de l'époque
ou du lieu où se situe le roman, Bonington a
essayé d'atteindre à une vérité historique qui ne
se borne pas à la simple restitution fidèle des
détails du costume et du décor. Par là, il allait
beaucoup plus loin que tous les peintres de style
troubadour ou que leur heureux héritier Paul
Delaroche, et il rejoignait Ingres (voir le
n° 144). On ne sait si son public a bien mesuré
la portée de ses citations et leur verve
iconoclaste. En tout cas, il ne convient pas
d'évaluer les qualités de cette composition
en y voyant simplement, comme on le fait
d'habitude, un motif pictural baroque (démenti
par l'œuvre elle-même) ou une illustration
littéraire du XIXe siècle (niveau qu'elle
transcende par la complexité de ses allusions).
La date exacte de cette peinture reste
incertaine. La couleur et les aspects franchement
gothiques rappellent *Anne Page et Slender* (vers
1825 ; ill. 38), sans doute la première
composition à personnages que Bonington ait
peinte à l'huile. Toutefois, la facture atteste la
même assurance que dans les peintures
d'histoire des dernières années. Le *contrapposto*
du boucher Blok et du ferronnier Hammerlein
indique une nouvelle sensibilité aux peintures
italiennes telles *La tentation de saint Antoine* de
Véronèse (Caen, musée des Beaux-Arts), sans
doute acquise pendant le séjour en Italie.
L'importance nouvelle accordée à Blok, qui
assassine l'évêque de Liège au chapitre XXI du
roman, n'est peut-être pas indifférente. Selon
toute vraisemblance, la date d'exécution de ce
tableau est plus proche de celle de *L'assassinat de
l'évêque de Liège* de Delacroix (commencé en
1827 ; Paris, musée du Louvre) que de celle de
l'aquarelle peinte par Bonington en 1825.
Delacroix devait remarquer par la suite : « Sur la
fin de sa vie, si tôt éteinte, il [Bonington]
sembla atteint de tristesse, et particulièrement à
cause de l'ambition de faire de la peinture en
grand. Il ne fit pourtant aucune tentative, que je
sache, pour agrandir notablement le cadre de ses

tableaux. Cependant, ceux où les personnages
sont les plus grands datent de cette époque,
notamment le Henri III [...] qui est un de ses
derniers[6]. » Bonington a sûrement peint *Henri
III de France* (ill. 58) en 1828, juste avant de
l'exposer à la Royal Academy en mai, et ce
tableau a pratiquement le même format que
Quentin Durward à Liège.
Une esquisse à l'huile, perdue aujourd'hui,
représentant une version intermédiaire de cette
composition, n'a pas trouvé preneur aux trois
ventes d'atelier successives[7]. Le catalogue de la
deuxième vente donne cette description :
« Quentin Durward et les Liégeois rebelles ; ce
fut le premier tableau sur ce sujet peint par
l'artiste — il en fit un autre pour la duchesse
de Berry qui a été vendu depuis à Londres. »
On peut quasi certainement identifier le tableau
reproduit ici à celui qu'avait commandé la
duchesse de Berry. S'il figure dans la vente
d'atelier de 1829 alors qu'il n'apparaît pas dans
celui qui fut publié avant la vente des tableaux
de la duchesse lors de sa fuite précipitée à
Londres en 1830[8], c'est peut-être parce que la
commande n'a pas été payée ou n'a pas été
livrée. En 1830, Delacroix dut récupérer par
voie légale deux tableaux commandés par la
duchesse et restés impayés, dont son *Quentin
Durward et le Balafré*[9].

1. Nottingham 1965, n° 130.
2. Cette esquisse, passée chez Phillips, à Londres, en
1988, était glissée à l'origine dans un album de dessins
de Frederick Tayler, avec qui Bonington partagea son
atelier en 1826. Une étude à l'aquarelle d'une autre
partie du tableau de Jordaens est reproduite dans le
présent catalogue (n° 61).
3. Vente d'atelier de 1829, n° 225, armure incomplète,
achetée par Clarkson Stanfield. L'esquisse à l'huile était
le n° 50 de la vente du 16 novembre 1982 chez
Christie, à Londres.
4. Collection particulière. Voir l'ill. 13.
5. Des études au crayon de paysans grotesques dans le
Portement de croix de Martin Schongauer sont conservées
dans une collection particulière (ill. 65). Le père de
Bonington possédait peut-être un exemplaire de cette
gravure. Dans sa vente d'estampes de 1838, les
n°s 29–31, 119 et 178 correspondaient à des gravures de
Dürer et à des copies des *Passions* exécutées par
Marcantonio Raimondi.
6. Delacroix, *Correspondance*, t. IV, p. 287–288.
7. 1834, n° 146 ; 1836, n° 66 ; et 1838, n° 128 (présenté
dans le catalogue comme une étude pour le tableau
définitif).
8. Paris, rue de Cléry, 8 décembre 1830.
9. Johnson, *Delacroix*, t. I, n° 137. Johnson donne comme
date « vers 1828–1829 ».

144

JEAN-AUGUSTE-DOMINIQUE INGRES
(1780–1867)
L'ENTRÉE DANS PARIS DU DAUPHIN, FUTUR
CHARLES V, 1821
Huile sur toile, 47 × 56

Signé et daté en bas à gauche : *J. Ingres 1821*

Provenance : commandé par le comte Amédée
David de Pastoret (1791–1857) ; sa fille, la
marquise du Plessis-Bellière (Paris, vente des 10
et 11 mai 1897, n° 86), acheté par Haro ; Paris,
collection Frappier ; Bessonneau d'Angers (Paris,
vente du 15 juin 1954) ; Paul Rosenberg and
Co. ; offert par ce dernier au Wadsworth
Atheneum en 1959

Expositions : vraisemblablement Paris, Salon de
1822, n° 719 ; Paris, Salon de 1824 (ne figure pas
dans le catalogue) ; Paris, musée du Petit Palais,
Ingres, 1967–1968, n° 121 (catalogue de Daniel
Ternois *et al.*, avec une bibliographie complète)

Bibliographie : Coupin, *Salon de 1824*, p. 590 ;
Edward Bryant, « Notes on J.A.D. Ingres' *"Entry
into Paris of the Dauphin, Future Charles V"*,
Bulletin of the Wadsworth Atheneum, hiver 1959,
p. 16–21

Hartford, Wadsworth Atheneum

Par son sujet, mais surtout par sa mise en page, ce tableau reste l'une des scènes de genre historico-littéraires les plus néo-médiévales que Ingres ait peintes dans les années 1810–1820. Le comte (et futur marquis) de Pastoret la commanda à Florence, où Ingres poursuivait sa formation artistique en 1821, et il s'agit d'un exemple remarquable de propagande pour le régime de la Restauration.

En mars 1358, Charles, duc de Normandie, régent de France et héritier légitime du trône, fit une entrée triomphale dans Paris après avoir maté une jacquerie qui menaçait l'autorité monarchique. Les chroniques de Jean Froissart donnent une relation de l'événement à laquelle Ingres s'est conformé fidèlement. On pouvait reconnaître au futur roi le mérite d'avoir rétabli la prospérité et l'unité nationale après des dizaines d'années de campagnes militaires catastrophiques contre les Anglais. L'analogie entre les deux « restaurations » est explicite, mais le choix du sujet se révèle opportun à un autre titre : le comte de Pastoret revendiquait un lien de parenté direct avec Jean Pastourel, premier président du Parlement de Paris, qui était resté un partisan loyal du dauphin et que nous voyons ici au centre de la composition, saluant le retour du souverain. Le comte de Pastoret avait refusé de siéger au Conseil d'État pendant les Cent-Jours, en 1815.

Alors même que ce tableau figure dans le livret du Salon de 1822, la plupart des biographes d'Ingres doutent que l'artiste ait pu l'achever et le transporter d'Italie à temps pour l'exposer. Il n'est pas mentionné dans le livret du Salon de 1824, mais on sait que l'accrochage des œuvres a beaucoup varié pendant cette manifestation, et Coupin cite précisément ce tableau dans son compte rendu publié en octobre. Les autres envois d'Ingres en 1824 étaient *La mort de Léonard de Vinci* et *Henri IV et l'ambassadeur d'Espagne* (ill. 29 ; tous deux à Paris, musée du Petit Palais) qui allaient inspirer Bonington, et *Le vœu de Louis XIII*, salué quasi unanimement. Avant le Salon, le « primitivisme » d'Ingres lui avait valu les critiques les plus acerbes, mais en 1824, les réactionnaires trouvaient ce style infiniment préférable à celui de peintres plus jeunes, comme Delacroix ou Xavier Sigalon. Auguste Jal se montrait plus mesuré dans ses commentaires sur l'évolution d'Ingres. Il appréciait hautement *La mort de Léonard de Vinci*, mais, dans une allusion indirecte à *L'entrée dans Paris du dauphin, futur Charles V*, reprochait à l'artiste la « manière outrée et gothique qui nuit beaucoup chez lui au développement des riches qualités dont l'a doué la nature. M. Ingres semble n'être pas de son siècle ; il nous parle la langue de Ronsard, et il s'étonne que nous ne la comprenions pas[1] ».

À cette date, Ingres s'efforçait d'allier ses penchants gothiques et classiques dans un style italianisant comparable à celui des nazaréens allemands, un style « mystique, simple et grandiose » qui donnerait à ses œuvres « ce beau caractère inconnu jusqu'ici qui n'existe que dans les ouvrages de Raphaël ». Sur une feuille d'études préparatoires pour cette toile (Montauban, musée Ingres), il écrivit aussi :

« Il faut composer comme Raphaël ; c'est-à-dire adopter sa manière de s'y prendre qui était de composer avec la nature et de ne s'occuper, aussi bien dans une composition de cent figures diverses, d'abord que des principales, comme s'il n'y devait être nullement question des autres. »

Telle était peut-être l'idée qu'il se faisait de la méthode de travail de Raphaël, mais l'importance accordée ici aux personnages principaux découle en fait de l'agencement concis du défilé, qui s'inspire directement des enluminures peintes au XVe siècle par Jean Fouquet pour les *Grandes Chroniques des rois de France* (Paris, Bibliothèque nationale), comme Ternois le signalait en 1967. Les détails des costumes, des physionomies et de l'héraldique, d'une exactitude méticuleuse, sont empruntés à Montfaucon, tandis que la conception des personnages est imprégnée des réminiscences d'œuvres de Raphaël, de Mantegna et de Fra Angelico vues à Florence. Edward Bryant a souligné l'influence des évocations de l'entrée du Christ dans Jérusalem datant de la première Renaissance mais, si vraiment des transpositions de cet ordre entraient dans le projet global d'Ingres, une source plus vraisemblable serait le grand tableau de Friedrich Overbeck sur ce thème, achevé à Rome en 1824 et commencé beaucoup plus tôt[2]. Dans le catalogue de 1967, Ternois écartait plus ou moins les possibilités d'allusions religieuses. Pourtant, Ingres devait être sensible au fait que l'art profane de Fouquet se fondait sur des transpositions de ce genre. En outre, l'ultra-royaliste comte de Pastoret aurait apprécié les rappels de l'idée de la royauté de droit divin sous-entendus par ce retour en arrière. On peut d'ailleurs interpréter *Le vœu de Louis XIII*, où le souverain a une vision de la Vierge et l'Enfant, comme une affirmation moins voilée de cette attitude passéiste.

Bonington n'a sans doute pas prêté attention au symbolisme personnel du tableau d'Ingres, mais il a dû trouver cette œuvre très intéressante en tant qu'illustration de l'un de ses chroniqueurs médiévaux préférés, d'autant qu'il s'apprêtait alors à relever le défi de la peinture anecdotique. L'exactitude historique d'Ingres et l'habileté avec laquelle il a utilisé un modèle de composition authentiquement d'époque afin de surmonter le problème de l'agencement d'une scène de foule médiévale, ont fourni un exemple dont Bonington s'est souvenu en abordant des sujets comme Quentin Durward à Liège. Cependant, les idéaux stylistiques des deux artistes divergeaient irrévocablement. Pour Ingres, les contours fermes et la touche raffinée de Raphaël représentaient le *nec plus ultra* de la forme et de la technique. Bonington, lui, estimait que le style fougueux des maîtres de la fin du XVIe siècle et du début du XVIIe suscitait les émotions les plus profondes.

1. Jal, *Salon de 1824*, p. 354–355.
2. K. Andrews, *The Nazarenes*, Oxford, 1964, pl. 20.

145

LES CONTES DU GAY SÇAVOIR, 1827
Lithographie sur papier de Chine collé, 86 × 87
(chaque image)

Titres portés sur les images: *de la dame de la belle
Sagesse* ; *du sacristain de Saint-Angadresme* ; *de la
dame sans merci* ; *du braconnier* ; *la veillée des fileuses* ;
*du jouvencel qui se marie à madame Marie Mère de
Dieu*

Provenance : Charles de Forget (mort en 1873)[1]

Bibliographie : Curtis 55–60

Londres, British Museum (1873–7–13–2714)

de la Dame sans merci.

de la Dame de la belle Sagesse.

Le mouvement néo-gothique eut d'importantes ramifications culturelles dans toute l'Europe et offrit aux artistes de toutes tendances une masse de sources d'inspiration visuelles, littéraires et thématiques nouvelles. En France, le style troubadour du premier quart du XIXe siècle ne fut que l'une des manifestations de ce large courant qui fut essentiellement anticlassique, même si, à son apogée, il resta très académique dans son vocabulaire plastique, exception faite de l'archaïsme très personnel d'Ingres.

Cette évolution s'accompagna d'une volonté didactique qui exigeait une exactitude toujours plus grande dans l'évocation des faits historiques. Cette mode déboucha notamment sur un commerce fructueux de copies conformes de manuscrits médiévaux destinées à ceux qui n'avaient pas les moyens de rivaliser avec des collectionneurs d'art moyenâgeux aussi assidus que Karl Aders à Londres ou Alexandre du Sommerard à Paris. L'*Hystoire et Cronicque du petit*

Jehan de Saintré [...] *collationnée sur les manuscrits de la Bibliothèque royale* d'Eugène Lami (Paris, 1830) fut l'une des nombreuses publications illustrées de ce type. Par un phénomène analogue à l'engouement pour Shakespeare dans l'Angleterre de la fin du XVIIIe siècle, et en imitation directe des supercheries littéraires de Chatterton et de Macpherson, le goût des choses gothiques favorisa en France des mystifications comme la «découverte» du poète du XIVe siècle Clotilde de Surville en 1804, à laquelle Charles Nodier prêta la main en publiant des *Poésies inédites de Clotilde* (Paris, 1827) illustrées de gravures d'après des compositions d'Alexandre Colin. Dans un genre moins retors, on vendit aussi des publications pseudo-gothiques qui empruntaient la formule des recueils annuels très prisés en Angleterre, regroupant des nouvelles, des poèmes et des gravures sentimentales, mais dans un style calqué sur celui des chroniqueurs du Moyen Age. C'est à cette catégorie qu'appartiennent *Les contes du gay sçavoir, ballades, fabliaux et traditions du Moyen Age* (Paris, 1828), entièrement rédigés par Ferdinand Langlé (1798–1865), dramaturge et nécromancien à ses heures. Pour illustrer cet ouvrage, Bonington et Monnier réalisèrent des lithographies à l'encre colorées à la main, imitant les enluminures de manuscrits tels que le *Livre d'Heures* du duc d'Anjou (Paris, Bibliothèque nationale).

Comme l'indiquent les notes placées à la fin du livre, le titre renvoie à la «gaie science», par quoi on désignait le style littéraire troubadour. La publication comportait aussi un lexique et une exégèse des différents récits. Ainsi, le comportement de la Dame sans merci est expliqué par la tradition populaire consistant à laisser tomber un morceau de pain dans de l'eau courante le jour du Nouvel An, pour déterminer le destin d'un amant. Cette allusion, la dédicace à la duchesse de Berry «en janvier lorsqu'on voit la terre par les champs plus blanche qu'un œuf» et les annonces parues les 25 et 29 décembre 1827 dans le *Journal des débats* et *Le Globe* confirment que ce livre devait être offert en étrennes à des dames et demoiselles pour leur divertissement². Langé allait publier l'année suivante un deuxième recueil, *L'histoire du jongleur*, illustré par Monnier et Lami. Sa prose ne possède pas l'érotisme gaillard de celle de Balzac et pourtant, elle préfigure à maints égards *Les contes drolatiques* (1832–1837) de ce dernier.

La collaboration de Bonington consistait à dessiner la page de titre, plus les six gravures que nous voyons ici sur une même feuille, mais qui devaient être ensuite découpées, collées sur les pages du livre, et grossièrement colorées à la main par des apprentis employés par l'éditeur Lami-Denozan. Comme la plupart des illustrations de ce genre réalisées à l'époque, les images s'insèrent dans un décor architectural gothique. Certaines compositions, telle celle du sacristain, imitent manifestement les enluminures, tandis que d'autres présentent des personnages rappelant les gravures de *Dress and Habits of the People of England* de Joseph Strutt.

Les participants à ce projet étaient

indéniablement portés à la satire, et les textes comme les images contiennent parfois des clins d'œil espiègles à l'actualité, mais il ne serait pas exact de qualifier cette publication de parodique³. C'était simplement un divertissement sans prétention, qui exploitait joyeusement une vogue du moment. Il ne s'agissait pas de tourner en ridicule cette vogue et ses liens avec la propagande de la Restauration, pas plus que Thomas Shotter Boys ne voulait dénigrer Alexandre Du Sommerard quand il s'amusait à inscrire, sur une représentation lithographique du nouveau musée d'Art médiéval (actuel musée de Cluny) : «Du Sommerard—Brocanteur»⁴. Ce n'étaient là que de petits jeux innocents, comme le laisse entendre Théophile Gautier, quand il décrit le personnage de son récit *Elias Wildmanstadius, l'homme du Moyen Age* : «Sa place n'est-elle pas marquée parmi le groupe de Lucas de Leyde, de Cranach, de Wolgemut, de Schooten, d'Albert Dürer ? Il n'y a chez lui rien de moderne, et croire à une imitation, à un pastiche gothique, ce serait se tromper gravement. Il y a transposition d'époque, dépaysement d'âme, anachronisme ; voilà tout. Ces retours inexpliqués d'anciens motifs causent de piquantes surprises et font une rapide réputation d'originalité aux artistes que leur tempérament y porte⁵.»

1. Mme de Forget fut la maîtresse de Delacroix dans les années 1830.
2. Dans *Le Globe*, l'annonce disait : «Il rappelle ces vieux missels sur vélin et ces antiques copies des romans de la Table ronde que nos ancêtres offraient le jour de Noël en étrennes aux châtelaines et aux demoiselles.»
3. Comme l'a fait Marcia Pointon (Pointon, 1986, p. 10).
4. Du Sommerard et sa passion médiéviste alimentaient les plaisanteries de ses amis. Jean-Baptiste Isabey, dont il collectionnait les caricatures, le représenta avec une tête en forme de haricot sec, tandis qu'Horace Vernet transforma son visage en poire (des décalques des deux dessins, réalisés par Eugène Devéria, sont conservés à la Bibliothèque nationale, département des Estampes, rés. DC178K, folios 1 et 63). La caricature la plus drôle est le buste en plâtre de Dantan.
5. Théophile Gautier, *Histoire du romantisme*, 2e édition, Paris, 1874, p. 53. Ces remarques peuvent s'appliquer à Prosper Mérimée, dont le premier succès littéraire, *La Guzla*, prétendait être un florilège de poésies illyriennes traditionnelles collectées par l'auteur dans les Balkans. Gautier avait écrit son récit *Elias Wildmanstadius* pour accompagner dans son recueil *Jeunes-France* une vue de Nuremberg gravée par Samuel Prout.

146

NEWTON FIELDING (1797–1856)
LE LIÈVRE, 1827
Mine de plomb, aquarelle et gouache avec
grattages et ajouts de gomme arabique,
15,5 × 22,5

Signé et daté en bas à gauche :
Newton Fielding/1827

Provenance : James Mackinnon, de 1983 à 1989 ;
acheté à ce dernier par le Yale Center for British
Art New Haven.

Yale Center for British Art, fonds Paul Mellon
(B1989.19)

Newton Fielding était le plus jeune de quatre
frères, tous aquarellistes, graveurs et professeurs
de dessin, qui nouèrent des liens professionnels
avec la France[1]. Theodore (1781–1851), Thales
(1793–1837) et Newton suivirent d'Ostervald à
Paris en 1821 pour exécuter des aquarelles et des
aquatintes destinées à ses *Voyages pittoresques en
Sicile* (1821–1826) et à ses *Excursions sur les côtes
et dans les ports de Normandie* (voir le n° 14). En
1823, Delacroix s'installa dans leur atelier de la
rue Jacob, où il peignit des portraits de Thales
et de Newton. Theodore et Thales finirent par
rentrer à Londres, mais Newton continua
jusqu'à sa mort à représenter les intérêts
familiaux à Paris, avec l'aide d'apprentis anglais.

Des quatre frères Fielding, Newton fut peut-
être le plus proche de Bonington. Deux des
premières aquarelles de Bonington, *Paris vu de la
route de Meudon*[2] et *Une ville française* (ill. 5),
sont des exercices dans le style de Fielding, dont
l'aquarelle reproduite ici fournit un exemple
plus tardif mais guère plus perfectionné. Quand
Bonington revint à Dunkerque après un bref
séjour à Paris en juillet 1824, il passa par
Dieppe, où il avait convenu d'accueillir Newton
à son retour d'un voyage à Londres, sur la côte
et dans la vallée de la Loire. Le carnet de
croquis que Newton rapporta de cette excursion
(Nottingham, Castle Museum) indique avec
quelle rapidité on pouvait alors se rendre de
Calais (19 juillet) à Nantes (15 septembre),
en comptant un arrêt d'une semaine à Dieppe
(21–29 août). Un deuxième carnet de Newton
Fielding (Nottingham, Castle Museum), utilisé
dans les environs de Maintenon entre juillet et
octobre 1825, contient des études de maisons
rurales qui préfigurent l'attirance de Huet et de
Bonington pour ce genre de sujet. Il contient
aussi des notes pour d'éventuelles illustrations
de La Fontaine finalement exécutées en 1827[3],
une étude au lavis, inversée, pour le lièvre
reproduit ici, accompagnée du profil d'un
chasseur avec son fusil (sans doute l'hôte de
l'artiste), et enfin des croquis de paysages
panoramiques semblables à l'arrière-plan du
Lièvre.

En 1827, Newton Fielding avait acquis à
Paris une solide réputation de peintre animalier
et de spécialiste des scènes équestres.
Cette année-là, il fut nommé maître de dessin
chez le duc d'Orléans, à qui il conseilla

vraisemblablement d'acheter au Salon
l'aquarelle du *Tombeau de saint Omer* peinte par
Bonington. Il participa lui-même au Salon avec
un ensemble d'aquarelles présentant sans doute
des motifs du même type que ce *Lièvre*.
Ces œuvres furent éreintées par le critique du
Journal des artistes (11 mai 1828), qui trouvait
que les artistes anglais avaient poussé un peu
trop loin les procédés de l'aquarelle. Les lavis
traditionnels étaient, selon lui, de plus en plus
dénaturés par des ajouts de gouache et de
gomme arabique, certes présents dans *Le lièvre*,
mais pas dans les proportions où on les trouve
chez Bonington à la même époque. Les Français,
si attachés à la hiérarchie des genres, n'étaient
pas les seuls à mal réagir devant ces méthodes
visant délibérément à gommer les différences
entre l'huile et l'aquarelle. Les tenants
londoniens de l'académisme partageaient cette
irritation.

Les images animalières de Fielding possèdent
un caractère fantasque bien prononcé, très
éloigné des mises en scène adoptées par des
artistes contemporains comme Edwin Landseer,
Alexandre Decamps, Antoine Barye ou Eugène
Delacroix, mais qui s'inscrit parfaitement dans
la lignée de Thomas Bewick. C'est le regard
humoristique posé sur ses propres occupations
ou sur celle de la société à laquelle il appartenait
qui a alloué une place à Newton Fielding dans
l'entourage immédiat de Bonington et a
sûrement encouragé Delacroix à introduire un
crustacé cuit dans sa curieuse *Nature morte au
homard* (Paris, musée du Louvre). Le tissu
écossais traditionnel visible dans *Le lièvre* est
sans doute une vague allusion à l'engouement
des Français pour la chasse à l'écossaise, encore
que l'un des Fielding ait affirmé sans rire à
Delacroix qu'il descendait en droite ligne de
Robert Bruce, roi écossais du XIVe siècle[4].
Delacroix se réjouissait manifestement d'exposer
sa *Nature morte au homard*, conjointement avec
La mort de Sardanapale, *Le Christ au jardin des
Oliviers* et *Faust et Méphistophélès*, au Salon de
1827 où beaucoup de ses amis comptaient
envoyer des peintures équestres à la mode
anglaise. Il écrivit à Soulier le 28 septembre, à
propos de ce tableau : « Il a déjà donné dans l'œil
à une provision d'amateurs et je crois que cela
sera drôle au Salon[5]. »

On retrouve des compositions comparables à
ce *Lièvre* dans une suite d'aquatintes publiée par
Rittner à Paris sous le titre *Sporting Game* en
1828, et dans deux suites de lithographies, les
Croquis de Newton Fielding et *Animals Drawn on the
Stone*, publiées respectivement par Motte et par
Gihaut en 1829. On possède peu d'indices d'un
quelconque intérêt de Bonington pour la
peinture équestre et le thème de la chasse : une
feuille d'études d'un chien d'arrêt (collection
particulière) et son amitié avec Frederick
Tayler. Ce dernier a raconté que, un jour de
1826 où il peignait un cheval pour Lord
Seymour, passionné de chasse et protecteur de
Bonington, l'animal rompit sa longe et faillit
démolir l'atelier de Bonington.

Par la suite, l'influence de Newton Fielding
sur d'autres peintres français s'est surtout
propagée par l'intermédiaire des artistes qu'il

avait formés à Paris. Ainsi, William Callow
arriva en 1829 après un bref apprentissage
auprès de Thales à Londres. On considère
généralement Callow comme un disciple de
Bonington, qu'il affirmait n'avoir jamais
rencontré, mais ses premiers dessins aquarellés
s'inspiraient de Thomas Shotter Boys et
ressemblaient beaucoup à ceux de Paul Huet.
Parmi les aquarelles les plus ambitieuses de
Newton Fielding, beaucoup furent réalisées en
collaboration avec William Callow, qui se
chargea d'exécuter les fonds, tandis que Fielding
peignait les animaux. Un carnet de Delacroix
conservé au Louvre contient plusieurs paysages
de Callow à l'aquarelle, datés de 1832–1833,
ainsi que des copies de Delacroix d'après
d'autres paysages du même artiste[6].

1. Au sujet de la famille Fielding, voir Pointon, *Circle*,
p. 143 *sq*.
2. Londres, Sotheby's, vente du 10 juillet 1986, n° 108.
3. Mackinnon et Strachey, *Drawings*, 1983, n°s 21–22, et
musée du Louvre, département des Arts graphiques.
Elles furent publiées par Gauguin en 1829 sous le titre
Suite d'animaux, sujets tirés des fables de La Fontaine.
4. Johnson, *Delacroix*, t. I, n° 69.
5. Delacroix, *Correspondance*, t. I, p. 197.
6. Sérullaz, *Delacroix*, n° 1739.

147

L'ABBAYE DE SAINT-AMAND À ROUEN,
vers 1827
Mine de plomb, aquarelle et gouache avec ajouts
de gomme arabique et effaements à l'eau,
19,2 × 12,6

Inscription à la mine de plomb, en haut à
droite : *109*

Provenance : vente Bonington, 1829, n° 191,
acheté par le troisième marquis de Lansdowne ;
transmis par héritage au cinquième marquis de
Lansdowne ; acheté à ce dernier par Agnew's ;
Sir Geoffroy Agnew jusqu'en 1988 ; acheté chez
Agnew's par le propriétaire actuel

Expositions : Agnew's 1962, n° 52 ; Nottingham
1965, n° 224

Bibliographie : Dubuisson et Hughes, repr. en
face de la p. 44 ; Shirley, p. 116, pl. 143 ;
Roundell, *Boys*, pl. VIII

Collection particulière

L'abbaye de Saint-Amand, fondée au XIe siècle et fastueusement dotée par une succession de monarques français, occupait autrefois l'espace situé entre l'église Saint-Ouen et la cathédrale Notre-Dame à Rouen. Laissée à l'abandon, elle était déjà dans un état catastrophique dans les années 1820. Alexandre Fragonard réalisa, pour le deuxième volume des *Voyages pittoresques* du baron Taylor consacré à la Normandie (planche 154), une lithographie présentant une composition analogue mais avec des édifices supplémentaires sur la droite. L'auteur du texte d'accompagnement (Taylor ou Nodier) a profité de cette occasion pour dénoncer l'État qui a laissé d'aussi «sublimes» antiquités «prostituées aux plus vils usages et sacrifiées aux plus vils intérêts par la plus coupable cupidité» (p. 73). Un dessin de l'artiste Léon Feuchère (1804–1837) présente lui aussi une construction à la place des arbres sur la droite de l'escalier[1], et il en va de même pour un deuxième dessin à la mine de plomb, exécuté soit par Thomas Shotter Boys, soit par Joseph West (collection particulière)[2], qui reproduit la composition d'ensemble de l'aquarelle reproduite ici, ainsi que certains détails particuliers à cette aquarelle. Boys ou West a sans doute copié une étude à la pierre noire destinée justement à cette aquarelle, et perdue aujourd'hui. Thomas Shotter Boys a inclus une vue assez semblable de l'abbaye dans son album de chromolithographies *Picturesque Architecture in Paris, Ghent, Antwerp, Rouen, etc.* (Londres, 1839), où il présentait l'ensemble d'édifices religieux de Rouen comme un «assemblage hétéroclite de constructions d'âges et de styles divers, occupé par des groupes d'habitants encore plus bigarrés». Il a adopté un point de vue plus éloigné, mais il a représenté des arbres sur la droite comme Bonington, et un de ses calques préparatoires pour l'estampe représente aussi la blanchisseuse sur l'escalier[3]. Il avait déjà exposé une aquarelle portant le même titre à la Society of British Artists en 1829.

L'abbaye de Saint-Amand à Rouen est l'une des vues d'architecture les plus superbes que Bonington ait peintes à la fin de sa vie. Il l'a probablement exécutée à Rouen en 1827[4], ou alors il s'est inspiré de croquis réalisés beaucoup plus tôt, comme il l'a fait pour la *Maison de la rue Sainte-Véronique* (n° 83), où il a également remplacé un mur par une rangée d'arbres qui ajoute une note de couleur plus attrayante.

1. Voir W. Stechow, *Catalogue of Drawings and Watercolors in the Allen Memorial Art Museum*, Oberlin, 1976, fig. 24.
2. Vente Bonington de 1829, n° 95. Cette copie passa dans une vente à Londres, chez Bonham, le 4 août 1966, n° 43, avec une note expliquant que Bonington avait donné son dessin à Joseph West en 1825. Une aquarelle censée représenter l'intérieur de l'atelier de Bonington (Pointon, *Circle*, fig. 18), porte une inscription analogue, mais c'est indéniablement une œuvre de West.
3. Voir D. Becker, *Drawings for Book Illustration : The Hofer Collection*, Houghton, 1980, p. 26a-d.
4. Une peinture à l'huile représentant la cathédrale de Rouen fut exposée au Salon de 1827 (n° 124 ; 56 × 50 cm avec le cadre). Elle a disparu depuis.

148

CLIPPER EN MER PAR GROS TEMPS, vers 1827
Mine de plomb et aquarelle avec grattages,
14,2 × 19,2

Provenance : Edward Hull, avant 1830 ; Henry
Vaughan ; John Lewis Roget ; transmis par
héritage (Londres, Sotheby's, vente du 12 mars
1987, nº 69), acheté par Agnew's

Bibliographie : Harding, *Works*, 1830

Collection particulière

La période comprise entre la première vente
d'atelier (juin 1829) et la dernière (février 1838)
marqua l'apogée de l'engouement pour
Bonington. La plupart des reproductions
gravées, notamment les mezzo-tinto de Samuel
William Reynolds d'après les compositions à
personnages et les lithographies de James
Duffield Harding restituant un plus vaste
éventail de styles, techniques et sujets, furent
dispersées de part et d'autre de la Manche au
début de cette période. Le public put voir
constamment de larges choix de ses œuvres
grâce aux expositions organisées par ses parents,
et grâce à la vente aux enchères des collections
Lewis Brown et Sir Henry Webb, tandis
qu'artistes et amateurs montraient autour d'eux
maints dessins et aquarelles.

J.D. Harding a conçu son album de
lithographies, où il a inclus une gravure de
l'aquarelle reproduite ici, comme un hommage
au génie de Bonington et un document destiné
aux étudiants. Cette publication est devenue
aussitôt une source commode de modèles pour
les copistes, amateurs ou professionnels, mais
aussi pour des faussaires. Harding s'était livré
lui-même à ce type d'exercice pour améliorer
son style graphique, et il encourageait
volontiers la copie «honnête». Dans une lettre
du 20 septembre 1832, il écrivait à C.P. Burney,
qui avait acheté plusieurs lots de dessins à la
vente d'atelier de 1829 : «J'ai à peine le temps
de vous dire que je peux maintenant aller en
Espagne sans craindre l'Inquisition, car j'ai eu la
chance de découvrir les esquisses de Bonington
longtemps perdues[1].» Il recommandait à
Rosetta, la fille de Burney, de copier ces œuvres
de Bonington et d'autres conservées dans sa
collection personnelle. Mais tous les membres
de l'entourage de Bonington n'accueillaient pas
avec le même enthousiasme la renommée
grandissante de Bonington et son influence
inévitable sur la peinture de paysage. Le
sculpteur David d'Angers remarquait, dans une
lettre à Victor Pavie : «Au lieu d'intriguer à
Paris, au lieu de faire des pastiches de Bonington
et des Anglais, nos artistes devraient être ici
devant la nature sublime[2].» Paradoxalement,
le style de Bonington était devenu exemplaire
d'une doctrine esthétique à la mode, tout
comme celui de Jacques-Louis David l'avait été
pour une précédente génération, et plusieurs

critiques soulignèrent, avec David d'Angers,
que l'imitation servile étouffait l'originalité
artistique. Autre fait non moins préoccupant,
dès 1831, il y avait suffisamment de faux
Bonington sur le marché pour inciter la
rédaction d'une revue d'art à évoquer ce sujet
dans le premier numéro de sa publication :
«À propos de Bonington, il me sera peut-être
permis de signaler les nombreuses imitations de
cet excellent artiste proposées au public comme
ses productions, mais qui sont en fait forgées
par des marchands de tableaux pour leur profit
personnel. [...] Chaque jour, on exhibe de
«vrais Bonington», évidemment plus beaux que
tous les précédents, et les mensonges sont trop
ingénieusement tournés pour éveiller les
soupçons. Il est vraiment fâcheux de voir des
hommes au talent indéniable assez sûrs d'eux
pour introduire dans leurs œuvres juste ce qu'il
faut pour permettre à l'œil averti de deviner où
ils ont pris leurs idées[3].»

Deux copies à l'aquarelle de ce *Clipper en mer
par gros temps*, ou de la lithographie de Harding,
sont passées plusieurs fois pour d'authentiques
Bonington[4]. Elles semblent dues à un seul et
même artiste, peut-être le peintre de marines
Charles Bentley, dont on connaît des copies
signées, réalisées d'après d'autres marines de
Bonington[5].

Avec cette aquarelle d'une fraîcheur
remarquable, Bonington est revenu aux thèmes
marins qui avaient fait sa reputation, mais qu'il
semble avoir un peu délaissés dans les deux

dernières années de sa vie. Une vue de navires au large, dans le golfe de Gênes, en constitue un autre exemple notable (collection particulière). En outre, d'après Thoré, au moins l'une des trois aquarelles exposées par l'artiste à l'occasion du deuxième accrochage supplémentaire au Salon de 1827, inauguré en février 1828, appartenait au genre des marines[6].

1. Lettre manuscrite envoyée le 20 septembre 1832 (cachet de la poste), New Haven, Yale University, Beinecke Rare Book and Manuscript Library.
2. Cité d'après H. Jouin, *David d'Angers, sa vie, son œuvre, ses écrits et ses contemporains*, Paris, 1878, t. I, p. 250 (lettre datée du 22 août 1835).
3. Library of the Fine Arts, nº 1, février 1831, p. 59–60.
4. Collection particulière (Londres, Christie's, vente du 8 juin 1976, nº 127; avec une inscription à demi effacée au verso : [...] *by Bonington*); et Eton College, collection Pilkington (Shirley, pl. 135), où la composition est agrandie sur la droite par l'introduction de la jetée de Calais, mais pratiquement identique pour ce qui concerne le coloris et les rehauts de lumière obtenus par grattage.
5. Une de ces copies, appartenant à un collectionneur particulier, a été exécutée d'après une marine à l'aquarelle conservée à la Whitworth Art Gallery de Manchester (Shirley, pl. 76).
6. Thoré, 1867, p. 9. Le livret du Salon signale «une aquarelle» sous le nº 1607, mais le registre d'enregistrement des ouvrages (archives du Louvre, KK24) indique que ce numéro correspondait en fait à un ensemble de trois aquarelles.

149

MOULINS À VENT DANS LE NORD DE LA FRANCE, vers 1827–1828

Aquarelle et gouache avec ajouts de gomme arabique et emploi de caches, 15,8 × 22,2

Signé et daté en bas à droite : *R P B 18*[derniers chiffres illisibles]

Provenance : L.-J.-A. Coutan (Paris, vente du 19 avril 1830, nº 118), non adjugé ; transmis par héritage à Mme Milliet ; donation Milliet, Schubert et Hauguet, 1883

Bibliographie : Shirley, pl. 144 ; Pointon, *Circle*, fig. 51

Paris, musée du Louvre, département des Arts graphiques (R.F. 1466)

Malgré une date illisible, le style de cette aquarelle incite à la situer dans les deux dernières années de la vie de l'artiste.

EUGÈNE ISABEY (1803–1886)
PRÈS D'ÉTRETAT, vers 1828
Mine de plomb, aquarelle et gouache, 20,2 × 32

Signé et daté en bas à droite : *E Isabey 182[9?]*

Provenance : Londres, collection James Mackinnon

Collection particulière

Eugène Isabey devint entre 1825 et 1850 le principal peintre et lithographe français spécialisé dans les marines. Son père, Jean-Baptiste Isabey (1767–1855), ancien élève de David, fut l'un des plus grands miniaturistes d'Europe et l'un des premiers adeptes de la lithographie, ami de Géricault et de la duchesse de Berry, peintre attaché à la cour de Louis XVIII puis de Charles X et l'un des artistes les plus influents de son siècle. Eugène, qu'il appelait «mon fils, mon élève, mon ami», s'est sans nul doute initié auprès de lui aux techniques de l'aquarelle, de l'huile et de la lithographie, même si ses premières marines peintes à l'aquarelle vers 1821 trahissent déjà une influence anglaise. Il s'intéressa peut-être à ce type de peinture en fréquentant des aquarellistes britanniques actifs à Paris, car il collabora lui aussi aux projets de d'Ostervald, ou lors de son voyage en Angleterre et en Écosse en compagnie de Charles Nodier à l'automne 1820. Tout porte à croire que Bonington et Isabey se sont liés d'amitié vers cette date et que le premier a contribué à persuader le second à s'engager dans une carrière artistique, malgré les réticences de son père. Les relations de la famille Isabey durent grandement faciliter la vie de Bonington qui s'efforçait de se constituer une clientèle en dehors du système de mécénat officiel.

La plupart des peintures à l'huile d'Eugène Isabey datant des années 1820 sont perdues aujourd'hui. Celles qu'il exposa en 1824 étaient, si l'on en croit Auguste Jal, de petites marines dans une manière foncièrement anglaise, à ceci près que les effets étaient plus vigoureux et le modelé des figures plus habile. Les toiles envoyées au Salon de 1827, qui lui valurent une médaille d'or, furent jugées «anglo-vénitiennes» par leur style. Autrement dit, leur naturalisme et l'éclat de leur coloris constituaient leurs principales qualités. En revanche, suffisamment d'aquarelles de jeunesse sont parvenues jusqu'à nous pour nous permettre d'observer que celles du milieu des années 1820 présentent souvent des procédés de style directement empruntés à Bonington. Avant la fin de la décennie, Isabey avait adopté une technique plus précise et soignée, dont témoigne *Près d'Étretat*.

La ville d'Étretat était l'un des endroits où Isabey aimait le plus aller travailler sur le motif depuis 1820. L'aquarelle reproduite ici date sans doute des deux dernières années de la décennie. C'est un «souvenir» composé en atelier. L'organisation de la surface préfigure (sous une forme inversée) celui de sa célèbre toile *Port à marée basse* (Paris, musée du Louvre), achetée par l'État au Salon de 1833. Le critique Gustave Planche, plutôt enclin à défendre publiquement les innovations des jeunes peintres de marines, se montrait plus réservé au sujet d'Isabey, qui lui semblait trop marqué par les tendances anglaises : «Isabey s'obstine dans son indolence féconde [...] la poésie est absente [...] sa couleur est fausse dans son brillant, il bafoue effrontément la perspective et ses maisonnettes instables dansent comme si elles étaient ivres[1].» Planche faisait preuve d'une sévérité excessive, car si Isabey n'était pas irréprochable, il fut tout de même, dès le début de sa carrière, l'un des dessinateurs les plus accomplis de son siècle et, probablement, l'interprète le plus original de la tradition du paysage romantique anglais.

1. Planche, *Salon de 1833*, p. 221.

CROIX DE MOULIN-LES-PLANCHES, 1827
Lithographie, 21,6 × 18,6

Inscriptions sur la pierre, dans la marge
supérieure : *Pl. 77* ; dans la marge inférieure :
R. P. Bonington lithog.; et : *Imprimé par
C. Hullmandel* ; plus le titre

Bibliographie : Curtis 26
New Haven, Yale Center for British Art,
collection Paul Mellon (B 1977.14.10773)

Sur les neuf lithographies dessinées par
Bonington pour les deux volumes des *Voyages
pittoresques* du baron Taylor consacrés à la
Franche-Comté (1825–1827), quatre seulement
portent des inscriptions sur la pierre
lithographique précisant qu'elles s'inspirent
d'esquisses d'Eugène Ciceri, de Jean Vauzelle ou
de Taylor. D'où l'hypothèse que Bonington
avait peut-être parcouru la région après 1825
pour dessiner lui-même les études préparatoires
des autres planches. L'artiste a effectivement
traversé très vite la Franche-Comté sur son
trajet pour l'Italie, mais selon toute apparence,
il n'y est jamais allé tout spécialement pour
préparer la commande du baron Taylor, et il
improvisa également les cinq autres
lithographies d'après des croquis et descriptions
verbales de Taylor et de Nodier. Ces derniers
connaissaient déjà la région en juillet 1825,
lorsque Urbane Canal leur demanda de
collaborer, avec Victor Hugo et Alphonse de
Lamartine à la confection d'un guide illustré,
narratif et poétique, de la route du mont Blanc.
Taylor fut chargé de fournir huit dessins qui
devaient être gravés à Londres. Lamartine
refusa de quitter son havre natal de Mâcon. Les
autres accomplirent leur voyage en août et
septembre, en s'arrêtant à Tournus, Chamonix,
puis Brou (11–12 août), Arlay et Moulin-les-
Planches (30 août), une bourgade située au sud
d'Orgelet, sur l'Ain. Cette commande de Canal[1]
ne porta guère de fruits, à part la
documentation utilisée plus tard pour les
Voyages pittoresques, une évocation lyrique du
mont Blanc par Nodier et une virulente diatribe
de Victor Hugo (voir le commentaire du n° 28).

Il existe une esquisse d'ensemble et une
feuille d'études de détails pour cette
lithographie (Besançon, musée des Beaux-Arts),
probablement exécutées sur le motif par le
baron Taylor. Les personnages de la
lithographie sont des créations de Bonington. Si
le nom du baron Taylor n'apparaît pas sur ces
gravures, cela n'a rien d'extraordinaire. Un
exemplaire du volume *Normandie I* comportant
des illustrations supplémentaires (New Haven,
Yale Center for British Art) comporte des
« croquis lithographiques » inédits de Taylor,
que des lithographes professionnels
retravaillèrent en vue de la publication, souvent
sans citer l'auteur du dessin initial.

Bonington a peut-être commencé à travailler
sur les planches consacrées à la Franche-Comté
dès novembre 1824. Dans une lettre à Colin
datée du 1er novembre, il le remerciait d'être
allé voir le baron Taylor et d'avoir envoyé les
documents nécessaires[2]. Il continua à y
travailler par intermittence jusqu'à la fin de
1825, après quoi il s'occupa d'autre chose.
Il reprit ce projet en 1827.

En expliquant pourquoi les responsables
de la publication ont inclus une image de ce
monument de la Renaissance sans grand intérêt
apparent, Charles Nodier expose un des
objectifs fort sérieux des *Voyages pittoresques* :
« Nous aimons à le reproduire, car l'extrême
délicatesse de son travail nous fait craindre que
les intempéries de l'air n'agissent trop vite sur
ce monument élégant. » (p. 91.)

1. Sur ce projet, voir Hugo, *Œuvres complètes*, t. II,
p. 555–572, et p. 1542–1571.
2. La lettre manuscrite est conservée à Paris, Institut
néerlandais, fondation Custodia.

Pl. 77

R. P. Bonington delineg.

imprimé par C. Hullmandel.

Croix de Moulin les Planches.

152

LE PONT DES ARTS ET L'ÎLE DE LA CITÉ VUS DU
QUAI DU LOUVRE,   vers 1827–1828
Huile sur carton, 35,6 × 45,1

Provenance : vente Bonington, 1834, n° 141 (*View
of the Pont des Arts from the Quay of the Louvre —
a capital sketch*), acheté par Sibley ;
vraisemblablement Sir Henry Webb (Paris,
vente des 23–24 mai 1837, n° 41 (*View of Paris,
unfinished*) ; James Price (Londres, Christie's,
vente du 15 juin 1895, n° 37), acheté par
Agnew's ; P. Ralli ; légué par ce dernier à la Tate
Gallery en 1961

Exposition : Londres, Cosmorama Rooms, 209
Regent Street, 1834, n° 20

Londres, The Tate Gallery

À première vue, cette peinture inachevée,
exécutée sur du carton à reliure fabriqué par
Davy, rappelle les esquisses du séjour en Italie.
Pourtant, le procédé de composition consistant
à équilibrer des zones d'ombre et de lumière
vivement contrastées apparaît beaucoup plus
souvent dans les huiles et aquarelles de
Bonington datant de 1827–1828. Un aspect
assez insolite, dans la mesure où il ne semble
pas exigé par le sujet, est la perspective linéaire
très accusée qui fait converger les fuyantes
exactement au point d'intersection des ponts
et du gouvernail de la péniche, et conduit
directement le regard dans la partie où les
contrastes sont les plus prononcés. Bonington
n'a pas employé ce stratagème dans sa version
à l'aquarelle de la même vue[1].

1. Collection particulière. Provient de la collection
Lewis Brown (Paris, vente de 1837, n° 29). Reproduite
dans Shirley, pl. 133. Une version peinte par Thomas
Shotter Boys, datée de 1820, est passée en vente à
Londres, chez Sotheby, le 12 mars 1987 (n° 35).

153

LERICI, vers 1828
Huile sur carton, 35,5 × 45,7

Au verso : étiquette de R. Davy

Provenance : vente Bonington, 1829, nᵒ 217
(*Painting of a Castle in the Mediterranean*), acheté
par Sir Thomas Lawrence ; vente Thomas
Lawrence, Londres, Christie's, 17 juin 1830,
nᵒ 29, acheté par Lord Northwick ; vente
Northwick, Londres, Christie's, 12 mai 1838,
nᵒ 54 (*Sea View — Morning. It represents the castle
and part of the fine bay of Spezia near Genoa, and was
painted for Sir Thomas Lawrence*), acheté par B.
Smith ; Francis Baring, avant 1907 (Londres,
Christie's, vente du 4 mai 1907, nᵒ 12), acheté
par Agnew's ; Sir Gervase Beckett, avant 1920
(Londres, Christie's, vente du 23 juillet 1920,
nᵒ 44a), acheté par King ; amateur anonyme
(Londres, Sotheby's, vente du 12 mars 1980,
nᵒ 122), acheté par Feigen

Exposition : Nottingham 1965, nᵒ 275

New York, Richard L. Feigen

Les deux versions à l'huile de cette composition
(voir le nᵒ 102) étaient encore dans l'atelier de
Bonington à sa mort. Le catalogue de la vente
de 1829 précisait fort justement qu'il s'agit
respectivement d'une «esquisse» et d'une
«peinture». Bonington a peint l'esquisse sur le
motif. Cette version composée et plus travaillée,
où nous reconnaissons Rivet occupé à prendre
des croquis dans le fond, fut peut-être
commandée au printemps 1828 ou plus tôt,
mais toujours pas livrée à la date de la mort de
l'artiste. La note du catalogue de la vente
Norwick indique que l'œuvre fut réalisée pour
Sir Thomas Lawrence, à qui Bonington avait
montré diverses études au printemps, mais cela
reste à prouver. Quand le propriétaire actuel
acheta cette peinture, elle avait encore son
encadrement d'origine. Comme elle n'avait pas
été revernie et qu'elle était protégée par du
verre, c'est, parmi les huiles de Bonintgon, celle
qui nous est parvenue dans le meilleur état de
conservation.

Une gravure de cette version, exécutée par
Charles G. Lewis, fut publiée par Hodgson,
Boys et Graves sous le titre *Bay of Spezzia* le
12 août 1834.

154

LE GRAND CANAL AVEC LE RIALTO AU LOIN ;
SOLEIL LEVANT, vers 1828
Huile sur toile, 43,3 × 61

Provenance : Sir Robert Peel, avant 1836 environ[1] ; son fils Sir Robert Peel (Londres, Robinson & Fisher, vente du 11 mai 1900, n° 237 [*A View on the Grand Canal, Venice*]), acheté par Duveen ; Leggat Brothers, 1951 ; Mme J.A. McAulay, avant 1965 ; New York, Hirschl et Adler, 1980 ; amateur anonyme (Londres, Sotheby's, vente du 8 mars 1989, n° 94), acheté par Feigen

Exposition : Nottingham 1965, n° 282, pl. 41

Bibliographie : S.C. Hall, *The Book of Gems*, Londres, 1838, gravure de J. Miller, en face de la p. 41

New York, Richard L. Feigen

Les couleurs vibrantes et le clair-obscur, nettement plus spectaculaires que la palette blonde de la plupart des esquisses à l'huile de 1826, illustrent parfaitement le changement intervenu dans le langage plastique de Bonington au cours des douze derniers mois de sa vie. La composition se conforme dans ses détails à une étude méticuleuse au crayon (Bowood, coll. du comte de Shelburne)[2] où il ne manque que les bateaux et l'indication des conditions atmosphériques. On a toujours pensé que cette toile représentait un coucher de soleil sur le Grand Canal, mais la perspective s'oriente en fait dans la direction de l'est, depuis les palais Grimari et Bernardo vers le Rialto et la tour de San Bartolomeo au loin. Ainsi, on comprend mieux pourquoi une lumière matinale froide baigne les façades ; des barges chargées de provisions se dirigent vers le centre commerçant de la ville. La vue a été prise à hauteur du palais Corner-Spinelli.

Ce tableau de chevalet d'exécution soignée ne figurait dans aucune des ventes d'atelier[3]. De toute évidence, Sir Robert Peel, grand homme d'État et collectionneur, l'avait commandé ou l'acheta par l'entremise de l'artiste William Seguier, qui lui servait de conseiller.

1. *Sir Robert Peel's Manuscript Inventory of his Gallery of Paintings*, Surrey Record Office, vers 1836, n° 1 : *View in Venice*.

2. Dubuisson et Hughes, repr. en face de la p. 171.

3. La seule peinture à laquelle on pourrait l'identifier est une *View in Venice* répertoriée dans la vente de 1829, n° 220, achetée par Lord Charles Townshend et passée ensuite dans sa vente (Londres, Christie's, 11 avril 1835, n° 18) où elle était ainsi présentée : *View of a Canal in Venice — a capital finished picture*. Un tableau appartenant à un collectionneur particulier français porte une inscription ultérieure qui l'identifie avec la peinture de Townshend. Il représente l'ancien quai et San Trovaso sur le rio San Trovaso. Le tableau en question n'est pas de Bonington, mais doit reproduire fidèlement l'original.

155

LE CORSO SANT'ANASTASIA À VÉRONE, 1828
Huile sur bois, 60 × 44,2

Provenance : vente Bonington, 1829, n° 110
(*A highly finished view of the Palace of Count Maffei
at Verona*), acheté par le marquis de Stafford ;
transmis par héritage à Lord Sutherland Gower
(Londres, Christie's, vente du 26 janvier 1911,
n° 32), acheté par Gooden & Fox ; D.C. Erskine,
de 1911 à 1922 (Londres, Sotheby's, vente du
28 juillet 1922, n° 19), acheté par Leggatt ;
revendu dans le courant de l'année à M. Perman
(P.M. Turner ?) ; Mme D. Turner (Londres,
Christie's, vente du 16 juillet 1965, n° 90),
acheté par Paul Mellon

Bibliographie : Harding, *Works*, 1829 ; Dubuisson
et Hughes, p. 87, 202 et 204 ; Shirley, p. 148 et
152

New Haven, Yale Center for British Art,
collection Paul Mellon (B1981.25.58)

Dans une lettre du 25 avril 1829 à Samuel
Prout, où il confiait ses projets pour la vente
d'atelier de son fils, Bonington père précisait :
«Quant au tableau de Vérone, je vous demande
de le garder jusqu'à ce que j'aie le plaisir de
vous voir, et nous réglerons alors les choses de
manière satisfaisante pour tous, car j'entends
être gouverné dans toutes mes actions, dans la
mesure du possible, par l'excellente règle morale
de notre loi divine "Faites aux autres, etc."[1].»
Cette lettre nous fait comprendre que la
peinture du Corso Sant'Anastasia, réalisée sur
commande, n'avait pas été payée à la mort de
l'artiste. Ce fut l'un des rares tableaux achevés
dispersés lors de la vente d'atelier de 1829, où
il fut acquis par le marquis de Stafford, dont
Bonington avait peut-être vu en 1825
l'extraordinaire collection de maîtres anciens.
Il se pourrait bien que nous ayons affaire ici à la
toute dernière peinture achevée par Bonington
avant les premières atteintes, en juillet, de la
maladie qui allait l'emporter.

La composition reprend le motif de la
procession et même les personnages de la *Vue
du Palais des Doges* de 1827, beaucoup plus grande
(Londres, Tate Gallery ; ill. 46). C'est une
version plus fouillée de celle que Bonington
avait esquissée en Italie (n° 87), et déjà
employée pour une plus petite peinture à l'huile
(collection particulière)[2]. Cette dernière avait
été expédiée en octobre 1827 à Domenic
Colnaghi, avec ce petit mot : «M'autorisant de
l'aimable proposition de M. Pickersgill, je vous
ai fait tenir une petite peinture dans l'espoir de
remplir la commande dont vous m'avez honoré,
lors de mon dernier séjour en Angleterre. Il doit
vous prier de la considérer d'un œil charitable,
du moins jusqu'au moment où vous la verrez
encadrée ou vernie — le sujet est une rue de
Vérone, le bâtiment qui s'avance est la Casa
Maffei[3].»

Dans un texte accompagnant la gravure de
Cooke d'après la version à l'aquarelle, Maria
Callcott, gagnée par un pessimisme
éminemment romantique devant la décadence
de la civilisation italienne, déplorait l'état
d'abandon où étaient tombés les édifices
publics de Vérone[4]. William Hazlitt exprime à
propos de Vérone des sentiments plus proches
de l'impression qui se dégage de la toile de
Bonington, quand il écrit : «Ses rues et ses
places sont dégagées et spacieuses ; mais les
édifices ont un aspect plus moderne et plus
ornementé [qu'à Ferrare], et l'on observe chez
les habitants certaine gaieté et élégance[5].»
En 1825, David Wilkie notait dans une lettre
au paysagiste William Collins que, en Italie,
«tout apparaît plus distinctement [...] le ciel
est plus bleu, la lumière plus vive, les ombres
plus denses et les couleurs plus éclatantes[6].»
Des commentateurs français de tendances
aussi divergentes que Stendhal et Delécluze
reprochèrent régulièrement aux anciens
pensionnaires de l'Académie de France à Rome
d'oublier cette réalité dès leur retour en France,
et de recommencer presque aussitôt à
représenter des sites italiens enveloppés dans
la même grisaille que le bois de Boulogne.

Les dernières œuvres de Bonington attestent au
contraire une évolution vers une accentuation
presque décorative des couleurs et des clairs-
obscurs.

1. Dubuisson et Hughes, p. 87.
2. Londres, Christie's, vente du 15 juillet 1983, n° 41,
repr.
3. Dubuisson et Hughes, p. 78.
4. *The Gem*, Londres, 1830.
5. Hazlitt, *Notes*, p. 276–277.
6. Cunningham, *Wilkie*, t. II, p. 200–201.

156

LES SALINIÈRES, PRÈS DE TROUVILLE,
vers 1828
Huile sur carton, 21,6 × 34,3

Provenance : Lady Binning ; légué par cette
dernière à la National Gallery of Scotland

Bibliographie : Roundell, *Boys*, pl. 7 ; Peacock,
pl. VI : Pointon, *Bonington*, fig. 14 ; Cormack,
Bonington, pl. 102

Édimbourg, National Gallery of Scotland

Même si l'on n'a pu retracer son historique,
tous les auteurs modernes admettent que cette
esquisse à l'huile est de la main de Bonington.
Cette attribution est étayée par l'existence
d'une étude à la mine de plomb et au lavis,
présentant une composition analogue, qui
porte au dos cette indication notée en anglais :
«Dessiné pour moi par R.P. Bonington pour
me montrer la place du Chancre. 1826, rue des
Martyrs. Thos. S. Boys[1].» L'étude en question
fut sans doute dessinée de mémoire dans le
courant de l'automne, en prévision de quelque
excursion en Normandie envisagée par
Thomas Shotter Boys. Bonington ne l'aurait
certainement pas exécutée s'il avait encore
pu disposer à cette date de la version à l'huile
reproduite ici, et s'il voulait simplement
signaler à Boys un site particulièrement
intéressant.

La vue des Salinières peinte par Thomas
Shotter Boys[2] présente à peu près le même
second plan que celle de Bonington, mais
comporte des détails qui ne figurent que dans
l'huile reproduite ici, et non dans l'étude
aquarellée : une ligne d'horizon haute, de la
fumée qui s'élève de la construction sur la
droite, et tout le premier plan, avec la petite
rivière, la berge et les bouts de bois. Selon
toute apparence, l'aquarelle de Boys est soit un
pastiche des deux compositions attribuées à
Bonington, soit une étude de plein air exécutée
en adoptant le même point de vue que pour
l'esquisse à l'huile reproduite ici, soit un modèle
utilisé pour cette esquisse. En tout cas, on ne
peut continuer à situer l'exécution des Salinières
dans une période antérieure, car cette œuvre ne
présente aucune ressemblance avec l'ensemble
fort homogène des études de plein air de la fin
1825, date à laquelle Bonington se rendit à
Trouville, ou avec les esquisses italiennes de
l'été 1826. On ne connaît aucune esquisse de
paysage comparable à celle-ci, et l'on pourrait
être tenté de la rattacher à l'œuvre de
Roqueplan ou de Huet, en se fondant sur les
juxtapositions éclatantes de vert, turquoise
et bleu de Prusse sur les empâtements blancs
spectaculaires dans le second plan et sur la
facture impétueuse du ciel. Mais on retrouve
des caractéristiques analogues dans des
aquarelles peintes par Bonington en 1827–1828
(n°s 162 et 165)[3] ou dans les arrière-plans de
compositions à personnages comme *Amy Robsart
et Leicester* (n° 141). Les ressemblances sont

assez probantes pour confirmer l'attribution,
mais en situant l'esquisse plus près de la fin de
la vie de l'artiste. Ce pourrait être une peinture
improvisée en atelier d'après la version de Boys,
encore qu'il ne soit pas impossible que
Bonington soit allé à Trouville en 1827 ou en
1828. Paul Huet et Eugène Isabey fréquentaient
tous deux Trouville à cette époque[4]. Cependant,
on ne peut leur attribuer *Les Salinières*, *près de
Trouville*, une œuvre peinte avec une certaine
fougue, mais trop sagement ordonnancée pour
être due à l'un de ces deux artistes.

1. Collection particulière ; Roundell, *Boys*, pl. 5.
2. Roundell, *Boys*, pl. 6.
3. L'aquarelle couramment intitulée *Près de Burnham*
(Agnew's, *English Watercolours*, 1990, n° 69, repr.) serait
un autre exemple comparable.
4. Voir par exemple l'esquisse à l'huile de Huet, signée
et datée, *Bateaux échoués à Trouville* (Londres, Sotheby's,
vente du 20 juin 1984, n° 377, repr.).

157

ÉTUDE DE FEMME ASSISE,   vers 1827
Mine de plomb, 17,5 × 13,1 cm

Au verso, une caricarure de tête reportée par
décalque à la mine de plomb

Provenance : P. & D. Colnaghi, 1969 ; acheté à ces
derniers par Paul Mellon

New Haven, Yale Center for British Art,
collection Paul Mellon (B1975.4.70)

Des croquis à l'encre représentant la même
femme sont conservés à Melbourne (National
Gallery of Victoria) et à Oxford (Ashmolean
Museum), ces derniers la montrant dans la
même pose. On connaît deux autres études au
crayon de ce modèle, assis et cadré à hauteur
des genoux[1]. Les dessins au crayon semblent des
études de pose pour le personnage de la peinture
à l'huile intitulée *La robe verte*[2] ou *Le billet doux*
dans une reproduction en mezzo-tinto gravée
par S.W. Reynolds en 1829. Malgré le costume
du XVIIe siècle que porte l'héroïne du *Billet
doux*, on reconnaît bien le visage du modèle qui
a posé pour cette *Étude de femme assise*.
Bonington dessina en janvier 1828, pour la fille
de son hôte londonien, un autre croquis à la
plume montrant un personnage féminin idéalisé,
en costume du XVIIe siècle et dans une pose
apparentée à celle de la dame du *Billet doux*, qui
présente une variante de l'attitude de Marie de
Médicis dans *Henri IV et l'ambassadeur d'Espagne*
(Salon de février 1828). La facture de l'étude
reproduite ici, nerveuse et soulignée d'ombres
assez denses et anguleuses, est identique à
celle des esquisses de Bonington d'après un
personnage de *La fête donnée à l'occasion de la
trêve de 1609* d'Adriaen Van de Venne (Paris,
musée du Louvre), dont il s'est inspiré pour
peindre le courtisan dans *Henri IV et
l'ambassadeur d'Espagne*, comme on l'a démontré
depuis longtemps.

   Bonington devait bien connaître la femme
assise visible ici, puisqu'elle a posé pour lui dans
différents costumes modernes et que plusieurs
croquis à la plume sont des portraits, et non pas
de simples études de pose. C'était peut-être un
modèle professionnel, mais on serait plutôt
porté à croire que c'était une amie de l'artiste,
par exemple une fille d'Edward Forster, pasteur
à Paris, avec qui Bonington s'était lié plusieurs
années auparavant et dont la femme, Lavinia
Banks, lui donna des lettres de recommandation
pour Sir Thomas Lawrence en 1827, puis en
1828. On croit savoir que la mort soudaine de
l'une des filles de Forster en 1828 affecta
profondément l'artiste[3].

1. L'une était chez Colnaghi en 1969, et l'autre est
conservée à Hartford, au Wadsworth Atheneum.
2. Johnson, «Compte rendu», fig. 54. Pour les
personnages de ses toutes dernières peintures d'histoire,
Bonington commença à utiliser davantage de croquis de
poses exécutés d'après des modèles vêtus, au lieu
d'emprunter à des sources peintes ou gravées.
3. «Memoir of Richard Parkes Bonington», *Library of the
Fine Arts*, mars 1832, p. 208. Forster lui-même mourut
au printemps 1828.

158

ÉTUDES D'EDMUND KEAN EN SHYLOCK,
vers 1828

Encre brune sur deux feuilles de papier vergé et
vélin, celle de droite étant encollée et préparée
avec un fond blanc, 22,5 × 35

Inscriptions à l'encre brune, sur le support
coupé, en bas à gauche : *in Shylock etc* ; et en bas à
droite : *Bon*. Cachet en bas à gauche : *SG* (non
répertorié dans Lugt). Filigrane de la feuille de
gauche : *1821*

Provenance : vente Bonington, 1838, nº 11 ;
Sutton Palmer ; Percy Moore Turner, au plus
tard en 1937 ; Jacques Seligmann ; acheté à ce
dernier par Paul Mellon en 1962

Exposition : BFAC 1937, nº 77

Bibliographie : Shirley, p. 99, pl. 73

New Haven, Yale Center for British Art,
collection Paul Mellon (B1977.14.6104)

Après l'échec d'une tentative visant à faire connaître le théâtre anglais au public parisien en août 1822[1], le baron Taylor eut plus de succès avec les manifestations organisées sous l'égide du duc d'Orléans durant la saison 1827–1828. Le 6 avril, John Kemble, William Macready et Miss Smithson signèrent un contrat de trois mois, aux termes duquel ils devaient tenir les rôles principaux dans diverses pièces tirées pour la plupart de l'œuvre de Shakespeare. En mai, Edmund Kean, dont l'arrivée était très attendue, remplaça Macready et incarna successivement Richard III (le 12 mai), Othello (le 16 mai) et Shylock (le 23 mai). La dernière représentation où il interprétait Shylock fut commentée dans la presse le 20 juin[2].

Edmund Kean (1787–1833), incarnation romantique de la virtuosité théâtrale, vivement admiré par le tragédien Talma, fit des débuts très remarqués à Drury Lane dans le rôle de Shylock, en 1814. William Hazlitt, grand admirateur de Kean lui aussi, se rappelait ce moment extraordinaire en mars 1828 :

« Il y a quatorze ans, nous avons voulu aller voir un jeune acteur de la campagne se frotter à ce rôle à Drury Lane, et, pensions-nous, allonger la liste des fiascos. Quand nous sommes arrivés, il y avait une cinquantaine de personnes dans les fauteuils d'orchestre, et cette atmosphère d'échecs répétés que fait naître une assistance clairsemée. Quand le nouveau candidat s'est avancé, il avait une légèreté dans sa démarche, un enjouement désinvolte et une assurance bien différente de l'aspect maussade, têtu et coriace des Shylock traditionnels de la scène. De vagues espoirs s'éveillaient, et tout allait bien. Mais lorsqu'il en arriva au passage où, appuyé sur son bâton, il raconte l'histoire de Jacob et ses protégés avec la loquacité du grand âge et une chaleur qui semble remonter au temps jadis, en se régalant de faire valoir cet exemple, alors seulement il fut évident qu'un homme de génie avait pris le chemin du théâtre[3]. »

Par la suite, Kean devait incarner Shylock régulièrement, et c'est dans ce rôle que Delacroix, sans doute accompagné de Bonington, l'a vu jouer le 2 juillet 1825 à Londres. Ce spectacle marqua profondément Delacroix, qui dessina l'acteur en costume[4]. Le 15 juin 1828, Hazlitt prit prétexte de quelques critiques déforables à l'interprétation de Kean pour fustiger une fois de plus le goût français : « M. Kean est à part, c'est tout bonnement un original. Et les Français détestent l'originalité : elle semble sous-entendre qu'ils pourraient être dénués d'une certaine forme d'excellence ou de talent. En outre, ils s'attendaient à découvrir un géant. "Mon Dieu, qu'il est petit !" C'est vrai qu'il est minuscule. Le "Petit Caporal" l'était aussi, mais depuis sa disparition de la scène, les Français ont cessé d'être une grande nation[5]. » C'était franchement injuste, car, de manière générale, la presse française ne ménagea pas ses éloges envers l'acteur et sa troupe.

Les études reproduites ici, exécutées d'après nature sur des bouts de papier à lettres avec l'encre colorée au brou de noix que Bonington expérimentait alors[6], comptent parmi les dessins les plus spontanés de l'artiste. Elles restituent le caractère brillant du jeu de Kean, dans un style exubérant qui pourrait faire oublier le mauvais état de santé de Bonington à cette date.

1. Voir Delécluze, *Journal*, septembre 1827.
2. Des comptes rendus furent publiés dans le *Journal des débats*, les 19 mai et 23 juin 1828, et dans la *Revue encyclopédique*, n° 36, mai 1828, p. 354–356.
3. Hazlitt, « Actors and the Public », *The Examiner*, 16 mars 1828 (repris dans les *Complete Works*, t. XVIII, p. 376–377).
4. Sérullaz, *Delacroix*, n° 542, où l'œuvre est présentée comme une illustration probable de Faust. Le personnage est plus judicieusement identifié à Shylock par G. Doy, dans « Delacroix et Faust », *Nouvelles de l'estampe*, mai-juin 1975, p. 18–23.
5. Hazlitt, « Mr. Kean », *The Examiner*, 15 juin 1828 (repris dans les *Complete Works*, t. XVIII, p. 416).
6. Dans une lettre du 5 mai (Londres, Royal Academy), Bonington signale qu'il en a envoyé un échantillon à son ami John Barnett.

159

LA SYLPHIDE,   vers 1828
Mine de plomb et encre brune, 15,6 × 11,4

Signé et daté en bas à droite : *RPB 1828*.
Inscriptions à la mine de plomb, en haut à
gauche: *110*, et à l'encre, en bas à droite :
La Sylphide

Provenance : vente Bonington, 1829, nº 96,
regroupé avec une esquisse à la sépia intitulée
The Storm, acheté par le marquis de Lansdowne ;
transmis par héritage au propriétaire actuel

Expositions : Agnew's 1962, nº 81 ; Nottingham
1965, nº 193

Bibliographie : Shirley, p. 118, pl. 154 ; Miller,
Bowood, p. 46, nº 173

Bowood, collection du comte de Shelburne

À la suite de tous les spécialistes précédents,
James Miller a donné à ce dessin le titre inexact
de *La sylphe et l'orage*. Cette erreur s'explique
aisément : dans le catalogue de la vente d'atelier
de 1829, deux dessins étaient regroupés dans le
même lot. Seul celui qui était intitulé *La sylphide*
fut adjugé au marquis de Lansdowne. *L'orage*,
retiré de la vente pour d'obscures raisons,
figurait à nouveau dans celle de 1834, sous le
nº 13. Il fut acheté par Edward Vernon
Utterson.

Dans une note, Atherton Curtis signalait
l'existence d'une lettre de Bonington à l'éditeur
Perrotin, où l'artiste proposait trois illustrations
pour les *Chansons* de Béranger[1]. Cette
publication, annoncée le 19 avril 1828 dans le
Journal des débats, y était présentée comme une
entreprise purement nationale, à laquelle
avaient collaboré uniquement les meilleurs
artistes et graveurs français[2]. Les entraves mises
par la censure obligèrent à repousser la sortie de
ces *Chansons* jusqu'en 1834. Sur les trois

illustrations dessinées par Bonington,
L'hirondelle, *La sylphide* et *L'orage*, seule la
première fut gravée. Pour les ballades *La sylphide*
et *L'orage*, Perrotin choisit des compositions
d'Achille Devéria et de Nicolas-Toussaint
Charlet. L'illustration de Devéria était une
variante d'une image déjà utilisée en 1830,
lorsque *La sylphide* avait été publiée dans le
premier volume du *Keepsake français* de Soulié.
Chaque fois, Devéria a proposé une
interprétation platement littérale de la sylphide
de Béranger, sorte de grisette vêtue à la mode
du temps, mollement étendue sur un divan
garni de tissu. Ce type féminin revient souvent
dans les œuvres des frères Devéria, et son
incarnation la plus séduisante se trouve peut-
être dans les *Jeunes femmes au repos* (1827 ; Paris,
musée du Louvre).

J.-M. Roulin a analysé la typologie de la
sylphide dans la littérature romantique
française[3]. Après le *Trilby* de Charles Nodier,
cette créature mythique réapparaît
régulièrement dans les poésies de Victor Hugo
et de Pierre-Jean de Béranger, dans les *Mémoires
d'outre-tombe* de Chateaubriand, dans *Le spirite* de
Gautier et dans une œuvre plus connue du
grand public à l'époque, le ballet de Nourrit
précisément intitulé *La sylphide*, interprété pour
la première fois en mars 1832. Dans ses
premières manifestations, la sylphide était
plutôt une vision éthérée du beau féminin idéal,
un personnage capricieux et vulnérable comme
dans les poèmes de Béranger, incarnation réelle
mais inaccessible de la féminité romantique.
L'image conçue par Bonington traduit
admirablement le paradoxe de cette réalité
insaisissable qui, avec son costume, sa couronne
de roses, ses compagnes ailées et sa façon de se
dresser sur les pointes, préfigure étonnamment le
spectacle de Nourrit, dont la danseuse étoile
Marie Taglioni interpréta le rôle principal.
Eugène Lami dessina les costumes de ce ballet[4].
Il pourrait exister un lien entre l'image de la
sylphide conçue par Bonington et la danse,
comme le laissent supposer les poses des
sylphides ailées, apparemment inspirées
d'études à l'encre représentant une femme qui
danse (nº 122).

1. Paris, Bibliothèque nationale, dossier Bonington.
2. Deux jours après l'annonce de Perrotin, Baudouin fit
passer dans le *Journal des débats* une réclame pour sa
propre édition illustrée par Devéria et Monnier.
3. Roulin, « La sylphide, rêve romantique », *Romantisme*,
nº 58, 1987, p. 23–38.
4. Un portrait lithographique de Marie Taglioni dans *La
sylphide* (1832), exécuté par Alfred Chalon, nous montre
la danseuse vêtu d'un tutu éminemment moderne, sorte
de petit jupon ultra-court en tulle blanc gonflant.

DANS L'ESCALIER, 1828
Aquarelle et gouache, 19,8 × 14,3

Signé et daté en bas à gauche : *R P B / 1828*

Provenance : Richard Seymour Conway,
quatrième marquis de Herford, jusqu'en 1870 ;
son fils, Sir Richard Wallace, jusqu'en 1890 ;
Lady Wallace jusqu'en 1897 ; légué par cette
dernière à Sir John Murray Scott (Londres,
Christie's, vente du 27 juin 1913, n° 2), acheté
par Arnold & Tripp ; vraisemblablement Sarah
Barclay (Londres, Christie's, vente du 4 mai
1914), acheté par la Squire Gallery ; H.A.
Robinson, (Londres, Christie's, vente du 9
juillet 1920), acheté par Agnew's ; acheté chez
ce dernier par la Whitworth Art Gallery

Expositions : *BFAC* 1937, n° 81 ; Nottingham
1965, n° 244, pl. 22

Bibliographie : Shirley, p. 17 et 117, et pl. 153

Manchester, Whitworth Art Gallery

Cette aquarelle de la dernière période, dont le
sujet n'a pu être identifié, nous donne à voir
l'une des compositions les plus inventives de
Bonington. On y retrouve le motif privilégié
des couples de promeneurs élégants allié à une
organisation complexe de l'espace, qui ne peut
manquer de rappeler certaines tendances de
Delacroix, mais qu'une aquarelle peinte en
1825 par Bonington, *L'escalier* (Londres,
Wallace Collection), préfigurait pleinement.
   En 1952, l'eau a considérablement
endommagé cette œuvre sur le bord supérieur
et le côté droit. La reproduction publiée par
Shirley nous montre l'aquarelle avant cet
accident, et permet de mesurer l'ampleur
des dégâts, surtout au niveau des têtes des
personnages du haut et de la silhouette du page
sur la droite, où l'effacement de la couleur a mis
à nu le dessin sous-jacent de la jambe droite.
Deux copies d'amateurs, dont l'une porte
l'inscription « TF d'après RPB », s'accordent
avec la reproduction de Shirley pour confirmer
que le cadrage audacieux qui tronque les têtes
sur le bord supérieur était voulu.
   Cette aquarelle ne semble pas avoir été
gravée. Cependant, un album d'estampes
exécutées par Bonington ou d'après ses œuvres,
rassemblées pour le duc d'Orléans (New York,
Pierpont Morgan Library), contient
l'exemplaire unique d'une lithographie de
J.D. Harding qui n'est répertoriée nulle part et
reproduit les deux personnages en armure.
Il s'agit peut-être d'une vignette éliminée de
sa série de copies de Bonington publiée en 1829.

161

L'INSTITUT À PARIS,   vers 1828
Mine de plomb, sanguine et craie avec rehauts
de gouache blanche et lavis gris sur papier
bleu-gris, 35,8 × 26,2

Provenance : vente Bonington, 1829, n° 51
(*View of the Ecole des Arts, Paris, in pencil and chalk,
very spirited*), acheté par Colnaghi ; E. Martin ;
Fine Arts Society, 1968 ; acheté à cette dernière
par la Cecil Higgins Art Gallery

Bedford, Cecil Higgins Art Gallery

162

L'INSTITUT À PARIS,   vers 1828
Mine de plomb, aquarelle et gouache avec
grattages, 24,7 × 20,1

Provenance : vraisemblablement vente Bonington,
1834, n° 117 (*View of the Institute at Paris, with
figures — a capital drawing*), acheté par
Colnaghi ; George Salting ; légué par ce dernier
au British Museum en 1910

Exposition : Nottingham 1965, n° 227, pl. 18

Bibliographie : Dubuisson et Hughes, repr. en
face de la p. 84 ; Shirley, p. 113, pl. 134 ;
Pointon, *Circle*, p. 86 (où l'œuvre est située vers
1825)

Londres, British Museum (1910-2-12-224)

Après avoir renoncé à son projet d'excursion
en Normandie avec Paul Huet et Eugène Isabey
en juin pour des raisons de santé, Bonington
travailla durant les deux derniers mois de sa vie
dans une voiture de louage, afin de dessiner des
vues de Paris sans être dérangé par les passants.
Il n'y a aucune raison de mettre en doute cette
information, puisque Delacroix la tenait de
Thoré[1]. En tout cas, Bonington avait gardé
la pleine maîtrise de ses moyens artistiques,
comme le prouvent ces deux œuvres et celles
qui suivent.

On a inutilement contesté l'attribution du
n° 161[2]. C'est l'un des plus beaux dessins
topographiques de Bonington, pour lequel
Colnaghi débaursa la somme relativement
exorbitante de vingt-six livres en 1829. En
outre, c'est de toute évidence l'étude qui a
servi de point de départ pour l'aquarelle n° 162.
Les deux compositions présentent la même
bizarrerie : l'absence du pont des Arts, le
premier pont métallique construit sur la Seine.
Cet ouvrage conçu par l'ingénieur Villon était
pratiquement achevé au début de 1818, et sa
nouveauté lui valait une place de choix dans
les guides illustrés de Paris confectionnés à
l'époque[3], mais aussi dans d'autres peintures
de Bonington. Apparemment, l'artiste a estimé
que le pont pourrait perturber l'agencement
de sa composition. Thomas Shotter Boys, son
compagnon de toutes les heures durant cette
période, a exécuté des vues du même site qui

sont plus exactes, quoique plus banales.
La plus ancienne, datée de 1829, est réalisée sur
le même papier que le n° 161. Le panorama y est
élargi sur la gauche, mais on y retrouve
certains éléments de composition employés par
Bonington dans son dessin[4]. Une version à
l'aquarelle conservée à New Haven (Yale Center
for British Art), datée de 1830, comporte un
premier plan plus original, intégré à la même
composition verticale[5].

Dubuisson a reproduit un croquis au crayon
en rapport avec ces œuvres[6], dont une copie
anonyme, souvent attribuée par erreur à
Bonington, est conservée à Paris, au musée
Carnavalet[7].

1. Thoré, 1867, p. 4.
2. Lettre de Marion Spencer classée dans les archives du
British Museum.
3. Voir, par exemple, les deux planches illustrant le
French Scenery de Robert Batty (Londres, 1821) et la
gravure publiée dans le *Picturesque Tour of the River Seine*
de Frederick Nash (Londres, 1821).
4. Londres, Christie's, vente du 8 juillet 1986, n° 151.
5. *English Drawings and Watercolors in the Collection of Mr.
and Mrs. Paul Mellon*, New York, Pierpont Morgan
Library, 1972, fig. 127.
6. Dubuisson 1909, p. 391.
7. *Dessins parisiens des XIXᵉ et XXᵉ siècles*, Paris, musée
Carnavalet, 1976, n° 5 ; BFAC 1937, n° 96.

163

LE PONT DES ARTS ET L'ÎLE DE LA CITÉ VUS DU
QUAI DU LOUVRE,   vers 1824
Pierre noire, sanguine, craie bistre et aquarelle
sur papier vélin bleu-gris, 35,5 × 50,7

Inscription à l'encre sur une étiquette ancienne :
Bonington/Paris — the last production of Bonington.
Filigrane : *BE&S /1815*

Provenance : vente Bonington, 1829, n° 201
(*View of Paris, the last production of Bonington*),
acheté par Seguier ; William Seguier (mort en
1843)[1] ; Richard Dawson ; J. Leslie Wright ;
transmis par héritage à Mme Williamson ; offert
par cette dernière au Birmingham Museum en
1954

Birmingham, Birmingham Museum and Art
Gallery

Cette étude fut sans doute réalisée le même jour
que celle de l'Institut (n° 161), et servit
également de point de départ pour une aquarelle
datée de 1828[2]. Dans les deux versions, l'artiste
a représenté les tours de Notre-Dame plus
hautes qu'elles ne le sont en fait.

D'après certains indices, on peut penser que
Bonington a reçu une commande d'une série de
vues de Paris destinées à êtres gravées[3]. On ne
sait pas exactement si ce projet était destiné à
concurrencer les *Picturesque Views of Paris and its
Environs* (1802–1803) de Thomas Girtin. En
tout cas, il y a quelque chose de profondément
émouvant dans le fait que deux des plus grands
aquarellistes britanniques aient consacré la fin
de leur courte carrière à une transcription des
paysages urbains de la capitale française.

Bonington avait une prédilection pour le
motif du pont des Arts et de l'île de la Cité.
D'autres aquarelles sur le même thème
figuraient dans les ventes d'atelier.
Une deuxième composition panoramique,
correspondant à une vue prise de derrière le
Pont-Royal, est connue par plusieurs copies,
dont une lithographie de Harding (*Works*, 1830)
et une aquarelle de Thomas Shotter Boys (New
Haven, Yale Center for British Art)[4]. Une
esquisse au crayon de William Callow (Londres,
Victoria and Albert Museum), représentant à
peu près la même vue que le dessin reproduit
ici, inspira à Boys plusieurs variantes à
l'aquarelle[5].

L'inscription d'origine portée sur cette étude
et le bref commentaire du catalogue de la vente
d'atelier de 1829 affirment que c'est le «dernier
ouvrage» de Bonington. Elles sont contredites
par l'indication portée au dos de *Au pied de la
falaise* (n° 165).

1. Cette œuvre n'est pas mentionnée parmi les dessins
de Bonington dans le catalogue de la vente Seguier,
Londres, Christie's, 2 mai 1844, n°^os 485–486.
2. Collection particulière ; reproduite dans Roundell,
Boys, pl. 24.
3. Delacroix, *Correspondance*, t. IV, p. 288.
4. C. White, *English Landscape 1630–1850*, New Haven,
Yale Center for British Art, 1977, pl. 37, avec une
attribution à Bonington.
5. Londres, Sotheby's, vente du 28 novembre 1974,
n° 76, daté de 1831, et Paris, Institut néerlandais,
fondation Custodia, collection Fritz Lugt, daté de 1833.

THOMAS SHOTTER BOYS (1803–1874)
LE PONT DES ARTS À PARIS, vers 1830
Mine de plomb et aquarelle, 16,8 × 33,5

Inscription à la mine de plomb, en bas au milieu
et en haut à droite : *Pont des Arts. Paris*

Provenance : Robinson & Foster ; L.G. Duke ;
Bernard Squire ; Sir Michael Sadler ; Agnew's ;
L.G. Duke ; acheté à ce dernier par Paul Mellon
en 1961

Exposition : BFAC 1937, nᵒ 137

Bibliographie : Roundell, *Boys*, pl. 12

New Haven, Yale Center for British Art,
collection Paul Mellon (B1977.14.4938)

En 1817, Thomas Shotter Boys entra en apprentissage pour sept ans chez le graveur George Cooke. Parmi ses premières estampes connues, on peut citer l'eau-forte d'une amphore de la collection du baron Denon (datée de 1823) et celle de la prison de l'Abbaye à Paris (datée de 1824)[1]. Dans les années 1820, Paris était la Mecque des graveurs formés en Angleterre, et beaucoup venaient s'y installer. On ne sait pas exactement à quel moment Boys est arrivé à Paris et a fait connaissance avec Bonington. On suppose généralement que la rencontre des deux artistes eut lieu avant 1825 et que Boys présenta Bonington à la famille Cooke. Cependant, il existe une hypothèse plus plausible : des professionnels aussi confirmés qu'Abraham Raimbach et Samuel Prout pourraient avoir mis Bonington en relation avec les Cooke et, par l'intermédiaire de ces derniers, avec Boys. Les premiers documents attestant leur amitié datent seulement de la seconde moitié de 1826. Il s'agit d'une aquarelle que Bonington peignit dans son atelier de la rue des Martyrs pour montrer la technique à Boys et d'une note invitant Boys à une soirée, également rue des Martyrs, en l'honneur de monsieur Auguste[2]. Durant les deux dernières années de la vie de Bonington, Boys devint son ami anglais le plus intime.

En novembre 1827, Boys fit ses débuts au Salon avec trois reproductions gravées, dont une eau-forte d'après Joseph Vernet. Vers la même époque, l'éditeur McQueen publia à Londres une gravure de Boys d'après *Céphale et Procris* de Claude Lorrain (Londres, National Gallery), et l'artiste semblait bien décidé à poursuivre sa carrière dans ce domaine. Mais dès cette année-là, l'influence de Bonington l'orienta vers les aquarelles topographiques[3]. Malgré les démentis ultérieurs de son élève William Callow, Boys étudia bel et bien auprès de Bonington, comme

le prouvent ses multiples variations sur des thèmes de son ami et ses emprunts stylistiques évidents. Réciproquement, Boys semble avoir appris la technique de l'eau-forte à Bonington et peut-être à Paul Huet, au cours de l'été 1828. Cette occupation sédentaire était destinée à fournir une activité intellectuelle à l'artiste obligé de garder la chambre. L'unique planche qui témoigne de cette collaboration est la copie d'une aquarelle de Bonington montrant une vue de Bologne (Londres, Wallace Collection)[4].

L'aquarelle reproduite ici est une étude de plein air qui annonce avec plusieurs années d'avance le style de maturité de Boys, élaboré vers 1832–1833, et son souci de restituer le paysage parisien dans toute sa vérité. Il put satisfaire cette exigence grâce à la publication des *Picturesque Architecture in Paris, Ghent, Antwerp, Rouen, etc.*, un ensemble de chromolithographies exécutées avec un savoir-faire hors pair.

1. Von Groschwitz, *Boys*, nᵒ 2, et Roundell, *Boys*, p. 19. Sa toute première estampe connue est une gravure d'après le portrait du poète Thomas Moore par W.T. Fry ; Boys la publia le 1ᵉʳ novembre 1822.
2. Paris, Bibliothèque d'art et d'archéologie, fondation Doucet.
3. L'aquarelle de *La tour Alexandre à Paris*, datée de 1827 (Paris, musée Carnavalet, D5871), pour ne citer que cet exemple.
4. D'après les notes manuscrites du baron Triqueti, seulement deux tirages de cette planche inachevée furent réalisés du vivant de Bonington. Boys en offrit une à Triqueti (Londres, British Museum). La plaque ayant été trop superficiellement gravée pour permettre une édition correcte, Colnaghi demanda à Boys d'inciser plus profondément chaque ligne et d'ajouter un ciel avant la publication, le 15 octobre 1828. Selon Triqueti, cette intervention effaça totalement « la légèreté, l'air, l'immuable pureté de la pointe de Bonington ». Une autre eau-forte du marché de Bologne (Curtis 69), d'après l'aquarelle de Bonington (nᵒ 101), est sans doute aussi une œuvre de Boys.

AU PIED DE LA FALAISE, 1828
Mine de plomb et aquarelle avec grattages,
13 × 21,6

Signé et daté en bas à gauche : *R P B 28*. Au
verso, une inscription à l'encre, de la main de
Mme Bonington : *August 6th and 7 th 1828. The
last drawing made by our son about prior to his fatal
dissolution. Never to be parted with. E. Bonington*

Provenance : vente Bonington, 1836, n° 49
(*A Coast View at Sunset, the last drawing made by
Bonington*), non adjugé, et vente Bonington,
1838, n° 54 (*Coast Scene with Smugglers*), acheté
par Austen ; Sara Austen (?) ; Charles Frederick
Huth (Londres, Christie's, vente du 6 juillet
1895, n° 128), acheté par Vokins ; Stephen
Holland (Londres, Christie's, vente du 25 juin
1908, n° 104), acheté par Agnew's ; William
Lowe (vente de juin 1824, n° 4), acheté par
Reinecker ; Victor Reinecker ; offert par ce
dernier au Castle Museum en 1928

Expositions : Londres, Cosmorama Rooms, 209
Regent Street, 1834, n° 109 ; Nottingham 1965,
n° 232

Bibliographie : Shirley, p. 70 et 117

Nottingham, Castle Museum and Art Gallery
(28–171)

La falaise représentée ici est située à la sortie
de Dieppe, qui fut un célèbre repaire de pirates
et contrebandiers du temps de Napoléon.
La composition est une réminiscence de la *Vue
de la côte picarde ; soleil couchant* (Londres, Wallace
Collection), dont on a conservé des études
préparatoires au crayon exécutées vers 1824
et plus tard[1].

Un dessin représentant le *Pont des Arts et l'île
de la Cité vus du quai du Louvre* (n° 163) était
présenté dans le catalogue de la vente d'atelier
de 1829 comme le « dernier ouvrage » de
Bonington, mais on accordera plus de crédit à la
déclaration solennelle notée au dos de cette
aquarelle par Eleanor Bonington, disant que ce
fut la toute dernière œuvre sur papier de son
fils. Le catalogue de la vente de 1838 indique
que les personnages sont des contrebandiers.
Cette information est confirmée par l'attitude
des marins qui attendent l'arrivée d'un navire
dans un abri sûr, avec leurs mulets et chariots
chargés. Ces activités étaient courantes de
part et d'autre de la Manche. N'oublions pas
que l'industrie de la dentelle, que le père de
Bonington a contribué à lancer à Calais, a
dû son essor à l'importation clandestine de
matériels britanniques.

Les marines possédant une composante
narrative sont rares dans l'œuvre de Bonington.
Elles se limitent à une lithographie montrant le
dispositif de sauvetage des naufragés mis au
point par le capitaine Manby et à une aquarelle
perdue, *Le pêcheur noyé*[2]. Ici, le coloris revêt un
aspect tristement prémonitoire. À la fin du mois
de juillet, l'artiste avait tout juste la force

d'écrire lui-même ses lettres, et l'on est tenté
de voir un autoportrait dans le personnage
solitaire accroupi sur la gauche. On admire aussi
le courage incroyable de l'artiste, obligé de
consacrer deux jours de travail à un dessin qui
ne lui aurait demandé qu'une heure en temps
normal.

Les parents de Bonington, désespérés,
décidèrent vers la fin août de consulter un
spécialiste londonien, John St. John Long, qui
avait passé dans les journaux des annonces pour
des remèdes contre diverses maladies
pulmonaires. Le 6 septembre, Eleanor
Bonington écrivait : « Seul le Très-Haut peut le
sauver par des moyens que mérite peut-être une
aussi bonne âme. [...] Nous redoutons même
de ne pouvoir accomplir l'objet de notre voyage.
Nous avons le cœur brisé[3]. » Quinze jours après
leur arrivée, Richard Parkes Bonington mourut
paisiblement, entouré d'amis anglais.

1. Marion Spencer signale par erreur la présence d'une
étude préparatoire à Nottingham. Une copie du n° 165,
exécutée par le père de Bonington, figurait sous le n° 95
dans la vente d'atelier de 1838.
2. Gravée par W.J. Cooke pour *The Amulet*, en 1836.
Cette planche indique la date de l'original : 1824. Des
compositions au crayon analogues, datant de 1824, sont
conservées à Paris, à la Bibliothèque nationale.
3. Dubuisson et Hughes, p. 82.

Bibliographie abrégéé

Abbey, *Travels*
Abbey J.R., *Travels in Aquatint and Lithography*, 1770–1860, 2 vol., Londres, 1956.

Agnew's 1962
Pictures, Watercolours and Drawings by R.P. Bonington, Londres, T. Agnew and Sons, 1962.

Baudelaire, *Salons*
Charles Baudelaire, Œuvres complètes, éd. C. Pichois et J. Ziegler, 2 vol., Paris, 1976.

BFAC 1937
R.P. Bonington and His Circle, Londres, Burlington Fine Arts Club, 1937.

BN Bonington Dossier
Bibliothèque nationale, Paris, Cabinet des dessins, réserve, fichier de documentation.

Bonington, vente 1829
Catalogue of the Pictures, Original Sketches, and Drawings of the late much admired and lamented artist, R.P. Bonington, Sotheby and Son, Londres, 29–30 juin 1829.

Bonington, vente 1834
A Catalogue of the Collection of Exquisite Pictures, Water-Colours, Drawings, and Sketches of that celebrated painter, the late Richard P. Bonington, Collected by, and the Property of, his Father, Messrs. Christie and Manson, Londres, 23–24 mai 1834.

Bonington, vente 1836
Vente à *Foster's*, Londres, 6 mai 1836, après la mort de Richard Bonington, le contenu de la vente est reproduit in Shirley, p.132–34.

Bonington, vente 1838
Catalogue of a Collection of Original Sketches, in pen and ink, and pencil, Highly Finished Drawings, in water colours and sepia, and Cabinet Pictures, of that much admired and lamented Artist, R.P. Bonington, the property of the late Mr. Bonington, Sen. Leigh Sotheby, Londres, 10 février 1838.

Bonington Sr., vente 1838
Catalogue of a Miscellaneous Collection of Engravings, including those of the late, Mr. Richard Bonington, Leigh Sotheby, Londres, 24 février 1838.

Bouvenne
Bouvenne A., *Catalogue de l'œuvre gravé et lithographié de R.P. Bonington*, Paris, 1873.

Brantôme, *Œuvres complètes*
Œuvres complètes du Seigneur de Brantôme, 7 vol., éd. L.-J.-N. Mommerqué, Paris, 1822.

Butlin et Joll, *Turner*
Butlin Martin et Joll Evelyn, *The Paintings of J.M.W. Turner*, 2 vol., Londres et New Haven, 1984.

Calais, *Francia*
Le Nouëne Patrick *et al.*, *Louis Francia, 1772–1839*, Calais, musée des Beaux-Arts, 1988–1989.

Chesneau, *Petits romantiques*
Chesneau Ernest, *Peintres et statuaires romantiques*, Paris, 1880, chapitre 2.

Collins, *Life*
Collins Wilkie, *The Life of William Collins, Esq., RA.*, 2 vol., Londres, 1848.

Cormack, *Bonington*
Cormack Malcolm, *Richard Parkes Bonington*, Oxford, Phaidon, 1989.

Cormack, *Review*
Cormack Malcolm, « The Bonington Exhibition», *Master Drawings*, 3, 1965, p. 286–289.

Coupin, *Salon de 1824*
Coupin P.-A., «Notice sur l'exposition des tableaux en 1824», *Revue encyclopédique*, n°23, juillet-septembre 1824, p. 551–560 ; n°24, octobre-décembre 1824, p. 18–40, p. 289–304 et p. 589–605 ; n°25, janvier-mars 1825, p. 310–335.

Cunningham, *Lives*
Cunningham Allan, «Richard Parkes Bonington», *The Lives of the Most Eminent British Painters and Sculptors*, New York, 1834, t. 4, p. 245–258. Originally published in London in 1832.

Cunningham, *Wilkie*
Cunningham Allan, *The Life of Sir David Wilkie*, 3 vol., Londres, 1843.

Curtis
Curtis Atherton, *Catalogue de l'œuvre lithographié et gravé de R.P. Bonington*, Paris, 1939.

Curtis, *Isabey*
Curtis Atherton, *Catalogue de l'œuvre lithographié de Eugène Isabey*, Paris, s.d.

Delacroix 1930
Eugène Delacroix, centenaire du romantisme, Paris, musée du Louvre, 1930.

Delacroix, *Correspondance*
Correspondance générale d'Eugène Delacroix, 5 vol., éd. André Joubin, Paris, 1935–1938.

Delacroix, *Journal*
Journal de Eugène Delacroix, 3 vol., éd. Paul Flat et René Piot, Paris, 1893.

Delécluze, *Journal*
Journal de Delécluze, 1824–1828, éd. Robert Baschet, Paris, 1948.

Delécluze, *Salon de 1824*
Delécluze Etienne-Jean, «Exposition du Louvre 1824», *Journal des débats*, Paris, 26 articles du 1 septembre 1824 au 19 janvier 1825.

Delteil, *Delacroix et Huet*
Delteil Löys, *Le Peintre-Graveur illustré au XIXe et XXe Siècles*, Paris, 1906–1930, *Ingres et Delacroix*, vol. 3 ; *Paul Huet*, vol. 7.

Dubuisson 1909
Dubuisson A, «Richard Parkes Bonington», *La Revue de l'Art ancien et moderne*, n°26, juillet-décembre 1909, p. 81–97, p. 197–214 et 375–392.

Dubuisson 1912
Dubuisson A., «Influence de Bonington et de l'école anglaise sur la peinture de paysage en France», *The Walpole Society*, 2, 1912–1913, p. 111–126.

Dubuisson et Hughes
Dubuisson A. et Hughes C.E., *Richard Parkes Bonington, His Life and Work*, Londres, 1924.

Edwards 1937
Edwards Ralph, «Richards Parkes Bonington and His Circle», *Burlington Magazine*, juillet 1937, p. 35.

Eitner, *Géricault*
Eitner Lorenz E. A., *Géricault, His Life and Work*, Londres, 1983 (éd. fr. revue et mise à jour, Paris, 1991)

Fry 1927
Fry Roger, «Bonington and French Art», *Burlington Magazine*, décembre 1927, p. 268–274.

Gautier, *Italie*
Gautier Théophile, *Italie*, Paris, 1852.

Gobin, *Bonington*
Gobin Maurice, *R.P. Bonington*, Paris, 1943.

von Groschwitz, *Boys*
Groschwitz Gustave von, « The Prints of Thomas Shotter Boys », *in* Carl Ziggrosser éd., *Prints*, New York, 1962, p. 191–215.

Harding, *Works*
Harding James Duffield, *A Series of Subjects from the Works of the Late R.P. Bonington*, Londres, 1829–1830.

Hazlitt, *Complete Works*
The Complete Works of William Hazlitt, 21 vol., éd. P.P. Howe, Londres, 1930–1934.

Hazlitt, *Notes*
Hazlitt William, *Notes of the Journey through France and Italy*, Londres, 1826. Vol. 10 des *Complete Works*.

Hegel, *Esthétique*
Hegel Friedrick, *Esthétique*, Paris, Aubier, 1944.

Honour, *Romanticism*
Honour Hugh, *Romanticism*, Londres, 1979.

Huet, *Huet*
Paul Huet (1803–1869) d'après ses notes, sa correspondance, ses contemporains, éd. René Paul Huet, Paris, 1911.

Hughes, *Notes*
Hughes C.E., «Notes on Bonington's Parents», *The Walpole Society*, 3, 1914, p. 99–112.

Hugo, *Cromwell*
Hugo Victor, *Préface de Cromwell*, Paris, Librairie Larousse, 1972.

Hugo, *Œuvres complètes*
Victor Hugo: Œuvres complètes, 18 vol., éd. dirigée par Jean Massin, Paris, Le Club Français du Livre, 1967–1970.

Ingamells, *Catalogue*
Ingamells John, *The Wallace Collection Catalogue of Pictures*, vol. 1 : *British, German, Italian, Spanish*, vol. 2 : *French 19th Century*, Londres, 1985.

Ingamells, *Bonington*
Ingamells John, *Wallace Collection Monographs : Richard Parkes Bonington*, Londres, 1979.

Jacquemart-André 1966
Bonington, un romantique anglais à Paris, Paris, musée Jacquemart-André, 1966.

Jal, *Bonington*
Jal Auguste, «Bonington, peintre de Genre», *Le Globe*, 5 octobre 1828,

p. 745–746. Publication révisée dans *Le Keepsake français*, Paris, 1831, p. 280–284.

Jal, *Salon de 1824*
Jal Auguste, *L'Artiste et le philosophe, entretiens critiques sur le Salon de 1824*, Paris, 1824.

Jal, *Salon de 1828*
Jal Auguste, *Esquisses, croquis, pochades ou tout ce qu'on voudra, sur le Salon de 1827*, Paris, 1828.

Johnson, *Delacroix*
Johnson Lee, *The Paintings of Eugène Delacroix, A Critical Catalogue*, 6 vol., Oxford, 1981–1989.

Johnson, *Review*
Johnson Lee, « Bonington at Nottingham », *Burlington Magazine*, juin 1965, p. 318–320.

Knight, *Principles*
Knight Richard Payne, *An Analytical Inquiry into the Principles of Taste*, Londres, 1805.

Lockett, *Prout*
Lockett Richard, *Samuel Prout (1783–1852)*, Londres, Victoria and Albert Museum, 1985.

Mantz, *Bonington*
Mantz Paul, « Bonington », *Gazette des Beaux-Arts*, octobre 1876, p. 288–306.

Marie, *Monnier*
Marie Aristide, *Henry Monnier (1799–1877)*, Genève, Slatkine Reprints, 1983.

D. Messum 1980
Les Jeunes Romantiques, Beaconsfiel, David Messum Gallery, 1980.

Miller, *Bowood*
Miller James, *The Catalogue of Paintings at Bowood House*, publication privée, 1982.

Miquel, *Art et argent*
Miquel Pierre, *Art et argent, 1800–1900*, Maurs-la-Jolie, 1987.

Miquel, *Huet*, 1965
Miquel Pierre, *Paul Huet*, Rouen, musée des Beaux-Arts, 1965.

Miquel, *Isabey*
Miquel Pierre, *Eugène Isabey, 1803–1886, la marine au XIXᵉ siècle*, 2 vol., Maurs-la-Jolie, 1980.

Miquel, *Paysage*
Miquel Pierre, *Le Paysage français au XIXᵉ siècle, 1824–1874*, 3 vol., Maurs-la-Jolie, 1975.

Noon 1981
Noon Patrick, « Bonington and Boys, some unpublished documents at Yale », *Burlington Magazine*, mai 1981, p. 294–300.

Noon 1986
Noon Patrick, « Richard Parkes Bonington, *A Fishmarket, Boulogne* », *in Essays in Honor of Paul Mellon*, Washington, D.C., National Gallery of Art, 1986, p. 239–254.

Noon, *Review*
Noon Patrick, « Review of Carlos Peacock, *Richard Parkes Bonington*, and John Ingamells, *Richard Parkes Bonington* », *Drawings*, juillet-août 1981, p. 39–41.

Nottingham 1965
R.P. Bonington, 1802–1828, Nottingham, Castle Museum and Art Gallery, 1965, catalogue de l'exposition par Marion Spencer.

Oppé, *Review*
Oppé Paul, « Review of A. Shirley, *Richard Parkes Bonington* », *Burlington Magazine*, septembre 1941, p. 99–101.

Peacock
Peacock Carlos, *Richard Parkes Bonington*, New York, 1980.

Pichot, *Tour*
Pichot Amédée, *Historical and Literary Tour of a Foreigner in England and Scotland*, 2 vol., Londres, 1825.

Piron, *Delacroix*
Piron A. *Eugène Delacroix, sa vie et ses œuvres*, Paris, 1865.

Planche, *Salon 1831 et Salon 1833*
Planche Gustave, *Etudes sur l'école française*, Paris, 1855, t. I, p. 7–231.

Pointon 1986
Pointon Marcia, « Vous êtes roi dans votre domaine : Bonington as a painter of Troubadour subjects », *Burlington Magazine*, janvier 1986, p. 10–13.

Pointon, *Bonington*
Pointon Marcia, *Bonington, Francia & Wyld*. Londres, Victoria and Albert Museum, 1985.

Pointon, *Circle*
Pointon Marcia, *The Bonington Circle*, Brighton, 1985.

Race, *Notes*
Race Sydney, *Notes on the Boningtons, Richard Bonington the Elder (1730–1803), Richard Bonington the Younger (1768–1835), Richard Parkes Bonington (1801–1828)*, Nottingham, 1950.

Raimbach, *Memoirs*
Memoirs and Recollections of the late Abraham Raimbach, Esq. éd. M.T.S. Raimbach, Londres, 1843.

Robaut, *Delacroix*
Robaut Alfred, *L'œuvre complet de Eugène Delacroix*, Paris, 1884.

Roberts, BN Bonington Dossier
Roberts James, « Bonington's Biography », notes manuscrites à la Bibliothèque Nationale, Paris, Cabinet des dessins, réserve, fichier de documentation.

Rosenthal, *Auguste*
Rosenthal Donald, *Jules-Robert Auguste and the Early Romantic Circle*, Ph.D. dissertation, Columbia University, 1978.

Rosenthal, *Peinture romantique*
Rosenthal Léon, *La Peinture romantique*, Paris, s.d.

Roundell, *Boys*
Roundell James, *Thomas Shotter Boys, 1803–1874*, Londres, 1974.

Ruskin, *Works*
The Works of John Ruskin, 39 vol., éd. E.T. Cook and Alexander Wedderburn, Londres, 1903–1912.

Sérullaz, *Delacroix*
Sérullaz Maurice, en collaboration avec Arlette Sérullaz, Louis-Antoine Prat et Claudine Ganeval, *Inventaire général des dessins. École française, dessins d'Eugène Delacroix, 1798–1863*, 2 vol., Paris, Musée du Louvre, Cabinet des dessins, 1984.

Shirley, *Bonington*
Shirley The Hon. Andrew, *Bonington*, Londres, 1940

Smith, *Francia*
Smith Colin Shaw Jr., *From Francia to Delacroix : The English Influence on French Romantic Landscape Painting*, Ph. D. dissertation, University of North Carolina, Chapel Hill, 1982.

Spencer, *Bonington*
Spencer Marion, *R.P. Bonington, 1802–1828*, Nottingham, Castle Museum and Art Gallery, 1965.

Stendhal, *Mélanges*
Beyle Henri dit Stendhal, « Salon de 1824 », 17 articles publiés dans *Le Constitutionnel* entre le 29 août et le 24 décembre 1824 et « Des Beaux-Arts et du caractère français », *La Revue trimestrielle*, juillet-octobre 1828, réédités dans *Mélanges d'art et de littérature*, Paris, 1867.

Thoré 1867
Thoré Théophile (W. Burger), « R.P. Bonington », *in* Charles Blanc, *Histoire des peintres de toutes les écoles, école anglaise*, Paris, 1867, p. 1–14.

Toronto, *Delacroix*
Johnson Lee, *Delacroix*, Toronto, Art Gallery of Ontario et Ottawa, National Gallery of Canada, 1962–63.

Valéry, *Voyages*
Valéry Antoine (Antoine Pasquin), *Historical, Literary and Artistical travels in Italy*, trad. C.E. Clifton, Paris, 1839. *Voyages historiques et littéraires en Italie, pendant les années 1826, 1827, et 1828*, 5 vol., Paris, 1831 (éd. originale)

Vigny, *Cinq-Mars*
Vigny Alfred de, *Cinq-Mars ou une conjuration sous Louis XIII*, 2e éd. avec préface, Paris, 1827.

Waagen 1838
Waagen G.F., *Works of Art and Artists in England*, 3 vol., Londres, 1838

Waagen 1854–1857
Waagen G.F., *Treasures of Art in Great Britain*, 3 vol. Londres, 1854 ; volume supplémentaire : *Galleries and Cabinets of Art in Great Britain*, Londres, 1857.

Walker, *Regency Portraits*
Walker Richard, *Regency Portraits*, 2 vol., Londres, National Portrait Gallery, 1985.

Turner, *Wilton*
Wilton Andrew, *J.M.W. Turner, His Art and Life*, New York, 1979.

Wright and Joannides
Wright Beth S. et Joannides Paul, « Les romans historiques de Sir Walter Scott et la peinture française, 1822–1863 », *Bulletin de la Société de l'histoire de l'art français*, 1982, p. 119–132 ; 1983, p. 95–115.

Bibliographie complémentaire

Anonyme, *Notice des tableaux exposés dans la galerie du Musée Royal*, Paris, 1823.

Anonyme, «Biography : R.P. Bonington», *The Literary Gazette et le Journal des Belles Lettres*, 27 septembre 1828, p. 619–620.

Anonyme, «Bonington», *Journal des débats*, 28 septembre 1828, p. 3.

Anonyme, «Artists and Dealers. Letter to the Editor», *Library of the Fine Arts*, I, février 1831, p. 58–61.

Anonyme, «Exhibition of the Society of Painters in Watercolours», *Library of the Fine Arts*, I, juillet 1831, p. 507–516.

Anonyme, «Memoir of Richard Parkes Bonington», *Library of the Fine Arts*, 3, mars 1832, p. 201–209.

Anonyme, «Bonington Exhibition», *Morning Chronicle*, 21 février 1834.

Anonyme, «On the Genius of Bonington and His Works», *Arnold's Magazine of the Fine Arts*, I, mai 1833, p. 29–34 et I, juin 1833, p. 144–151.

Anonyme, «Bonington et ses émules», *Revue britannique*, juillet 1833, p. 159–167.

Anonyme, «Les aquarellistes anglais», *L'Artiste*, 1857, p. 304.

Adhémar Jean, «Les lithographies de paysages en France à l'époque romantique», *Archives de l'art français*, n°19, 1935–1937, p. 193–364.

Athanassoglou-Kallmyer Nina, «Of Suliots, Arnauts, Albanians and Eugène Delacroix», *Burlington Magazine*, août 1983, p. 487–491.

Bann Stephen, *The Clothing of Clio*, Cambridge, 1984.

Bayard Jane, *Works of Splendor and Imagination : The Exhibition Watercolor 1770–1870*, New Haven, Yale Center for British Art, 1981.

Beckett R.B. éd., *John Constable's Correspondence IV*, Suffolk, 1966.

Benesch Otto, «Bonington and Delacroix», *Muncheuer Jahrbuch*, 2, 1925, p. 91–98.

Béranger P.-J., *Œuvres complètes*, 4 vol., Paris, 1834.

Bisson L.A., *Amédée Pichot, A Romantic Prometheus*, Oxford, s.d.

Brejon de Lavergnée Arnauld *et al.*, *Catalogue sommaire illustré des peintures du musée du Louvre*, 5 vol., Paris, 1979–1986.

Brigstocke Hugh, *William Buchanan and the 19th Century Art Trade, 100 Letters to His Agents in London and Italy*, Londres, Paul Mellon Centre for Studies in British Art, 1982.

Bromwich David, *Hazlitt, the mind of a critic*, Oxford, 1983.

Chaudonneret Marie-Claude, *La Peinture troubadour*, Paris, 1980.

Chauvin A., *Salon de Mil Nuit Cent Vingt-Quatre*, Paris, 1824.

Cherbourg, musée des Beaux-Arts, *Bonington, les débuts du romantisme en Angleterre et en Normandie*, 1966.

Cooper Douglas, «Bonington and Quentin Durward», *Burlington Magazine*, mai 1946, p. 112–117.

Corbin Alain, *Le Territoire du vide*, Paris, 1988.

Cotman John Sell et Dawson Turner, *Architectural Antiquities of Normandy*, Londres, 1822.

Delécluze Etienne-Jean, *Souvenirs de soixante années*, Paris, 1862.

Delestre J.-B., *Gros et ses ouvrages ou mémoires historiques sur la vie et les travaux de ce célèbre artiste*, Paris, 1845.

Delestre J.-B., *Gros, sa vie et ses ouvrages*, Paris, 1867.

Dorbec Prosper, «Les paysagistes anglais en France», *Gazette des Beaux-Arts*, octobre 1912, p. 257–281.

Doy Guinervere, «Delacroix et Faust», *Nouvelles de l'estampe*, mai 1975, p. 18–23.

Du Sommerard Alexandre, *Les arts au Moyen-Age*, 10 vol., Paris, 1838–1846.

Ewals Léo, *Ary Scheffer, 1795–1858*, Paris, Institut néerlandais, 1980.

Foisy-Aufrère Marie-Pierre, *La Jeanne d'Arc de Paul Delaroche*, Rouen, musée des Beaux-Arts, 1983.

Frantz Henri, «The Art of Richard Parkes Bonington», *Studio 33*, 1905, p. 99–111.

Gautier Théophile, *Les Beaux-Arts en Europe*, Paris, 1855.

Gautier Théophile, *Histoire du romantisme*, 2e éd. Paris, 1874.

Gautier Théophile, *Fusains et eaux-fortes*, Paris, 1880.

Gigoux Jean, *Causeries sur les artistes*, Paris, 1885.

Goodison J.W., *Catalogue of Paintings*, 3 vol., Cambridge, Fitzwilliam Museum, 1977.

Gowing Lawrence, *Painting from Nature*, Londres, Arts Council of Great Britain, 1981.

Hamerton P.G., «A Sketchbook by Bonington in the British Museum», *Portfolio*, 1881.

Haskell Francis, *Past and Present in Art and Taste*, New Haven and London, 1987.

Hovenkamp Jan Willem, *Mérimée et la couleur locale*, Nijmegen, 1928.

Huet H., «Critique d'art : peinture anglaise, paysage», *L'Art en Province*, 1835–1836, p. 119.

Huyghe René *et al.*, *Delacroix*, Paris, 1963.

Jameson Anna, *Companion to the Most Celebrated Private Galleries of Art in London*, Londres, 1844.

Joannides Paul, «Colin, Delacroix, Byron and the Greek War of Independence», *Burlington Magazine*, août 1983, p. 495–500.

Johnson Lee, «Eugène Delacroix et les Salons», *Revue du Louvre*, 1966, p. 217–218.

Johnson Lee, «Géricault and Delacroix seen by Cockerell», *Burlington Magazine*, septembre 1971, p. 547–551.

Johnson Lee, «Delacroix and *The Bride of Abydos*», *Burlington Magazine*, septembre 1972, p. 579–585.

Johnson Lee, «Some Historical Sketches by Delacroix», *Burlington Magazine*, octobre 1973, p. 672–676.

Johnson Lee, «A New Delacroix : *Henri III at the Death-Bed of Marie de Clèves*», *Burlington Magazine*, septembre 1976, p. 620–622.

Johnson Lee, «A New Delacroix : *Rebecca and the Wounded Ivanhoe*», *Burlington Magazine*, mai 1984, p. 280–281.

Josz Virgile, «Le centenaire de R.P. Bonington», *Mercure de France*, s.m. 39, 1901, p. 315–343.

Jouy Etienne, *L'Ermite en Province*, Paris, 1826.

Kemp Martin, «Scott and Delacroix, with some assistance from Hugo and Bonington», *Scott Bicentenary Essays*, Édimbourg, 1973, p . 213–227.

Labouchère P.-A. (PAL), «R.P. Bonington», *Notes and Queries*, 10 juin 1871, p. 502–503 ; 17 mai 1873, p. 399–400.

Lemoisne P.-A., *L'Œuvre d'Eugène Lami*, Paris, 1914.

Lesage Jean-Claude, *Peintures des côtes du Pas-de-Calais*, Amis du musée de la Marine d'Etaples-sur-mer, 1987.

Lloyd Rosemary éd., *Selected Letters of Charles Baudelaire, The Conquest of Solitude*. Chicago, 1986.

Lochnan Katherine A, «Les lithographies de Delacroix pour *Faust* et le théâtre anglais des années 1820», *Nouvelles de l'estampe*, juillet 1987, p. 6–13.

Lodge Susan, *French Artists Visiting England 1815–1830*, Ph.D. thesis, Londres University, 1966.

Long Basil, «The Salon of 1824», *Connoisseur*, février 1924, p. 66–76.

Mellors Robert, «Richard Parkes Bonington», *Transactions of the Thoronton Society*, 13, 1909, p. 41–54.

Nodier Charles, *Promenade de Dieppe aux montagnes d'Ecosse*, Paris, 1822.

Noël Alexis et Colin Alexandre, *Portraits d'acteurs*, Paris, 1825.

Pupil François, *Le Style troubadour*, Nancy, 1985.

Roger-Marx Claude, «Eugène Delacroix, his relationship with England and the English artists of his day», *Creative Art*, 8, janvier 1931, p. 36–41.

Rosen Charles et Zerner Henri, *Romanticism and Realism*, New York, 1984 [éd. fr. Paris, 1986]

Rosenberg Pierre *et al.*, *De David à Delacroix*, Paris, Galeries nationales du Grand Palais, Détroit, Detroit Institute of Arts, New York, Metropolitan Museum of Art, 1974–1975.

Rosenthal Donald, «Ingres, Géricault et Monsieur Auguste», *Burlington Magazine*, janvier 1982, p. 9–14.

Sainte-Beuve C.-A., *Nouveaux Lundis*, 3 vol., Paris, 1863.

Sainte-Beuve C.-A., «Paul Huet», *Portraits contemporains*, Paris, 1870, 2, p. 243–248.

Sandilands G.S., *Famous Water-Colour Painters IV—Richard Parkes Bonington*, Londres, The Studio, 1929.

Seznec Jean et Adhémar Jean, *Les Salons de Diderot*, 5 vol., Oxford, 1963.

Spencer Marion, *Richard Parkes Bonington (1802–1828)*, Ph.D. thesis, University of Nottingham, 1963.

Spencer Marion, «The Bonington Pictures in the Collection of the Fourth Marquess of Hertford», *Apollo*, juin 1965, p. 470–475.

Stokes Hugh, *Girtin and Bonington*, Londres, 1922.

Strong Roy, *And when did you last see your father ? The Victorian Painter and British History*, Londres, 1978.

Szeemann Harald, *Eugène Delacroix*, Zürich, 1987.

Tscherny Nadia, «An English Source for Delacroix's Liberty Leading the People», *Source*, été 1983, p. 9–13.

Wainwright Clive, *The Romantic Interior*, New Haven et Londres, 1989.

Wallis G.H., «Character of Bonington's Paintings», *Transactions of the Thoroton Society*, 13, 1909, p. 54–56.

Whitley William T., *Art in England 1821–1837*, Cambridge, 1930.

Willemin Nicholas-Xavier, *Monuments français inédits, pour servir à l'histoire des arts*, 2 vol., Paris, 1806.

Wisdom John Minor, *French Nineteenth Century Oil Studies : David to Degas*, Chapel Hill, 1978.

Index

N.B.: Les articles ont été rejetés après les titres d'œuvres